S.R.PHATAK
MATERIA
MEDICA

Materia Medica Of Homoeopathic Medicines

［ホメオパシー海外選書］
ファタックのマテリア・メディカ

S.R.ファタック 著

由井寅子 監訳

ホメオパシー出版

MATERIA MEDICA OF HOMOEOPATHIC MEDICINES
by DR.S.R.PHATAK
Second Revised & Enlarged Edition 1999
© Copyright with the Author
Published by Kuldeep Jain for B.Jain publishers(P.)Ltd.

まえがき

この本を書いた理由

　いろいろな著者のマテリア・メディカを読んだホメオパシーの学生ならば、あるマテリア・メディカに特定のレメディーの症状として載っているものが別のマテリア・メディカには載っていないことに気づいているはずである。Bogerはさまざまなマテリア・メディカから最重要な症状を選び出し、その著書『Synoptic Key』に掲載した。だが彼はこれらの症状を提示する一方、時には学生が行間を読む力がなければその隠れた意味を見落とすであろうと思われる言葉を使った。さらにBogerは、ほかの著者が示したたくさんの重要症状を割愛した。その実例を示すと、BoerickeはCausticumの欄に「術後の尿停留」を挙げているが、Bogerはこの症状を挙げていない。BogerはCarbo animalisの欄に「術後の腹部の膨張」を挙げているが、これは、ほかの著者の挙げていないものである。Kentのレパートリーでは上の２症状は言及されていない。だが私はこれらの２症状により、こういった苦痛な状態を見事取り除くチャンスを得たのである。Dr. Bogerは「金属の管を通して呼吸するかのような」という誰も提示していないルーブリック（見出し）をMerc. Cor.の項に入れている。さらに彼はこれを表題欄の総体的症状で「管、金属の－　Merc. Cor.」としている。その意味は自明である。もしある人物が現れ、排便や排尿、あるいは話す際に、それらの機能を管を通して行っているようだと言うならば、彼にはMerc. Cor.が合いそうであるということである。私は管を通してしゃべっている人に、このレメディーを与えたことがある。

　Bogerのマテリア・メディカとレパートリーは、十分に理解されたならば、たいていの症例に全く事足りるものである。だが、われわれは彼のような知性も、また眼識も持ち合わせていない。
　このマテリア・メディカを編纂するにあたって、Bogerの症状はすべて

採用した。彼のあらゆる紛らわしい言葉の意味を説明することで簡素化を試みたつもりである。また私は、(Dr. Bogerが示していない) 多くの有用な臨床症状とその他の症状をほかのマテリア・メディカから集め、ここに加えた。

マテリア・メディカは通例の形式をとった。総体的症状の欄にはレメディーの特徴的な像とともに作用部位、作用の仕方、治癒に導きそうな病気、原因を示した。それからレメディーの総体的な基調（モダリティー）を示し、その後に部分的症状とそれらの基調を続けた。

Bogerならば部位ではなくアルファベット順に並べた簡明なレパートリーを望んでいたと確信する。マテリア・メディカについてもまた簡潔で、各レメディーの持つあらゆる関連症状が同様に並んでいることを望んでいたであろう。彼は『Synoptic Key』の中にそのような本を編纂する手がかりを残している。私は自分の貧弱な知性と限られたホメオパシーの知識を携えて彼の願いを遂げようと試みた。その試みがどれほどの功を奏したかは時のみが教えてくれよう。

謝　辞

　友人のDr. (Miss) Homai Merchantが手書き原稿を不平の一つも言わず二度にわたりタイプアウトしてくれたことに、お礼を申し上げる。また私の息子であるDr. D. S. Phatakが全編にわたり幾度か校正してくれ、Mouj Printing Bureauにて印刷できるよう手配してくれたことにも、礼を述べたい。Datay氏が植字を、M. R. Sane氏が本書の構成を独力で担当してくれたことに、感謝を捧げる。

　読者諸氏には特に「初心者への手引き」および「索引（外科医のための薬剤）」を参照されたい。

　最後に、心臓病を患い老齢ながらも本書の完成をみられたのは、神が目をかけてくださったおかげであると、心からありがたく思う。私はできることは何であれ、なし終えた。有能な若いホメオパスたちに、この仕事をさらに引き継いでいってもらいたい。

1977年7月
S. R. Phatak

初心者への手引き

　マテリア・メディカとレパートリーとは、成功するホメオパシー診療の足元を支える双柱である。それらは互いに相補うもので、それ自体では何一つ完全ではない。

　マテリア・メディカを学ぶというのは延々と努力を続けることである。成功のための近道や楽な道はない。

　薬剤が友とならなくてはいけない。ドアホンの鳴らし方やドアのたたき方、その開け方、上ってくる足音などで、あなたはその友達が誰かわかるだろう。それと同様、たとえある薬剤を部分的に学んだだけであっても、その薬剤がわかる力を持たなければならない。

　薬剤の身元を示すものは、その総体的症状や基調（すなわち悪化と好転）や精神の欄にある。これらの表題の内容を十分に把握することが、患者にかかわる薬剤を見極めることを助ける。

　そこへ到達するには、薬剤に関して読む際に、それぞれのルーブリックをレパートリーで引くことである。すると同じルーブリック内にあるほかの薬剤と比較することにより、この薬剤の相対的重要度が心に植えつけられる。これは退屈な作業に映るだろう。しかし、これにより薬剤の像がゆっくり、そしてしっかり、かつ明瞭に、あなたの記憶に定着するのである。

症　状

　ホメオパシーでの最も難しい仕事は、症状の解釈あるいは翻訳である。患者が自分の言葉で病歴を語る際、あなたはこれをレパートリーに存在するルーブリックに置き換える能力を持っていなくてはならない。マテリア・メディカを十分把握しているならば、特定の薬剤が自動的に心に浮かぶであろう。浮かんだものはレパートリーで確認すること。因果関係と基調はより重要である。元の疾患が説明できない独特の症状は、しばしば適切な薬剤を指し示していることがある。

　半分満たされているコップは、また半分は空だとも言える。症状の翻訳を行いつつ、一つのものをさまざまな角度から眺めようとすること。

　マテリア・メディカを読む際は、その薬剤に独特なものを覚えるように努めること。Pulsatillaの無刺激性の分泌物や、Zincum metの「物を捨てることができない」、Mercuriusの「症状が非常に多岐にわたる」など。前述したように、これらは薬剤識別上のしるべとなる。

　本書では等級を示すのに3つの型を用いている。さまざまな症状の相対的重要性が、これによって示してある。だが患者によっては等級の低い症状が最も重要という場合があるので、等級にしばられる必要はない。

　最後に、ホメオパシー界の権威者たちの発言に敬意を表したい。だが自分の経験が彼らの言葉に反している場合、彼らの意見に屈してしまわないように。つまるところ、あなたがかかわっている限り、あなたの経験が最善の権威なのだから。

S. R. Phatak

まえがき——第２版に寄せて

　Dr. S. R. Phatak著『Materia Medica of homoeopathic Medicines（ホメオパシー薬剤のマテリア・メディカ）』は、ホメオパシーの文献の中でも非常に重要な位置を占めている。

　BoerickeやClarkeのマテリア・メディカと並ぶものとして国際的に評価されてきた。

　最良の本でさえ間違いを含むという考えで、今回の版では修正を行った。著者が本当に表現しようとしたことが読者に伝わるよう、可能な限りすべての個所で曖昧な表現を明瞭化した。

　例を挙げると、「抑圧された乳汁から脳や腹部の問題などへの転移」とあるのは下記のように修正した：

　乳汁を抑圧したことによる不調；結果的に脳や腹部の問題となる。

　なかには、わかりづらい、漠然とした症状がある。例えば、Nat-sulph.の四肢の、「爪の根元の周囲の炎症。動き回る。股関節のささくれの痛み＜立ち上がったり座ったりすると」

　「Run-arounds」（動き回る）に問題があり、位置が悪いのである。実際、Clarkのマテリア・メディカでは、これは痛みのひどさを述べるのに使われている。したがって上記の症状は次のように修正した：「股関節の痛み、＜立ち上がったり座ったりすると。患者はその激しさのため常に動かざるをえない」

このほかにも原文にはさまざまな間違いがある。例えば、Veraturum albumについて、原文の611ページではこのようにある—「すべての粘膜に宗教的興奮によって起こる痙攣。焼けるような、子供は気分がよくなる；子供に対する意味もある。術後のショック。過剰な乾燥、抱かれて速足で歩き回られた際」

これは右のように変えた：「宗教的興奮からの痙攣。すべての粘膜の過剰な乾燥。灼熱感—術後のショック。子供は、抱かれて速足で歩き回られると気分がよくなる」

すべての修正は細心の注意を払って行い、また、ほかの有名な本と照らし合わせたうえでのみ行っていることを、ここに強調したい。

さらに19世紀の英語のつづりは現代米語のつづりに置き換えた。

臨床用語でまれなものや容易に理解しづらいものは現代語に置き換えた。

例を挙げると、「Noma」（水癌）は潰瘍性口内炎に、「horripilation」（鳥肌が立つこと）は「goose-flesh」に代えた。

すべての略称も「SYNTHESIS」に合わせて標準化したので曖昧さがなくなり、レメディーの識別が向上した。

われわれはホメオパシーの運動を推進する努力の数々が実を結ぶことを願ってやまない。

編集者
B. Jain Publishers

レメディー 一覧

Abies canadensis（アビエス・カナデンシス／カナダトウヒ） …… 24
Abies nigra（アビエス・ニグラ／クロトウヒ） …… 24
Abrotanum（アブロターナム／キダチヨモギ） …… 25
Absinthium（アブシンシウム／ニガヨモギ） …… 27
Acetic acid（アセティック・アシド／酢酸） …… 27
Aconite（アコナイト／ヨウシュトリカブト） …… 29
Actea spicata（アクティア・スピカータ／ルイヨウショウマ） …… 33
Adonis vernalis（アドニス・ベルナリス／ヨウシュフクジュソウ） …… 33
Aesculus hippocastanum（イーセキュラス・ヒパカスターナム／トチノキの実） …… 34
Aethusa cynapium（イスーザ・シナピウム／フールズパセリ） …… 36
Agaricus muscarius（アガリカス・ムスカーリアス／ベニテングダケ） …… 39
Agnus castus（アグネス・カスタス／セイヨウニンジンボク） …… 43
Agraphis nutans（アグラフィス・ナタンズ／ホタルブクロ） …… 45
Ailanthus glandulosa（エランサス・グランデュローザ／ニワウルシ） …… 45
Aletris farinosa（アレトリス・ファリノサ／スターグラス） …… 47
Alfalfa（アルファルファ／ムラサキウマゴヤシ） …… 48
Allium cepa（アリューム・シーパ／赤タマネギ） …… 48
Allium sativum（アリューム・サティバム／ニンニク） …… 50
Aloe（アロー／ソコトリンアロエ） …… 51
Alumen（アルメン／カリミョウバン） …… 53
Alumina（アルミナ／酸化アルミニウム） …… 54
Almina silicate（アルミナ・シリケイト／ケイ酸アルミニウム） …… 58
Ambra grisea（アンブラ・グリシア／竜涎香） …… 59
Ambrosia（アンブロシア／ブタクサ） …… 62
Ammonium bromatum（アンモニューム・ブロマタム／臭化アンモニウム） …… 62
Ammonium carbonicum（アンモニューム・カーボニカム／炭酸アンモニウム） …… 62
Ammonium muriaticum（アンモニューム・ミュリアティカム／塩化アンモニウム） …… 65

Amyl nitrosum（アミル・ニトロサム／亜硝酸アミル）	67
Anacardium（アナカーディアム／スミウルシノキ）	69
Anthracinum（アンスラサイナム／炭疽菌）	72
Antimonium crudum（アンチモニューム・クルーダム／硫化アンチモン）	72
Antimonium tartaricum（アンチモニューム・タータリカム／吐酒石）	76
Apis mellifica（エイピス・メリフィカ／ミツバチ）	79
Apocynum cannabinum（アポシナム・カナビナム／アメリカアサ）	84
Aralia racemosa（アラリア・ラセモーザ／タラノキ）	85
Aranea diadema（アラニア・ダイアデマ／オニグモ）	86
Argentum metallicum（アージェンタム・メタリカム／銀）	87
Argentum nitricum（アージェンタム・ニトリカム／硝酸銀）	90
Arnica montana（アーニカ・モンタナ／ウサギギク）	94
Arsenicum album（アーセニカム・アルバム／三酸化ヒ素）	98
Arsenicum iodatum（アーセニカム・アイオダム／三ヨウ化ヒ素）	104
Arsenicum sulphuratum flavum（アーセニカム・ソーファラータム・フラバム／三硫化ヒ素）	106
Artemisia vulgaris（アルテミシア・ブルガリス／オウシュウヨモギ）	106
Arum triphyllum（アラム・トリフィラム／マムシグサ）	106
Asafoetida（アサフェティーダ／阿魏）	108
Asarum europaeum（アサラム・ユーロパェウム／アサルム）	110
Asclepias tuberosa（アスクレピアス・チュベロサ／ヤナギトウワタ）	112
Asterias rubens（アステリアス・ルーベンス／赤ヒトデ）	113
Aurum metallicum（オーラム・メタリカム／金）	114
Aurum muriaticum（オーラム・ミュリアティカム／塩化金）	117
Avena sativa（アベナ・サティーバ／オート麦）	117
Bacillinum（バシライナム／ヒトの結核結節の痰）	118
Badiaga（バディアガ／沼海綿）	118
Baptisia tinctoria（バプティジア・ティンクトリア／藍）	119
Baryta carbonica（バリュータ・カーボニカ／炭酸バリウム）	122
Baryta iodata（バリュータ・アイダータ／ヨウ化バリウム）	125
Baryta muriatica（バリュータ・ミュリアティカ／塩化バリウム）	125

Belladonna（ベラドーナ／セイヨウハシリドコロ） ………………………… *126*

Bellis perennis（ベリス・ペレニス／ヒナギク） ………………………… *131*

Benzinum（ベンジナム／ベンゾール） ………………………………………… *132*

Benzinum nitricum（ベンジナム・ニトリカム／ニトロベンゼン） ……… *133*

Benzoicum acidum（ベンゾイカム・アシダム／安息香酸） ……………… *133*

Berberis aquifolium（バーバリス・アクイフォリューム／ヤマブドウ） ……… *135*

Berberis vulgaris（バーバリス・ヴルガーリス／ヒロハヘビノボラズ） ……… *135*

Bismuthum（ビスマズム・サブニトリカム／次硝酸ビスマス） ……………… *138*

Boricum acidum（ボーリカム・アシダム／ホウ酸） ……………………… *139*

Borax（ボーラックス／ホウ砂） …………………………………………… *140*

Bothrops lanciolatus（ボスロプス・ランシオラータス／ヨーロッパクサリヘビ） …… *143*

Bovista（ボーバイスタ／ホコリタケ） …………………………………… *143*

Bromium（ブロミューム／臭素） …………………………………………… *145*

Bryonia alba（ブライオニア・アルバ／シロブリオニア） ………………… *148*

Bufo（ブーフォ／ヒキガエル） ……………………………………………… *152*

Bursa pastoris（バーザ・パストリス／ナズナ） ………………………… *154*

Cactus grandiflorus（カクタス・グランディフローラス／ヨルザキサボテン） …… *155*

Cadmium sulphuratum（カドミューム・ソーファラタム／硫化カドミウム） ……… *157*

Caladium seguinum（カレイジューム・セグクイナム／ハイモ） ………… *158*

Calcarea arsenicosa（カルカリア・アーセニコサ／亜ヒ酸カルシウム） ……… *160*

Calcarea carbonica（カルカリア・カーボニカ／牡蠣殻） ………………… *161*

Calcarea fluorica（カルカリア・フローリカ・ナチュラリス／フッ化カルシウム） …… *167*

Calcarea hypophosphorosa（カルカリア・ハイポフォスフォローサ／次亜リン酸カルシウム） *168*

Calcarea iodata（カルカリア・アイオダータ／ヨウ化カルシウム） ……… *169*

Calcarea phosphorica（カルアリア・フォスフォリカ／リン酸カルシウム） ……… *169*

Calcarea sulphurica（カルカリア・ソーファリカ／カルシウム硫化物：石膏） ……… *173*

Calendula（カレンデュラ・オフィシナリス／キンセンカ） ……………… *174*

Camphora（カンファー／樟脳） ……………………………………………… *175*

Cancer fluviatilis (Astacus fluviatilis)（アスタカス・フルビアーティリス／ザリガニ） …… *178*

Cannabis indica & sativa（カナビス・インディカ&サティーバ／インド大麻&アメリカ大麻） *178*

Cantharis（カンサリス／ヨーロッパミドリゲンセイ）	181
Capsicum（カプシカム／トウガラシ）	183
Carbo animalis（カーボ・アニマリス／獣炭）	186
Carbo vegetabilis（カーボ・ベジタビリス／木炭）	189
Carbolicum acidum（カーボリカム・アシダム／石炭酸）	194
Carboneum sulphuratum（カーボネウム・ソーファラータム／二硫化炭素）	195
Carcinosin（カシノシン／乳癌）	195
Carduus marianus（カーデュアス・マリアーナス／セントメリーアザミ）	196
Castor equi（カスター・エクウィ／ウマの蹄）	197
Castoreum（カストリューム／ビーバーの分泌物）	197
Caulophyllum（コーロファイラム・サリクトロイド／ルイヨウボタン）	198
Causticum（コースティカム　ハーネマニ／水酸化カリウム）	200
Ceanothus（シアノーサス　アメリカナス／アメリカライラック）	205
Cedron（セドロン／ガラガラヘビマメ）	205
Chamomilla（カモミラ／ジャーマンカモミール）	206
Chelidonium（チェリドニューム／クサノオウ）	210
Chenopodium anthelminticum（チェノポデューム・アンテルミンティカム／アカザ）	213
Chimaphila umbellata（キマフィラ・ウンベラータ／オオウメガサソウ）	213
China oficinalis（チャイナ・オフィシナリス／キナの樹皮）	214
China arsenicosum（チャイナ・アーセニコーズム／亜ヒ酸キニーネ）	218
China sulphuricum（チャイナ・ソーフリカム／硫酸キニーネ）	219
Chionanthus（チオナンサス／アメリカヒトツバタゴ）	220
Chloralum hydratum（クローラーラム・ハイドラタム／抱水クロラール）	221
Chlorum（クローラムアクア＜クローリンウォーター＞／塩素水）	222
Cholesterinum（コレステライナム／胆石）	223
Cicuta virosa（セキュータ・ヴィローザ／ヨーロッパドクゼリ）	223
Cimicifuga（シミシフーガ／サラシナショウマ）	226
Cina（シーナ／メセンシナ）	230
Cinnabaris（シナバリス／赤色硫化水銀＜辰砂＞）	232
Cistus canadensis（シスタス・カナディンシス／カナダハンニチバナ）	233

Clematis erecta（クレマティス・エレクタ／センニンソウ） ······· 235
Cobaltum（コバルタム／コバルト） ······· 237
Coca（コカ／コカ葉） ······· 238
Cocaina（コカイン／コカイン） ······· 240
Cocculus indicus（コキュラス・インディカス／アオツヅラフジ） ······· 240
Coccus cacti（コカス・カクティ／コチニールカイガラムシ） ······· 244
Coffea cruda（コフィア・クルーダ／非焙煎コーヒー） ······· 246
Colchicum autumnale（コルチカム・オウタムネーレ／イヌサフラン） ······· 248
Collinsonia（コリンソニア／ストーンルート） ······· 251
Colocynthis（コロシンシス／コロシントウリ） ······· 252
Comocladia（コモクラディア／ウルシ科） ······· 255
Conium maculatum（コナイアム・マクラタム／ドクニンジン） ······· 256
Convallaria majalis（コンバラリア・マジャリス／ドイツスズラン） ······· 260
Copaiva（コパイバ／バルサム） ······· 261
Corallium rubrum（コラリューム・ルーブルム／ベニサンゴ） ······· 262
Cornus circinata（コーナス・サーシナータ／丸葉ドックウッド） ······· 263
Crataegus（クレティーガス／サンザシ） ······· 263
Crocus sativa（クロカス・サティーバ／サフラン） ······· 264
Crotalus horridus（クロタラス・ホリダス／ガラガラヘビ） ······· 266
Croton tiglium（クロトン・ティグリアム／クロトン油） ······· 269
Cubeba（クベバ／クベバ） ······· 270
Culex musca（キュレックス・モスカ／蚊） ······· 271
Cundurango（クンデュランゴ／コンズランゴ） ······· 271
Cuprum aceticum（キュープロム・アセティカム／酢酸銅） ······· 272
Cuprum arsenicosum（キュープロム・アーセニコサム／亜ヒ酸銅） ······· 272
Cuprum metallicum（キュープロラム・メタリカム／銅） ······· 273
Curare（キュラーレ／クラーレ＜矢毒＞） ······· 276
Cyclamen（シークラメン／シクラメン） ······· 277
Daphne indica（ダフネ・インディカ／ジンチョウゲ科） ······· 279
Dictamnus（ディクタムナス／ミカン科） ······· 280

Digitalis（デジタリス／キツネノテブクロ）	280
Dioscorea（ダイオスコリア／野生ヤマノイモ）	283
Diphterinum（ディプシライナム／ジフテリア）	285
Dolichos（ドリチョス／トビカズラ）	286
Drosera（ドロセラ／モウセンゴケ）	286
Dulcamara（ダルカマーラ／ヒヨドリジョウゴ）	288
Echinacea（エキネシア／エキナシア）	291
Elaps corallinus（イーラプス・コロライナス／サンゴヘビ）	292
Elaterium（エラテリウム／テッポウウリ）	294
Epiphegus（エピフェグス／ハマウツボ科）	294
Equisetum（エクィシータム／トクサ）	295
Erigeron（エリガロン／ノミヨケソウ）	295
Eucalyptus globulus（ユーカリプタス・グロブラス／ユーカリ）	296
Euonymum（ユーオニミヌム／ニシキギ科）	297
Eupatorium perfoliatum（ユーパトリューム・パーフォリアタム／フジバカマ）	298
Eupatorium purpureum（ユープトリューム・パーピュリアム／ヒヨドリバナ）	299
Euphorbium（ユーフォビューム／ユーフィルビア）	300
Euphrasia（ユーファラジア／コゴメグサ）	301
Eupionum（ユピオナム／木タール）	302
Fagopyrum（ファゴピルム／ソバ）	303
Ferrum iodatum（ファーラム・アイオダータム／ヨウ化鉄）	304
Ferrum metallicum（ファーラム・メタリカム／鉄）	304
Ferrum phosphoricum（ファーラム・フォスフォリカム／リン化鉄）	307
Ferrum picricum（ファーラム・ピクリカム／ピクリン酸鉄）	309
Fluoric acidum（フルオリック・アシダム／フッ酸）	310
Formica rufa（フォミカ・ルーファ／アカアリ）	312
Fraxinus（フラクシナス／アメリカトネリコ）	313
Gambogia（カンボジア／雌黄）	314
Gelsemium（ジェルセミューム／イエロージャスミン）	314
Glonoinum（グロノイナム／ニトログリセリン）	319

Gnaphalium（グナファリウム／ハハコグサ＜ゴギョウ＞） ……………… *321*

Gossypium（ゴシピウム／アジアワタ） ……………………………………… *322*

Graphites（グラファイティス／黒鉛） ……………………………………… *322*

Gratiola（グラティオラ／オオアブノメ） …………………………………… *327*

Grindelia（グリンディリア／ネバリオグルマ） …………………………… *328*

Guaiacum（グアイヤカム／ユソウボクの樹脂） …………………………… *329*

Gymnocladus（ギムノクラドゥス／ケンタッキーコーヒーツリー） …… *331*

Hamamelis（ハマメリスナ／アメリカマンサク） ………………………… *332*

Hecla lava（ヘクラ・ラーバ／ヘクラ山の火山灰） ……………………… *333*

Helleborus niger（ヘラボラス・ニガー／黒クリスマスローズ） ……… *334*

Heloderma（ヘロダーマ／アメリカドクトカゲ） ………………………… *336*

Helonias（ヘロニアス／ヒトツブコムギの根） …………………………… *337*

Hepar sulphuris（ヘパ・ソーファリス／硫化カルシウム） ……………… *338*

Hydrastis（ハイドラスティス／ヒドラスチス） ………………………… *342*

Hydrocotyle（ヒドロコティル／チドメグサ） …………………………… *344*

Hydrocyanic acid（ハイドロシアニック・アシド／シアン化水素酸） … *344*

Hydrophobinum（「Lyssin」を参照） ……………………………………… *346*

Hyoscyamus（ハイオサイマス／ヒヨス） ………………………………… *346*

Hyoscyamine hydrobromate（ハイオシアミン・ハイドロメート／臭化水素酸ヒヨスシアミン） *349*

Hypericum（ハイペリカム／セイヨウオトギリソウ） …………………… *349*

Iberis（イベリス／マガリバナ） …………………………………………… *351*

Ignatia（イグネシア／イグナチア豆） ……………………………………… *351*

Indigo（インディゴ／インド藍） …………………………………………… *355*

Indoformum（インドフォーマム／インドフォルム＜アセチルサリチル酸＞） ……… *356*

Iodum（アイオダム／ヨウ素） ……………………………………………… *356*

Ipecacuanha（イペカキュアーナ／吐根） ………………………………… *360*

Iris versicolor（アイリス・バシュキュラー／ブルーフラッグ） ……… *362*

Jaborandi（ヤボランジ／ヤボランジ） …………………………………… *364*

Jalapa（ヤラパ／オシロイバナ） …………………………………………… *365*

Jatropha（ヤトロファ／ナンヨウアブラギリ） …………………………… *365*

Justicia（ジャスティシア／サンゴバナ）	366
Kali arsenicosum（ケーライ・アーセニコーサム／ヒ酸カリウム）	366
Kali bichromicum（ケーライ・バイクロミカム／重クロム酸カリウム）	367
Kali bromatum（ケーライ・ブロマータム／臭化カリウム）	371
Kali carbonicum（ケーライ・カーボニカム／炭酸カリウム）	373
Kali chloricum（ケーライ・クロリカム／塩素酸カリウム）	378
Kali cyanatum（ケーライ・シアナタム／青酸カリ）	379
Kali iodatum（ケーライ・アイオダータム／ヨウ化カリウム）	379
Kali muriaticum（ケーライ・ミュリアティカム／塩化カリウム）	382
Kali nitricum（ケーライ・ニトリカム／硝酸カリウム）	384
Kali phosphoricum（ケーライ・フォスフォリカム／リン酸カリウム）	386
Kali sulphricum（ケーライ・ソーフリカム／硫酸カリウム）	388
Kalmia latifolia（カルミア・ラティフォーリア／アメリカシャクナゲ）	390
Kreosotum（クレオソータム／ブナのクレオソート）	392
Lac caninum（ラック・カナイナム／犬の乳）	395
Lac defloratum（ラック・デフロラータム／牛の脱脂乳）	397
Lachesis（ラカシス／ブッシュマスター）	399
Lachnanthes（ラチナンセス／レッドルート）	405
Lacticum acidum（ラクティカム・アシダム／乳酸）	405
Lactuca virosa（ラクチュカ・ヴィローザ／ワイルドレタス）	405
Lapis albus（ラピス・アルバス／片麻岩）	406
Lappa arctium（ラパ・アークティアム／ゴボウ）	406
Lathyrus sativus（ラティラス・サティーバス／ヒヨコマメ）	407
Latrodectus mactans（ラトロデクタス・マクタンズ／クロゴケグモ）	408
Laurocerasus（ローロセラサス／セイヨウバクチノキ）	408
Lecithin（レシチン／レシチン）	411
Ledum palustre（リーデム・パルストレ／ワイルドローズマリー）	411
Leptandra（レプタンドラ／アメリカクガイソウ）	413
Lilium tigrinum（リリアム・ティグライナム／オニユリ）	414
Lithium carbonicum（リシューム・カーボニカム／炭酸リチウム）	417

Lobelia inflata（ロベリア・インフラータ／ロベリアソウ） ······················ 419
Lolium temulentum（ロリアム・テミュレンタム／ドクムギ） ·················· 420
Lycopersicum（ライコパーシカム・／トマト）································ 421
Lycopodium（ライコポーディアム／ヒカゲノカズラ）························ 421
Lycopus virginicus（ライコパス・バグルウィード／シロネ）················· 427
Lyssin（リシン／狂犬病）·· 428
Magnesia carbonica（マグネシア・カーボニカ／炭酸マグネシウム）·········· 430
Magnesia muriatica（マグネジア・ミュリアティカ／塩化マグネシウム）········ 432
Magnesia phosphorica（マグネシア・フォスフォリカ／リン酸マグネシウム）········ 435
Magnesia sulphurica（マグネジア・ソーフューリカ／硫酸マグネシウム）········ 437
Magnetis polus australias（マグネティス・ポラス・オウストラリアス／磁石のS極） 437
Malandrinum（マランドライナム／ウマの水疱病）·························· 438
Mancinella（マンシネラ／マンキネラ）······································ 438
Manganum（マンゲイナム／マンガン）······································ 439
Marum verum（Teucrium)（マーラム・ヴェーラム＜テュークリューム＞／キャットタイム） 442
Medorrhinum（メドライナム／淋菌）······································ 443
Melilotus（メリロータス／スイートクローバー）···························· 447
Menyanthes（メニーアンサス／ミツガシワ）································ 448
Mephitis（メファイティス／スカンクの分泌物）···························· 449
Mercurius（マーキュリアス／水銀）·· 450
Mercurius corrosivus（マーキュリアス・コローシバス／塩化第二水銀）········ 455
Mercurius cyanatus（マーキュリアス・シアナタス／シアン化水銀）·········· 457
Mercurius dulcis（マーキュリアス・ダルシス／塩化水銀）·················· 458
Mercurius iodatus flavus（マーキュリアス・アイオダータス・フラバス／第一ヨウ化水銀）········ 460
Mercurius iodatus rubber（マーキュリアス・アイオダータス・ルバー／重ヨウ化水銀）········ 461
Mezereum（メザリューム／セイヨウオニバシリ）···························· 463
Millefolium（ミュルフォリューム／セイヨウノコギリソウ）·················· 465
Moschus（モスカス／ジャコウ）·· 467
Murex（ミューレックス／アクキガイ）······································ 469
Muriaticum acidum（ミューリアティカム・アシダム／塩酸）················ 470

- Mygale lasiodora（ミガーレ・ラシオドラ／キューバ黒クモ）……… *472*
- Myrica cerifera（ミリカ・セリフェラ／シロコヤマモモ）……… *473*
- Naja（ナージャ／コブラ）……… *474*
- Naphthalinum（ナフサリナム／ナフタリン）……… *476*
- Natrum arsenicosum（ナトリューム・アーセニコーザム／ヒ酸ナトリウム）……… *476*
- Natrum carbonicum（ナトリューム・カーボニカム／炭酸ナトリウム）……… *476*
- Natrum muriaticum（ナトリューム・ミュリアティカム／塩化ナトリウム）……… *479*
- Natrum phosphoricum（ナトリューム・フォスフォリカム／リン酸ナトリウム）…… *484*
- Natrum salicylicum（ナトリューム・サリチリカム／サリチル酸ナトリウム）……… *487*
- Natrum sulphuricum（ナトリューム・ソーフリカム／硫酸ナトリウム）……… *487*
- Niccolum（ニコラム／ニッケル）……… *490*
- Nitricum acidum（ニトリカム・アシダム／硝酸）……… *491*
- Nitro-muriatic acid（ニトロ・ミュリアティック・アシド／王水）……… *495*
- Nux moschata（ナックス・モシャータ／ナツメグ）……… *495*
- Nux vomica（ナックス・ボミカ／マチンシ）……… *499*
- Ocimum canum（オシマム・カナム／ヒメボウキ）……… *504*
- Oenanthe crocata（オエナンセ・クロカタ／ウォータードロップウォート）……… *504*
- Oleander（オリアンダー／セイヨウキョウチクトウ）……… *505*
- Oleum animale（アリューム・アニマーレ／ディッペルの獣油）……… *506*
- Oleum jecoris（アリューム・ジェコーリス／タラの肝油）……… *508*
- Onosmodium（オノスモディウム／偽のブグロッソイデス）……… *509*
- Opium（オピウム／アヘン）……… *510*
- Origanum（オリガナム／マジョラム）……… *514*
- Osmium（オスミューム／オスミウム）……… *514*
- Oxalicum acidum（オグザリック・アシダム／シュウ酸）……… *515*
- Oxytropis（オキシトロピス／ロコウソウ）……… *517*
- Paeonia（ペオニア／オランダシャクヤク）……… *517*
- Palladium（パレイデューム／パラジウム）……… *518*
- Pareira brava（パレイラ・ブラヴァ／ベルベット・リーフ）……… *519*
- Paris quadrifolia（パリス・クアドリフォリア／ツクバネソウ）……… *519*

Passiflora incarnata（パシフローラ・インカーナタ／トケイソウ）	521
Petroleum（ペトロリューム／原油）	521
Petroselinum（ペトロセリナム／パセリ）	524
Phellandrium（ペランドリアム／ウォーターフェンネル）	524
Phosphoricum acidum（フォスフォリック・アシダム／リン酸）	525
Phosphorus（フォスフォラス／リン）	529
Physostigma（ファイソスティグマ／カラバルマメ）	535
Phytolacca（ファイトラカ／アメリカヤマゴボウ）	537
Picricum acidum（ピクリカム・アシダム／ピクリン酸）	540
Pilocarpus（「Jaborandi」を参照）	541
Piper methysticum（パイパー・メチスティカム／カワカワ）	541
Plantago major（プランティーゴ・メイジャー／オオバコ）	542
Platinum（プラタイナム／プラチナ）	543
Plumbum metallicum（プラムバム・メタリカム／鉛）	546
Podophyllum（ポードファイラム／アメリカマンドレイク）	549
Polygonum（ポリゴナム／ヤナギタデ）	551
Pothos foetidus（ポトス・フォエティーダス／ザゼンソウ）	552
Prunus spinosa（プローナス・スピノーサ／リンボク）	552
Psorinum（ソライナム／疥癬）	554
Ptelea（プテレア／ポップの木）	557
Pulex（ピューレックス／ノミ）	558
Pulsatilla（ポースティーラ／セイヨウオキナグサ）	558
Pyrogen（パイロジェン／腐った肉の膿）	564
Radium（レジューム・ブロマータム／臭化ラジウム）	566
Ranunclus bulbosus（ラナンキュラス・ブルボーサス／セイヨウキンポウゲ）	568
Ranunclus sceleratus（ラナンキュラス・スケレラタス／タガラシ）	570
Raphanus（ラファナス／クロダイコン）	571
Ratanhia（ラタニア／クラメリア）	572
Rheum（リューム／トルコルバーブ）	573
Rhododendron（ロドデンドロン／キバナシャクナゲ）	574

Rhus toxicodendron（ラス・トクシコデンドロン／アメリカツタウルシ）	576
Robinia（ロビニア／ハリエンジュ）	581
Rumex crispus（ルメックス・クリスパス／ナガバギシギシ）	581
Ruta graveolens（ルータ・グラヴィオーレンズ／ヘンルーダ）	583
Sabadilla（サバディラ／メランタケア）	586
Sabal serrulata（サボー・セルラータ／ノコギリヤシ）	588
Sabina（サビーナ／サビナビャクシン）	590
Salicylicum acidum（サリシリカム・アシダム／サリチル酸）	592
Salix nigra（サリックス・ニグラ／アメリカポッキリヤナギ）	592
Sambucus nigra（サンブーカス・ニグラ／セイヨウニワトコ）	592
Sanguinaria canadensis（サングイナーリア・カナデンシス／サンギナリア＜アカネグサ＞）	594
Sanicula aqua（サニキュラ・アクア／サニキュラ鉱泉水）	596
Santoninum（サントニナム／サントニン）	599
Sarsaparilla（サーサパリラ／サルサパリラ）	599
Scilla martima（Squilla）（スクィラ／カイソウ＜海葱＞）	601
Scoparius（スコパリアス／エニシダ）	603
Secale cornutum（スケイリー・コーナタム／麦角）	603
Selenium（セレニューム／セレニウム）	607
Senecio（セネキオ／セネキオオーレウス）	609
Senega（セネガ／ヒロハセネガ）	611
Sepia（シーピア／コウイカの墨）	613
Silicea（シリシア／二酸化ケイ素）	619
Solidago virgaurea（ソリデイゴ・バージリア／アキノキリンソウ）	624
Spigelia（スパイジーリア／セッコンソウ）	625
Spongia（スポンジア／焼き海綿）	628
Stannum（スタナン／スズ）	631
Stannum iodatum（スタナム・アイオダータム／ヨウ化スズ）	634
Staphysagria（スタフィサグリア／ヒエンソウ）	634
Sticta（スティクタ／ヒメムラサキ）	638
Stramonium（ストラモニューム／シロバナチョウセンアサガオ）	639

Strontium carbonicum（ストロンチューム・カーボニカム／炭酸ストロンチウム）	634
Strophanthus hispidus（ストロファンサス・ヒスピダス／ストロファンツスの実）	645
Strychninum（ストリキニナム／ストリキニーネ）	646
Succinum（スクシヌム／琥珀）	646
Sulphonal（サルフォナール／メタンスルホン酸＜催眠薬＞）	646
Sulphur（ソーファー／硫黄）	647
Sulphuricum acidum（ソーフリカム・アシダム／硫酸）	654
Sulphur iodatum（ソーファー・アイオダータム／ヨウ化硫黄）	656
Sumbul（スンブル／ジャコウソウの根）	658
Symphoricarpus racemosa（シンフォリカープス・ラセモーサ／セッコウボク）	659
Symphytum（シンファイタム／ヒレハリソウ）	659
Syphilinum（スフィライナム／梅毒）	660
Tabacum（タバカム／タバコ）	663
Taraxacum（タラクシカム／タンポポ）	666
Tarentula cubensis（タレンチュラ・キュベンシス／キューバグモ）	667
Tarentula hispanica（タレンチュラ・ヒスパニカ／タランチュラコモリグモ）	668
Tellurium（テリュリューム／テルル）	671
Terebinthina（テレビンシーナ／テレビン油）	673
Thallium（サリューム／タリウム）	675
Theridion（セリディオン／オレンジ毒グモ）	675
Thiosinaminum（サイオサイナミーナム／カラシ種油）	677
Thuja occidentalis（スーヤ・オクシデンタリス／ニオイヒバ）	677
Thymol（チモール／モノテルペン誘導体）	682
Thyroidinum（サイロイダイナム／子ウシの甲状腺）	682
Tilia europaea（ティリア・ユーロピア／西洋菩提樹）	684
Trifolium pretense（トリフォリューム・プレテンス／ムラサキツメクサ）	685
Trillium（トリラム／エンレイソウ）	685
Trombidium（トロンビデューム／アカコナダニ）	686
Tuberculinum（チュバキュライナム／ヒトの結核菌）	686
Uranium nitricum（ウラニューム・ニトリカム／硝酸ウラニウム）	689

Urtica urens（アーティカ・ウーレン／イラクサ）	690
Ustilago maydis（ユスティラーゴ・メイディス／トウモロコシ黒穂病菌）	691
Vaccininum（バクシナイナム／牛痘ワクチン）	692
Valeriana（バレーリアナ／ヨウシュカノコソウ）	692
Vanadium（バナジューム／バナジウム）	695
Variolinum（バリオライナム／天然痘）	695
Veratrum album（バレチューム・アルバム／バイケイソウ）	696
Veratrum viride（バレチューム・ビリデ／アメリカホワイトヘルボア）	699
Verbascum（バーバスカム／ビロウドモウズイカ）	702
Vespa crabro（ベスパ・クラブロ／モンスズメバチ）	703
Viburnum opulus（バイバーナム・オパラス／水ニワトコ）	703
Vinca minor（ビンカ・ミノー／小ニチニチソウ）	704
Viola odorata（ビオラ・オドラータ／ニオイスミレ）	705
Viola tricolor（ビオラ・トリコロール／サンシキスミレ）	706
Vipera（バイペーラ・／クサリヘビ）	707
Viscum album（ビスカム・アルバム／ヤドリギ）	708
Xanthoxylum（ザンソクサイラム／アメリカサンショウ）	709
Zincum metallicum（ジンカム・メタリカム／亜鉛）	710
Zinc arsenite（ジンク・アーセニテ／ヒ酸亜鉛）	714
Zinc chromate（ジンク・クロメート／クロム酸亜鉛）	714
Zinc iodatum（ジンク・アイオダータム／ヨウ化亜鉛）	715
Zinc phosphate（ジンク・フォスフェート／リン酸亜鉛）	716
Zinc sulphate（ジンク・サルフェート／硫酸亜鉛）	716
Zinc valerianate（ジンク・バレリアネート／吉草酸亜鉛）	716
Zingiber（ジンジーバー／ショウガ）	717
Zizia（ジジア／パースニップ）	717

Abies canadensis　カナダトウヒ

総体的症状：粘膜と神経に影響を与える。胃にカタル性疾患を起こすため、患者の食欲が増し、ピクルス、ダイコン、カブなど、舌触りのざらざらした食物を食べたがる。患者は、神経が衰弱し、ふらふらすることから、常に横になりたがる。女性の場合、栄養不良と衰弱が原因で、子宮偏位を起こす。右の肺と、右の肝臓が硬くて小さく、子宮は軟らかく感じるという、特異な感覚がある。脚をまっすぐにそろえて横たわる。

精神：すごく機嫌を悪くする。または、静かで無頓着。

頭部：軽く感じる、または、泳いでいるときのような感覚が頭にある。

胃：むさぼるような食欲。消化能力をはるかに超えて食べる傾向がある。腹部と胃の膨張には、動悸を伴う。

女性：子宮のひりひりする感覚、＞圧迫。子宮が軟らかく弱々しく感じられる。

熱：寒くて震え、血が、まるで氷水のように感じられる感覚がある。

皮膚：じっとり、べたべたしている。

Abies nigra　クロトウヒ

総体的症状：胃の症状を伴うさまざまな疾患に効力を発揮するレメディーである。特に、高齢者の場合、心臓の機能障害を伴う消化不良を起こす。紅茶、たばこの常用者の消化不良にも効果がある。消化不良の主な症状は、まるで固ゆで卵が胃の噴門部に詰まっているかのような感覚である。患者は、この感覚を、みぞおちに硬い塊があるような、または肺に塊があって、咳をして出したいような感覚と表現

する。
悪化：食後。
精神：元気がなく、思考したり、勉強したりすることができない。
胃　：午前中は全く食欲がないが、昼と夜には食欲がわく。常に食後に胃が痛む。
胸部：呼吸困難、＜横たわる。心臓の動きは、重く鈍い。頻脈あるいは徐脈があるかもしれない。

Abrotanum　キダチヨモギ

総体的症状：神経に影響を与え、しびれ、衰弱、震え、麻痺症状を起こす。栄養状態に影響が出る、子どもの消耗症のレメディー。子どもは食欲が旺盛なのにもかかわらず、特に下肢がやつれている。**真の転移性の病態**を引き起こす。下痢の抑制から、リウマチになる。痛風が好転すると、ほかの症状が出る。**滲出性の傾向**。滲出は、転移性の病態として発現、または胸膜、関節などに発現。1つの症状が出て、消えると、ほかの症状が出るという具合に、症状が交互に出る。例えば、痔とリウマチが交互に発現する。精巣水瘤、鼻出血を患う新生児や子ども、特に少年によく適合し、インフルエンザ後の衰弱を取り除く。新生児のへそからは、血液が滲出する。かなり多量の臭い液体を喀出する。胸部の術後の症状に効果がある。

悪化：冷気、湿気。分泌物、特に下痢の抑制。夜。霧。
好転：軟便。
精神：首の衰弱のため、頭をまっすぐに支えられない。会話や、頭脳労働の後、脳が疲れを感じる。額の血管が浮き出る。
目　：目の周囲のくま。くぼみ。
鼻　：少年の鼻出血。

顔：消耗症の乾燥、冷たい、皺が寄って年寄りのようにみえる。にきびを伴う衰弱。顔の血管腫。青白い。

胃：食欲は旺盛でも、衰弱が進む。食べたものは、未消化で排出。乳で煮たパンを欲求。夜間の、切られるような、かじられるような、焼けるような、胃痛。まるで胃が水の中で泳いでいるかのように、冷たく感じられる。

腹部：腹部のさまざまな部位に、硬い瘤があるように感じられる。膨張。結核性腹膜炎。弱い腸、虚脱感。痔核が突出し、触れると焼けるような痛みを伴う。頻繁に便意を催すが、ほんのわずかに出血するのみ。

男性：子どもの精巣水瘤。

女性：右卵巣に突き刺されるような痛み。月経の抑圧。

呼吸器：下痢に引き続く、乾性の咳。胸膜炎後、患側に圧迫感があり、自由な呼吸が妨げられる。

背中：背中の急な痛み、＜夜、＞動作。痔疾からくる仙骨の痛み。背中の弱さに伴う卵巣痛。

四肢：肩、腕、手首、足首の痛み。脚のひどい衰弱。手指と足指は、冷たくて、ちくちくとし、しびれている。リウマチのため、四肢を動かせない。疼痛性痙攣による、あるいは、疝痛に引き続く四肢の収縮。

皮膚：たるんでいる。発疹の抑圧後、皮膚は紫色っぽくなる。しもやけのかゆみ。

補完レメディー：胸膜炎後のAcon.とBry.

関連レメディー：Agar., Chin., Led., Nux-v.

Absinthium　ニガヨモギ

総体的症状：震えの後、痙攣を起こす。患者は、舌をかみ、口から泡を吹き、しかめっ面になる。震えが大きな特徴、舌が震え、心臓も震える。突然のひどいめまい；てんかん様発作、幻覚を伴うせん妄および意識の消失。短期間に引き続いて発作が起こる。子どもの緊張、興奮、睡眠不足に有用なレメディー。舞踏病。後弓反張。
精神：後ろに倒れる傾向のあるめまい。発作の前後、至近の出来事を忘れる。誰とも、何も一緒にしたくない。残忍な精神障害。窃盗癖。
耳　：分泌物；頭痛後。
顔　：発作的な攣縮。愚鈍な容貌。
泌尿器：非常に熱烈なにおいの尿で、濃い黄色。
心臓：激しい動き。背中から鼓動が聞こえる。
女性：月経、早すぎる。
関連レメディー：Art-v., Cic., Cina., Hydr-ac.

Acetic acid　酢酸

総体的症状：このレメディーの主要な症状は、深刻な貧血で、ろうのように青白い顔、極度の貧血、ひどい衰弱、頻繁な失神、呼吸困難、心臓の衰弱、多量の排尿と嘔吐、それらに発汗を伴う。麻酔薬蒸気による影響を、すべて解毒する。発作が起きると、患者は、まるで狂ったように寝床から跳び起き、床をはい回る。浮腫と水腫のレメディー。鼻、胃、直腸、肺、潰瘍などからの出血。子どもは、抱っこされたがる。母斑、いぼ、うおのめ。
精神：自分の病気と、子どものことについて、悲嘆に暮れる。仕事関連の

　　　　心配。他者の問題を抱え込む。自分自身の子どものことがわからない。最近の出来事を忘れる。

頭部：麻酔薬やたばこの乱用からの頭痛。子どもは、頭を触らせたがらない。

顔：熱が出ると、左のほおが赤くなる。青白く、ろうを塗ったようだが、やつれている。

鼻：鼻出血、特に、転んだり、殴られたりした場合。

喉：子どもの場合、喉が渇くが、飲み下すのが難しい。たとえそれが、小さじ1杯でも（ジフテリア）。

胃：発熱時に喉が渇かない。非常に喉が渇く浮腫。胃と胸の焼けるような激しい痛みの後、皮膚が冷たくなり、額に冷や汗をかく。どんな種類の食べ物を食べても吐く。胃潰瘍、胃癌。冷たい飲み物は受け付けない；野菜は、イモ類以外は受け付けない。パンとバターも不耐。

腹部：鼓腸。腹水症。腸管からの出血。衰弱した子どもの慢性的な下痢。幽門の硬性癌。

泌尿器：多量の色味のない尿。極度の喉の渇きと衰弱を伴う糖尿病。

女性：極度の喉の渇きを伴う不正子宮出血；産後。胸部に膿瘍ができそうな兆候。貧弱な、青みがかっている、酸っぱい母乳；乳房は垂れている、（筋線維の弛緩のため、胸がたるんで）締まりのない肉、消耗する。

呼吸器：吸気時の咳。速くて困難な呼吸。肺のガラガラいう音。

背中：うつぶせに横たわるときのみ和らぐ（脊髄炎の）痛み；多量の排尿を伴う。

四肢：足や脚の浮腫性腫脹、下痢を伴う。

皮膚：体中の感度の減少。灼熱感のある、乾燥した皮膚。

熱：消耗熱、びしょぬれになるほどの寝汗を伴う；汗は多量で冷たい。

関連レメディー：出血後にChinaの次に。

Aconite　ヨウシュトリカブト

総体的症状：Acon.の作用の迅速さが、その徴候を決定している。その症状は、**急性で、激しく、痛い**。症状は突然現れ、すぐに消える。まるで、台風のようである。精神は、<u>**恐怖、ショック、いら立ち**</u>といった感情の影響を受けている。神経は興奮して、患者には、感情と神経の緊張感が残っている。**きわめて強烈な神経痛がある**。患者は、**強烈な恐れから半狂乱になり、叫び**、うめき、握りこぶしにかみつき、爪をかみ、死にたがる。恐れや恐怖は、依然として残る。ほんのささいな病気にさえも、恐れがつきまとう。**心臓**と**動脈循環**に強く影響が出て、頭部（卒中を起こしやすい）や肺のうっ血がみられる。急性の**炎症**やうっ血のレメディーである。**出血**は鮮血である。**突き刺されるような、引き裂かれるような痛み。灼熱感、しびれ感、うずくような、ちくちく刺されるような、虫などがはうような感覚が際立つ**。患部が、大きく、変形しているように感じる。外側がひりひり痛み、内側は、重たく感じる。突然の脱力―**虚脱**。鋭敏な特殊感覚。**痛みの後、患部がひりひりする、またはしびれる**。痙攣。気を失いそうな感覚。子どもは、患部に手を当てる。寒く、乾燥した天候にさらされたことによる、特に呼吸器系の疾患。胃腸障害は、非常に暑い天候にさらされることで起こる。頑強な人に適合。手術ショックや、外科的損傷、発汗抑制後の疾患。過去の恐怖の影響。泣き叫び、性器をつかむ。歯ぎしり。

悪化：激しい感情、<u>**恐怖、ショック**</u>、いら立ち。<u>**寒く乾燥した天候**</u>、発汗による<u>冷え</u>。圧迫、接触。**夜間**、寝床で、午後。横向きに寝る。**雑音**。光。生歯。月経中。日光浴。音楽。喫煙。吸気。

好転：外気。休息。温かい汗。

精神：多大な<u>不安</u>。苦渋に満ちた<u>**恐怖**</u>と<u>落ち着きのなさ</u>が、どんなに軽症

でも、すべての病気につきまとう。死への**恐怖**、群集恐怖、道を横断することへの恐怖、将来への恐怖、接触への恐怖、誰かが通りかかることへの恐怖。**我慢ができない；自分自身以外は；狂信的；痛みの強さにより。恐怖から叫び、うめき、握りこぶしにかみつき**、爪をかみ、死にたがる。家から出ることを怖がる。自分の死ぬ時刻を予言する。**非常な恐怖に襲われる**。音楽で悲しくなる。透視力。今起こったことが、まるで夢であるかのように感じる。せん妄。気分が変わりやすい；笑う、歌う、そして悲しみ、恐れる。**心配、興奮、神経質、熱っぽい**。身体の一部が変形しているように感じる。まるで、すべてを胃で考えているように感じる。

- 頭部：重たい、熱い、破裂しそう。**灼熱感**；まるで頭の周りに熱いベルトがあるような波打つ感覚、または脳が沸騰しそうに熱い。額または目が激しく圧搾されるよう、または破裂しそう。頭痛には、尿量の増加が伴う。めまい、＜起き上がるとき、または頭部あるいは身体の動き、まるで頭髪が逆立つよう。頭の中でパチパチと音がする。額の脈動。頭を打ちつける。
- 目：乾燥して、熱く感じ、砂が入ったかのよう。まぶたははれて、硬く、赤い。眼球がうずくように痛い。日光が雪に反射するのに耐えられない。灰、その他の異物による結膜炎。目はきらきらと輝き、凝視し、かすむ。光を嫌悪、または欲求。
- 耳：音に非常に敏感。音楽に耐えられない。耳の中に水が入っているような感覚。
- 鼻：鼻出血を伴う無感覚。においに極端に敏感。鼻の付け根の痛み。鼻の乾燥、鼻づまり、または熱い微量の水っぽい鼻汁が出る。
- 顔：**不安な表情；青くなったり赤くなったりする。熱く、赤いほお**。赤い顔が、立ち上がるときには真っ青になる、または、ふらふらする。神経痛には情動不安、ちくちくする痛み、しびれを伴う。唇は黒く、乾燥して、皮がめくれている。顔全体が重たい。

口　：健全な歯が痛む。歯と頭がずきずき痛む。歯ぎしり。歯茎が熱い、炎症を起こしている。舌がはれているように感じられる。水以外のすべてが苦く、水はまずい。震え、一時的にどもる。口と舌のしびれ；乾燥、口の中が焼けるよう。咳をするときや嚥下時にちくちく痛む。下顎の咀嚼運動。

喉　：赤い、乾燥、熱い、収縮、嚥下時に詰まる。扁桃のはれと乾燥。

胃　：嘔吐には、恐怖、熱、多量の発汗、尿の増量を伴う。**焼けるような激しい喉の渇き**。ビール、酸味のある飲み物、苦い飲み物を欲求。喉の渇き、＜氷で冷やした飲み物の後。空腹。乳不耐。噴出性嘔吐。激しい、胆汁あるいは血の混じった嘔吐。胃の圧迫感には、呼吸困難を伴う。ワインはおおむね＞。軟便の前後に吐き気と発汗。

腹部：接触に敏感。疝痛、どんな姿勢でも楽にならない。熱く、膨張した。黄疸；新生児の；恐怖から。嵌頓ヘルニア。便；血の；粘液性の；草色または白、＜日中の暑さと夜の寒さ。赤痢。暑い日の子どもの水のような下痢；泣いて、じっとしていられず、眠れない。肛門がかゆく、ちくちくする；生ぬるい液体が、特に肛門からにじみ出るかのような感覚。

泌尿器：少量、赤い、熱い、痛みを伴う尿。寒さにさらされたことによる、新生児の尿閉または排尿の抑圧で、性器に手で触れる。苦しい排尿困難。膀胱炎。尿道口の冷え。

男性：精巣炎、精巣がはれて硬く感じられる。

女性：多血体質の患者の、恐怖または寒さによる月経の抑圧。後陣痛には、恐怖と情動不安を伴う。月経が始まると狂ったように激怒する。子宮出血が多い。突然の月経の抑制による卵巣炎。腟は熱い、乾燥している、敏感。せん妄を伴う授乳熱。乳汁増加。

呼吸器：しわがれた、**乾性の**、**クループ性の**、**苦しい咳**、または短く、ほえるような、響きわたる、ヒューヒューいう咳、＜息を吸うたび、夜、飲むこと、喉をつかむ。咳、＞あおむけに横たわる。睡眠中の

息切れ；身体をまっすぐにして座る。咽頭炎。**発熱を伴うクループ**。肺のひどいうっ血。肺炎。素早く動くとき、上るときに胸に圧迫感；心臓疾患の場合。咳払いをすると、血が出る。**肺が熱く感じられる**。胸がちくちくする。

心臓：はれているように感じられる—心臓炎。動悸には、不安、失神、手指のうずき、左腕下方の痛みを伴う。心臓から左肩にかけての痛み、＜身体をまっすぐにして座る。頻脈。脈が速く、弾力に富み、振動し、強力で、荒い、または針金様、非常に過敏。動脈の緊張。

首・背中：背中の痛みのため、深く息を吸えない。両肩間と仙骨の打撲したような痛み。

四肢：腕がだらりと垂れ下がる。左腕のしびれ、手指のちくちくする痛み。赤い手指の先。温かい手、冷たい足。赤く光るようにはれた関節。真っ赤な小指球。力の入らない脚；休憩中にも疲れを感じる。水滴が大腿を伝うような感覚。左腕のぐいっとする**痙動**。**手のひらが熱い**。

皮膚：**乾燥、熱い**、または氷水が乗っているかのよう。粟粒性発疹。かゆみ、＞刺激物。

睡眠：**悪夢**。不安な夢。情動不安を伴う不眠で、寝返りを打つ；恐怖に起因する、恐れまたは不安。高齢者の不眠症。

熱：悪寒が波のように襲う。悪寒、または悪寒と熱感が交互に起こる。<u>高熱</u>；乾燥した灼熱感、まぶたの、鼻の、口の、喉の、肺の、手のひらの、露出せずにはいられない。びしょぬれになるほどの汗、覆いたくない。露出した部位または患部のみの発汗。

補完レメディー：Coff., Sulph.
関連レメディー：Bell., Cham., Coff.

Actea spicata　ルイヨウショウマ

総体的症状：関節に作用、特に、小関節。特に、手首の関節には著しい影響を与える；足首、手指などのほかの関節も影響を受ける。引き裂かれるような、ちくちくする痛み。関節ははれ、痛みは＜接触と動作。ほんの少しの疲れで、関節がはれる。患部は、麻痺したように力がなくなる。症状は、恐怖や疲労により現れやすい。寒さにさらされると、息切れする。高齢。寒さに極度に敏感。衰弱。
悪化：天候の変化、ほんのわずかな激しい活動、寒さ、夜、接触。
目：物が青く見える。
耳：くしゃみ、または鼻をかむときに、ひきつるような痛み。
補完レメディー：Caul., Coloc., Sabin., Stict., Vio-o

Adonis vernalis　ヨウシュフクジュソウ

総体的症状：リウマチ、インフルエンザ、腎炎など、心筋が脂肪変性を起こしている段階にある心臓に、圧倒的に作用する。脈を正常化させる、心臓の収縮力を増す、尿分泌を促す。心臓性浮腫、水胸症に有用；腹水（症）と全身水腫（浮腫）。遊走性の痛み。不整脈。その作用に累積性はない。心狭窄および僧帽弁閉鎖不全（症）における代償性肥大。
悪化：寒さ、横たわること。
好転：激しい活動。
頭部：めまい、＜立ち上がるとき、頭を素早く振るとき、または横たわるとき；動悸を伴う。後頭部から、こめかみ、両目にかけて作用する。頭皮がぴんと張っているように感じられる。

口　：舌がひりひりする、やけどしたように感じる。喉の渇きがない。
胃　：みぞおちに、めまいを伴う、なえた感覚＞戸外。
腹部：重量級；腸がまるで破裂しそう、＜屈曲。
泌尿器：尿意促迫。蛋白尿；わずかな尿量、尿の表面に油性の被膜。
呼吸器：頻繁に深呼吸の欲求。呼吸困難、＜背中に触れる。乾いた、むずむずする、心臓性の咳。
心臓：脆弱、脂肪質、不整脈。前胸部痛、動悸と呼吸困難。速い脈、不整脈。
背中：脊椎と首のこわばり；倦怠感を伴う痛み。
皮膚：皮膚に小水疱。
睡眠：とめどない思考による不眠、またはひどい悪夢。
関連レメディー：Bufo
比較：Conv., Crat., Dig., Stroph-h.
服用量：チンキ5～10滴。

Aesculus hippocastanum　　トチノキの実

総体的症状：充血性の痔核を起こす、腸の下方と骨盤内臓器の静脈に、際立った作用がある。門脈系の静脈も充血し、肝臓や腹部に、痛みと充満感を引き起こす。Aesc. の症状の多くは、障害を起こした肝臓、または**痔疾からの反射による**ものである。総体的な静脈うっ血を起こすため、患部は紫色で、むくみ、静脈瘤は紫色になる。消化、心臓、腸の機能が緩慢になる。体内の充満感に加え、喉、鼻、肛門には、**熱い、乾燥した、こわばった、荒れた**感覚がある。背中の痛みが特徴で、仕事の妨げになる。縫われるような痛み、または、稲妻のような熱く体中を飛ぶ痛み。

悪化：朝の寝覚め。あらゆる動き。横たわること；かがむ；排便後；排

尿。冷気、水で洗った後。冬。立っていること。

好転：涼しい戸外、冷水浴。(痔疾の) 出血；ひざまずく。継続的な激しい活動。夏。

精神：憂うつで**怒りっぽい**；注意を定められない。混乱した精神で目覚める；途方に暮れた、特に子ども。

頭部：後頭部から前頭部にかけての打撲したような痛み、後頭部、首、肩の一過性の熱感を伴う。

目：眼球が重たい、だるい、熱くてひりひりして、流涙を伴う。血管の拡張。

鼻：冷たい空気の吸入に敏感、それにより焼けるようにひりひりする、鼻汁とくしゃみが頻繁になる。肝臓障害による鼻の閉塞。うっ血性カタル。

口：舌と口のやけどしたような感覚。舌には分厚い舌苔。唾液分泌。言葉を的確に発音できるよう舌を動かすことができない。甘い味、苦い味、金属の味がする。油でコーティングされたような歯。

喉：肝臓うっ血にかかわる濾胞性咽頭炎。嚥下に伴う、荒れ、乾燥した、縫われるような、火が燃えるような感覚。口峡の神経痛。咳払いで、甘い粘着性の粘液を出す。

胃：食後、約3時間後の、かじられるような、うずくような痛みを伴う、石があるような圧迫感。食後の胸やけと、反すう。絶え間ない苦痛と焼けるような感覚を伴う、嘔吐欲求。

腹部：腹の奥（下腹部と骨盤）の脈動。肝臓近辺の圧痛と充満感。黄疸。

直腸：**便は、乾燥して硬い**；さまざまな色。小さな棒がたくさん詰まっている感覚。**背中までひびく鋭い、撃ち抜かれるような痛みを伴う痔疾**；内痔核、出血する；**紫色の、痛い、外痔核**；＜立ち上がること、歩くこと。便秘：硬い、乾燥した、ごつごつした、白い便。排便後も長く痛みが続く。肛門から虫がはい出してくるような感覚。便は、最初は黒く、硬い、だんだん白く軟らかくなる。肛門は焼け

るようで、背筋がぞくぞくする。収縮は痛みが激しい；刃物で身を切られるよう。痔疾＜閉経期。

泌尿器：頻繁で少量の排尿；混濁した、粘着性の、熱い尿。

男性：排便、排尿ごとに、前立腺からの分泌物。

女性：恥骨結合部の背後が常時、脈動する。背中から仙腸関節にかけての不自由さ、および、膝の痛みを伴う帯下；濃い、黄色い、粘着性、腐食性、＜月経後。

胸部：収縮感、熱く感じる。肝臓障害からくる咳。痔疾患に伴う心臓周辺の痛み。四肢に拍動が伝わるときには、聞こえるほどの動悸。

背中：**たたかれるような、鈍い腰痛。腰のくびれが外に出ている。**背骨が折れそうな痛み、立ち上がるには、何度も努力が必要、＜歩行と前屈。打撲のような痛みが仙骨と臀部にかけてある。

四肢：四肢のうずきとひりひりする痛み。腕、脊椎、足の麻痺性の重さ。手足は洗うと赤くはれる。**脊椎が弱く感じられる。**

睡眠：伸びをしたり、あくびをしたりする傾向。

補完レメディー：Carb-v., Lach., Mur-ac.

関連レメディー：Aloe., Coll., Puls.

Aethusa cynapium フールズパセリ

総体的症状：**脳**と**神経系**に影響を及ぼし、**胃腸障害**と関連する。**激しさが**その作用のキーノートの一つである。激しい嘔吐、痙攣、痛み、幻覚症状。その一方で、**激しい疲はい**と知覚麻痺、反応不足で、言葉が不自由な場合さえある。精神も肉体も衰弱する。特に、子どもの生歯や、夏季下痢症で、激しい苦痛で、泣き、不快さを示し、不機嫌なときに特に有効。病状が進むと、患者はさらに自分の中に引きこもり、**より泣きやすくなる。**てんかん様痙攣では、親指を握り締

める、顔が赤くなる、眼球は下方を向く、散大した瞳孔、一点を凝視、口から泡を吹く。患者は、立つことも、座ることも、頭を支えることもできない。過労による衰弱、神経質、疲れ果てている。老化。刺されるような痛み。ねじで留めつけられたように感じる。適切に食物を与えられていない乳児。何も疾患がないのに、頭をまっすぐに支える力のない子ども；立てない、足に全く重さをかけられない子どももいる。

悪化：午前3〜4時。夕方。暖かさ：**暑い天候**。乳。生歯。頻繁な食事。働きすぎ。

好転：外気、戸外を歩くこと。会話。

精神：勉強のしすぎで、**思考能力がない、または集中できない**。せん妄では、ネコ、イヌ、ネズミなどが見える。知的障害と熱狂が、交互に発現。寝床から、または窓から飛び出したい。無能であるという思いからの試験恐怖。白痴の子ども。不器用、動物好き。

頭部：後頭部からうなじと脊椎にかけてのひどい痛み、＞横たわることと圧迫。頭部の症状は＞排便と放屁。髪の毛を引っ張られている感覚。眠気、動悸、衰弱には、めまいを伴う。頭を起こすことができない。めまいの後、頭が熱い。めまいを伴う、締めつけられるような頭痛＜歩行と上方を見上げること。目が回る、眠たい。

目：（慢性的な）羞明。眼球は輝き、突き出ている。眼球が下方に引っ張られる。沈んだ角膜。物が大きく見える、または二重に見える。マイボーム腺の腫脹。眠りに落ちるときに、眼球が動く。

耳：何か熱いものが流出するような感覚。詰まっている感覚、＞指を中に入れてその部分を引き離す。

鼻：鼻尖にヘルペス性の発疹。頻繁に鼻をかみたがるが、出ない。鼻翼が引っ込んでいる。

顔：こけた、青白い、膨らんでいる、しみがある、赤い顔。**鼻線が明瞭**。唇が青白い。死人のような顔つき。顎と口角が冷たい。

口　：舌が長すぎるように感じる。口内のアフタ。話し方が遅く、まごつく。口数が少ない。苦い味、タマネギの味、チーズの味、朝は甘い。

胃　：徐々に減少する食欲。**乳不耐**。乳を飲んだ直後の激しい突然の嘔吐、または、**大きな凝乳**の嘔吐。嘔吐後の空腹。**嘔吐後の衰弱と熟睡**。**ひどい吐き気**。食後、間をおいての逆流。乳のように白い泡状のものの嘔吐；黄色い液体の嘔吐。胃が上下逆転したかのよう。脳の極度の疲労による消化障害。むかつき。

腹部：腹部の青黒い腫脹；腹部の冷たさ、自覚的、他覚的、足の冷たさを伴う、腸の痛みを伴う、＞温かいものをあてがう。疝痛、嘔吐に続く、めまいと衰弱。へそ周辺が、泡立つような感覚。

便　：黄緑色の粘液性の下痢。未消化の便。頑固な便秘、腸のすべての作用が失われたかのような感覚。高齢者の胆汁分泌に影響。

泌尿器：頻繁な尿意と膀胱の切られるような痛み。

男性：右の精巣が引き上げられ、腎臓の痛みを伴う。

女性：水っぽい月経。刺されるような痛みを伴う、乳腺の腫脹。外部に吹き出物、温まるとかゆい。

呼吸器：しゃっくりで中断する息切れ。苦痛で患者は口数が少なくなる。胸部の痙攣性の収縮。咳に起因する頭痛。胸の左側のちくちくする痛み。

心臓：激しい動悸、めまい、頭痛、情動不安を伴う。速い脈、硬脈、弱い脈、リズミカルでない脈。

首・背中：頭をまっすぐに立たせる力の不足。万力にかけたような腰のくびれ。一連のビーズのような首周辺の腺腫脹。背中の痛みが、まっすぐに伸ばしたり、後方に曲げたりすることで、好転するような感覚。

四肢：手指と手の親指が、内側に曲がっている、または握り締めている。腕が短くなったような感覚。手足のしびれ。重たさ、弱さ、手指の

収縮。歩行中の表皮剥離。
- **皮膚**：一連のビーズのようなリンパ腺の腫脹。皮膚は、<u>べとべとする汗で覆われ冷たい</u>。かゆみのある発疹；関節周辺の、＞暑さで。斑状出血。全身水腫（浮腫）。全身が青い、黒い。
- **熱**：ひどい高熱には、喉の渇きを伴わない。発汗中は、身体を覆わなければならない。ほんのわずかな動きによる発汗。
- **睡眠**：激しいびくっとする動き、または冷や汗による睡眠障害。排便後または嘔吐後のうたた寝。眠りに落ちる際の眼球の動き、あるいは軽い痙攣。

補完レメディー：Calc.
関連レメディー：Ant-c., Cic.

Agaricus muscarius　ベニテングダケ

総体的症状：この毒キノコは、<u>脳脊髄軸</u>に作用する。脳に作用すると、めまいやせん妄を起こす。脊椎、神経、骨髄に影響を及ぼし、**不規則な動き、ぎこちない動き、不明確な動き、大げさな動き**を引き起こす；手が遠くまで伸びすぎる、よろめく、あるいは歩行の際、足が高く上がりすぎる、**物を取り落とす**など。症状は、ゆっくり発現する。患者は、**多種多様な症状**を患う。**震え、痙攣性のぴくぴくする動き・攣縮**（twiching）、**痙攣性のぐいっとする動き**（jerking）、あるいは**細動性痙攣**が、身体のあちこちでみられるのが大きな特徴で、特に**まぶた**と舌に顕著。症状は、例えば、右腕と左脚というように、対角線上に現れる。震える。神経質で、落ち着きがない。舞踏病、＞睡眠中。冷たい針、または熱い針で突き刺されたような感覚、患部に冷たい滴、または冷たい重しがあるような感覚。痛いひきつりの後、患部はこわばり、冷たくなる。てんかんや痙攣

(convulsion) が起きると、体力が増強し、重いものも持ち上げることができる。痙攣性のぴくぴくする動き・攣縮は、睡眠中は治まる。性交後の痙攣 (convulsion)；乳の抑制、怒られた後、罰の後。性交後に気を失う、若い、神経質な、既婚女性。脳の障害から、歩行と発語の遅い子ども。症状の前にあくびをする。

悪化：**冷たい空気**。**凍えそうな**空気。雷雨の前。**精神疲労**。**性交**。**放蕩**。**アルコール**。**脊椎の圧迫**。**接触**。**朝**。月経中。太陽。恐怖。

好転：穏やかな動作。

精神：歌う、支離滅裂なことを話す、話題を次から次へと変えるが、返答はしない。**多弁**。どんな仕事にも、特に知的作業には気が向かない。恐怖心の欠如。詩作する。こっけい。抱擁し、手にキスをする。利己的。無関心。酔っ払ったように、鈍く、ふらふらする。不機嫌、強情、頑固；歩きはじめ、発語が遅い。不器用で、ぎこちない。誰もわからない；物を投げる。脊椎の圧迫から、不随意に笑う。新しいことは何もできない、日常の決まりごとができない、または逆のことをする。

頭部：めまい、日光で。鈍い頭痛、**頭を前後に動かさなければならない**。頭痛＞排便後、排尿後；鼻出血または濃い粘液分泌を伴う頭痛。頭の右側に、くぎを刺されたような痛み。常に頭を動かしている。首がすくんでいる。

目：文字が動いて見える、または泳いで見えるため、読むことが困難。複視、眼球の揺れ。眼角に目やに。飛蚊症；茶色。**まぶたの痙攣**。まぶたとまぶたの間が狭まる。眼振、斜視。まぶたは分厚く、乾燥して、焼けるよう。

耳：耳の中がかゆく、赤みと焼けるような痛みを伴う、凍っていたかのように。耳周辺の筋肉の痙攣。**雑音**。

鼻：鼻かぜでもないのに、頻繁なくしゃみ。鼻かぜでもないのに、透明な鼻汁。咳の後のくしゃみ。外側も、内側もかゆい。悪臭のする、

　　　　黒っぽい、血の混じった分泌物。高齢者の鼻出血。赤み。かがむと鼻閉塞。
顔　：顔の筋肉のこわばり；痙攣。顔がかゆく、焼けるよう。ほおに、とげが刺さったような痛み。神経に沿って、冷たい針で刺されているような神経痛。しかめっ面。愚鈍な表情。顔は青くむくんでいる。
口　：口角が下がっている；麻痺による；唾液が垂れる。口唇ヘルペス。甘い味、苦い味がする。口腔上壁にアフタ。舌の乾燥、震え；片側のしびれ、めまいを伴う。不明瞭で、ぎくしゃくした話し方。不快な口臭。口に唾液の泡。はれて出血する歯茎は、痛みを伴う。
喉　：萎縮したように感じる。咳をせずに、小さな痰の塊を吐き出す。乾燥しているため、嚥下しにくい。喉がちくちくする；旋律が歌えない。
胃　：常に喉が渇いている。おくび；何もない、リンゴの味、または腐った卵の味；しゃっくりと交互に出る。**みぞおちに塊があるかのよう**。胃の不調、肝臓周辺の鋭い痛みを伴う。苦い嘔吐、疲はいを伴う、直腸と鼠径部の差し込みを伴う。
腹部：腸がゴロゴロ鳴る、腸内発酵。多量の、においのない放屁。下痢には、極端に臭いニンニク臭のする放屁を伴う。子どもの下痢は、草色の胆汁性の便。熱い腸内ガス。のたうち回る感覚。走者の脾臓部分の差し込み。
泌尿器：多量の尿、無色、澄んだ、レモン色。尿道からの粘着性粘液。頻繁な排尿。冷たい尿、流出は緩慢、または滴状；排尿するためには、圧迫しなければならない。
男性：性欲亢進。性交後、ひどい衰弱、多量の発汗、皮膚は焼けるようで、かゆい；肋骨下の緊張と圧迫。射精は熱い。性交中の動悸；行為後の落ち込み（男女ともに）。早漏。痛みを伴う、退縮した精巣。淋病からくる慢性尿道炎の膿。放蕩による疾患。
女性：下方へと押されるような痛み、特に閉経後の。性的興奮。多量すぎ

る月経。乳頭がかゆく、焼けるよう、赤い；妊娠中。出産後、性交後の病訴。母乳の抑制に起因する疾患；脳の疾患、腹部の疾患につながる。帯下は、黒っぽく、血が混じり、刺激性で、患者は歩くことができない。性欲を伴うかゆみ。

呼吸器：咳だけの発作、その後のくしゃみ。脊椎からくるような咳。粘液の塊を簡単に吐き出す。苦しい呼吸、圧迫された呼吸。胸が狭すぎるように思える。

心臓：性交中の動悸。不規則な動悸、乱れた動悸；顔の紅潮を伴う、＞たばこ。心臓から、左の肩甲骨にかけての圧迫感、または灼熱感、突き刺されるような感覚。狭心症、過剰な痛みだけを伴う。突然の音、おくび、あるいは咳からの心臓周辺の衝撃。

背中：脊椎は熱に敏感。疲労からの痛み。痛みのある衰弱と苦痛。**脊柱**は、圧迫と接触に**敏感**。脊柱に沿って、撃ち抜かれるような痛み、焼けるよう。脊柱が短いように感じられる。腰部の痛みと仙骨の痛み、背中をねじったような、うなじにかけて、＜前屈。腰痛、＜戸外、＜座位。頸部の筋肉の痙攣。脊柱に沿った蟻走感。背中の筋肉がぴんと張ったように感じられる、まるで、かがむと切れそうな感覚。背中全体に冷気が広がっているような感覚、オーラのように。

四肢：腕に落ち着きがない。両手が凍ったようにひりひりしてかゆい。手の震え。文字を書くときに、右手が不安定；多量に書いたため、腕が麻痺したように感じられる。不安定な歩き方。まるで凍ったようにかゆい足指と足。足の裏と足の疼痛性痙攣。脛骨の痛み。脚を組むとき、大腿に激しい痛み。下肢の麻痺、腕のわずかな痙攣を伴う。脚を組むとき、脚のしびれ。臀部が冷たい。臀部の痛み、＜横たわる。物を持っているとき、手指がぴくぴく動く。足が重たく感じられる。自分の四肢が、自分のものではないように感じられる。

皮膚：**焼けるよう、かゆみ、赤みと腫脹。まるで凍ったよう**。しもやけ。かくとかゆい場所が変わる。寒いと皮膚が痛む。血管神経性浮腫。

耐えがたいかゆみと灼熱感を伴う粟粒性発疹。患部全体のかゆみ。少し打っただけで、斑状出血を起こす。

睡眠：頻繁にあくび；痛み、痙攣に先駆けて；随伴症状として。不随意の笑いの後に続くあくび。眠りに落ちるとき、驚いてはっとする、ぴくっとする、頻繁に目を覚ます。

熱：冷えやすい、汗をかきやすい、左右交互に発汗。寝汗。

補完レメディー：Calc.

関連レメディー：Phys., Tub.

Agnus castus　セイヨウニンジンボク

総体的症状：Agn. の主な効果は、男女ともに**生殖器**にあり、また精神面にも、特徴ある症状がみられる。精神的な落ち込みに呼応して、性的活力が低くなり、神経エネルギーを喪失する。死期が近づいているという固定観念に伴う、極度の悲しみがある。男女ともに影響を与えるが、特に男性に顕著である。精力乱用による**インポテンスおよび早老**。淋病を繰り返した病歴。自慰による自己卑下。未婚者の神経衰弱。捻挫と筋違いに傑出したレメディー。あらゆる部位の、特に目のかじられるような痛み、かゆみ。神経症の男性の、喫煙を原因とする頻脈。**疲れきった放蕩者**。Agn. は、その昔、男女の性欲抑制に使用された。

悪化：過剰な性行為。重たいものを持ち上げたことによる捻挫。

精神：ぼんやりしている。死が近いと感じる、どうしようもないほどの悲しみ。散乱（精神の集中や固定ができないこと）。物事を思い出せない。勇気の欠如。自分はもうすぐ死ぬので、何をする価値もないと言う。記憶力が悪い。

頭部：人や煙でいっぱいの部屋にいることからの頭痛、＞一点を見つめること。

目：散大した瞳孔。目の痛みとかゆみ。

鼻：ニシン、ジャコウの香りがするような幻覚。鼻背の強い痛み、＞圧迫。

顔：ほおの腐食性のかゆみ。ほおの蟻走感。右下顎の歯槽がずたずたに引き裂かれるような痛み。

口：口腔内と歯茎の潰瘍。温かい食べ物や飲み物による歯痛。

胃：腸が下に引っ張られるので、手で腸を支えたい感覚を伴う吐き気。きわめてシンプルな食べ物しか受け付けない。おくびは、尿のようなにおい。

腹部：睡眠中に、腹部がゴロゴロ鳴る。脾臓の腫脹と痛み。放屁は、尿のようなにおいで、衣類に長く染み付く。肛門の深い亀裂。肛門周辺の皮下潰瘍は、歩行時にのみ感じられる。腸が沈みそうで、手で支えなければならないような感覚。

泌尿器：多量の尿、頻繁。

男性：性欲をほぼ喪失。精巣は冷たい、はれ、硬い；陰茎は小さい、力ない。インポテンスに伴う精液漏。酷使による前立腺液の喪失。尿道からの黄色い分泌物。

女性：透明な帯下様の分泌物が、非常に弛緩した生殖器から、気づかないうちに流出。性交への嫌悪。帯下は、黄色い染みになる。悲しみに伴う無乳。腹痛を伴う、抑圧された月経。鼻出血を伴う、ヒステリー性の動悸。月経の抑圧と性欲の欠乏を伴う不妊。過剰なマスターベーションによる性的興奮の欠乏。

関連レメディー：Olnd., Ph-ac.

Agraphis nutans　ホタルブクロ

総体的症状：すべての組織を弛緩させる。患者には、冷たい風にさらされると、かぜをひきやすい傾向がある。扁桃肥大を伴うアデノイド。咽喉感染による難聴。かぜの抑圧による粘液性の下痢。難聴とは無関係の幼少期の無言症。

Ailanthus glandulosa　ニワウルシ

総体的症状：<u>血液</u>に作用し、組織を乱し、低熱（訳注：心理的な抑うつ状態および精神活動の鎮静を伴う熱）のような病態を生み出す；弱い発疹性疾患や出血性疾患。<u>喉</u>に影響を及ぼし、ジフテリア、濾胞性扁桃炎の原因となる。連鎖球菌感染。皮膚は<u>鉛色</u>か、紫がかって見える。急速な<u>疲</u>はい。<u>鉛色</u>。<u>知覚麻痺</u>。<u>強い悪臭</u>と<u>悪性腫瘍</u>が著しい症状である。分泌物は希薄で刺激性。敗血症。発疹は、毎年繰り返すことが多い。神経質で敏感な人に適合する。頑健で丈夫。胆汁気質。

悪化：抑圧。立ち上がる、または起き上がる。食べ物を見ること。動作、歩行。

好転：熱い飲み物、右側を下にして横たわる。

精神：知覚麻痺、または無関心で冷淡、ため息を伴う。鈍感。何度も繰り返して読み、そのことについて繰り返して考えなければならない。以前のことはすべて忘れられている。不眠と情動不安を伴う、絶え間ない、喃語性せん妄。激しいせん妄と輝く瞳。

頭部：前頭部ににきび、めまいを伴う赤い顔；起き上がることができない。立ち上がるときに気を失うかめまいを伴う、＜横たわる。

目　：うっ血と充血；目覚めると、びっくりしたように見える。散大した瞳孔。羞明。
耳　：痛み、嚥下時。耳下腺の圧痛と肥大。
鼻　：多量の、薄い、血の混じった、血のような鼻汁。鼻の乾燥。鼻周辺のかゆみと不快感。
顔　：マホガニー（赤褐色）；**黒っぽい**、はれている。慢性の斑状のしみのある顔；にきびの一種。はれ、割れた唇。
口　：煤色苔で覆われた歯。渇いた茶色い舌、からからに乾いている、ひび割れ。
喉　：乾燥して、不潔な口峡。喉は黒くはれている。扁桃には、**深い潰瘍が点在している**。（＜左）、緩い糊状の分泌物。外側も内側もかなりの腫脹。裂孔扁桃。過敏でかゆみのある後咽頭。ジフテリア。
胃　：起き上がるときの突然の激しい嘔吐。特異な空っぽな感覚。
腹部：非常な衰弱を伴う、下痢、赤痢。便は、薄い、水っぽい、臭い、排尿とともに不随意な排便。サナダムシ。不安感—便、尿、など。
泌尿器：微量、抑圧；尿失禁。
女性：悪性の産褥熱。
呼吸器：慌ただしい呼吸、不規則な呼吸。乾性の、しきりに出る咳。肺の痛みと衰弱。
心臓：速い脈、小さい脈、弱い脈。
首・背中：首の圧痛とかなりの腫脹。
皮膚：**濃い、まばらで、斑状の発疹**；ゆっくり発現；圧迫すると消失；しかし徐々に戻ってくる。しみだらけの皮膚。黒っぽい血清で満たされた大きな水疱。**悪性猩紅熱**。点状出血。体中を虫がはい回る感覚。
睡眠：うとうとして、落ち着きがない。
熱　：心臓の衰弱に伴う無力熱。冷や汗。
関連レメディー：Arum-t., Bapt., Lac-c.

Aletris farinosa　スターグラス

総体的症状：女性器官に影響を与える。脱出症、帯下、直腸疾患を患う、いつも疲れて、元気がなく、衰弱した、弛緩した女性のレメディー。多くの症状は、子宮疾患から生じる。**小領域が重たく感じる**。貧血性の少女や、妊婦に適合する。虚弱で、衰弱した人。出血。
悪化：体液喪失。
好転：放屁。背中を反らせる。
精神：混乱した感情。集中することができない。
頭部：後頭部が重たい；頭を後ろに引っ張られる感じ。失神、眠気、嘔吐、または下痢を伴うめまい。
耳：両側の耳がつながっているかのような感覚。
口：多量の唾液流出。
胃：食欲の欠如；食べ物の嫌悪。わずかな食事で苦痛を感じる。妊娠中のひどい嘔吐。神経性消化不良。吐き気、＞コーヒーで、夕食で；額の圧迫で。
腹部：下腹部の疝痛、＞放屁；少量の下痢状便、痛み＞背中を反らせる。排便中のひどい痛み、無理やり押し出すかのような。便は大きい、硬い、困難。直腸の無緊張による便秘。
泌尿器：速足で歩くとき、あるいは、くしゃみによる尿失禁。
女性：早期の、多量の月経、陣痛のような痛みを伴う。月経過多、多量、黒い、凝血を伴う。子宮が重たく感じられる。白い帯下、糸を引く、衰弱と貧血のために。習慣性流産の傾向。妊娠中の筋肉痛。多量の月経の後には、月経間期の、多量の水っぽい分泌が続く。
呼吸器：月経前の咳。
首・背中：腰の上で背中が折れそうな感覚。仙骨の辺りを引っ張られるような背中の痛み、糸を引く、色味のない帯下を伴う。

四肢：脚（右）は、膝下が麻痺したように感じられる；しびれ、重みをかけられることに耐えられない。
関連レメディー：Chin., Helon., Tril-p.

Alfalfa　ムラサキウマゴヤシ

このレメディーは、栄養に好影響を及ぼし、強壮効果があると考えられている。食欲増進、消化力増強、精神面と身体面の活力の復活、体重の増加。神経衰弱症、うつ、神経症、不眠症に有効なレメディー。脂肪を増加し、細胞の老廃物を集める。授乳中の母親の乳の質と量を高める。臨床的には、尿崩症やリン酸塩尿症によい効果がある。前立腺肥大による膀胱の過敏性を緩和する。1日に数度、5〜10滴投与すること。

Allium cepa　赤タマネギ

総体的症状：腟、鼻、目、咽頭、そして腸の粘膜に作用し、分泌物を増やす。目、鼻、口、喉、膀胱、皮膚の焼けるような感覚と刺されるような痛みが特徴。鼻汁は刺激性。非刺激性の流涙。神経痛は、撃ち抜かれるよう、**糸のように細い**、神経に達する損傷、または切断、あるいはその他の外科的手術後。精神的外傷を残す慢性神経炎。症状は、左から右に移行する。歌手の鼻かぜ。神経腫。老年性壊疽。身体のさまざまな部位が熱くなる感覚。
悪化：**暖かい部屋**。ぬれた足。歌うこと。湿った天候。春。夕方。傷んだ魚、キュウリ、サラダを食べること。
好転：冷たい外気。冷水浴。動作。
精神：痛みに耐えられなくなる恐怖。うつ。

頭部：額の痛み、目から顔に広がる、＞鼻汁または月経の流出、流れが止まると症状が戻る。頭の中の電気ショック。頭蓋骨のしびれ。
目　：焼けるようにひりひりする；多量の**非刺激性の流涙**、＜咳、涙をふき取りたい。近くのものが遠くに見える、あくびの間。
耳　：痛みが喉に広がる。
鼻　：**頻繁な、激しいくしゃみ；鼻かぜ**；流れるような**刺激性の分泌物を伴う**、鼻はひりひりと焼けるよう。鼻水がぽたぽたと落ちる。においに敏感、花の、モモの皮の。歌唱中の刺激性の分泌物。
顔　：麻痺、左側、同じ側の四肢も。
喉　：喉がひりひりする。痛みは耳にまで広がる。口蓋垂からの液だれ。喉に塊があるかのような感覚、または大きな塊をのみ込んだかのような感覚。
胃　：生のタマネギを欲求、適合。幽門の痛み。はげた頭頂の刺激性のある発汗、＜毎食後。喉の渇きを伴う、むさぼるような食欲。吐き気。おくび。
腹部：ゴロゴロ鳴る、臭い放屁。鼓腸性疝痛、＜座位、動作。直腸が燃えるように熱い。
男性：性交後の膀胱と前立腺の痛み。
女性：有痛性白股腫；器械的な分娩後の。
泌尿器：多量の尿；鼻かぜに伴う。足がぬれた後の、有痛性排尿困難。高齢者の尿滴下。
呼吸器：嗄声；**絶え間ない、しきりに出る、むずむずする咳**、＜冷たい空気の吸気；**咽頭が裂けて破れたかのような感覚**；喉をつかまずにはいられない。あまりに咳がひどいので、抑制したい。会話時の咽頭痛。高齢者の気管支炎。
四肢：関節が不自由な感じ；潰瘍、または特に踵の皮の靴ずれ。四肢、特に腕が痛んで疲れる。長距離歩いたために足が痛い。
皮膚：赤い筋が走る；瘭疽；出産の床についている女性の。

睡眠：あくび、深い眠りの、または頭痛と嗜眠状態、および胃の痙攣性の痛み。
補完レメディー：Phos., Puls., Ther.
関連レメディー：Euphr., Gels., Kali-i.

Allium sativum　ニンニク

総体的症状：腸の粘膜に作用し、蠕動運動を促進する。美食家で、消化不良やカタル性の疾患を患う、肥満者に適合。飲むよりも、多量に、特に肉を食べる人。食べ物が少しでも悪いと、消化不良を起こす。血管拡張の特性がある。厳格なベジタリアンよりも、肉食者に効果がある。子どもは、眠そう、活気がない、極度に青白い、腸が不活発、歩かない、身体のほかの部位に比較して、脚の成長が遅い。
悪化：気温の変化。夕方と夜。歩行。圧迫。質の悪い水を飲む。暴飲暴食。
好転：二つ折れになって座る。
精神：恐怖；二度と回復しない、どんな薬にも耐えられない；毒を盛られることへの。多くのものを欲するが、どれにも満足しない。
頭部：読書中のめまい。月経前の頭痛、月経中は治まる、＜月経後。ふけ。
顔：しみ。唇の乾燥。
口：多量の甘い唾液、食後と夜。舌あるいは喉に、髪の毛の感覚。舌は淡い色で、乳頭は赤い。
胃：むさぼるような食欲。バターを欲求。粗悪な水による疾患。粗悪な食事による胃腸障害。食道を何か熱い、および/または冷たいものが上がってくるような感覚。
女性：多量の月経。外陰部と大腿の痛み。月経中、乳房がはれ、圧痛があ

る。離乳後の乳房の腫脹。
呼吸器：朝の咳、喀出物は出にくい。喫煙中の咳。気管支拡張症、悪臭のする痰を伴う。喀血。
四肢：臀部の痛み；腰筋と腸骨筋の痛み、＜脚を組む。
補完レメディー：Ars.

Aloe　ソコトリンアロエ

総体的症状：<u>腹部静脈</u>に影響し、<u>直腸</u>、肝臓、結腸、骨盤のうっ血、**弛緩を引き起こす**。病気と薬による症状の混在に、生理的均衡をもたらす。腰痛と交互に発現する周期的な片頭痛。いつも座った姿勢が多い生活習慣による悪影響によいレメディー。疲れきった人、高齢者、高齢のビール愛飲者に適合。**小領域の充満**感がある。**重い、引きずるような感じ**、重荷のような。下に引っ張られるような感覚。分泌物；ゼリー状－鼻、便、など。**不安定感**。総体的な衰弱と疲労。外側も、内側も熱い。子どもは、とても感情的で、よく話し、よく笑う。

悪化：暑さ、暑くて湿った天候、夏。早朝。赤痢の後。あくび、あるいはそしゃく。強い歩調。夕方。飲食後。

好転：冷たい外気。冷たいものをあてがう。放屁。目を閉じる。茶、または刺激物を飲む。

精神：自分自身に不満で怒っている。精神労働には気が進まない。人嫌い、誰でも追い払う。不機嫌、＜曇りの天候あるいは便秘で。1週間内に自分は死ぬと思う。人生は重荷。音楽や、その他の音で身震いする。人が迅速に、堅固に歩んでいるように感じる。

目：眼球の奥の痛み。眼前のちらつき。額の痛みのせいで、目を半ば閉じている。

耳　：そしゃく時に音がする。
鼻　：鼻先が冷たい。寝起き時の鼻出血、寝床の中で。
口　：苦い味、酸っぱい味がする。舌と口の乾燥。
喉　：ゼリー状の粘液の大きな塊を、咳払いで出す。ひりひりする、はれている感覚。
胃　：みずみずしいもの、果物、特にリンゴ、塩辛い食べ物を欲求。みぞおちの痛み、つまずいたとき。肉への嫌悪。おくび、胃の圧迫感を伴う。排便後の空腹。
腹部：充満感、重たい、熱い、膨れている。へそから直腸にかけての痛み。恥骨結合と尾骨間がふさがれているような感覚、排便欲求を伴う。下腹部、直腸の重さ；腹の中に引き下げられるような。直腸脱。**腸にゴロゴロ、ゴボゴボする腹鳴；突然の衝動。不安定感、そして、慌ただしく、あふれ出る水のような便を排出**。放屁か便が出るのかはっきりしない。下痢、排便後の直腸の痛みを伴う；未消化物を含む。<u>肛門が弱い</u>、粘液の滲出。放屁とともに便が出る、または排尿中の排便。便は軟らかい、塊が多い、水っぽい、ゼリー状、血が混じっている；硬い便は不随意に出る、便意はあるが放屁のみ。痔核、ブドウの房のような、脱出、＞冷水浴。肛門と直腸の焼けるような感覚と縫われるような痛み、痔核のため、眠りが妨げられる。便も放屁も熱い。直腸内が焼けるよう。食後、直腸に脈動。子どもは家の中を歩き回り、小さな硬い、丸い、ビー玉のような便を落とす。カキを食べた後の下痢；暑い季節の、またはビール愛飲者の。多量の粘液の排出、直腸の痛みを伴う、排便後。塊の多い、水っぽい便。
泌尿器：高齢者の失禁。前立腺肥大。排尿時は常に、尿と一緒に、細い便が排出されそうな気がする。熱い尿。
男性：性的過敏性、食後；寝起き（子どもの場合）。昼寝中の夢精。
女性：重たい、うっ血した子宮、陣痛のような痛みを伴う、鼠径部と臀部

に感じる、＜立っているとき、および月経。閉経期の出血。月経が早すぎる、長く続きすぎる。血の混じった粘液状の帯下、疝痛が先行する。産後の赤痢。
呼吸器：冬の咳、かゆみを伴う。呼吸困難、肝臓から肺にかけての痛み。咳、座るとき、または立ち上がるとき、座った後、涙を伴う。
首・背中：腰痛が頭痛や痔核と交互に発現。仙骨の痛み、＜座っている間、＞動き回る。
四肢：関節の引っ張られるような痛み。すべての四肢が不自由。舗道を歩くとき足の裏が痛む。
睡眠：自分自身を汚す夢。
熱　：内部の熱。
補完レメディー：Sulph.
関連レメディー：Lil-t., Podo., Sulph.

Alumen　カリミョウバン

総体的症状：体中の筋肉に、麻痺性の衰弱を起こす。腺や、その他の細胞の硬化傾向が顕著。舌、直腸、子宮などの硬化；硬化を基盤にした潰瘍。気管支カタルを患う高齢者に適応。乾燥と収縮の感覚。最も深刻な便秘、子宮癌、直腸癌などの場合にみられるような。出血；ヒルに吸われた；大きな凝血塊を伴う。冷たさに敏感；空気にさらされると、皮膚が荒れ、ひび割れる。目と鼻の手術後に有効。締めつけられる感覚、四肢の周囲にひもやベルトがあるような、麻痺の出る段階で。筋肉の弛緩。
悪化：睡眠中；右側を下にして横たわる；寒さ。悪い知らせ。
精神：神経性の震え、悪い知らせからの。疑い深い人。就寝恐怖（症）。
頭部：焼けるような痛み、頭頂部に重りがあるような、＞冷たい手によ

る圧迫。みぞおちの衰弱を伴うめまい、＞目を開ける、＞右側を向く。頭痛、＞冷水を飲む。

目　：虹彩脱出、白内障の手術後。右目の、鼻方向への斜視。

耳　：睡眠中に、すべての音が聞こえる。膿性耳漏。

喉　：肥大、硬化した扁桃、頻繁にかぜをひくため。口蓋垂は長く延び、弛緩。咳に伴う喉の表面をこすり取られるような感覚。食道の痙攣、辛うじて液体は飲み込める。完全なる失声（症）。

腹部：非常に頑固な便秘；何日も便意がない。硬い、ビー玉のような塊を排出、しかし直腸はまだ詰まった感じ。排便後の長く続く痛みと、ひりひりする直腸。大酒家の吐血。直腸から大きな塊が出る。

女性：子宮頸部と乳腺の硬化。慢性的な、腟からの黄色い分泌物。月経は水っぽい。手が衰弱、月経中は物を取り落とす。

呼吸器：多量の、粘着性の喀出物、高齢者の、午前中の。肺のカタル；肺の衰弱、喀血；困難ながら、咳とともに粘液を喀出。

心臓：動悸；＜右側を下に横たわる、自分の病気について考える。

皮膚：陰茎の裏側と陰嚢の発疹。脱毛症。

Alumina　酸化アルミニウム

総体的症状：脳脊髄軸に作用し、**協調障害、麻痺性の症状**を起こす。知覚障害。精神面では、現実意識と判断力が影響を受ける。生命に必要な体温を維持できない高齢者や、衰弱を伴う早老に適合する。皮膚と、目、喉、直腸などの粘膜を乾燥、あるいは過敏にさせ、弛緩させる。多量の粘液分泌。分泌物は、薄く、刺激性があり、微量。硬化する傾向。機能が不活発になり、反応が遅れるなど、針で刺激しても感知するのが遅い、印象は、ゆっくりと意識に達する。患者は、**やせて、不活発、横になりたがる**が、それによって疲労は増大

する。人工的なベビーフードの産物である、虚弱な子どもに効力がある。さまざまな部位で感じる脈動；痛みは上昇する。患者は、しばらくの間、完全によくなるが、はっきりとした原因なしに悪化する。慢性化。極度の疲労：会話後；月経後。脊髄の退化。目を閉じて歩くことができない。小領域の不随意の動き。思春期の少女が枯れたように皺くちゃである。落胆からくる病的影響。収縮の感覚。震え、痙攣性の動き、痙攣、涙と笑いを伴う、同時に、または交互に。

悪化：<u>部屋</u>、寝床の、食べ物の**暖（温）かさ**。食物：人工的な、イモ、デンプン、塩。**話すこと**。**乾燥した天候**。**早朝**。**寝覚め**。座っていること。月経後。周期的、隔日に。性交。喫煙。持ち上げること。激しい活動。満月と新月。

好転：夕方。外気。適度な活動と、適度な気温。湿った天候、冷水浴。

精神：幻覚；大きい、**しびれた**、**滑らか**、重いという。**気はせくが、実行は遅い**、そのため読み書きで間違える。精神はうつ状態。臆病。恐怖；自分の衝動に対する、刃物を見ると、血に対する；理性を失うことへの恐怖。何かを見たり、言ったりするとき、別の人がそれを見たり言ったりしたように感じる、または、自分が別の人になり代わり、そうしてはじめて見ることができる。時間の経過が遅すぎる。常に不満の声をあげる、愚痴を言う、心配する、いらいらする。記憶力が悪い、機嫌が変わりやすい。寝覚めの憂うつ。不機嫌。すべてのものが、悲しげに映る。機嫌が変わる。前に倒れそうな感覚、それを極端に怖がる。物事が非現実的に映る。痙攣発作の合間に笑い、話す。何事をも冷笑する。不平を言う。刃物や血を見ると、自殺したくなる傾向。

頭部：めまい、＜話すこと、目を閉じる、または開ける、朝食前。めまいは、目の前に白い星がちらつく、突然目の焦点が合わなくなったとき；通常の視野に戻るまで待たなければならない、＞目をこする。

　　　　頭の中に激しい痛み、吐き気を伴う。髪の毛をつかまれているよう
　　　　な頭痛。脱毛；頭皮がかゆく、しびれる。頭痛＞じっと寝床で横た
　　　　わる。乾燥した髪。
目　：目の前に白い星がちらつく、めまいを伴う。まぶたは力がない、分
　　　　厚い、乾燥している、焼けるよう、うずく、下垂症。両目の斜視、
　　　　＜生歯。物が黄色く見える。目；炎症を起こし、焼けるようで、夜
　　　　に癒着する、日中の流涙。目が冷たいと感じる。
耳　：片耳が熱く、赤い。耳管が詰まった感覚。そしゃく時または嚥下時
　　　　に、耳の中でパチパチと耳鳴りがする。
鼻　：鼻孔が痛くて赤い。鼻先のひび割れ。濃厚な黄色い粘液を伴う鱗
　　　　屑。
顔　：**老けて見える**；陰うつで、皺くちゃ。まるで卵白かクモの巣が顔に
　　　　付着しているような感覚。血瘤腫、および吹き出物。下顎の不随意
　　　　の突発的な痙攣。上顎の関節が、そしゃく時、または開口時にきつ
　　　　く感じられる。
喉　：乾燥；棒がいっぱい詰まったような感覚、または**締めつけられてい**
　　　る感覚、食べ物が喉を通らない。タマネギを食べると痛む。常に嚥
　　　　下したい衝動。口蓋垂が垂れ下がっている。嚥下時に痛い、＜固形
　　　　物、＞空嚥下、温かい飲み物。まるで食べ物が通過できないかのよ
　　　　うな、咽頭から胃にかけての痛み；一度に少量ずつしかのみ込めな
　　　　い。牧師の咽喉痛。食道全体が食べ物を感じ取る。
胃　：異常な欲求：粗悪な食べ物、チョーク、炭、固形食品、清潔な白い
　　　　ぞうきん、紅茶の葉やコーヒーの粉、果物、野菜、米、その他の消
　　　　化できないもの。食道狭窄。食後3時間、痛みが続く。お腹の大き
　　　　な子ども。イモ、肉への嫌悪と不耐。
腹部：腹部の症状は左側に現れる。両側の鼠径部が、生殖器のほうに圧迫
　　　　される。直腸から足首にかけての痛み。不活発な直腸、軟らかい便
　　　　でも排便が困難、硬い便の場合、極端に切れる。小さな球状の便、

硬い節、または鮮やかな凝血塊。排便よりかなり前に、痛みのある便意を催す、そして排便時にはいきむ。便秘：赤ん坊が詰まっているような、座っていることの多い高齢者や女性の。立った姿勢でしか排便できない。

泌尿器：膀胱の筋肉が麻痺して、**排便時に排尿するため緊張させなければならない**。腎臓の痛み、＜踊る。高齢者の頻繁な尿意、勢いのない流れ。寝小便をするのではないかとの危惧。尿閉、排尿後の尿滴下を伴う。排尿時の苦痛。膀胱と生殖器の衰弱を感じる。

男性：性欲亢進。性器のむずむずするかゆみ、またはくすぐったい感覚。排便時に力んでいるときの不随意の射精、昔の症状が後に続く。性交中と勃起中の会陰の痛み。夜間の持続勃起症。

女性：月経が早すぎる、短い、少量、薄い色、極度の衰弱が後に続く。帯下：刺激性で多量、足まで流れる、＜日中；月経前、＞冷水で洗う。耐えがたい下方へと圧迫される痛み。性器のくすぐったさとかゆみ；セックスへの強い欲求を伴う。乳頭はかゆい、焼けるよう、（妊娠中は）黒々として見える。女性が、月経後に健康を回復するのに、次の月経までかかる。

呼吸器：咳、継続的、渇いた、痰のからんだ、呼吸を阻害する、くしゃみを伴う；＜朝、寝起きに、細長い口蓋垂のせいで、香辛料で、または刺激物を食べたため、話すこと、歌うこと。突然声が出なくなる；かぜをひいて。肺が締めつけられているような感じ、＜前かがみになって座る；かぜをひくときに。話をしている間の肺の痛み；持ち上げるとき。

心臓：動悸と心臓のショック。午前4～5時に目が覚める、不安から、＞起きた後。

首・背中：背中の痛み、まるで熱い鉄を脊椎に沿って押し付けられたかのような。背中の激痛。背中をひもで縛られたような感覚。

四肢：腕と手指に痛み、熱い鉄で刺しぬかれるかのような。腕が重たく

感じられる、麻痺したかのように；短いように；しびれているかのように。下肢が重たい。歩行時によろめく。特に脚を組んで座っているとき脚がしびれたよう。歩くとき、踵がしびれたよう。**加速歩行**。脊髄癆。爪はもろい、または分厚い。爪の下側のかじられるような痛み。目を開けているとき、または日中しか歩けない。目を閉じるとよろよろする。踵に体重がかかると痛い、まるで踵が軟らかすぎるかのよう、歩くときも痛い；脚を組むと疼痛性痙攣。骨は圧搾されているように感じる。

皮膚：耐えられないかゆみ、寝床の中で体が温まると。乾燥、ざらざらした、ひび割れた皮膚。かゆみ、焼けるよう、痛みの中枢で。血が出るまでかき続ける。湿疹。わずかな皮膚の傷がうずく、炎症を起こす。皮膚の症状＜冬、満月と新月。

睡眠：心配、じっとしていられない、錯乱した夢、泥棒の、幽霊の、船が沈む。

熱：悪寒、＞外気。熱にかゆみを伴う。

補完レメディー：Bry.

関連レメディー：Bry., Plb.

Almina silicate　ケイ酸アルミニウム

総体的症状：脊髄に影響を与える。総体的症状で特徴的なのは、狭窄。（口、耳など）開口部の狭窄。脊椎内のうずきと灼熱感。すべての四肢の蟻走感、しびれ、そして痛み。てんかん様の痙攣。痛む間の冷え。

悪化：冷気。食後。立っていること。

好転：暖かさ。絶食。寝床での休息。

Ambra grisea　竜涎香

総体的症状：神経に栄養を与え、緊張感、痙攣性のぴくぴくする動き・攣縮、痙攣性のぐいっとする動きを起こす。やせて骨ばったヒステリー性の女性、全機能に障害のある加齢や過労で衰弱した患者に適合する。患者は**疲れ果てているが、感受性が強すぎる**。仕事上での失敗によるショック、あるいは、身内の不幸が続いたことによるショック。上半身の弱さ、下半身のしびれを伴う。ささいなこと、または異常なこと＜呼吸、心臓、月経の始まり、など。一面的な症状。**症状の部位が突然変わる**。所々の、または1か所の冷たい、しびれた感覚には、手指、腕などの痙攣性のぴくぴくする動き・攣縮を伴う。かゆみ、震え、激発。総体的な拍動。しびれと体全体の無力感、特に朝の。身体の冷えには、痙攣性のぴくぴくする動き・攣縮を伴う。家庭内のショック、仕事上の心配の影響。近親者の死。想像力。若い現代女性。

悪化：**音楽**。**他人の存在**。きまり悪さ。動揺；心配；そのことについて考えること。重たすぎるものを持ち上げる。異常なことのすべて。朝。暖かさ。温かい乳。

好転：ゆっくりした動作、戸外で。痛みのある部位を下にして横たわる。冷たい飲み物。

精神：正常に機能しなくなった記憶；理解が遅い。**夢見がち**。定着した不愉快な幻想が心をかすめる。悪魔のような顔、姿を想像する。うつ；何日もただ座って泣き続ける。不器用。話題があちこち飛ぶ、気まぐれな話し手、若い現代女性。人に対する恐れ。独りになりたい。読んだ内容が理解できない。**恥ずかしがり**。すぐに赤面する。ほかの人が話しているのを聞くこと、または独り言に影響される。時間の経過が遅い。笑うことへの嫌悪。一つの話題から、ほかの話

題へと飛ぶ、最初の質問の答えを待つことはない。音楽を聴くと涙し、身体が震える。

頭部：めまい、老人性の、頭と胃の弱さを伴う。脳の上部の引き裂かれるような痛み。脳が緩んだように感じられる、重くのしかかっている側に落ちるような。髪が抜ける。後頭部の**混乱**、くじいたような感覚。頭痛、＜鼻をかむ。

目　：まぶたがちくちくして、麦粒腫ができるかのよう。まぶたが重い、目が覚めてもまぶたが開かない。縫い物をした後、眼前に点が浮かぶ。

耳　：難聴、腹部が冷える感覚を伴う。片耳は聞こえない、もう一方はうるさい音、キーンという音が鳴り響く。

鼻　：朝、洗顔中に出血。月経中の鼻出血。夜間の鼻閉、口呼吸しなければならない、慢性のコリーザを伴う。

顔　：顔の筋肉の痙攣。唇のひきつり；唇が熱い；左のほおが赤い。顔の紅潮、黄疸のような色。当惑したように見える。新生児の開口障害。

口　：歯茎から多量の出血；不快感を与える息。ガマ腫。口が酸っぱい、＜乳を飲んだ後。唾液分泌、咳を伴う。

喉　：栓の感覚、嚥下困難を伴う。痛い、ひりひりする、空気に触れると、＜舌の動き。

胃　：食後の咳とあくび、食べたものが胃まで到達しなかったような感覚。おくび、激しい発作性の咳を伴う。乳を飲むと胸やけする。胃の膨張、真夜中以降。喉の渇きがない。

腹部：鼓腸；**他人がいると排尿、排便できない**：＜妊娠中。腹が冷える感覚。便秘、妊娠中、そして産後。肝臓周辺の小領域の痛み、＞圧迫。排便時のかなりの出血。腹部と大腿の発汗。排便に至らない頻繁な便意。

泌尿器：膀胱と直腸が同時に痛む。**他人がいると排尿できない**。尿道から

数滴出たような感覚。尿、放尿中も混濁、茶色い堆積物を形成。排尿のほうが水分摂取量より多い。ゼーゼーいう咳（百日咳）の間、尿が酸っぱいにおいがする。排尿中の、外陰部の灼熱感、ひりひり感、かゆみ。

男性：官能的な興奮。生殖器のかゆみ。外側がしびれ；内側は熱い。性欲を伴わない勃起。インポテンス。

女性：外陰部のかゆみ、ひりひりしてはれる。陰唇のかゆみ。月経間の出血、ほんのささいなことで、硬い便の後、少し長く歩いた後、など。青みがかった粘液の帯下、多量、＜夜間。性欲亢進。横たわる＜子宮の症状。早すぎる、多すぎる月経。

呼吸器：喘息のような呼吸；高齢者の；＜性交。こもった、発作性の、ほえるような咳、肺の奥からの、そしておくび。青みがかった、白い喀出物。咳、＜音楽；大勢の前、話す、声を出して読む、重いものを持ち上げる。咳で息ができない。衰弱する咳。

心臓：動悸。胸に塊が詰まっているかのような圧迫感、または胸がふさがれているような。青白い顔をした動悸。心の中では不安。

四肢：手と手指のひきつり、＜何かをつかむ。左脚が月経中にかなり青くなる。四肢の痙攣、身体の冷えを伴う、睡眠中。脚とふくらはぎのひきつり。四肢がすぐにしびれる。もろい爪。手に持っているものを落とす。手の冷たさ（左）、頭痛を伴う。大腿間が痛み、ひりひりりする。

睡眠：不安のため眠れない、起きなければならない。疲れ果てて床につくが、頭が枕についたとたん眠れなくなる。

皮膚：かゆみとひりひりする痛み、特に生殖器周辺。

熱：頻繁に紅潮する。少しの興奮で発汗、特に腹部と大腿に。

関連レメディー：Bar-c., Ign.

Ambrosia　ブタクサ

総体的症状：花粉症、流涙、まぶたの耐えがたいかゆみに効果のあるレメディー。鼻出血。鼻と頭の詰まった感覚。
関連レメディー：Ars-i., Sabad.

Ammonium bromatum　臭化アンモニウム

総体的症状：喉頭と咽頭のカタルに指示される。突然の、窒息しそうな、息が詰まる、咳。てんかんの前に、窒息しそうな感覚。爪のいらいらする感覚、＞爪をかむ。

Ammonium carbonicum　炭酸アンモニウム

総体的症状：**心臓、循環と血液**に影響を与える。心臓は、力がなくなり、衰弱する。循環は緩慢になり、血中の酸素量低下から、<u>土気色</u>になり、**衰弱**し、**嗜眠状態**になる。**活力が低下、反応の欠如がある**。喘鳴や息苦しさのある、太った、心臓の弱い人に適合。いつも疲れやすく、汗かきで、すぐにかぜをひき、月経前にコレラのような症状に苦しむ肥満女性；いつも座っていることの多い生活をしている。**冷気に非常に敏感**。水への激しい嫌悪、触れることができない。すべての臓器が重たい。不潔な体。傷はあざになり、痛む。内側がひりひり焼けるよう。分泌物は**熱く、刺激性があり**、べたべたする。**出血は、黒っぽく、薄い**。高齢。衰弱、または全身の痛みから横たわる。炭火の害。活動的だが、すぐに消耗する。

悪化：寒さ；曇りの日。湿った寒さ。冷たい外気。眠りに落ちること；午前3～4時。月経中。動作。そしゃく。歯の圧迫。上体を倒すこと。新月。

好転：圧迫；食事；うつぶせで横たわる。乾燥した天候。右側を下にして横たわる。

精神：活発だがすぐに消耗する。忘れやすい、不機嫌、陰気、嵐の日に。無頓着で規則に従わない。落ち込む、知性の欠如で。何も考えていない。記憶の喪失、＜いら立つ。誰かが話すのを聞くこと、自分で話すことに影響を受ける。働きたくない。いらいらする、やきもきする、まるで罪を犯したかのように。しくしく泣く傾向。話すとき、書くとき間違える、計算を間違える。

頭部：身を切るようなショックが、頭、目、耳そして鼻を駆け抜ける。激しい頭痛；頭がいっぱいで破裂しそう。脳が緩んでいるように感じられる。

目　：ひりひりする、乾燥。長時間、目を使うことからの眼精疲労。白いものを見ると、黄色い斑点が浮かぶ。涙があふれ出る。縫い物の後、大きな黒い点が浮かぶ。目の中が痛い、＞睡眠後。

耳　：難聴。耳の上がかゆい、体中に広がる。耳下腺と頸部の腺の硬い腫脹。

鼻　：鼻閉、夜間の、長期間継続するコリーザを伴う、口で呼吸しなければならない。子どもの鼻声。鼻出血；手や顔を洗うと、食後に、寝覚めに。続けざまにくしゃみが出る。多量の水っぽいコリーザ。鼻から始まるカタル。鼻の先端にせつ。子どもは鼻をかむことができない。

顔　：月経中のせつと膿疱。口角がひりひりする、ひび割れる、そして焼けるよう。唇が、ひび割れ、焼けるよう。ほおが硬くはれる。

口　：軟らかい、出血しやすい歯茎。上下の歯をかみ合わせると、衝撃が頭、目、耳、鼻に走る。口と喉の乾燥。ぐらぐらする、または、か

み切れない歯。舌の水疱疹。ひりひりして、話すことにも、食べることにも支障がある。月経中の歯痛。ほおの内側の腫脹。

喉　：扁桃の肥大、首の腺の肥大。扁桃の壊疽性の潰瘍形成。ジフテリア、鼻閉時、皮膜が上唇まで伸びる。

胃　：みぞおちの痛み、胸やけ、吐き気、呑酸、そして悪寒を伴う。鼓腸性消化不良。食欲は良好、しかしすぐ満腹になる。

腹部：出血性の痔核、＜月経中。排便前後の下血。突出した痔核、＜排便後または排便なしに、＞横たわる；歩くことができない。黒い、鼻をつくにおいの下痢。肩甲骨間の痛みを伴う疝痛。便秘—便は乾燥して硬い。

泌尿器：頻尿。白い、血の混じった、砂色の、多量の、混濁した、悪臭のする尿。朝方の尿失禁。

男性：性欲を伴わない継続的な勃起、または勃起を伴わない激しい性欲。性交後の、頻繁な夢精。

女性：月経に伴う、コレラのような症状。頻度が高い、多量の、早い、凝血塊のある、黒い、疝痛と硬い排便困難な便を伴う、衰弱を伴う、特に大腿の、あくびと悪寒を伴う月経。経血は、夜に流量が多い、そして呼吸困難または衰弱する。多量の帯下、ひりひりする、刺激性の、水っぽい。陰核の炎症。

呼吸器：**呼吸がますます困難になる、それにより目が覚める、＞冷たい空気**。呼吸に圧迫を感じる、＜あらゆる労作、暖かい部屋に入る。気腫。**肺がガラガラいうだけで、少ししか上がってこない**。嗄声。肺水腫。インフルエンザ後の咳。肺の沈下性うっ血。咳に伴う鮮血の喀出。

心臓：衰弱。呼吸困難と動悸で目覚める。音をたてる動悸、恐怖に伴う冷や汗と流涙、話すことができない、手の震え。狭心症。心臓の衰弱からうっ血する。

四肢：体重がかかっている側がしびれる。ふくらはぎと足の裏のひきつ

り。腕を下ろしていると、手指と手がむくむ。四肢を伸ばしたい傾向。癭疽。引き裂かれるような痛み、＞寝床の温かさで。右足のしびれ。ガングリオン。骨の痛み、＞天候の変化。右腕が重く弱い。
皮膚：赤いまたは斑状の皮膚。高齢者の丹毒。悪性猩紅熱。
睡眠：日中眠気。息苦しくなり目覚める。早めに寝床に入るほどよく眠れる。
熱　：寒さ。喉の渇きを伴う焼けるような熱。
関連レメディー：Ant-t., Carb-v., Glon., Lach,, Mur-ac.

Ammonium muriaticum　　塩化アンモニウム

総体的症状：粘膜に影響を及ぼし、分泌と貯留を増進、特に**胸部**と胆管で顕著。**不規則な循環**の原因となり、血液は常に乱れ、**沸騰、灼熱感、局部的な拍動**を起こす。多くの症状には、咳、または**多量で灰色の粘液**分泌、肝臓障害を伴う。**まるで筋肉や腱が短かすぎるような**、鼠径部、膝窩腱、腰部などの、緊張と**突っ張り感**。潰瘍形成を起こし、潰瘍性あるいは化膿性の痛みの原因となる。切断された四肢の断端の神経痛性の痛み。出血。沸騰するような感覚。太った、膨れた、不活発な患者で、四肢は細く、常に疲れ、常に痛い人に適合する。悲嘆の影響。

悪化：午前中―頭部と胸部の症状；午後―腹部の症状；夕方―皮膚、熱と四肢の症状。慢性的な捻挫。背筋を伸ばして歩く。周期的。午前2～4時。

好転：外気。迅速な動き。腰を曲げて歩く。

精神：泣きたいが泣けない。無意識に、特定の人を嫌悪する。憂うつで心配性、内なる悲しみから。

頭部：額が重い；鼻の付け根にかけての圧痛、脳が引き裂かれるような感覚を伴う。毛髪の脱毛、かゆみとふけを伴う。脳性麻痺。

目　：明るい光の中で、眼前がかすむ。眼前の飛点、黄色い点。初期白内障、水晶体嚢白内障。

鼻　：多量の、刺激性の、熱い、水っぽいコリーザ、片側の鼻閉。嗅覚の喪失。詰まって息苦しい感覚、鼻をかみたい。鼻孔上方を閉塞している、でこぼこした物質があるような感覚。鼻に触れると痛む。睡眠中のくしゃみで目が覚め、うなじから肩にかけて、撃ち抜かれるような痛みを感じる。子どもの鼻かぜ、青みがかった分泌物を伴う。

顔　：血の気がない。炎のように燃えるような、乾燥、皺が寄った、ひび割れた、舌で潤わさなければならない唇。ひりひりする発疹、＞冷たいものをあてがう。

口　：ねばねばした。舌の先に、ひりひりする水疱。

喉　：ねばねばした。扁桃の拍動とはれ。喉の内側と外側のはれ、ねばねばした粘液を伴う。食道狭窄（症）。

胃　：喉の渇きでレモネードを欲求。吐き気、苦い呑酸を伴う、＜食べること、震えを伴う。胃のかじられるような、焼けるような、縫われるような痛み、右の腋窩と上腕部に及ぶ。胃癌。空っぽの感覚、食欲はない。下痢と嘔吐、月経中。

腹部：食事中の脾臓の痛み、呼吸困難を伴う。肝臓疾患に伴う咳。腹部に、過剰な脂肪の堆積。微量の硬い、ぼろぼろする便、色と濃度が変化する。肛門出血あるいは月経中の下痢。痔疾、帯下の抑圧後。直腸が焼けるよう、排便中および排便数時間後。鼠径部の強く張った捻挫したような感覚、腰を曲げて歩かざるをえない。脚の付け根が腫れて痛む。

泌尿器：多量で頻尿。尿意はあるが、便通があるまで数滴しか出ない、便通とともに流出。強いアンモニア臭のする尿。

女性：早すぎる月経。腹部と腰の痛みを伴う；夜間に多量に流出。子宮

脱。帯下、卵白のような、へそ近辺の痛みを伴う、＜毎排尿後。
- **呼吸器**：嗄声と喉頭の灼熱感。多量の唾液分泌または肝臓症状を伴う咳。咳で呼吸ができない。**うるさい、ガラガラいう音、粘り強い胸部の粘液**。胸部の脈動、焼けるような部分。咳、＜あおむけ、または右側を下にして横たわる。
- **首・背中**：頸部腺の腫脹。**捻挫の痛み、または肩甲骨間の氷のような冷たさ**、温めても楽にならない。腰痛。座っているときの坐骨の痛み。首筋の脂肪性の腫脹、耳から耳にかけて。
- **四肢**：鼠径部の強く張った捻挫したような感覚、腰を曲げて歩かざるをえない。膝窩腱の収縮。坐骨神経痛（右）、＜座っている、＞横たわる。手指先に潰瘍性の痛み。踵の痛み、または潰瘍。月経中の足の痛み。肩甲骨の撃ち抜かれるような痛み、＜呼吸。大きな臀部。膝窩腱が短すぎるように感じ、歩くと痛い。
- **睡眠**：みだらな夢。不安で恐ろしい夢。睡眠中、驚いてはっとする。
- **皮膚**：出血傾向のある発疹。手指の間と、手首の皮膚がはがれる。身体のあちこちのかゆみ、特に夕方。
- **熱**：目覚めるたびに悪寒。熱感、＞外気、寒けと交互に。晩に横になった後に冷える。夜間の多量の発汗。動作ごとに発汗。

関連レメディー：Calc., Caust., Seneg.

Amyl nitrosum 亜硝酸アミル

総体的症状：Amyl nit. によって、血管運動神経が影響を受け、全細動脈と毛細血管の拡張、顔面紅潮、**頭部の熱と拍動**を起こす、**かーっと熱くなる、びしょぬれになるほどの（片側だけの）汗が後に続く**のが際立った症状である。大脳の血管拡張。悲嘆に起因する眼球突出性甲状腺腫。無意識、嚥下不可能を伴うことがある。特に頭部の

拍動。弱い、衰弱、酩酊歩行、歩くときに片側による傾向がある。じっと座っていることができない。
悪化：**更年期**。<u>ささいな原因</u>。感情。熱。締め切った部屋。
好転：戸外での運動。
精神：何かが起こりそうな不安；新鮮な空気を切望。
頭部：**頭部に血が押し寄せる**；火のように赤い顔になる。片頭痛、蒼白を伴う。
顔：紅潮、または赤面しやすい顔、ほんのささいな感情で。下顎のそしゃく運動。味わうような唇の動き。
喉：喉が詰まるような感覚；襟がきつく感じる。
胃：伸びをすると、しゃっくりや、あくびが出る
女性：痔疾、顔面紅潮を伴う。月経中の神経痛。閉経期の紅潮、頭痛、不安、動悸を伴う。産後すぐの痙攣。
胸部：心臓周辺の痛みと収縮。ほんのわずかな興奮から、心臓が不安定になる。荒々しい動悸。多大な不安を伴う狭心症。充実脈、軟脈。左の浮遊肋に沿って背部が痛い。
睡眠：極端に疲れた状態で繰り返すあくび。大きなあくびを何度も繰り返す。ほとんどずっと伸びをする、伸びをしたいという衝動を満足させるのは不可能に近い。伸びとあくびとしゃっくり。
熱：インフルエンザ後の異常な発汗。
関連レメディー：Glon., Lach.

Anacardium　スミウルシノキ

総体的症状：Anac. のテーマは、神経衰弱（症）。精神、神経、筋肉、そして関節が影響を受ける。精神的、身体的な**力不足**。**特殊感覚が弱まっている**―視覚、聴覚、触覚など。さまざまな部位の栓の感覚、または、<u>鈍い圧迫感</u>、時折ぶり返す。ベルトまたは帯がある感覚。症状の中断。学生の試験恐怖。**震え**、わずかな活動による、＜膝または腕。麻痺性の症状。ずっと横たわる、または座っていたい。食べると、一時的にすべての症状が消える。勉強しすぎによる神経衰弱。意志の作用を受ける筋肉の不全麻痺。腱の損傷。関節の萎縮。高齢者。不機嫌な子ども。神経質でヒステリーな女性。脊髄の疾患。ピアノの演奏後の身体全体の重さと充満感。

悪化：<u>頭脳労働</u>。<u>感情</u>。怒り。恐怖。気遣い。悔しさ。**強い歩調**。動作。すき間風、外気、冷たさ。食後しばらくの間。さする、引っかくこと。話すこと。朝、夕方から夜まで。抑制された発疹。強いにおい。

好転：食べること。横向きに寝ること。さする。熱―熱い風呂。日光に当たる。

精神：固定観念；自分には二人の人格または意志があると思う。二重性の幻想；誰かが自分の背後にいるなど。彼女の夫は彼女の夫ではなく、彼女の子どもは彼女の子どもではない。どこにも現実性がなく、すべてが夢のように映る。すべてについて心配する。無意識の会話。大声で叫ぶ、まるで誰かを呼ぶように。宗教マニア。<u>**記憶力が悪い**</u>。突然、名前を忘れる、自分の周辺にあるものの、自分の見たものの。働くことへの嫌悪。自信の欠如。悪態をつき、ののしりたい欲求。麻痺への恐怖。回復への絶望。**矛盾する衝動**―まじめなことに笑う、面白いことが起こったのにまじめな顔をしている。臆

病。優柔不断。自己矛盾がある。憂うつ。**性格が悪い**。**俗悪**。すべての事柄の悪いところを見る。まるで夢でも見ているかのように、心ここにあらず。透聴能力者－遠くの声、または死者の声が聞こえる。自殺傾向、拳銃自殺による。自分以外のほかの人の顔が鏡に映って見える。無情、残忍。ちゅうちょする、何もしないことが多い。非社交的。神経症患者。疑い深い。気分を害しやすい。老人性認知症。毒殺されることへの恐怖から、食べることを拒む。

頭部：めまい、＜歩行、かがむこと、および、かがんで立ち上がること；物があまりに遠くにあるように思える。こめかみ、後頭部、額および頭頂の栓をされたかのような圧迫性の痛み、＞食事中、眠りに落ちるとき；＜咳、深呼吸。頭皮のかゆみと小さなせつ。胃からくる、神経性の頭痛。

目：上眼窩に栓をされたかのような圧迫性の痛み。目の前に細い筋や黒い点が見える。物があまりに遠くに見える。ぼやけた視界。近視。

耳：難聴。栓をされたかのような圧迫性の痛み。耳の中でささやき声がするように感じる。

鼻：異常な嗅覚、嗅覚喪失、または極端な嗅覚。においの錯覚。頻繁なくしゃみ、コリーザと流涙が続く。激しいコリーザ、動悸を伴う、特に高齢者。

顔：青白い、**病弱**に見える。

口：口臭と、ひどい味覚。口内の痛い水疱疹。舌がはれてこわばり、話しにくく、動かしにくく感じる、多量の唾液を伴う。味覚喪失。

胃：空っぽの感覚。弱い消化力。食べるときと飲むときは息が止まる。胃痛、＞食べること、しかしまた＜２～３時間後。急いで食べ物や飲み物をのみ込む。嘔吐＞。食欲不振、激しい食欲と交互に。

腹部：腸に栓でも差し込まれたかのような痛み。腹部の硬さ。鼓腸性疝痛、ゴロゴロいう、圧迫するような、不快感を伴う。直腸が詰まったように感じる、力がない、軟らかい便でさえ排出できない。排便

の伴わない便意。肛門のかゆみ；直腸からの湿気。
泌尿器：澄んだ水のような尿の頻回の排泄；混濁した沈殿物、土色の堆積物。陰茎・陰核亀頭の排尿中、排尿後の灼熱感。
男性：陰囊のむずむずするかゆみ、刺激的な性的欲求。夢を伴わない遺精。排便中の前立腺からの分泌。快楽の不在。
女性：帯下、かゆみと患部の表皮剥離を伴う。頻繁だが、量の少ない月経、胃の痙攣性の痛みを伴う。つわり、＞食べること。
呼吸器：咳あるいは嚥下時に呼吸が止まる。話すこと、食後、食べたものの嘔吐により、激しくなる、後頭部の痛みを伴う；子どものかんしゃく発作後の咳。咳、その後のあくびと眠り。喘息、ヒステリー性、涙を流して終わる。
心臓：二度の発作の心臓の差し込み、腰部にまで伝わる。高齢者のコリーザを伴う動悸。
首・背中：鈍い圧迫感、または肩に重荷を背負っているような感覚。首筋と首から背中にかけてのこわばり；痛み、＜動作。
四肢：手の親指の神経痛。膝が麻痺したように、または包帯で巻かれたように感じる。乾燥した手。ふくらはぎのひきつり、＜歩行、または、いすから立ち上がること。足首の、捻挫したような痛み、＜足踏み。上腕部（左）の痛みを伴う強打から。つま先から足の甲にかけて、踵からふくらはぎにかけてのひきつり。
睡眠：不眠症、何日も続く。不安な夢。
皮膚：**無感覚の皮膚**；かゆみ、＜引っかく。皮膚炎。湿疹、神経症の。黄色い小水疱。蕁麻疹。とげの排出を促進する。手のひらと手のいぼ。
熱：冷えやすい。＞日光。手のひらのじとじとする汗、特に左側。午後4時から夕方にかけての熱、夕食後に治まる。
関連レメディー：Ign., Lyc., Plat., Rhust.

Anthracinum 炭疽菌

総体的症状：このノゾーズは、結合組織、または細胞組織の、悪性炎症、または感染性炎症に非常に有効なレメディーである。せつ、またはせつのような発疹を生じる；癰；悪性潰瘍、膿瘍、横痃、化膿性病巣のある部位。粘度の高い出血、黒い、タールのような、すべての開口部からの。腺の腫脹；細胞組織の水腫性で硬化性の。ひどい疲労を伴う猛烈な灼熱感。**青黒い水疱**。壊疽、傷の解離。嫌な臭気を吸い込んだことによる悪影響。**鼻中隔の膿瘍**。化膿性扁桃炎。継続的なせつ。顎右下と顎下腺の硬い石のような腫脹。
関連レメディー：Ars., Tarent-c.

Antimonium crudum 硫化アンチモン

総体的症状：このレメディーの選択は、精神面と胃に現れる症状によって決まる。名前の最後が示唆するように、**Ant-c.** の患者は、精神的にも身体的にも粗野である。患者は、**大食漢**―暴食家、自分の消化能力以上に、または見境なく食べる；そのため、**精神面と皮膚の症状**は、胃腸障害による。塊の多い（ごつごつ、でこぼこした）症状を生じる―、**塊の多い便をする**、帯下は水っぽく、塊が混じっている、皮膚にしこりが現れる；爪は厚くなる、曲がり、でこぼこになる。**ひび割れする傾向がある**―眼角、鼻孔、口角。精神面では、患者は感傷的、特に月明かりの下で、下痢の間、月経前；または、不機嫌で怒りっぽい。奇異なことに、痛みがあるべきときに、奇妙にも**痛みがない**という症状がある、例えば、とこずれ。幼児と子どもに適合する；**肥満傾向**のある高齢者や若年層にも適合。一連の症状

が再発するときには、発現する部位が変わったり、一方から他方に移ったり、5〜6週、または12週ごとに再発する。痛風がよくなると、胃が悪くなる。じっとしていられないといった神経症状、筋肉の痙攣、ささいな物音でびっくりする、といった症状もみられる。失恋や発疹抑圧の悪影響。慢性疾患には、発疹や、潰瘍の抑圧の跡をたどることができる。全身水腫。消耗症。水泳あるいは水に落ちたことからの疾患。関節リウマチ。常に眠く、**疲れている**。

悪化：**冷水浴**；**冷たい湿気**；**冷水**（頭に）。**酸っぱいもの**、**甘いもの**。月明かり。起き上がること。階段を上る。接触。**夏の暑さ**、**太陽熱**。放射熱。**過食**。夜ごとの放蕩、酩酊後の。酢。豚肉。

好転：戸外で；休息中；湿った暖かさ。横たわること。

精神：自分の運命への多大な不安；拳銃自殺する傾向。**気難しい**。**不機嫌で怒りっぽい**；**見られたり**、**触られたり**、**洗われると泣く**、特に子ども；成人は不機嫌で、誰とも話したがらない。人生、食べ物、入浴などに対する嫌悪。恍惚状態や**愛の頂点**。**夢見がち**、**感傷的**。わずかな注目にも怒る。恋わずらい。自分のことに夢中になるあまり、排尿や排便、食事すら、人に促されないかぎり忘れる。興奮性。ステンドグラスの窓から漏れるほのかな明かりに圧倒される、神経質でヒステリックな少女や女性。韻を踏み、または詩のように話す。寡黙。

頭部：冷水浴による、または胃の障害からの頭痛、＜飴、または酸味の強いワイン、果物、脂肪、階段を上る。頭のかぜをひく傾向。額の重さ、めまいを伴う、吐き気と鼻出血。頭のかゆみ、脱毛を伴う。コリーザが止まった後の頭痛。

目：眼角がひりひりする、ひび割れ、赤い、そして湿っている。まぶたの端の小膿疱、慢性眼瞼炎。まぶたは赤く炎症を起こしている。炎に見入ると咳が出る。子どもの慢性的な目の痛み。羞明。

耳：響鳴と難聴。耳周辺の水疱疹。耳漏。難聴、まるで耳が包帯か葉で

ふさがれたかのよう。
鼻 ：**かさぶたのある鼻孔**。ひりひり感とひび割れ。頭痛後の鼻出血。鼻孔の湿疹。吸入時に冷たく感じる。
顔 ：血色の悪い、やつれた、または悲しげな。吹き出物、膿瘍。ほおと顎の黄色い痂皮のある発疹。口角が裂ける。小さくて痛い、ハチミツ色の顎の顆粒。
口 ：**白く分厚い舌苔**、**まるで白く塗ったような**。中が空洞の歯の歯痛、痛みは頭に達する、＜舌で歯に触れる、＞戸外を歩く、歯ぎしり、座ったまま寝ているとき。潰瘍の痛み。月経前の歯痛。口周辺の膿疹。アフタ。歯茎から出血しやすい。苦い味がする。唾液流出、塩辛い味。
喉 ：後鼻孔からの多量で濃厚な黄色っぽい粘液。使いすぎによるがらがら声。冷水浴後の嗄声。まるで異物が喉に詰まったかのような感覚、常に嚥下したい衝動がある。
胃 ：食欲不振、食べ物への嫌悪を伴う。喉の渇きがない。酸っぱい漬物を欲求。飲食したものの味がするおくび；食後に後味が残る、または、食物が絶え間ないげっぷを引き起こす。すぐに**消化障害**を起こす。嘔吐、＜食べること、飲むこと；吐き気を伴わない、あるいは苦痛の軽減がない。胃は圧迫すると痛む。胃と腸への痛風性の転移。甘い胃酸。乳児は授乳後、凝乳を嘔吐し、その後は授乳を拒む（Aeth. の逆）。重い疾患の後、食欲が戻らない。嘔吐、恐怖を伴う痙攣、止まらない。食欲は旺盛なのに、食べる力がない（子ども）。豚肉不耐。胃は常に満杯状態。
腹部：下痢と便秘が交互に起こる、特に高齢者。便は、パン粥状、または**水っぽくて塊が混じっている**。粘液性の痔疾—肛門からの絶え間ない粘液分泌のため、ちくちく刺されるような痛みで、ひりひりする、下着に黄色いしみをつくる。カタル性直腸炎。**腹部の充満感**。硬い便の排便のため出血、裂肛。完全な粘液便。下痢、夏、

授乳後。
泌尿器：排尿中、尿道に切られるような痛み。排尿は、頻繁、多量、ひりひりして、腰痛を伴う。咳による尿失禁。悪臭。
男性：陰茎と精巣の萎縮。陰囊がひりひりする、かゆい、発疹を伴う。性欲亢進、身体全体の苦痛を伴う。
女性：水浴による月経の抑圧、卵巣の圧痛を伴う、月経中まるで何かが飛び出してきそうな子宮の圧迫感。抑圧した月経による女子色情症。水っぽい帯下には塊が混じる。妊娠中の吐き気、嘔吐、下痢。恋わずらい中の少女の卵巣痛。
呼吸器：咳、＜暖かい部屋に入る；胸が焼けるよう。咳の発作は、最初がひどく、徐々に和らぐ。炎を見つめる＜咳。熱感を伴う胸部の痛み。声の調整ができない、耳障りな声、音程が悪い、＞声を出す。加熱による失声症。胸部のかゆみ。多量の粘液の喀出により、患者は疲労する。
首・背中：起き上がるとき、腰のくびれに激しい痛み＞歩行時。首と背中のかゆみ。尾骨が重い。
四肢：手指の関節痛。角質の、または裂ける爪；爪は伸びるのが遅い、不格好；爪の下に角質層ができる。手や踵に角質のいぼができる。極度の痛みを伴う肘の腱の炎症、腕が真っ赤になり湾曲する。光った肘。足の極度の圧痛；歩行時の足の裏の圧痛。足の裏のたこ。足の裏の皮膚は、足の発汗でひからびている。書くときの手の衰弱と震え、続いて臭い放屁。筋肉の痙攣性のぴくぴくする動き・攣縮。腕の痙攣性のぐいっとする動き。不自由な足。爪の下の増殖。
皮膚：湿疹、胃の乱れに伴う。吹き出物、小水疱、膿疱が出やすい傾向。蕁麻疹、白い、赤い乳輪を伴う、極度のかゆみ。はしかのような発疹。角のあるいぼ。乾性壊疽。寝床で温まるとかゆい。ささいな圧迫によるたこ。
睡眠：眠くて疲弊。うとうとした高齢者。深い爽快ではない眠り。

熱　：わずかな運動で、多大な熱感、特に太陽の下で。発汗後の暑さと喉の渇き。間欠熱中の、無熱時の胃の障害。
関連レメディー：Sulph.
補完レメディー：Squil.

Antimonium tartaricum　吐酒石

総体的症状：Ant-c. と Ant-t. には、特に精神症状と消化器系の症状に類似点がみられる。Ant-t. は、**気管支**と肺の**粘膜**に影響を与え、**多量の粘液蓄積を引き起こし**、ガラガラいう音を生じ、それによって**呼吸**が妨げられ、**心臓に負荷がかかる**；血液循環における酸素化不全が起こる。これらが、チアノーゼ、生命力の低下といった症状の原因となる。患者は、**次第に衰弱し**、**発汗し**、**嗜眠状態になり**、**弛緩して反応が鈍くなる**。子どもと高齢者に適合する；痛風性の疾患、消化器系疾患のある酒豪に適合する。全身の震え、極度の疲労と脱力感。手、後頭部、尾骨、四肢など、さまざまな部位の重たい感覚。痙攣性のぴくぴくする動き・攣縮。病気の前に、いら立ち、めそめそ泣く。手と腕の（振戦麻痺のような）慢性的な震え。悪寒と痙縮と筋肉痛。滑膜の水腫。発疹が発現できなかった場合の痙攣。ずっと縦に抱かれたがる子ども、見られたり、触られたりしたがらない。消化器系から症状の発現。怒りといら立ちの影響。精神疲労と肉体疲労。授乳中の幼児が、乳頭を離し、息切れしたかのように泣く。子どもは、注意を向けられると痙攣発作を起こす。予防接種の害に、**Thuja**の効果が得られず、**Silicea**が指示されないとき。血管が冷たいという感覚。ビルハルツ病。同行者にくっついて離れない。
悪化：**暖かい**：部屋、覆い、天候。怒り。横たわる。朝。加熱。寒さ；

湿った。座るとき、座っているとき、立ち上がるとき。動作。酸っぱいもの。乳。

好転：咯出。まっすぐに座る。動作。嘔吐。おくび。右側を下に横たわる。

精神：独りになることへの恐怖。機嫌が悪い。落胆した、どんなささいなことにもびっくりする。喃語性せん妄。寝覚めに茫然とする。<u>無感動</u>またはすぐに不快になる；独りにしてほしい。怒りっぽい；すすり泣き愚痴を言う。回復への絶望。目を閉じると意識が弱まる。憂うつ；数々の症状を訴える。額に瘤。枕から頭を持ち上げるときにめまい。ひきつけ。

頭部：額にベルトを締めているような感覚。頭は熱く汗ばんでいる。頭の震え；咳の最中。だるさと混乱を伴うめまい、嗜眠状態と交互に。目の前がちかちかするめまい。頭の症状＞戸外で、冷水で洗う、動作。頭を反らす。

目：不鮮明、目が泳ぐ。まぶたの端に粘液がたまる（肺炎の場合）。片目が開かない。結膜の膿疱疹。眼前のちらつき、火花。

目：凝視しているような目つき。

鼻：上を向いた。鼻孔が横に広がった、**黒っぽい**。鼻翼が開いている。

顔：活気のない、沈んだ。**青白い**、**青みがかった**、または咳に伴って**ひきつる**。冷や汗で覆われている。絶え間なくぶるぶる震える顎。上唇がめくれ上がっている。不安、絶望。膿疱、醜い紫色の傷跡が残る。

口：妊娠中のよだれ。分厚い舌、白い、ねばねばしている；非常に赤い、または赤い筋；真ん中が乾燥；白い苔の間に乳頭がのぞく。あくびの後も口は開いている。苦い味、味がしない。舌がぐにゃぐにゃで、乾燥している。舌の広範囲に歯の跡。

喉：喉に多量の粘液、息切れ。嚥下は痛みを伴う、あるいは不可能。

胃：リンゴ、果物、**酸っぱいもの**を欲求、それらには不耐。**吐き気**は波

のように押し寄せ、衰弱と冷や汗を伴う。**嫌悪、不安または恐怖、頭痛が後に続く、あくび、流涙、嘔吐を伴う。強烈な嘔吐**、その後、疲れて眠る。激しいむかつき。胃弱。なかなか吐けない。冷たい水を少しずつ、たびたび飲みたがる。腐った卵のようなおくび。嘔吐＞右側を下にして横たわる。乳、あらゆる食物を嫌悪。喉が渇かない。

腹部：石がいっぱい詰まっているかのような感覚。嗜眠状態を伴う激しい疝痛。**下痢**、発疹性の疾患。粘液便、草色の便。月経前の鼠径部の痛みとぞくぞくする冷え。

泌尿器：排尿中、排尿後の尿道の灼熱感。最後の一滴は血が混じっていて、膀胱の痛みを伴う。

男性：淋病抑圧後の精巣の痛み。精巣炎。陰茎亀頭のいぼ。

女性：帯下、水っぽい血の、＜座ること。産褥痙攣、＞産後。

呼吸器：不均一な呼吸；腹式呼吸；窒息しそうな息苦しさ、咳の前に、または咳と交互に；気管に何かが詰まったかのような。**粗い、痰のからんだ、ガラガラいう咳**。胸部がいっぱいのように思える、しかし少しずつしか上がってこない。咳の後は嘔吐か睡眠が続く、＜怒り。息や咳をするためには、座りなおさなければならない。咳とあくびが交互に出る。濃厚な喀出物。新生児仮死、出生時の無呼吸、青い顔。肺の麻痺症状、水腫を伴う。咳と呼吸困難、＞右側を下にして横たわる、おくび、＜温かい飲み物。細気管支炎；肺炎；気腫。胸部の滑らかな感覚。子どもは、咳で背中を反らす。

心臓：多大な前胸部苦悶、粘液と胆汁の嘔吐を伴う。不快で熱い感覚を伴う動悸。心臓の麻痺性機能低下。弱く速い脈。血管が冷たい感覚。動悸と軟便。

首・背中：仙骨周辺の激しい痛み、少しでも動かそうとすると、吐き気を催し、冷や汗が出る、＜持ち上げる。尾骨の先端に重い負荷がかかっているかのような感覚、常に下に引き下げられる。脊椎がすれ

合っているようである。

四肢：手の震え。手指先が氷のように冷たい、無感覚、しびれ、乾燥して硬い。じっとしていない腕。座っていると足がしびれる。脚と、(左の) 膝の関節の**水腫**。歩行時の膝窩腱の緊張。滑膜炎。関節のはれ。睡眠中の四肢の痙攣性のぐいっとする動き、軟便を伴う。

皮膚：膿疱疹で、青みがかった赤い跡が残る。あばたのような密集した発疹。鬚毛瘡。天然痘。とびひ。遅延性の、または後退する発疹。青色の発疹。

睡眠：すべての症状に伴う、または暖かさによる**極度の嗜眠状態**。さまざまな症状に伴う**あくび**。眠りに落ちるときのショック。睡眠中に、凝視して震えながら泣く。左手を頭の下に差し込み、あおむけに寝る。

熱：多量の冷たくじっとりとした汗。冷え、震え、悪寒。焼けるような感覚。心臓からくる熱。月経前のぞくぞくする寒さ。

補完レメディー：Bar-c., Ip., Op.
関連レメディー：Aesc., Am-c., Ip., Lob., Op.

Apis. mellifica　ミツバチ

総体的症状：ハチに刺されたときのよく知られた症状；**焼けるような、刺されるような、ひりひりする、ちくちくする、突き刺されるような痛み、過度のはれ**が、このレメディーを選択するときの主な症状である。特に目、顔、喉、卵巣、など、皮膚や粘膜の浮腫を起こす**細胞組織**に作用する。心臓、脳、胸膜などの**漿膜**では、滲出を伴う炎症を起こす。さまざまな部位がはれ、**膨らみ；光沢のある、赤い、バラ色の浮腫**になる。熱い針で刺されるような灼熱感。過労のような衰弱；横たわらざるをえない。症状は急速に展開する。急に痛ん

で泣き声をあげる。水頭症や髄膜炎にみられる**突然の甲高い泣き声**。接触に非常に敏感。脳、**腹部**、卵巣、膀胱など、総体的に、**打撲したような痛み**がみられる。収縮感。硬直感、または何かが身体の内側を引き裂くような感覚。強い情動不安とそわそわする感覚。震え、痙攣性のぴくぴくする動き・攣縮、痙攣性のぐいっとする動き。身体の半分が痙攣し、残りの半分が不自由で麻痺した感覚。唇、舌、歯茎の神経痛。気絶するほどの極度の衰弱。感染。悲嘆、恐怖、怒り、嫉妬、悪い知らせを聞いたこと、精神的ショック、発疹の抑圧などの悪影響。**右側**が影響を受けやすい。症状は、右から左に移行する。しびれ。血栓症。リンパ管炎。腎臓、膀胱の炎症。浮腫；まぶた、唇の；赤い、囊状の。**焼けるようなかゆさ**。ジフテリアやその他の重い疾患後の麻痺。

悪化：部屋の**暑さ**、天候の**暑さ**、炎の**熱**；**熱い飲み物**、風呂、寝床。**接触**、毛髪すらも。圧迫。睡眠後。横たわる。発疹の抑圧。午後4時。

好転：**冷たい空気**；冷水浴；露出。微量の喀出。動作。まっすぐに座る。

精神：**嫉妬**、みだらな話をする。**気ぜわしい、落ち着きがない**；なかなか喜ばない。**不器用**―神経質なせいか、あるいは、ぼーっとしているせいか、物を落とす、そして笑う。愚かなほど疑い深い。産後の女性の、子どもっぽい、ばかげた行動。過敏、興奮しやすい。無益な活発さ。軽薄な、陽気な。常にむずかって泣く子ども。非常に涙もろく、泣かずにはいられない。一日中、理由もなしに泣く。（女性の場合）色情狂と無感覚状態が交互に発現。**無関心**、自分は何も苦しくはないと言う。読み書きに精神を集中できない（思春期のヒステリックな少女）。独りにされることに耐えられない。何事にも満足できない、すべてが間違っているように思える、場違いに思える。死の予感。すべての問題を抱え込む。毒を盛られるのではないかという恐怖。

頭部：脳が非常に疲れているように感じる。めまい、くしゃみを伴う、＜

横たわる、または目を閉じる。急に頭を刺されたような感覚、または殴られたような、＜後頭部、時折**鋭い金切り声**。しびれ、疲労による頭痛、＞圧迫。頭痛に伴う流涙。水頭症の場合、**頭を横に転がす**；髄膜炎の場合は、**枕に頭を埋め込ませる**。落ち込んだ泉門。**毛髪の痛み**。かび臭い頭の汗。髄膜炎の場合は頭を支えることができない。頭が膨れた感じ。髪が抜け落ちる；部分的なはげ。

目 ：**はれぼったい**；まぶた、または結膜が赤い；浮腫性、水枕のよう、赤い。熱い流涙。輝く瞳。焼けるような、刺されるような、撃ち抜かれるような痛み。角膜のブドウ腫。目の下が水枕のようにはれている、羞明、しかし覆うことには耐えられない。目の不自由さ、＞排便。斜視。近視。目の辺りがはれて赤い。物を凝視することができない；または、人工的な光では読むことができない。不透明な角膜。麦粒腫—再発を防ぐ。角膜の穿孔性潰瘍。

耳 ：外耳が赤く炎症を起こしている。叫ぶたびに、手を耳の後ろに持っていく。猩紅熱性の耳炎。

鼻 ：はれて、赤く、浮腫状。鼻と鼻先が冷たい。鼻孔のせつ、＞寒さ。**コリーザ**、鼻の中がはれているような感覚を伴う。

顔 ：幸せそうな、恐怖におびえた、または冷淡な表情。赤い、熱い、はれた、浮腫状の、突き刺されるような痛みを伴う顔；または**ろうのように青白い**、水ぶくれの。唇；青みがかった、浮腫状の；上唇。顎も、舌もこわばっている。右側の麻痺、右目が開かない。冷水で顔を洗いたい欲求。顔に蟻走感とちくちく刺すような感覚。

口 ：舌は赤く、端に水疱がある；はれて、ひりひりする；焼けたような感じ、ぎこちない感じ、痛み、こわばっている。**歯ぎしり**。口は、ニスを塗ったようにつやつやしている。舌は口から垂れ下がっている、または前に出すことができない。突然の不随意の歯がみ。

喉 ：砂色の、つやつやした、半透明の、＞寒さ；内側と外側の腫脹。紫色の喉。扁桃肥大、炎のような赤、嚥下時の刺されるような痛み、

＞冷たい飲み物。口狭炎。ジフテリア、初期の衰弱を伴う、汚い皮膜、口蓋垂の水腫。喉がひりひりする、嚥下するのが痛い、＜固形物、酸っぱいもの、熱いもの。

胃：喉の渇きがない、浮腫を伴う。酸っぱいもの、乳を欲求、それにより＞。日中は乳を飲むが、夜は飲まない乳児。吐き気、**嘔吐**。みぞおちが、触れると**痛む**。何週間も、食べないし、飲まない。飲食物の味のするおくび、＜水を飲む；水の流れ。

腹部：ぴんと**張った**感じ、張り裂けそうな、排便でいきんでいるとき。くしゃみをするとき、圧迫で打撲したように痛む。浮腫。腹膜炎。水のような下痢、黄色がかったオレンジ色の、黄色、またはトマトソースのような便。臭くない便、または臭い便、不随意の、＜動作。肛門：痛む、はれる、多量の出血、開いたまま、脱肛。便意を感じる前に、直腸に電気ショックが走る。熱感、みぞおちに痛みと圧痛。肋骨の下から痛みは上方へ向かう。肋骨のひりひりする痛み。

泌尿器：焼けるような排尿。刺されるような痛みを伴う排尿困難。

尿：微量、臭い、色の濃い、最後の一滴が焼けるようでひりひり刺激する；水頭症の場合、乳状。蛋白尿。多量の尿、水分摂取量よりも多い。コーヒーのかすのような沈殿物。失禁、＜夜、咳。排便せずには排尿できない。腎炎。膀胱炎。新生児の尿閉。前立腺の疾患の場合、排尿困難、排尿遅延、頻尿、圧迫しないと排尿できない。

男性：陰嚢の水腫。多房性嚢胞の、精巣水瘤。前立腺の障害。

女性：思春期の無月経。卵巣のしびれ、充血、抑圧された月経を伴う。卵巣嚢胞。陰唇の水腫。焼けるような、刺されるような卵巣または子宮の痛み。月経困難症、粘液性の血液を含んだわずかな分泌物または卵巣痛を伴う。月経過多、流産に伴う。多量で、刺激性、緑色の帯下。乳房の刺されるような、焼けるような痛み。乳房の腫瘍または開放性の癌。早期流産。妊娠後期の水腫、産褥痙攣を

伴う。過剰な性行為または月経の抑圧に起因する女性の躁病。卵巣痛、＜性交。月経は1日で終わる、または1日おき。新生児のへその潰瘍形成。

心臓：鼓動で全身が振動する。先端から後方に向かう差し込み。わずかな排尿による心臓の動悸。硬脈、小さい脈、間欠脈、速い脈、弱い脈。僧帽弁の機能不全。器質性の心疾患。

呼吸器：あえぐような呼吸、もうこれ以上息ができないように感じる。空気飢餓感。咽頭の浮腫。胸部前面の焼けるような、刺されるような痛み。胸膜炎後の水胸症。胸部の打たれたような、打撲したような痛み。咳のたびに、頭と胸に痛みを伴うショック。喘息、蕁麻疹からの、＜微量の喀出物。咽頭が引っ込んでいる。嗄声。甘い味のする喀出物。

首・背中：首の後ろのこわばり。背中のリウマチ性の痛み。尾骨の焼けるような感覚、圧迫感、＜腰を下ろすとき。背中の疲労と打撲したような痛み。血管性甲状腺腫。

四肢：手と手指先のしびれ。手のひらが熱い。手の浮腫。瘭疽の初期、焼けるような、刺されるような、拍動性の痛みを伴う。四肢が動かない、重い、しびれる。足がしびれてこわばる。脚と足はろうのように青白い、はれ、水腫状。手足の震え。爪がぐらぐらする感じ。極度の精神的ショックからの片麻痺。目を閉じるとふらつく。

皮膚：バラのように赤い、敏感、ひりひりする。皮膚はきめが粗く、発疹や刺された跡がある。大きな蕁麻疹。皮膚の乾燥、熱感と汗の噴出が交互に。浮腫性の腫脹。丹毒。猩紅熱。癬。

睡眠：<u>強い睡眠傾向</u>；しかし神経が立っていて眠れない。発熱時の眠気。睡眠中に叫び、突然、はっと起きる。睡眠中に布団をけり飛ばす。夢で注意力を使い果たし疲れる。

熱：寒け、予期不安、呼吸困難・蕁麻疹・露出への欲求；熱感と交互、を伴う。**灼熱感**、しかし動くと寒い。発熱時に**喉が渇かない**。ある

部位は熱く、ほかの部位は冷たい。汗の噴出、部分的な。汗は噴出し、すぐに乾く。寒けのする間、喉が渇く。

補完レメディー：Arn., Ars., Hell., Merc-cy., Nat-m., Puls.

関連レメディー：Ars., Canth., Graph., Iod., Lyc., Puls., Stram., Sulph., Urt-u.

Apocynum cannabinum　アメリカアサ

総体的症状：このレメディーは、<u>泌尿器</u>に働きかけ、利尿作用を起こし、水腫性の滲出を除去する。心臓の作用は抑圧される。**消化障害**。器質性疾患を伴う、伴わないにかかわらず、水腫全般に効果のあるレメディーである。身体の全部位の腫脹、微量の尿と汗、汗さえかけばよくなるのに、という感情を伴う。水腫には、吐き気、嘔吐、多大な喉の渇きなどの消化障害を伴うことが多い；嗜眠状態、呼吸困難を伴うこともある。急性の水頭症では、子どもは無感覚状態で横たわり、片手、片脚が自動的に動く。左側の麻痺；片目の動きがない、もう一方はぎょろぎょろする。衰弱が顕著。出血後の水腫。キニーネ。血尿。わずかな分泌。

悪化：寒い天候；**冷たい飲み物**。露出。横たわる。睡眠後。

好転：暖かさ。

精神：元気がない、神経質で当惑している。考えることができない。枕から頭を持ち上げると気を失う。

頭部：鈍痛。水頭症、視覚喪失と額の突出を伴う。

目　：熱く赤い；砂が入った感覚。片目は動きがなく、もう一方はぎょろぎょろする。

鼻　：朝は、粘度の高い黄色の粘液が詰まる、子どもの鼻づまり。すぐにかぜをひく。

顔　：むくみ、＜横たわる、起きなおると次第に消える。顔は青白い、冷や汗で覆われている、下痢の場合。唇と口の乾燥。
胃　：吐き気、眠気を伴う。喉の渇きがあるが、水不耐、飲んだもの、食べたものをすぐに吐く（水腫）。**みぞおちが沈むような感覚、多量の排尿後に―尿崩症。尿毒性嘔吐。**
腹部：腹水（症）。下痢、水腫、黄色い痛みのない、騒々しい、ほとばしるような便を伴う。肛門が開いており、便が通過するような感覚。
泌尿器：尿閉、下肢の麻痺を伴う。多量の尿、**不十分な尿**。高齢男性の夜尿。
男性：陰茎と陰嚢の水腫。前立腺肥大。
女性：若い女性の無月経、腹部と脚の膨張を伴う。子宮出血、閉経期には大きな凝血塊が出る、または血液が流れ出る。卵巣腫瘍。妊娠中の咳。
呼吸器：息切れ、呼吸不全、呼吸困難。胸部の圧迫感。短い渇いた咳。ため息。水胸症。
心臓：徐脈、震える脈、不整脈、間欠脈。僧帽弁および三尖弁逆流。
皮膚：粗い、乾燥。発汗できない。
睡眠：眠たい。極度の情動不安と睡眠不足。
関連レメディー：Chinin-ar., Nux-v.

Aralia racemosa　タラノキ

総体的症状：このレメディーは呼吸器系に作用し、咳を伴う喘息症状を起こす、＜横たわる。患者は衰弱、弛緩、疲労困憊している。胆汁異常。刺激性のある粘液分泌。
悪化：少し昼寝をした後。すき間風。午後11時（咳）。
好転：横たわる、頭を高くして。起き上がる。

精神：肺疾患への恐怖；振り払うことができない。
鼻：くしゃみ、＜わずかなすき間風、皮膚を剥離させる多量の水っぽい鼻汁を伴う。花粉症、頻繁なくしゃみを伴う。
口：アフタ。喉に異物があるような感覚。喉の吐き気。
腹部：肝臓から右の肩甲骨にかけての痛み。
呼吸器系：最初の眠りの後に起こる呼吸困難、あるいは激しい咳、＞少量の喀出。胸骨の後ろ側のひりひりする、灼熱感。塩辛い喀出物；口の中が温かく感じられる。
補完レメディー：Lob.

Aranea diadema　オニグモ

総体的症状：このクモ毒のレメディーは、マラリア毒の影響を受けやすい根本体質に適合する。患者は、骨のしんから寒いと感じ、十分温まることができない。湿った冷たさに対する異常な感受性の高さがある。淡水、川湖などの近隣、湿った寒い地域には住むことができない。神経に作用し、突然の激しい神経痛が、毎日、1日おきに、1週おきに、同じ時刻に、あるいは周期的に起きる。**局部の極度に膨大した感覚**、あるいは**局部のしびれ**、＜寝覚め、または、そのような感覚を持って目覚める。出血性のレメディー。骨に影響を与え、骨膜炎を起こす。刺し傷。症状の多くが右側に現れる。痛みは電気ショックのよう。横になりたい強い衝動。体中の蟻走感。**正確な周期性**。
悪化：寒さ。湿気。冷水浴。雨の最中。
好転：喫煙。戸外で。圧迫。夏。
精神：神経質。意気消沈した；死にたがる。
頭部：頭痛、＞煙と戸外に出ること。めまい、目の前を何かがちらちら

する。
顔　：三又神経痛。歯痛の間、ほおがはれているかのように感じる。
口　：上の歯を後退させるときに、全体に激しい痛み。苦い味、＞喫煙。
胃　：みぞおちが圧迫で痛む。少し食べた後の痙攣性の激しい痛み。
腹部：脾臓肥大。同じ時刻の疝痛。痛み＞さすること。
女性：月経が、早すぎる、多すぎる。腰腹部の神経痛、吐き気とあくびを伴う、月経周期中の。
呼吸器：喀血、真っ赤。脊柱まで広がる肋間筋神経痛。
四肢：骨の痛み。**踵骨**の痛み、＞継続的な動作。尺骨神経からくる局部のしびれ。腕と脚がしびれる。骨がまるで氷でできているかのように冷たい。踵の潰瘍。四肢が重たく感じられる。
睡眠：落ち着きがない。腕と前腕部がはれて重たい感覚で目覚める。
熱　：寒け、長骨の痛みを伴う、腹の中に石があるような感覚を伴う。発汗がない。
補完レメディー：Cedr.

Argentum metallicum　銀

総体的症状：銀は**神経**に影響を与え、発作的な痙攣性の症状を起こす。関節と、その構成要素である骨、関節丘、**軟骨組織**、靱帯に作用する。粘膜からの分泌は**濃厚**、**灰色または粘り気がある**、あるいは糊状である。組織、特に軟骨組織、瞼板を肥**厚**させる。**咽頭**もまた、多大な影響を受ける。症状は、知らぬ間に；ゆっくりと発現し、ぐずつくが、進行し、深く浸透する。痛みは、徐々に増強し、激しくなり、突然やむ、＜接触。痛みには多尿（症）が伴う。痛みのない痙攣、または電気のような衝撃。**精神**と**身体のコントロールを失う**。筋肉のひきつり；四肢に**力が入らない感覚**。てんかんの場合、

発作後、意識が混濁して怒り、飛び回り、近くにいる人に殴りかかる。関節痛。骨は痛み、圧痛がある。背が高く、やせて、過敏な人に適合する。頭蓋骨の外骨腫症。マスターベーションおよび日射病による悪影響。**ひりひりする、すりむけたような痛み**疲労と衰弱から横たわる。るいそう。カリエス。

悪化：**声を使う—話す、歌う。精神的緊張**。正午。冷たい湿気。午後3〜6時。接触、圧迫。乗り物に乗る。あおむけに寝る。座る。かがむ。暖かい部屋に入る。太陽。

好転：動作。コーヒー。身を覆うこと。

精神：**精神力の喪失。忘れやすい**。性急。不正直。話好き、または人前では話したがらない；話題を変える。不安、心配であちこち動き回る。時間がたつのが遅い。友人への同情を全く持たない。全くの気まぐれで、変わった、訳のわからないことをたびたびしでかす。自分の健康についての不安。

頭部：めまい、ぐるぐる回る、＜流水を眺める、暖かい部屋に入る。頭に、虫がはうような感覚、空洞感。頭皮は、接触に非常に敏感。

目　：まぶたと眼角のかゆみ。多量の化膿した分泌物。涙管狭窄症。まぶたと瞼板の肥厚。

耳　：耳たぶのかゆみ。出血するまで、かかずにはいられない。

鼻　：激しく流れ出るコリーザ、頻繁にくしゃみをする、そのため消耗。鼻出血、くすぐったい；＜鼻をかむ。

顔　：青白い、**血色が悪い**、衰弱を伴う。赤い、突然の熱感、動悸を伴う。

喉　：息を吐くとき、または嚥下時、咳をするときにひりひりして痛む。粘着性の、灰色のゼリー状の粘液、朝、簡単に咳払いで出すことができる。喉の緊張、＜あくび。咳払いする。口狭のしびれ。

胃　：胃の焼けるような感覚、胸部に上がってくる。みぞおちで不安や圧迫を感じる。すべての食べ物に対する食欲増進、またはすべてを嫌悪。喫煙に伴うしゃっくり。夢の中での吐き気。

腹部：空腹に伴う、大きな音。腹部の痛み、＜乗り物に乗る。排便中の嘔吐。

泌尿器：多量で頻繁な排尿。足首の腫脹がある場合は、糖尿病。乳汁のような尿、甘いにおい。慢性尿道炎。

男性：右の精巣に痛烈な痛み。歩行中は、衣服のせいで痛みが増す。性的な興奮や勃起を伴わない夢精。黄緑色の分泌物。

女性：左の卵巣に痛み。卵巣が大きすぎるように感じられる。子宮脱、左の卵巣と腰のくびれの痛みを伴う、正面と下方にも痛みは広がる。侵食された海綿状の子宮頸管。硬性の子宮癌。閉経期の出血。臭い、血の混じった、水っぽい、刺激性の帯下。卵巣嚢胞、腫瘍。妊娠中の動悸。

呼吸器：嗄声と失声、＜声を使う。プロの歌手が、全く声が出なくなる。咽頭が痛み、ひりひりする。咳、＜笑う。**灰色、ゼリー状のまたは糊のような粘液を簡単に喀出**。胸骨上窩の近辺のひりひりする感覚。胸部（左）のかなりの衰弱、呼吸の妨げになるような刺されるような痛み、音読中、または話の最中。一番下の肋骨近辺のせつ。左下の肋骨全体に沿った神経痛。

心臓：止まる、そして震動する、そして動悸、＞吸気。心臓の動揺を伴う動悸、＞左側を下にして横たわる。妊娠中の動悸、＞深い吸気。動悸の間の間欠脈と、極度の不整脈。

首・背中：極度の背中の痛みで、前かがみになって歩かなければならない。仙骨周辺の氷のような冷たさ。

四肢：上肢は、力なく感じられる。脚は衰弱し震える、＜階段を下りる。階段を下りるとき、ふくらはぎが短かすぎるように感じられる。足首の腫脹（糖尿病）。手指の収縮、上腕部の部分的な麻痺を伴う。書痙。四肢がしびれる、またはこわばる。うおのめが焼けるよう。

皮膚：さまざまな部位の神経性のかゆみ、虫などがはう感覚、くすぐったさ。

睡眠：眠りに落ちるときのような感覚。夢の中の吐き気。

熱：正午の消耗熱。腹部と胸部にのみ発汗する。
関連レメディー：Calc., Puls., Selen., Sep., Stann., Zinc.

Argentum nitricum　硝酸銀

総体的症状：このレメディーは、**精神**に影響を与え、神経性の症状を起こす。**脳脊髄神経**に作用し、身体面、精神面で、協調不能、制御不能、平衡機能障害といった症状を発現する。粘膜の炎症、潰瘍形成、粘液膿性の分泌物と、**とげのような痛み**。震えと衰弱のある、**乾燥し、ひからびた、早老の人**に適合する。ヒステリックで神経質。るいそうは進行性。**上昇性の麻痺**。局部が**拡大した**、または**包帯などを固く巻きつけられたような感覚**。**激しい痛み、まるでとげが深く刺さっているかのような**；または**鋭い、稲妻のように撃ち抜かれるような、粉砕されるような**、または放射性の痛み；発作を起こす；背中や脚に広がる。痛みは次第に増強し、次第に減少する。潰瘍形成、多量の血の混じった黄色い膿を伴う。痙攣性のレメディー；てんかんの発作；恐怖に起因する；＜月経中、夜間の；いつも発作の1～2日前に瞳孔が散大する、落ち着きのなさと手の震えがそれに続く。周期的な身体の震え。随意運動不能。対麻痺。頭部から下方に沈む感覚。脊髄炎。脳と脊髄の多発性硬化症。突然つねられたような感覚。氷を食べたこと、マスターベーション、情欲にふけることの悪影響。たばこ。症状は左側に発現する。精神症状と消化器系の症状の結合。目を閉じて歩けない。痛みからの発作。ビジネスマン、学生、頭脳労働者に適合する。試験恐怖。話したい欲求。貧血症。知覚の誤り。感覚の倒錯。

悪化：**感情、不安**、予期不安、不安または恐怖、気がかり。**室内**で、閉ざされた場所で。精神的重圧と心配事。**砂糖**。右側を下にして横たわ

る。見下ろす。飲むこと。人込み。あらゆる暖かさ。冷たい食べ物、アイスクリーム。月経前と月経中。乗馬。集中して考えること。

好転：<u>冷たい空気</u>、**外気**。冷水浴。強い圧迫。動作。おくび。二つ折れになる。

精神：奇妙な考えや感情にさいなまれる。**神経質、衝動的、性急**、しかし臆病で不安。怖がり。**厳しい試練を恐れる**。悪いことが今にも起こりそうな恐怖、人込みへの恐怖、決まった場所を通る恐怖、高層ビルへの恐怖、暗闇への恐怖。**ちゅうちょする。どもる**、つまずく、よろめくなど。大志の欠乏。自分の家族に軽蔑されていると信じている；引き受けたことはすべて失敗すると信じている。意気消沈。憂うつ。橋をわたるときの飛び降りたい衝動、窓から飛び降りたい衝動。精神疲労。記憶の喪失。時間のたつのが遅い；時間が短く感じられる、物事を急いでやりたがる、速く歩かなければならない、など。めそめそする、自分には希望が何もないと言う。すべてが変化したように見える。分別がない、奇妙なことをして、奇妙な結論に達する；ばかげたことをする。支離滅裂。子どものような話し方。自分の苦しみについて話す。ささいな病気で、寝床から出ない。

頭部：神経性の頭痛、寒さと震えを伴う、＜激しい頭脳労働、＞きつく包帯などを巻く。頭を万力で締めつけられているような感覚。圧縮されような深部の頭痛。感覚を失う。左前頭結節のえぐられるような痛み、片頭痛。頭が大きくなったような感覚。めまい、てんかんの前に、＜夜、一時的な視覚喪失、＜目を閉じる。かゆみ、頭皮を何かがはうような感覚、まるで頭蓋骨が分離されたような。頭痛は嘔吐で終わる。ヒステリックな若い女性の頭痛、繊細な文学者タイプの頭痛。

目：眼球が大きく感じられる。激しい化膿性眼炎；新生児眼炎。眼瞼炎、まぶたに分厚い痂皮。散大した瞳孔。**腫脹した涙丘**；羞明。角膜の潰瘍。結膜浮腫。急性顆粒性結膜炎。目の症状、＜腹部症状を

伴う。角膜の混濁。ピンク色の翼状片。
- 耳：耳鳴り、めまいを伴う。難聴を伴った響鳴。
- 鼻：嗅覚の喪失、激しいかゆみ。コリーザ、寒さを伴う、流涙と頭痛。
- 顔：病気のように、沈んだ、灰色がかった、土気色。老人のような見かけ。話すときに唇が震える。青い唇。
- 口：舌先が赤く痛む。乳頭突起が顕著に出る。舌苔、端はきれい。舌の端にはアフタ。収斂性の、酸っぱい、または苦味と酸味の混じった味。歯痛、＜そしゃく、冷たいもの；酸っぱいもの。そしゃくしている間に、口から食べ物が飛び出す。話すことができない、舌と喉の筋肉の痙攣。どもる。
- 喉：喉の濃い粘りのある粘液、咳払いの原因。口蓋垂と口峡は暗赤色。嚥下時、呼吸時、首を動かすとき、喉にとげが刺さっているかのような感覚＞冷たい飲み物。食べ物が咽頭に詰まる。喫煙者のカタル、喉に髪の毛があるような感覚を伴う。窒息感。
- 胃：砂糖を欲求、不耐。チーズを欲求。食欲不振。食欲はあるが、何を食べても不耐。収斂性の、酸っぱい、または苦味と酸味の混じった嘔吐。アルコール性胃炎。吐いたもので寝具に黒いしみができる。胃痛；小領域に発現する痛み、あらゆる方向に放射状に広がる、＜わずかな圧迫。みぞおちに痛みのある腫脹。胃潰瘍、＜冷たい食物。食べることにより＞吐き気は好転、しかし胃痛は悪化。吐き気＞酸っぱいもの。摂取物を噴出する。空気の上昇、食道は、発作的に閉じる。胃の痙攣と拍動。
- 腹部：**鼓腸**、腹部の膨張と破裂するような感覚を引き起こす。**派手な、爆発性のげっぷ、ガス**を上下から排出。**下痢、感情性、騒がしい**、＜飲食直後、甘いものを食べた後。水分はすぐに通過。**切れ切れの便**、粘液便、刻んだホウレンソウのような緑色になる。肛門のかゆみ。腸の震えが、背中に達する。下痢；神経性、シュガーキャンディーの後；子どもの、離乳後。便秘、すべての症状を悪化させ

る、下痢と交互に発現。
泌尿器：腎臓から膀胱にかけての激しい痛み（腎疼痛）、＜接触、動作、深い吸気。昼夜の尿失禁。尿意を催す、尿はなかなか自由に出ない。尿道に鋭い痛み、勃起痛に伴う。尿の流れの分岐。黄色い、血の混じった、淋病初期の段階。濃い色の尿、濃い赤、アルブミン含有。尿閉。
男性：インポテンス；性交しようとするときの勃起不全。性交に痛みを伴う、尿道を引き伸ばされるような、開口部の過敏さ。下疳のような潰瘍、包皮の。精巣は高く引き上げられている。
女性：性交の痛み、性交後の出血を伴う。脱出、子宮口または子宮頸部の潰瘍形成を伴う。不正子宮出血、生活の変化に際する神経過敏を伴う；また、年若い未亡人、子どものいない女性。痛みのある卵巣、痛みは、仙骨から大腿に達する。月経不順、早すぎる、遅すぎる、または1日だけで終わる。月経前の胃痛、および胸部の痙攣性の収縮。経血の量はわずかで、呼吸困難を伴う。乳児が、産後間もなく死亡する。帯下は多量で、子宮頸部を腐食する。
呼吸器：歌手の慢性喉頭炎、声を張り上げ、高音を出すと咳をする。ひりひりする痛み、気管の上部、＜咳。人込みや室内では呼吸ができない。深呼吸の欲求、それによって呼吸困難が悪化。神経性または鼓腸による呼吸困難、＜胃痛。咳；＜笑う、かがむ、喫煙、階段を上る、月経前。胸の周囲に横木があるような感覚、胸骨の真ん中に石の重りがあるような感覚。新鮮な空気を欲求。声が出なくなる。ブーツを履くときの胸の痛み。喘息、＜夏、寒い天候または、かぜをひく。
心臓：動悸、吐き気を伴う、＜右側を下にして横たわる、車に乗る；＞手で圧迫。心臓周辺の不快な充満感、＞新鮮な外気。不整脈、間欠脈。不安に、動悸と体中の拍動を伴う。
首・背中：腰のくびれの痛み、＜座位から立ち上がる、立つまたは歩く。

首の腺の硬直。脊椎の脈動または弱い脊椎。

四肢：手の震え、書くことができない。手指先のしびれ、薬指と小指。手指が、半ば握られている、開けることができない。上腕と脚のだるさと疲労、震えを伴う。ふくらはぎの衰弱、硬直、または、ねじれ。麻痺、精神と腹部の症状に伴う。目を閉じると歩くことができない。まっすぐ歩けない、まっすぐ立てない、＜見られていないとき。尾骨から重りがぶら下がっているかのような感覚。コレラのような痙攣、脚が引き上げられ、腕が発作的に外側と上向きに動く。末梢神経痛。脚の水腫。脚が、まるで木でできているか、詰め物でもされているかのよう。対麻痺、衰弱の原因後に。

熱：覆わないと寒いが、覆うと息が詰まる。吐き気を伴う冷え。

補完レメディー：Calc., Nat-m., Puls., Sep.

関連レメディー：Lyc., Puls.

Arnica montana　　ウサギギク

総体的症状：これは、トラウマにとりわけ優れたレメディーである。あらゆるトラウマ、精神的トラウマ、身体的トラウマ、そしてトラウマが最近のものでも、過去のものでも、レメディーの効果が得られる。<u>血液</u>に作用して、腐敗性・敗血症性の病態を生む。<u>血管</u>により、斑状出血、青黒い斑点、<u>出血傾向</u>、<u>鼻出血</u>、などが起こる。神経に作用して、神経痛を起こす。体中の<u>筋肉が、非常にひりひりする、痛い、打撲したよう</u>。痛み、あるいは出血の後、患部はひりひりする。膿の形成の予防薬。膿瘻。吸収作用がある。激しい衰弱。極度の疲労；疲れた感覚。<u>悪臭</u>の分泌物；息、味、放屁、便など。押しつぶされるような痛み。<u>寝床が硬く感じられる</u>、または、瘤だらけに感じられる。不随意の排便。成熟しない膿瘍。<u>麻痺性の痛み</u>；急に関

節から関節へ痛みが移動する。多血症で、黒髪の、筋肉が硬直した患者によく適合する；神経質で、楽天的な人。はっきりと衰弱がわかる、貧血の、軟肉質の患者には、あまり作用しない。複雑骨折。腱や筋肉の痙攣。骨髄炎。恐怖、経済的損失、怒り、良心の呵責；内臓の酷使、過度の性交による女性の腟炎、男性のインポテンス、あらゆる種類の**激しい活動の悪影響**。精神症状と子宮の症状が交互に現れる。急ぎすぎたときに症状が発現。脳卒中。腸チフス。敗血症。再発性のせつ。外科的手術。虫刺され。とげ。血栓症。

悪化：**損傷**―転倒、殴打、**打撲**；ショック、**振動**；**作業後**；無理をする；捻挫。**接触**。睡眠後。動作。高齢。アルコール。湿った寒さ。石炭ガス。左側を下にして横たわる。

好転：横たわる、頭を低くして、または大の字に横たわる。

精神：恐怖：**打たれる**、または、**触られる**、または、近づかれることへの；病気への；すぐに死ぬことへの；夜に心臓の苦痛を伴った；空間への；目覚めるときの；人込みの、公共の場への。不機嫌で、後悔している。精神疲労で無感動だが、**身体的にはじっとしていられない；自分は、何も苦しくはないと言う**。話しかけられると、努力して、ゆっくり答える。重い疾患でも、気分がよい。物忘れ、読んだことが記憶に残らない。怒りの後、涙をぬぐって叫ぶ。希望がない；無関心。激しい苦痛の発作。狭心症。振戦せん妄。突然の恐怖で眠りから覚める、特に、事故の後。引っかきたい衝動、引っかく、壁、ベッド、頭など。**昏睡**。喃語性せん妄。理由もなく気分がよい。すぐに驚く、予想しないささいなことでびっくりする。思考中のように座る。

頭部：脳が疲れたように感じられる、熱感。めまい：慢性、高齢者の、吐き気、嘔吐、下痢を伴う；物が回転する＜歩行。めまい、座って立ち上がるとき、目を閉じると。くぎで刺されるような頭痛。頭が熱く、身体が冷たい。額に冷たい部分、頭頂に熱い部分がある。頭部

の損傷に起因する髄膜炎。歩行中、頭は後方に反る。

目：目の充血。網膜出血。羞明。疲労して重たく感じる、観光後、映画を見た後。背の高いものが前に倒れてきそうに見える。右目が突出して、左より大きく見える。

耳：難聴；耳の雑音。耳からの出血。外耳の痛み。頭部の損傷から、聴力が正常に機能していない。甲高い音に敏感。

鼻：出血：咳のたび、洗顔後。重たいものを持ち上げることによる激しいくしゃみ。鼻がひりひりする、冷たい。後鼻漏。洞カタル。腸チフスにおける焼けるような感覚。

顔：血色のよい、充血した、脳卒中の場合、青みがかった赤色、熱。沈んだ、青白い。唇が焼けるよう、はれる、ひび割れ、下唇の震え、食事中。下顎が下がる、麻痺。痛いにきび。膨らんだほお；赤い。

口：極度の口臭。乾燥して喉がとても渇く。腐った卵の味、手術後。真っ赤、はれぼったい口峡。乾燥して、ほとんど黒く見える舌。食べ物が通過しないような吐き気による嚥下困難。

胃：おくび；腐った卵の味、咳の後。日中の食欲喪失、しかし深夜の犬のような食欲。吐き気。赤黒い凝血の嘔吐。胃が背骨に押し付けられているかのような感覚。悪臭の漂う嘔吐。胃の後ろ側に塊があるような感覚。乳と肉への嫌悪。酢を切望。常に飲みたい願望、しかし、すべての飲み物が不快に思える。

腹部：みぞおちから、腸にかけての激しい痛み、そして臭い便。わき腹から腹への鋭い痛み。便は、血が混じり、泡立ち、化膿性で、刺激性；睡眠中の不随意の。赤痢、排尿困難を伴う、夏から秋にかけての間ずっと。直立時の直腸のひきつり。放屁は腐った卵のにおい。排便後は横にならなければならない。脱肛、＜ほんの数分歩いただけで、＞全身を洗う。

泌尿器：腎臓に身を切るような痛み。膀胱の尿閉、激しい活動のしすぎから、作業後。不随意の尿滴下、常に尿意がある。排尿が終わるまで

長く待たなければならない。膀胱がいっぱいで痛い感覚；尿圧で痛い。

男性：過剰な性行為または自慰によるインポテンス。摩擦による包茎。愛撫による夢精。血腫。

女性：後陣痛、＜授乳。産後の患部の痛み。胎児が横向きに寝ているような感覚。胎児の動きに耐えられない、吐き気と嘔吐を催す。性交後の出血。乳頭の痛み。子どもは怒りで息が止まる。乳腺炎。転んだことによる流産の恐れなど。陣痛は弱い、途中で消える。月経は早い、熱い、多量。妊娠中、体中が痛い。損傷に起因する乳房の隆起。産褥熱。

呼吸器：嗄声、＜喀出、寒さまたはぬれる。睡眠中の咳で目覚めない。あくび、すすり泣き、悲嘆からの咳。子どもは、ゼーゼーいう咳の発作前に泣く。咳による目の充血と鼻出血。心臓性の咳。呼吸困難、喀血を伴う。激しい麻痺性の咳、顔面ヘルペスを伴う。胸部の骨と軟骨の痛み、＜動作、呼吸または咳。胸部の下方が重い。胸部の縫われるような痛みのために息ができない、＞圧迫。使いすぎによる声嗄れ。

心臓：鼓動で全身が揺れる。心臓が強く握り締められたかのような、衝撃を受けたかのような痛み、（狭心症の場合）痛みは左ひじに感じられる。激しく走ったことによる心臓の負担。心臓性浮腫。心肥大。脂肪心。心臓の痛みは、左から右へ。弱い脈、不整脈。心筋の衰弱。夜になると、心臓の苦痛に伴う、絶え間ない死への恐れ。作業後の動悸。

首・背中：首の筋肉が弱い、頭が後ろあるいは横に倒れる。背中の痛み。頸椎に圧痛。

四肢：四肢が打たれたように痛む。腕の痛み、＞下にぶら下げる。物をつかむときに力が入らない。手指がつる―書痙。手の血管の拡張。骨盤近辺の打撲したような痛みのため、背筋を伸ばして歩くことがで

きない。膝ヒグローマ。痛風。立っているとき、膝の関節が急に曲がる。足のしびれ。
皮膚：浅黒く、しみだらけ。ささいな傷がすべて青黒いしみになる。**非常に痛いにきびや小さなせつの集まり。対称的に出る発疹**。点状出血。丹毒。とこずれ。遊走性のちくちくする痛みとかゆみ；かいた後、どこかほかの部位のかゆみ。癬；大腿の。
睡眠：ぼんやりとした**嗜眠状態**、返事をしたかと思うと眠りに落ちる。死ぬ夢、ばらばらに切断された身体の夢、不安で恐ろしい夢、恐怖で目覚め、眠れない。極度の疲労から、情動不安や不眠になる。
熱 ：片方のほおの熱感や赤みを伴う冷え。頭か顔が熱く、身体は冷たい。身体の下になっている部位が冷たい。寒けの間の喉の渇き。露出せずにはいられないが、それにより冷える。間欠熱、腸チフス、敗血症、創傷熱。

補完レメディー：Acon., Calc., Nat-s., Psor., Rhus-t.
関連レメディー：Bell-p., Echi., Hyper., Rhus-t.

Arsenicum album　　三酸化ヒ素

総体的症状：非常に深く作用するレメディーで、すべての内臓や組織に影響を与える。**精神的には**、患者は非常に神経質、落ち着きがなく、不安である。**粘膜**の分泌物は、**刺激性があり、希薄**でわずか―コリーザ、唾液、汗など。**血液は乱れ**、悪質な貧血や、重篤な敗血症性の病態を起こす。出血、黒い、悪臭。**衰弱とるいそうが急早である**。疲はいが度を越し、病気になる。気の狂いそうな痛み。火や、**熱した針や針金のような灼熱感**、＞熱。睡眠中でも痛みを感じ、目が覚める。痛みから、**息切れや悪寒を起こす**。痛みは、頭、胃、身体に交互に現れる。神経に作用し、難治性神経痛や多発性神経炎を

起こす、＞熱さ。頻繁に気を失う。震え、痙攣性のぐいっとする動き、痙攣、舞踏病のぴくぴくした動き。**突然の激しい影響**；ささいなことが原因の**突然の極度の衰弱**。**非常に落ち着きがない**。患部ですら、じっとさせておくことができない；昏迷でも、途中で、不安なうめき声を伴った落ち着きのなさの発作が起こって中断する。バイタリティーが低い。体重が徐々に減少する。**腐敗した死体臭**。るいそう。麻痺。破壊的な過程―癩、壊疽、癌、悪性腫瘍。水腫；青白い、むくんだ、垂れ下がった**腫脹**。マラリア熱、カラアザール（黒熱病）による脾臓肥大。子ども＞抱っこして急いで歩き回る。悪影響；氷を食べた、粗末な食事、果物、特に、水っぽい、たばこ。キニーネ、海水浴、そして旅行、山登り、介護、悲しみ、恐怖；プトマイン中毒、裂傷。黄熱病の予防薬。急性および慢性の熱傷。てんかん；痙攣、落ち着きのなさを伴ない、突然、無意識になる、そして、うとうとする。

悪化：**周期的：深夜**；夜中過ぎ；午前2時過ぎ；14日ごと、毎年。**冷たい**；氷、**飲み物**；**冷たい食べ物**；冷たい空気；冷たい湿気。**野菜**。水分の多い果物。**液体を飲むこと、アルコール依存症**。感染。腐った肉、食べ物。十分に発現していない発疹、抑圧された発疹。キニーネ。患部を下にして横たわる。激しい活動。かみたばこ。海岸。

好転：**熱い**；（乾いたものを）あてがう；**食べ物**；飲み物。暖かく覆う。動作。歩き回る。頭を高くして**横たわる**。まっすぐに座る。発汗。外気。

精神：過敏。不安。気難しい。あら探し。**激しい苦痛**；回復を絶望視する。厳しい。**死への恐怖に苦悶する**、その一方で人生に疲れている、＜夜。餓死する恐怖、財産を失う恐怖。**暴力**、自虐、自分の髪の毛を引っ張る、爪をかむ、身体をかきむしる。**自殺衝動、自殺マニア**。落ち着きがない、居場所を変え続ける、ベッドを移動する；

子どもは気まぐれ、抱っこされたがる、父から、母、看護人へ。憂うつ。害虫を見つける、虫を手づかみでとって捨てる。疑い深い。独りで取り残されることへの恐怖、自分の身体を傷つけるといけないから。誰かを殺してしまったという恐怖。けち、意地悪、自分勝手。**ますますいら立つ**。無秩序なことに過敏。振戦せん妄。もうろく。固定観念、幻覚。家中、泥棒だらけで、あちこちで飛び回り、隠れているところを想像する。性急。昼も夜も幽霊が見える。月経中は、うなり、うめき、すすり泣く。必要以上に欲求する。知人に会いたくない、彼らの感情を害したと思っている。

頭部：痛み、うっ血性、＞寒さ。**頭を動かさずにはいられない**、常に動かしている。左目の上に痛み。氷のような感覚を伴う片頭痛。めまい；意識を失う、咳の発作時、喘息で、てんかんの前に。頭皮が非常に敏感、髪をとかすことができない。若白髪；脱毛。ふけ。膿の詰まった慢性発疹。痛みは、頭、胃、身体に交互に現れる、＜人の話。頭をぐいっと後ろに反らせて歩く。

目　：落ちくぼんでいる、または突き出ている。目の中が焼けるよう、刺激性の流涙。目の周辺の浮腫。極度の羞明。まぶたが顆粒状になる。まぶたの痙攣。すべてが緑色に見える；白いガーゼを透かして見ているかのよう。結膜充血、黄色い。腺病性眼炎。まぶたが赤く潰瘍形成する。まつ毛が抜ける。まぶたがむくむ。

耳　：水っぽい、悪臭の、表皮剥離を生じる分泌物。痛みの最中、耳の中に音が鳴り響く。人の声が聞こえにくい。

鼻　：**薄い、水っぽい、刺激性の分泌物**。鼻が詰まったように感じられる、頻繁なコリーザ。鼻かぜが胸にいく。鼻の中の**ヘルペス**。くしゃみ、ほっとする間のない。食べ物を見ることや、そのにおいに耐えられない。花粉症。鼻の中の節のような腫脹。上を向いた鼻。鼻のにきび。激昂した後、嘔吐後の鼻出血。鼻呼吸困難を感じる。**くしゃみ、ひりひりする水っぽいコリーザを伴う**。

顔 ：**青白い、不安**、こけた、げっそりした、または**歪んだ**、ヒポクラテスのような、冷や汗で覆われた。老人のように見える子ども。真っ赤に焼けた針で刺されるような、焼けるような、刺されるような痛み。唇は、黒い、鉛色。唇の発疹。唇の癌。黒い斑点、にきび。

口 ：舌の乾燥、きれいで赤い、**青みがかった白**。舌の端が赤い、歯型がつく。舌の焼けるような痛み。舌が焼けるよう、震え、硬い；白い、黄色、茶色、黒の舌苔。舌の根の腫脹。歯の神経痛、歯が長く感じられる、＞熱、＜夜。はれて出血する歯茎、触ると痛い。睡眠中の歯ぎしり。飲むときにグラスをかむ。口の乾燥。口のアフタ。口臭。熱い液体がこみ上げてくる。味；苦い、水が；飲食後；酸っぱい、嫌な、塩辛い、朝は甘い。血の混じった唾液。早口。サ行発音不全。

喉 ：腫脹、水腫、締めつけられるよう、焼けるよう、嚥下困難。嚥下したものは、すべて食道に詰まるように思える。

胃 ：**食べ物を見ること、そのにおい、あるいは食べ物のことを考えることに耐えられない。極度の、抑えがたい、焼けるような、喉の渇き；ちびちび頻繁に飲む；氷のように冷たい水を欲求、それにより胃が苦しくなり、即座に吐き出す**。食欲不振：喉の渇きを伴う；吐き気を伴う。飲食後の吐き気、むかつき、嘔吐。みぞおちで不安を感じる。胃の焼けるような痛み＞甘い乳。胸やけ、熱い液体でむせる。**嘔吐と下痢**。しゃっくり；頻繁；熱が出ようとしているとき；おくびに伴う。甘いもの、バター、脂肪、肉を嫌悪。胃炎。**ちびちび頻繁に飲む**、めったに食べないでたくさん食べる。不安になりがち。酸っぱいもの、ブランデー、コーヒー、乳を欲求。胃痛、ほんの少しの食べ物や飲み物で。黒色嘔吐物。

腹部：脾臓と肝臓の硬化と肥大。腹の激しい痛みに、苦悶する。**どうやっても休まらない**、床の上を転げ回り、人生に絶望する。みぞおちの痛み、圧痛。便；米のとぎ汁、悪臭、小さい、不随意、刺激性、**焼**

けるよう、黒い、粘液性、未消化物を含む、＜冷たい飲み物、非常な疲はいを伴う。へその上の潰瘍。子どもの赤痢、コレラ。肛門；赤く、痛み、**焼けるよう**。急性の脱肛。焼けるような痔核、＞温かいものをあてがう。肛門周辺のかゆみと湿疹状の皮疹。腹膜炎。腹水症。

泌尿器：乏しい、焼けるような、不随意の尿。排尿後に、腹部の衰弱を覚える。高齢者の膀胱のアトニー。尿毒症。蛋白尿（症）。糖尿病。尿閉、膀胱が麻痺したかのような、分娩後。黒い尿、便と混じっているような。排尿困難。

男性：浮腫状の陰嚢。下痢中の夢精。陰嚢の丹毒様の炎症。梅毒性の潰瘍、灼熱感、縫われるような痛みを伴う。

女性：多量の刺激性のある、黄色っぽい、濃厚な帯下、＜立つ、放屁。子宮癌。卵巣周辺の熱感。卵巣の圧迫されるような、縫われるような痛み、大腿まで通じ、しびれて不自由を感じる、＜動作やかがむこと。月経過多、黒い血。乳房の熱感、＞動作。月経時の性欲亢進。衰弱し、疲れた、心労の多い女性の抑圧された月経。月経時に直腸が縫われるように痛む。月経困難症、＞熱。

呼吸器：息切れ、横になることができない、座っていなければならない、＜におい、笑い、立ち上がる、寝返り、発疹の引き際、＞コーヒーまたは淡水。口笛を吹くような、ゼーゼーあえぐような息づかい。喘息、＜かぜをひく、真夏に。咳は乾性と湿性とが交互に生じる。夜は乾性の咳、＞起き上がる、＜飲み物を飲む。喀出はわずかで、泡状。極度の呼吸困難、鼻の；チアノーゼ状の顔、冷や汗で覆われた、多大な不安。失声（症）。気腫。肺水腫。胸の灼熱感または冷たさ。咳は、喫煙に刺激される。喉頭に硫黄の蒸気がある感覚。血の混じった痰の出る咳。体中の灼熱感、または月経の抑圧後の深酒による肩甲骨間の痛みを伴う喀血。肺の壊疽。右肺上1/3の突き刺されるような痛み。胸の黄色っぽい斑点。

心臓：衰弱、震える。苦痛を伴う動悸、＜あおむけに寝る、階段を上る、ささいな原因。心臓の痛みが、首から後頭部に広がる、不安、呼吸困難、失神の発作を伴う。狭心症。朝のほうが脈が速い。心膜水腫。排便後の、振戦性の衰弱を伴う動悸。鼓動が音を立てている。脈動が目に見える。

首・背中：尾骨から首筋にかけての、背中に沿った硬さ。背中を寒けが走る。熱い空気が脊椎を頭のほうに流れていくような感覚。腰のくびれの打撲したような痛み。腰周辺が弱い。

四肢：痙攣性のぴくぴくする動き・攣縮、震え、睡眠中の激しい衝動的な動き。肘からわきの下にかけての引っ張られるような痛み。四肢の疲労。手、四肢の震え。手指のうずき。手指を伸ばすことができない。青い、色味のない爪。手の指先の潰瘍、焼けるような痛みを伴う。足は弱く、疲れ、しびれる；浮腫状。足の裏と足指の潰瘍。足の裏が木のような感覚。歩行中の母指球の痛み。下肢の不快感、常に足を動かし続けるか、歩いていなければならない。足指が下方に曲がっている。末梢神経炎。ふくらはぎのひきつり。足の腫脹。四肢が重い。足をじっとしておけない。坐骨神経痛、＞歩行と温かいものをあてがう。対麻痺、萎縮を伴う。麻痺、四肢の収縮を伴う。

皮膚：乾燥、荒れた、うろこ状の、皺が寄った。**焼け焦げたように見える**。湿疹。尖形の発疹。多量の落屑。蕁麻疹、＜貝を食べること。潰瘍、慢性の、灼熱感、身を切るような痛みと、血の混じった分泌物を伴う。壊疽。侵食性潰瘍。癰。乾癬。羊皮紙のような皮膚。皮膚症状と内部の疾患が交互に現れる。しみ；青い、黒い、白い。吹き出物、小水疱、激しい灼熱感。

睡眠：障害、不安、**落ち着きがない**。眠りに落ちるときのショック。死ぬ夢、心配、悲しみ、恐怖でいっぱい。手を頭の上に上げて寝る。あくびをするときに四肢を伸ばす。眠り病。寝言を言う。痛みで目覚める。

熱 ：外側は**冷たく**、内側は焼けるように熱い。所々の**冷たさ**。寒さに敏感、しかし＞戸外。不規則な悪寒、震え；悪寒の間、温かい飲み物を欲求；悪寒による呼吸困難。血管を熱いお湯が流れているような感覚；あるいは、火がついた線のように血管に灼熱感がある。高熱、消耗熱。発汗、多大な喉の渇き、呼吸困難または消耗を伴う。冷や汗。血管を流れる、氷のように冷たい波か、煮えたぎるように熱い波。間欠熱、黄熱病。

補完レメディー：All-s., Carb-v., Lach., Nat-s., Phos., Puls., Sulph., Thuj.
関連レメディー：Sul-ac., Verat.

Arsenicum iodatum　ミヨウ化ヒ素

総体的症状：<u>粘膜</u>の分泌物が、慢性病では、常に、**刺激性がある**、**多量**、濃い、粘度が高い、ハチミツのように黄色い、急性の場合は水っぽいときに、このレメディーを考えるべきである。粘液が付着した部位は<u>ひりひりする</u>。その症状は、結核の初期に類似しており、午後に熱が上がる。慢性の肺や気管の炎症では、黄緑色の、膿のような喀出があり、息切れする。極度の疲労とるいそう、繰り返す発熱と発汗、下痢の傾向がある。老人心、心筋炎、心臓の脂肪変性のレメディー。心臓は、肺の慢性疾患により弱くなっている。あらゆる部位が**重たく**感じられる。腋窩腫瘍。過敏さによる弱さ；衰弱。

悪化：乾燥した、**寒い天候**。風の強い、霧の天候。激しい活動。室内。リンゴ。たばこの煙。
好転：戸外。
精神：勉強することができない、勉強すると頭が痛くなる。
頭部：めまいに震えるような感覚を伴う、特に高齢者。鈍い、重たい頭痛、額全体または後頭部。勉強すると頭が痛い。鼻の付け根の痛

　　　　み、気がおかしくなる。
目　：眼球が重たい。
耳　：不潔な耳漏。鼓膜の肥厚。耳管肥大。難聴。
鼻　：鼻汁が垂れる、**熱く、緑色で、刺激性があるため、上唇が赤くなる**。ひっきりなしの、しかし満足できないくしゃみ。鼻の中がちくちくするので、常にくしゃみをしたい衝動。呼吸困難を伴う**コリーザ**。後鼻腔カタル。花粉症。インフルエンザ。かぜには空腹を伴う。
顔　：**ほお骨の痛み**。口唇癌。
喉　：ひりひりする痛み、扁桃肥大。慢性の濾胞性咽頭炎。甲状腺腫。
胃　：極度の喉の渇き、冷水をほしがるが、すぐに吐き出す。食後1時間の嘔吐。不快な吐き気。
腹部：下痢と赤痢；便がやけどするほど熱い、ガラスのように白い。腸間膜腺肥大。右の鼠径部から脚にかけて、はれて痛む。
女性：乳房のしこり、＜接触。陥没乳頭。汚い、血の混じった、刺激性の黄色い帯下、陰唇の腫脹を伴う。乳房のるいそう。
呼吸器：**息切れ；空気飢餓感**。しきりに出る空咳。**黄緑色の悪臭の喀出物**。肺結核における喘息。**治りきらなかった肺炎**。胸部が焼けるように熱い。結核性の胸膜炎。嗄声。失声。
心臓：衰弱、過敏。脈が速い、過敏。
首・背中：腰部の灼熱感、まるで衣服が燃えているかのような。
四肢：上腕の痛み、＜書くこと。衣服が冷たく感じられる、＞歩行。
皮膚：乾燥、粗い、浅黒い。乾癬。魚鱗癬。皮膚が広範囲にわたり、下側の滲出面を残して著しく剥離する。にきびは硬く、弾丸様。性病性リンパ肉芽腫。あごひげの湿疹、＜洗浄。
熱　：発汗を伴う再発性の熱。びしょぬれになるほどの寝汗、衰弱を伴う。寒い、寒さに耐えられない。
補完レメディー：Kali-i.
関連レメディー：Kali-bi.

Arsenicum sulphuratum flavum　三硫化ヒ素

総体的症状：このレメディーは、白斑によく作用すると考えられる。蒸気、またはお湯で好転する。

Artemisia vulgaris　オウシュウヨモギ

総体的症状：幼少期と思春期の女児の痙攣性疾患に卓越している。患者は、過敏で、てんかんの発作前に興奮しやすい。てんかん；前兆を伴わない、恐怖または悲しみの後、頭の殴打後、月経障害を伴う。発作には、多量の不快なニンニク臭のする汗と、射精を伴う。夢遊病。夜中に起きだして仕事をするが、朝には何も覚えていない。舞踏病、嚥下困難を伴う。右側の震え、左側の麻痺。色のついた光によるめまい。（てんかんの）<u>小発作</u>。道を歩いている最中に、突然立ち止まり、空を見つめ、一言二言つぶやき、正常に戻るが、何も覚えていない。盗癖。

Arum triphyllum　マムシグサ

総体的症状：精神を刺激し、身体を過敏にさせる刺激毒である。口、喉、喉頭の粘膜が、極端に影響を受ける。<u>刺激性の分泌物</u>で、患部は<u>痛んで、ひりひりして、焼けるよう</u>。かゆみを伴ってひりひりする。

痙攣性の撃ち抜かれるような痛み。子どもは食欲をなくし、遊びたがらず、やせ、**頭痛**がする。

悪化：声の出しすぎ。**話すこと**、歌うこと。冷たい、湿った風。熱。横たわる。

精神：極度に機嫌が悪く、頑固。神経質。特に子どもの場合は、**むきになって鼻をほじる**、または**唇**、手指など、どこか一か所を、痛み、血が出るまで**ほじる**。

頭部：枕に押し付ける。子どもは、頭痛がすると、手を頭の後ろに置いて泣く。頭痛、＜暖かい衣服、熱いコーヒー。

鼻　：**刺激性のある、多量のコリーザ**。鼻閉、口呼吸しなければならない。悪臭のする分泌物による鼻閉塞、くしゃみ＜夜間。

顔　：唇の乾燥、はれ、熱感、ひび割れ；口角がひりひりする。

口　：上顎と口蓋がひりひりする。口がひりひりして痛み、はれて炎症を起こす。アフタ。多量の唾液、刺激性がある。舌がひび割れ出血する。イチゴ舌。

喉　：ひりひりして、痛い、**嚥下時、咳をするときに痛い**、しかし、つかんで引っかきたい。喉と首の腺の腫脹。

腹部：下痢。オートミールのような便。薄い便が肛門から漏れ出て、肛門がひりひり、熱くなる。

泌尿器：尿量の分泌が非常に少ない。尿毒症。

呼吸器：嗄声、キーキー声、割れる声。聖職者の咽頭痛。胸のひりひりする感覚。枯草喘息。

皮膚：手指と足指のかゆみ。発疹は、鮮やかな赤いあざになる。天疱瘡。伝染性膿痂疹。

補完レメディー：Nit-ac.
関連レメディー：Ars., Merc-c.

Asafoetida　阿魏

総体的症状：ヒステリー症と心気症は、このレメディーで対処できる。患者は、**肥満体質**で、**頑健そうに見える**が、**極端に神経質**で、**過敏**である。消化官では鼓腸、胃と食道の痙攣性発作により、逆ぜん動を起こすので、すべてが上昇し、何も下に下りない、骨と骨膜にも影響する；このレメディーは、骨のカリエスと深い潰瘍形成によく作用する。**つらく激しい拍動の発作**。圧迫されるような、鋭い、縫われるような痛みは、外側に広がる、しびれ感を伴う；患部が移動する＞接触。痛み、骨に穴を開けられるような。すぐに再発する。青み。悪臭の、薄い、刺激性のある分泌物。くぎか栓をねじ込まれるような感覚。筋肉の痙攣性のぴくぴくする動き・攣縮、痙攣性のぐいっとする動き。悪臭の膿を伴う瘻孔。体中の腺がずきずきして、熱い。痙攣性の撃ち抜かれるような痛み。ぎこちない子ども。肥満症。症状は身体の左側に発現。筋肉の波打つような動き、痙攣性のぴくぴくする動き・攣縮。皮膚発疹抑圧、または分泌物を抑制した悪影響。手術後の断端の神経痛。皮膚発疹の抑圧に起因する神経障害。

悪化：夜。室内で。休息。食事。抑圧。水銀。雑音。**座っていること**。暖かく覆うこと。

好転：戸外での動作。圧迫；接触。引っかくこと。

精神：移り気で、何事もやり抜くことができない。次々とほしいものが変わる、あちらこちらをうろつく。自分の症状を大げさに話す、同情を求める。分泌物の抑圧に起因する突然のヒステリー。痛みの最中に気を失う。薬をとったとたんに気を失う。ほとんど原因もないのに気を失う、締め切った部屋で、興奮または混乱から、射精後。ヒステリー、喉と食道の多くの症状を伴う、喉をつかむ。自分自身に

不満。自分の問題について不満をもらす。気分が変わりやすい；突然喜び、笑い出す。
頭部：後頭部の痛み、＞便。
目　：目の中と周辺のずきずきする痛み、＜夜間の。眼窩神経痛、＞圧迫と休息。まぶたが眼球から離れない。目の周辺のしびれ；角膜の潰瘍形成。梅毒性虹彩炎。
耳　：悪臭の化膿性耳漏、難聴を伴う。乳様突起の痛みと、押し出されるような感覚。
鼻　：鼻からの悪臭の分泌物。臭鼻症。鼻骨のカリエス。鼻骨の伸長感、しびれを伴う。
顔　：むくんだ、紫色、熱せられたような。ほおに小さな結節。下唇のはれ。骨のしびれ。
口　：脂っぽい、鼻を突くような味。いつもそしゃくしており、泡状の唾液が口から出ている。舞踏病。
喉　：**すべてが喉のほうに押される**。ヒステリー球―喉にボールがこみ上げてくるような感覚。食道と胃の痙攣。
胃　：ニンニク臭のする、すえた味の、**爆発するようなおくび**。液体の逆流。みぞおちの脈動は、触れても、目で見てもわかる。あらゆる食物への嫌悪。
腹部：鼓腸、突然、上に押し上げるような、ヒステリー性の、腹部の脈動を伴う鼓腸疝痛。腸が締めつけられるような感覚。下痢、黒い便、水っぽい、むかつくようなにおい。粘液だけが通過する。腸内ガスは、上昇し、下には行かない。脾臓と腹の熱感。
泌尿器：尿は茶色く、刺激臭がある。排尿中と排尿後の膀胱の痙攣。
男性：陰茎に針でちくちく刺すような痛み。射精後の失神。
女性：妊娠中ではないのに、乳で膨れ上がった乳房。神経質すぎるための乳の不足。特に乗り物に乗っているときに、生殖器に下方へと圧迫される痛み。月経は早すぎて、少なすぎる、短期間で終わる。多量

の、緑色がかった、薄い、悪臭の帯下。

呼吸器：痙攣性の胸の締めつけ、まるで肺を完全に膨らませることができないかのような。少なくとも、1日に一度の喘息発作、＜激しい身体活動、性交、満足のいく食事。声門の痙攣、手指と足指の収縮と交互に現れる症状。

心臓：振戦のような動悸。心臓が膨らんで、膨張した感覚。神経性の原因のある反射性の心臓症状。

四肢：脛骨の痛みと圧痛、耐えがたい、＜夜。腰痛のため、仕事ができない。足首周囲の冷たい腫脹。痙攣性振戦＞抱きかかえる。

皮膚：小水疱の発疹。青みがかった潰瘍、縁は非常に敏感。かゆみ、＞かく。昔の瘢痕が、紫色になり、潰瘍形成する。悪臭の、瘻孔を形成する膿。

補完レメディー：Caust., Puls.

関連レメディー：Aur., Chin., Lach., Merc., Sumb., Valer.

Asarum europaeum　アサルム

総体的症状：Asarumは、著しい<u>神経過敏状態</u>を生み出す；**絹や麻のきぬずれ、紙がガサガサいう音に耐えられない**、誰かが爪で引っかいてそのような音を出すかもしれないと考えただけで、ぞっとする感覚が身体を走る。感情に起因する**悪寒**も、特徴ある症状である。圧迫感、緊張感、**収縮感**が、主要な特徴；患者は、身体全体、または一部が圧搾されたように感じる。寒さで縮こまり、いつも寒いと感じている、デスクワークが多い、文学者タイプに適合する。**粘液性の分泌物は卵白状。浮かんでいるような軽さ**。大酒家。

悪化：**鋭い音**。寒い**乾燥した天候**。感情。むかつき（頭以外）。

好転：冷水浴；顔の。湿気の多い、雨がちの天候。

精神：思考が徐々に消えていく。頭の中の愚かな感覚、＞むかつき。戸外を歩いているときの、まるで浮かんでいるような軽さ。
頭部：圧縮性の頭痛。頭皮全体の伸長感；髪をとかすことに耐えられない。
目　：潤んだ、焼けるような目。眼精疲労。目の突き刺されるような痛み、手術後。
耳　：**苦痛なほど、敏感な聴覚**。詰まったような感覚、コリーザを伴う。皮膚が外耳にまで引き伸ばされるかのような感覚（右）。
鼻　：くしゃみを伴うコリーザ。
顔　：顔が温かい感覚、＞冷水で洗う。
口　：冷たい唾液が口の中にたまる、吐き気を伴う。たばこを吸うと苦い。きれいな舌。不快な味。
胃　：激しい、吐くもののないむかつき＜すべての症状（頭以外）。激しい嘔吐、下痢と激しい疝痛を伴う。アルコール飲料を欲求。寝覚めに、みぞおちのひどい感覚：大酒家。
腹部：糸状の悪臭の、黄色い粘液が腸から出てくる。未消化物の便。赤痢、＜飲食後。便にゼリー状、または切れ切れの粘液；粘液性大腸炎。
女性：月経の開始時にも、腰のくびれに激しい痛み、息をすることもできないほど、＜動作。粘着性の黄色い帯下。神経が過剰に過敏なための流産の恐れ。月経が早すぎる、長く続きすぎる、黒い血。
呼吸器：神経性の短い空咳。喘息性の呼吸、＜においと寒さ。両肺が針金で締めつけられているかのような感覚。喉頭に刺されるような痛み、＞咳。
四肢：すべての四肢の軽さ。膝頭ががくがくする感覚。よろめきを伴う衰弱。
睡眠：頻繁なあくび；ひどい嗜眠状態。
熱　：悪寒、一部分が氷のように冷たくなる。冷たい感覚、覆うことや部

111

屋の暖かさでは好転しない。酸っぱい汗、すぐに興奮する。
補完レメディー：Caust., Puls., Sil.
関連レメディー：Arg-n., Castm., Ther.

Asclepias tuberosa　ヤナギトウワタ

総体的症状：皮膚、漿膜、粘膜の分泌を促し、胸膜肺炎における多量の発汗、下痢、あるいはリウマチ性疾患―体液排泄過多状態を引き起こす。鋭い、縫われるような、刺されるような痛み、＜動作。過度の衰弱、歩くことが不可能に思える。全身のしびれ。胸膜炎を伴うインフルエンザ。たばこに敏感。弱くて気だるい、まるで長期間病気だったかのよう。病弱で働けない、腸の痛みと頻繁な排便のため。

悪化：動作。深呼吸。横たわる。たばこ。起き上がる。咳。

精神：記憶力の弱さ。

頭　：頭痛、＞足浴後。

鼻　：粘着性の黄色い鼻からの分泌。子どもの鼻声。

口　：黄色い舌苔。血が腐った味。

腹部：腐った卵のにおいの、あるいは炎のようにひりひりさせる便。カタル性赤痢、体中のリウマチ性の痛みを伴う。まるで腹の中に炎が流れるような感覚の排便。

男性：たるんで締まりがない生殖器。

呼吸器：乾いた咳、喉の収縮を伴う。胸の痛み、＞かがむ、＜横たわる、呼吸。息切れと歩行時の衰弱。胸膜痛。心外膜滲出液。胸膜炎。左の乳頭の下の痛み、動悸を伴う。

関連レメディー：Ant-t.

Astacus fluviatilis　ザリガニ

(「Cancer fluviatilis」参照)

Asterias rubens　赤ヒトデ

総体的症状：このレメディーは、頭部、子宮、胸部などの拍動とうっ血を伴う、循環障害を起こす。**神経疾患**は、神経痛、舞踏病、ヒステリー、てんかんがみられる。女性器官に決定的な効用がある。てんかんに先んじて、身体全体の痙攣がみられる。目や乳頭などが後方に引っ張られるような感覚。乳癌。締りのないリンパ性体質。舞踏病は、ポケットに手を入れたときだけ治まる。症状は左側に発現する。

悪化：熱。月経。対立。寒い湿った天候。コーヒー。夜。

精神：ささいな感情で、すぐに興奮する。特に対立。てんかん。ささいなことで、めそめそする。幻覚、声が聞こえるような；遠くにいるような；知らない人といるような。悪いことが起こりそうな感じ。悪い知らせを恐れる。

頭部：頭に血が上る、拍動を伴う。頭の周辺に熱い空気があるような感覚。脳のショック。

目：後方に引っ張られる。まばたき。

顔：赤く紅潮した顔。鼻のわき、顎と口の吹き出物。にきび。

腹部：頑固な便秘。下痢；水っぽい、茶色い便を強力に噴出。

男性：性欲亢進。

女性：激しい、持続的な性欲、性交で好転しない、神経の興奮を伴う、すすり泣く傾向を伴う。左胸が内側に引っ張られるような感覚。乳房

の、鈍い、神経痛。乳腺の結節と硬化；陥没乳頭；癌、潰瘍形成の段階；鋭い、突き刺されるような痛み；腋窩腺の腫脹、硬い結節。腟の潤いと緩んだ感覚。子宮痙攣と苦痛。
四肢：手と手指のしびれ―左側。乳房の痛みは、腕の内側から手の小指の先までひびく。不安定な歩き方、筋肉が思うように動かない。
皮膚：にきび、先端が黒い、小さく赤い。乾癬。帯状疱疹。
関連レメディー：Murx., Sep.

Aurum metallicum 金

総体的症状：金は、精神に非常に深く作用し、急性の精神の抑うつ、絶望、人生への愛着を失くすなどの症状を発現させる。**循環障害**；血液が、すべて頭か下肢に流れるような。オーガズム、血管中の血液が燃えているような。**異常な感情の激発**。**静脈性うっ血**―特に頭部と胸部。骨のカリエス、特に鼻、口蓋骨、乳様突起。骨の痛みは、穴を開けられるよう、切られるよう。遊走性の痛み、駆り立てられる動き、最終的には心臓を攻撃。硬化と腺肥大。外骨腫症、骨炎。動脈硬化症―冠状動脈、肝臓、脳。非常に激しい症状。水銀―梅毒の悪液質。症状の慢性化。歩行中、心臓が緩んでいるように感じられる。患部に風が吹き付けているような感覚。神経質で、ヒステリーな女性；思春期の少女；悩める青年；**心臓疾患**のある高齢者；元気がない、活気がない、記憶力の弱い人；痛みに敏感で、痛みから絶望する人に適合する。悲嘆、恐怖、怒り、失恋、対立、不満の蓄積、長期にわたる不安、異常な責務、財産の喪失などの悪影響。心臓疾患には絶望するが、肺の疾患では希望に満ちている。癌性の潰瘍。壊死。浮腫。
悪化：**感情**。憂うつな感情。**頭脳労働**。**寒冷**。天候。**夜**―日没から日の出

まで。水銀。
好転：涼しい外気。**冷水浴**。温まること。音楽。歩行。月明かり。
精神：**極度の絶望的なうつ、人生への嫌悪**。自殺について話す。**自殺の苦悶**。ささいなことで不機嫌になったり、怒るかと思えば、陽気になったりする。**陰気な**ふさぎ込み、過敏さや不機嫌さと交互に現れる。激しく非難されていると感じる、全くの無価値感。心臓疾患について嘆き悲しみ、祈り、自戒する。多弁。答えを待たずに矢継ぎ早に質問する。ささいな音におびえる。記憶力が乏しい。いらいらした気分。激しいヒステリー、捨て身の行動、のたうち回るなど。気分が変わりやすい。何でも悪いことをする、自分は何かを—友人、責任—を、なおざりにしてきたと感じる。話す気分にならない。不愉快、けんかっ早い。将来が真っ暗。不平を言う。
頭部：頭の激痛で、意識が混濁している。学生の頭痛、周期的な不安と頭部に向かう一過性の熱感。頭が熱く、充満感がある。穴を開けられるような痛みを伴う外骨腫症。頭皮のせつ。頭皮下の瘤。梅毒による禿頭。頭の中を風が吹き抜けるような感覚。
目：羞明。半盲；物の上半分が見えない。眼球が痛い。緑内障。不同な瞳孔。黄色い三日月が斜め上方に浮かんで見える。眼前に、黒い点、火炎、火花が見える。すべてが青く見える。
耳：乳様突起。根深い、悪臭のある耳漏。話し方がまごつく、神経性難聴。雑音に過敏、しかし＞音楽。
鼻：潰瘍形成、痛い、はれた—カリエス：悪臭のある分泌物、膿性の、血性の。赤い、瘤状の鼻の先。臭鼻症。しし鼻。
顔：充血した、青みがかった赤。耳下腺の腫脹、触ると痛む。ほお骨の痛み。口唇、顔、または額に細かい発疹。
口：悪臭、思春期の少女の。舌がさがさして硬い。乳の味、または甘い味、水さえもむかつくように感じる。舌のいぼ。虫歯。口蓋の潰瘍。歯茎のはれ、どす黒い出血。

喉　：嚥下時の刺されるような痛み。口蓋のカリエス。飲んだものが鼻から出る。

胃　：胃が焼けるよう、熱いものがこみ上げてくる。乳とコーヒーを切望。悩める青年の食欲不振。喉の渇き。むさぼり食うような食欲。

腹部：肝臓周辺が熱く痛む。肝炎。妊娠中の黄疸。肝臓疾患に心臓の症状を伴う。腹水症、心臓疾患に伴う。便秘＞月経中。瘤状の、硬い、大きい便。肛門周辺のいぼ。ゴロゴロ鳴る。子どもの鼠径ヘルニア。

泌尿器：尿がバターミルクのように混濁している。痛みを伴う麻痺性の尿閉。

男性：精巣の痛みと腫脹—精巣炎。少年の精巣萎縮。精巣水瘤、子どもの。慢性の精巣硬化。肉瘤。精巣上体炎。

女性：梅毒性不妊；不妊が原因で精神的に落ち込んでいる女性。子宮肥大と子宮脱。腟からの絶え間ない分泌。腟炎。陣痛で絶望的になる。子宮の疾患、＜腕を高く伸ばす。繰り返す流産による、子宮の硬化と潰瘍形成。帯下、＜歩行。極度の悲しみに伴う無月経。月経は遅れ、少量。

呼吸器：胸骨下が痛烈に重たい、＜上昇。呼吸困難、＜笑う、夜。乾いた、神経性の咳の発作、女性に特有、日没から日の出まで。常に深呼吸をする、十分に空気が吸えない。

心臓：心臓が鼓動を止めたような感覚、その直後に、強い反動。心臓の圧迫感。**激しい動悸**、思春期の。心臓肥大。狭心症。大動脈疾患。頸動脈と側頭動脈の、目に見えるような脈動。速い脈、弱い脈、不整脈。高血圧。歩行中、心臓が緩んでいるように感じる。

首・背中：頸部の腺の腫脹、結縄のような。下部脊椎が、後方に隆起しているかのような感覚。腰部筋肉は硬くて痛みを伴い、大腿を持ち上げることができない。脊椎カリエス。

四肢：夜ごとの脚の痛み。動悸の発作中は左腕をつかむ。膝が弱い。脚が

麻痺したような感覚。爪が青くなる。両膝が、きつく包帯を巻かれたかのように痛む。足の震え。熱く痛む足の裏、夜間。**冷たく臭い足の汗**。

睡眠：落ち着きがない、不安で、恐ろしい夢。睡眠中に声をあげて泣く。性的興奮による睡眠障害。
皮膚：脂肪腫。いぼ。にきび。
熱　：寒さに痛々しいほど敏感、寝床の中で震える。体中が冷たくて湿っている。性器周辺の汗。
関連レメディー：Merc.

Aurum muriaticum　塩化金

総体的症状：淋病マヤズムのレメディーで、抑圧された分泌物を再現させる。カタル性および、腺に関する疾患が特徴。神経系の硬化性、滲出性の変性。閉経期の子宮からの出血に適合。舌、性器など、あらゆる部位に出るいぼ。舌癌。皮のように硬い舌。誰かと一緒にいたい、もし独りにされると、自分の病気のこと以外何にも考えず、さらに不機嫌になる。全手指の肥大。悔しさ、恐怖、いら立ちの悪影響。
悪化：階段を上る。暖かさ。
好転：冷水で洗う；寒い天候。

Avena sativa　オート麦

総体的症状：Avena sativa（オート麦）は、脳と神経系の栄養を改善する。そのため、神経疲労、性的な衰え、重篤な疾患後の衰弱に効果

がある。高齢者の神経性の震え、振戦麻痺、舞踏病、てんかん。何事にも心を落ち着けることができない、特にマスターベーションのために。モルヒネ中毒による悪影響。不眠症。
服用量：チンキで、お湯に10〜30滴。

Bacillinum　ヒトの結核結節の痰

総体的症状：このノゾーズは、結核患者の痰からつくられた。肺の慢性のカタル性疾患に、気管支漏と呼吸困難が伴う場合に示唆される。常にかぜをひきやすい。結核性髄膜炎。まぶたの湿疹。白癬、粃糠疹。首の腺の肥大と圧痛。介入レメディーとして有効である。
悪化：夜と早朝。冷気。
補完レメディー：Calc-p., Kali-c., Lach.

Badiaga　沼海綿

総体的症状：Badiagaとは、淡水海綿のロシア語名。筋肉と皮膚が痛む、＜動作、衣類の摩擦。腺の腫脹。総体的な不全麻痺。横痃；下疳、乳癌、小児梅毒。
悪化：冷気。嵐のような天候。圧迫。接触。
好転：熱；暖かい部屋。
精神：愉快な感情の後―動悸。
頭部：肥大して、充満しているような感覚。額とこめかみの痛みは、眼球にまで達する。頭皮が痛い。ふけ。頭痛、目の炎症を伴う。
目：眼球の神経痛が、こめかみにまで達する。まぶたの痙攣（左）。
耳：わずかな音が倍加される。

鼻　：コリーザ、くしゃみ、水っぽい分泌物、喘息性の呼吸と、窒息しそうな咳。
口　：熱い。ひどく喉が渇く。熱い息。
喉　：扁桃の炎症、はれ、＜固形物を嚥下する。
胃　：みぞおちの刺されるような痛み、脊椎と肩甲骨に広がる。
男性：子どもの梅毒。下疳。横痃。
女性：乳癌。不正子宮出血、＜夜、頭が大きくなったような感覚を伴う。
呼吸器：咳、＜午後、＞暖かい部屋；咳は甘いもの、飴などに刺激される；**喀出物**は、**口や鼻孔から飛び出す。**
心臓：振戦性の動悸。胸から首にかけて、心臓の鼓動が感じられる＜右側を下にして横たわる。心臓近辺の不快感、ひりひりする感覚、痛み、刺されるような痛みが、あちこちに飛散する。
皮膚：触れると痛い。そばかす。亀裂、盛り上がって変色した傷跡。
補完レメディー：Iod., Merc., Sulph.

Baptisia tinctoria　藍

総体的症状：アメリカのムラサキセンダイハギ（藍）は、腸チフスのレメディーとして名高いレメディーである。**血液**に作用し、敗血症性の病態、低熱（訳注：心理的な抑うつ状態及び精神活動の鎮静を伴う熱）とマラリア中毒を起こす。**筋肉のひりひりする痛み、重さ、疼痛**が特徴。急速な**疲はい**；筋肉痛のせいで**寝床が硬いように感じる、しかし衰弱しすぎて動けないと感じる。粘膜の色が黒ずむ**。分泌物、便、出血などの色も濃い。身体に黒い斑点が現れる。悪臭の体臭、息、**排出物**、便、汗、尿、など。茶色；煤色苔、便、経血。とこずれ。インフルエンザ。子どもの慢性毒血症、悪臭のする便とおくび。元気のない身体と、落ち着きのない精神。痛みに鈍感。患

部がしびれ、または大きすぎるように感じられる。落ち着きがない、常に手をこする、ヒステリー。低ポーテンシーでの投薬は、腸チフスに対する身体の抵抗力を高める。腸チフス血清の予防接種による悪影響。

悪化：湿気のある暑さ。霧。室内。圧迫。寝起き。歩行。外気。冷たい風。秋。暑い天候。

精神：二重性の観念。頭脳労働と身体活動への嫌悪。自分が壊れてしまったか、二人いるように感じる。**局部が分割されているように感じる、あるいは散在しているように感じる**。断片を一つにまとめようと、寝床で寝返りを打つ。治癒への絶望、死を確実視している。**鈍くて混乱している**。返事をしながら眠りに落ちる、または文章を最後まで言い切らない。徘徊性喃語性せん妄。完全なる無関心。途方に暮れた。自分の四肢が語りあっていると想像する。

頭部：大きすぎるように感じる、重たい、しびれ。後頭部の殴られたような痛み、重みのある痛み。めまい、特に下肢と膝の衰弱感を伴う。頭頂が、まるで飛んでいきそうな感覚。脳が痛い。

目：まぶたが重い。目がはれたように感じられる。半開き。

耳：腸チフスのような症状時の早発性難聴。

鼻：鼻根の痛み。黒い鼻出血。焦げた羽根のにおいがする錯覚。

顔：浅黒い、**無表情**、**のぼせ上がった**、愚かな。顎の筋肉が硬い。唇が裂ける、出血。

口：舌の中央下寄りに、**茶色い筋**。舌が焼けるよう。悪臭の息。はっきりしない話し方。口の中の潰瘍。まずい味、苦い味。**黒ずんだ、赤い、はれた口**。舌がひび割れ、出血、分厚く感じられる、または、厚く苔で覆われている。下顎がはずれる。粘着性の唾液。乳離れしていない子どものひりひり痛む口。扁桃と軟口蓋の肥大。

喉：黒ずんだ、赤い、はれた。内側は無感覚で、外側は敏感。液体しか嚥下できない、小さな固形物でも詰まる。噴門における食道狭窄。

喉のずたずたの潰瘍。食道の痙攣。

胃　：胃の沈み込むような感覚。すぐに嘔吐する。みぞおちに痛み。硬いものがある感覚。嘔吐と下痢の急な発作、発熱を伴う。胃熱。すべての症状＜ビールで。

腹部：右腸骨周辺が敏感。胆嚢の痛み、下痢を伴う。<u>下痢</u>—突然、ひどい悪臭、軟らかい、痛みはない、黒い、粘土状、または血の混じった便。赤痢—高齢者の、四肢、腰のくびれの痛みと硬直を伴う。痛みのない赤痢、熱を伴う。子どもの腸毒、悪臭のする便とおくび。痔による狭窄。

泌尿器：尿量が乏しい、濃い赤、アルカリ性、悪臭、薄緑。尿毒症。

男性：精巣炎。精巣の圧搾されるような圧迫性の痛み。

女性：流産の恐れ、精神的ショック、うつ病、低熱による。月経；早すぎる、多すぎる。悪露は刺激性で、悪臭。産褥熱。授乳中の母親の口内炎。

呼吸器：胸が弱いので、呼吸が困難、＜寝起き、＞立つ。**空気を欲求**。気管支喘息。肺が詰まって圧縮されたような感覚。窒息と悪夢が怖いので眠りたくない。

心臓：脈は、まず速くなり、次第に遅くなり、失神する。

首・背中：首の疲れ、どんな姿勢でもなかなか支えられない。臀部周辺の仙骨と脚の痛み。背中の痛みと苦痛。とこずれ。板の上に寝ているかのような感覚。症状は、腰のくびれから、放射状に進む。

四肢：硬さと痛み、腕と脚の引っ張られるような痛み。

睡眠：うとうとした、**鈍い**、**活気がない**；寝床からずり落ちる。悪夢、怖い夢。片側に犬でもいるかのように、丸くなる。

皮膚：体中と腕と脚に、どす黒い斑点。

熱　：超高熱。無力熱、腸チフス、船舶熱。発汗の軽減。胃にくるかぜ。

関連レメディー：Arn., Gels., Hyos., Mur-ac., Op., Rhust-t.

Baryta carbonica　炭酸バリウム

総体的症状：成長、特に子どもの成長と、子どものようになった高齢者に際立った効果を発揮する。子どもの場合、発育遅滞、精神的にも、身体的にも、**小人のようになる**；子どもは、責任をもって仕事ができ、役立つようになるのが遅い。**鈍い**、**無感動**、または消耗症。腺肥大の傾向、硬化を伴う、特に扁桃、頸部の腺、前立腺。疲はい、疲労。常に、横になりたい、座りたい、もたれたい衝動。上半身がこわばり、無感覚。疲れて食べる気力さえない。早期の老化のレメディー、高齢者の退行性変化が、心臓、脳、脈管系から始まった場合のレメディー。**かぜをひきやすい傾向**と、常に扁桃が肥大。**麻痺症状**。麻痺、無感覚、灼熱感などの症状は、1つの部位に発現する。**細い空間を無理に通るような感覚**が特異。**血管の軟化と拡張**、動脈瘤、破裂、脳卒中。足の発汗を抑制した悪影響。囊胞。肉腫、灼熱感を伴う。脂肪腫。栄養を十分にとっていた人のるいそう。ささいな労働による眠たさと疲労。

悪化：**人といること**。症状について考えること。**冷たい湿気**。頭と足の冷え。**痛む部位を下にして横たわる**、左側を下にして横たわる。におい。太陽熱、ストーブの熱。腕を上げる。食べること。

好転：冷たい食べ物。暖かく覆うこと。独りでいるとき。

精神：<u>理解が遅い</u>；**愚か**；<u>ばかげている</u>、覚えが悪い。子どもじみた、軽率な行動。臆病。**勇気がない**。ささいなことにいちいち不平を言う。めそめそ泣き言を言う。**精神衰弱**の進行。**精神の混乱**。**記憶力の悪さ**。自分の用事や、言おうとしていたことを忘れる。優柔不断。**信用しない**。**人見知りをする**。脚が切り落とされて、膝で歩いているような感覚。遊びたがらず、部屋の隅に座って、何もしない子ども。物事を記憶できず、学習できない子ども。ささいなことで

嘆き悲しむ。人に笑われ、からかわれていると思う。物影に隠れて、手で顔を覆い、指のすき間からのぞき見る。常に問題を呼び込む。自信喪失。熱狂的に話す；月経中、若い女性の。知的障害。

頭部：めまい、高齢者の、吐き気を伴う、＜かがむ、腕を上げたとき。脳が緩んでいるように感じられる、＞冷気。頭頂のはげ。頭皮に皮脂嚢胞。目に強い圧迫感。頭皮の乾性の発疹、または湿性の硬い痂皮。日なたに立っているときの縫われるような痛み。

目：瞳孔がすぐに散大・収縮する。目の奥深くの圧迫感、＞下方を見る。光に目がくらむ。角膜の白濁。まぶたが粒状に分厚くなる。暗闇で、眼前に火の粉が飛んでいるように見える。

耳：パチパチいう雑音、＜嚥下、歩行。耳周辺の腺が痛み、はれる。耳たぶの発疹。難聴。いびきの音。

鼻：乾燥、＜鼻をかむ。コリーザ、上唇と鼻の腫脹（大きな腹の子ども）。鼻に煙が入っているような感覚。黄色い濃い粘液の分泌、小鼻周辺にかさぶた。鼻出血。

顔：青白い、むくんだ、クモの巣があるような感覚。上唇のはれ。唇が垂れている。

口：舌に力がない、麻痺、高齢者の場合は硬い、話すことができない。焼けるような痛み、舌の先または舌下の小水疱。歯痛、＜月経前。口がしびれている感覚。口内中に小水疱、特にほおの内側。唾液が流れ出る、睡眠中に。口臭、自分ではわからない。歯茎からの頻繁でかなりの出血。

喉：かぜをひくたびに、**扁桃に症状が出る**、または＜月経中。**慢性化膿性扁桃炎**。肥大した扁桃。食道の痙攣、食道に食べ物が入った瞬間に吐き気を催し、息が詰まる。喉の痛み、＜唾をのむ。液体しか嚥下できない。胃酸が上がってくる、突然。顎下腺の腫脹。喉の大きな灼熱感。声を出しすぎたことによる喉の疾患。

胃：胃に、痛む部位がある。空腹でも食べ物を受け付けない。甘いも

の、果物、特にプラムを嫌悪。食事中の急なむかつき。マスターベーションにふける若者の消化不良、または夢精を伴う消化不良。絶食中と食後の痛み。高齢者の消化力の弱さと、悪性腫瘍の可能性、＞冷たい食べ物。

腹部：硬い、緊張した、圧痛、膨張、身体の衰弱を伴う。腰痛を伴う下痢。寝床で寝返りを打つたびに、腸が片側から反対側に落ちるような感覚。硬い、瘤状の便。痔が飛び出す、排尿中に。直腸に虫などがはう感覚。肛門からの滲出。成長が悪く、めったに空腹を感じず、食べ物を拒否する子どもの、習慣性疝痛。腸間膜腺の硬化と腫脹。

泌尿器：尿意、尿を貯留できない。排尿中、尿道が焼けるよう。頻繁な排尿。尿はこげ茶色で、微量。

男性：生殖器に締まりがない。前立腺肥大。硬化した精巣。インポテンス。早漏。乗車中の勃起。性交中に寝る。性器の感覚が麻痺する。太った高齢男性の乳房に、痛みを伴うしこり。

女性：月経は、量が少ない、1日で終わる。月経前の、胃と腰の痛み。生殖器の感覚麻痺。卵巣と乳腺の縮小。無月経。月経の始まる直前の帯下。

呼吸器：麻痺性の失声。高齢者の喘息、＜湿った暖かい空気。喉頭は、まるで煙を吸ったかのように感じられる。肺は、煙でいっぱいのように感じられる。咳、＜知らない人といる、温かいものを食べる。慢性気管支炎。高齢者の乾性で窒息しそうな咳、粘液でいっぱいだが、吐き出す力がない。

心臓：足の発汗の抑制後、またはマスターベーション後の心臓症状。心臓が打撲して、痛いように感じられる。左側を下にして横たわった場合、動悸と心臓周辺の苦痛。動悸は頭にも伝わる。動脈瘤。脈は遅く、弱い。高血圧。動脈硬化症。

首・背中：首筋と後頭部の腺の腫脹。慢性の斜頸。背骨が弱い。背中の脈

動；精神病的感情の後で。首に脂肪腫。
四肢：手指がしびれる。四肢がしびれる。足の震え、書いているときの手の震え。夜、睡眠中に、足の裏が熱く、あるいは打撲したように感じられる。膝から陰嚢にかけてのしびれ＞座っている間。**冷たい、悪臭の足の汗**。三角筋の痛み、＜腕を上げる。膝の痛み、ひざまずいている間。
皮膚：いぼ。にきび。脂肪腫。嚢胞。焼けるような肉腫。
睡眠：（高齢者の）寝言。たびたび起きる；熱感。睡眠中のぴくぴくした動き。
熱　：一過性の熱感、夜に多い。一部にだけ発汗─片手、片足、身体の片側、顔；悪臭；足の、＜知らない人がいるとき。
補完レメディー：Ant-t., Dulc., Psor., Sil.
関連レメディー：Kali-p., Lyc., Med., Puls, Sep., Sil., Tub.

Baryta iodata　ヨウ化バリウム

総体的症状：このレメディーは、臨床で腺、特に扁桃や胸腺の肥大や硬化がみられる場合に使用される。白血球増加症。
悪化：歩行。
好転：冷たい外気。

Baryta muriatica　塩化バリウム

総体的症状：Bar-c. と同様、この塩もまた、精神的そして身体的な成長の遅滞がみられる場合の高齢者と子どもに適合する。収縮期血圧が高いのに、拡張期血圧が比較的低い場合、血管変性から高血圧を起

こし、脳の症状と心臓症状が、それに伴う。痙攣のレメディー。痙攣発作は、周期的に起こり、衝動的な動きと、激しい寝返りを伴う。痙攣に伴う電気ショック。性欲亢進時のさまざまな形の躁病。扁桃、脾臓などの腺の肥大と硬化。脳と脊髄の多発性硬化症。氷のような身体の冷たさ、麻痺を伴う。随意筋の力はないが、感覚は完全にある。口を開けたまま、辺りを歩き回り、鼻声で話す子ども。極度の衰弱、横になりたい。白血球増加症。子どもは、いつもうつぶせに寝る、明かりを避けるため。愚かな外見。難聴。

精神：知的障害。性的マニア。
頭部：脳貧血によるめまいと、耳の雑音。（高齢者の）頭の重さ。
耳　：そしゃく時、嚥下時、くしゃみをするときの雑音。
鼻　：睡眠中のくしゃみ；目覚めない。
喉　：長く伸びた口蓋垂。扁桃肥大。あまりに大きく開きすぎているように感じられる。嚥下困難。胃の噴門部の食道痙攣、食後すぐの痛み、みぞおちのしぶりを伴う。
胃　：みぞおちの衰弱感。熱感が頭に上っていくような感覚。
腹部：腹部がひどく脈打つ感覚、動脈瘤。脾臓硬化。
泌尿器：尿酸の大増加。
女性：女子色情症。卵巣腫瘍または萎縮。不妊。
呼吸器：高齢者の気管支疾患、心臓拡張を伴う；喀出が容易になる。
四肢：足指の痙攣、四肢を体に引き寄せると好転する。長く歩いた後のような脚の疲労、関節の硬さを伴う。

Belladonna　セイヨウハシリドコロ

総体的症状：Belladonnaは、**神経中枢**に作用し、痙攣性のぴくぴくする動き・攣縮（twitching）、痙攣（convulsion）、痛みを起こす。脳への作用では、猛烈な興奮と、特殊感覚の倒錯を引き起こす。血管

と毛細血管の循環が活発になり、うっ血、拍動、動脈拡張が起きる。粘膜の乾燥。作用は**突然で激しい**。**灼熱感**、**真っ赤**、そして**乾燥**が際立つ。身体、部分、分泌物などが**熱い**。赤みは筋になって現れる。**極度の神経痛**が、突然始まり、突然終わる。**充満感**；**うっ血**、特に頭部の、そして**腫脹**がもう一つの特徴ある症状である。**痛みは**、**ずきずきする**、**鋭い**、**身を切るよう**、**撃ち抜かれるよう**、または**引き裂かれるよう**、気が狂うほどのひどさ；反復する発作となって現れたり消えたりする。**少量の熱い分泌物**。**痙攣 (Spasm)**、**ショック**、痙攣性のぐいっとする動き、**痙攣性のぴくぴくする動き・攣縮**。喉、腟などの身体のある部位の、あるいは身体全体の**狭窄**。光、雑音、振動に障るものに敏感。てんかん性の発作の後に、吐き気と嘔吐が続く。痙攣（covulsion）は腕から始まる。発作の後には、長引く無意識状態が続く。身体を前後に激しく動かす；舞踏病。猩紅熱の予防薬として作用する。眼球突出性甲状腺腫、極度の甲状腺毒素血症。恐水病（狂犬病）。飛行機酔いにも効く。元気なときは陽気で人を楽しませるが、病気のときは暴力的で、知性的な多血症の人によく作用し、それゆえ、子どもに素晴らしい効果があるレメディー。髪を切ったこと、頭がぬれたこと、ソーセージ、日光、風の中を歩いたことによる悪影響。出血、熱い。体熱；患部が、熱い、はれて、乾燥している。**身体の右側に症状が出る**。

悪化：太陽熱、熱せられた場合。**頭部に当たるすき間風**；散髪；洗髪。かぜをひいた後。光；雑音；振動。**抑圧された発汗**。接触。人といること。圧迫。**動作**。**患部を垂れ下げる**。午後。横たわる。光るもの、または流水を見ること。

好転：軽く覆うこと。**背中を反らせる**、半直立の体勢。寝床で休息。直立。何かに頭をもたれさせる。患部を曲げる、ねじる。

精神：感覚の鋭敏さ。**激しい、せん妄状態**。興奮、猛烈な、うるさい、泣き叫ぶ。早口。**非常に落ち着きがない**。かむ、たたく、引き裂く、

127

躁病。ほかの人の顔に唾を吐きかける。怪物、恐ろしい顔が見える。想像したものを怖がる。逃げ出したい、隠れたい。ひねくれている、泣く（子どもの場合）。興奮しやすい、すぐにめそめそする。けんかっ早い。踊る、笑う、歌う、口笛を吹く癖。知らない人が近づいてくると驚いてはっとする。常に愚痴ばかり言っている。くんくんにおいをかぎたがる。体調がよいと天使、不調なときは悪魔。座ってピンを折る。精神症状＞軽食をとる。患者は自分の世界の中で生きている。

頭 ：**ずきずきする**、**ハンマーで打たれるような頭痛**、＜こめかみ；＜動作、＞髪を下ろす、頭に手をのせる、頭を後ろに反らせる。脳の中で水がバシャバシャいうような感覚。それは波のように押し寄せては引く。額中央の冷たい感覚。めまい、＜かがみこむ、かがんだ姿勢から起き上がること。水頭症で、枕に頭を埋め込ませる。枝毛、乾燥、脱毛。**頭を左右に振る**。自分の髪を引っ張る。髄膜炎。日射病。痛みは頭から下方へ向かう。**頭はすき間風や冷たさ、または洗髪に敏感**。

目 ：**散大した瞳孔**。きらきらした、大きな、じっと見つめるような瞳。**赤い結膜**。炎のような、赤い、鮮明な幻覚、目を閉じているときも。**突然見えなくなる**、その後、視界が黄色くなる。赤い閃光が見える。羞明。複視。三重視。月光では見えない。目が半分閉じているかのような感覚。まぶたが痛む、充血する、はれる。眼球突出症。塩水のような流涙。読むときに線が曲がって見える。

耳 ：痛みから幻想が生じる；子どもは寝ながら叫ぶ。中耳炎。自音共鳴—自分の声が耳に聞こえる。血腫。耳の中の雑音。

鼻 ：赤い；膨らんだ。想像上のにおい、たばこのにおいに耐えられない。鼻出血、紅潮した顔を伴う。

顔 ：火のような、**赤い**、**膨らんだ**、熱い；または交互に青白くなったり赤くなったりする。顔の半分がはれている。口の痙攣性の歪み（ひ

きつり笑い)。顔の筋肉の痙攣性の動き。顔面神経痛、筋肉痙攣と顔面紅潮を伴う。下顎が後ろに引っ張られるように感じる。

口 ：乾燥して熱い。舌は赤い、熱い、はれている。舌の端は赤い。イチゴ舌。舌の中央に赤い筋、先が広がっている。歯ぎしり。(子どもは)舌が口から垂れて出る。舌の前部は冷たく乾燥している。歯痛、>かむ。そしゃくする動き。どもる。開口障害。息が熱い。

喉 ：**乾燥して熱い**。扁桃肥大。**扁桃炎**、<右側。嚥下したい衝動、喉のつかえを伴う。喉が収縮しているように感じられる。嚥下困難；少しずつ飲む。飲み物がなければ、固形物をのみ込めない。嚥下時には、頭を前に倒し、膝を持ち上げる。喉の緊張、てんかんの発作中。

胃 ：レモネードまたはレモンを欲求(適合する)。肉、酸っぱいもの、コーヒー、乳、ビールを嫌悪。すべてを嘔吐すると、蒼白になり衰弱する。冷水を非常に欲求。何か飲みたい。痙攣を伴う、痙攣性のしゃっくり、汗と痙攣(convulsion)を伴う。胃の痛みが肩と喉にまで広がる、<圧迫。

腹部：膨れ上がった、熱い<寝具の接触。みぞおちの切られるような痛み、>後方に反らせる。膨張し、突出性の横行結腸、詰め物をされたような、腹部疝痛の間。差し込みと疝痛、まるで、手でつかんでいるかのような。肝臓周辺の鋭い痛み、首と肩に広がる、<痛い部分を下にして横たわる。へそ周辺の引き裂かれるような痛み。すべての内臓が性器から飛び出すかのような、下に引っ張る力。急性脱肛。緑色の便、赤痢様またはチョークのような塊を含有。不随意の便。背中が折れそうな痛みを伴う痔。脾臓周辺の痛み、<くしゃみ、咳、接触。

泌尿器：尿失禁、横たわった姿勢から立ち上がるとき、眠いとき。尿閉、膀胱の麻痺を伴う；産後。炎のように赤い尿；頻繁で多量の排尿。**病態を伴わない血尿**。膀胱に虫が入ろうとしているかのような感

覚、尿意がない。

男性：精巣の硬化、引き上げられる、炎症。性器の発汗。陰茎亀頭の軟らかい痛みのない腫瘍。

女性：真っ赤な経血、塊がある、早すぎる、多すぎる、熱い、ほとばしる、悪臭。子宮筋層炎。骨の硬さ。すべてが飛び出すかのような、激しく性器方向に引っ張る力、＞立つこと、まっすぐに座ること、＜横たわる。乳腺炎；ずきずきする痛み、赤さ、乳頭から放射状に広がる赤い筋；重たい、硬い、赤い。少ない、熱い、悪臭の悪露。高齢出産する女性に効果がある。帯下、疝痛を伴う。陣痛は突然始まり突然消える、またはやむ。

呼吸器：むずむずする、短い、乾性の咳、＜夜。非常に痛む喉頭、まるで異物が入ったかのように感じられる、咳を伴う。咳、＜空気中の細塵。子どもは咳の前に泣く。咳、＜あくび。甲高い声。ほえるような咳あるいは声。ゼーゼーいう咳、発作の前に胃痛を伴う、喀血を伴う。チェーン・ストークス呼吸。息をするたびに不平を言う。呼吸困難、短い、速い呼吸。湿った暑い天候下の喘息。

心臓：頸動脈と側頭動脈の拍動。充実脈、硬脈、緊張脈。激しい動悸、苦しい呼吸を伴う。心臓周辺の泡立つような感覚。

首・背中：硬い首と肩（右）。首筋の腺の腫脹。背中が折れたように感じられる。腰痛、臀部と大腿の痛みを伴う。

四肢：四肢の痙攣性のぐいっとする動きや発作的な動き。関節ははれ、赤く、光沢がある、放射状の赤い筋を伴う。四肢の重さと麻痺したような感覚。**冷たい四肢**。不随意の跛行。有痛性白股腫。四肢の震え。衰弱と酩酊歩行。足を組んで横になるまたは座る、組んだ足を解くことができない。

皮膚：<u>鮮やか</u>、<u>赤い</u>、<u>光沢がある</u>。乾燥して熱い。皮膚が赤くなったり青白くなったりする。ひどい皮膚炎。猩紅熱。丹毒。せつ、毎春再発する。

睡眠：**眠いが眠れない**。睡眠中にうめき、寝返りを打つ。**睡眠中に痙攣性のぐいっとする動き**。けんか、火事、強盗、殺人などの怖い夢。目を閉じると怖い光景が浮かぶ。手を頭の下に置いて眠る。深い眠りで皮膚は熱い。

熱：毒血症が比較的少ない高熱。内側の冷たさと、**痛烈な、焼けるような、蒸気のたつような外側の熱さ**。頭は熱く、四肢は冷たい。皮膚は熱く、湿ったり、乾燥したりする。発熱に、喉の渇きを伴わない。

補完レメディー：Borx., Calc., Hep., Merc., Nat-m.
関連レメディー：Glon., Hyos., Stram.

Bellis perennis　ヒナギク

総体的症状：Bellisは、一般に傷の草として知られている、つまりArnicaのように、外傷によく作用するレメディーである。特に、腹部臓器や骨盤内臓器の**深い損傷**や敗血症性の創傷に作用する；外科手術後に。自傷の悪影響—過度のマスターベーションによる悪影響の緩和。血管に影響を与え、静脈うっ滞、静脈瘤を引き起こす。**神経**の損傷、激しい痛みを伴う、＞冷水浴。**筋肉**が**痛み**、**打撲**したようになる。強い、鋭い、絞られるような、またはずきずきする痛み。損傷によるさまざまな腫脹の滲出を除去する。高齢の労働者や、セールスマンによく適合するレメディーである。患者は、疲れ、つらくなる、横になりたい。あらゆる部位のせつ。**最近の、そして遠い過去の影響**；殴打、転倒、事故、鉄道性脊柱。熱くなりすぎたときの冷たい飲み物、熱くなりすぎたときにぬれ、冷えたことの悪影響。出血。刺激性のある膿、髪に悪影響。耐えがたい痛みのため、注意散漫になる、＜熱、＞冷たさ。捻挫と打撲。損傷に起因する腫瘍。

悪化：<u>損傷</u>；**捻挫**。**接触**。**冷水浴**、または**冷たい飲み物**。**熱いときに冷える**。温浴；寝床の温かさ。嵐の前。**外科手術**。

好転：継続的な動作。冷たさ（部分の）。

精神：動きたい衝動。

頭部：めまい、高齢者の（脳内うっ血）。後頭部から頭頂、または前頭にかけての頭痛。撃ち抜かれるような痛み。

胃 ：熱くなったときの、冷たい飲み物や、氷を入れた飲み物からの影響。

腹部：腹壁の痛み。**脾臓周辺の充満感**、および刺されるような痛み。悪臭の、黄色い、痛みのない下痢＜夜間に。

女性：乳房と子宮のうっ血；子宮がねじれたように感じられる、痛い。妊娠中、歩くことができない。妊娠中の静脈瘤。

背中：尾骨を打った影響。

四肢：痛みは大腿前面を下降する。手首が、まるでゴムで縮められたように感じる。

皮膚：あらゆる部位のせつ。斑状出血。はれた部位は接触に敏感。

睡眠：早く目覚めすぎる、午前3時、再び眠ることができない。

関連レメディー：Arn.

Benzinum　　ベンゾール

総体的症状：ベンゾールは、血液に作用し、赤血球を減少させ、白血球を増加させるため、白血病に使用される。患者は疲労して神経質である。暗闇で、白い大きな手がせまってくる幻覚。痛みは下から上方に動く。寝床や床から落ちる感覚。てんかん様の発作、昏睡、知覚麻痺。

悪化：夜。右側。

Benzinum nitricum　ニトロベンゼン

総体的症状：気を失いそうな感覚、沈むような感覚、痙攣、痙攣性のぴくぴくする動き、そして昏眠をもたらす。唇、顔そして爪が青い。頭は後ろに垂れ、痙攣すると右のほうに引っぱられる。**垂直軸に沿って眼球を動かすのが、大きな特徴。散大した瞳孔**。眼振。呼吸は、遅く、困難で、ため息をつく。不随意の排便。全四肢の麻痺。扁桃のにおいの強い分泌物。

Benzoicum acidum　安息香酸

総体的症状：尿酸体質のためのレメディーである。尿は色が非常に濃く、とても臭い、痛風性の症状を伴う。尿量は、多くなったり、少なくなったり、交互に変化する。患者からは、強い、尿のようなにおいが漂う。**痛みは、急に発現する部位を変えるが、主に、心臓周辺で感じられる、または尿の症状と交互に現れる**。痛みは、心臓の症状と交互に現れる。腎臓疾患。痛風性疾患、喘息。ヒグローマ、腱膜瘤。メニエール病。痛みのある痛風性の結節。あらゆる疾病の随伴症状として、強烈な尿臭。症状は、尿の変動に従って変化する。
悪化：外気。寒さ。天候の変化。動作。覆わないこと。
好転：熱さ。多量の排尿。
精神：不愉快なことに関してくよくよ考える傾向。書くときに文字が抜ける。機嫌の悪い子ども、腕に抱かれて授乳されたがる、床に寝かせられない。奇形の人を見ると、震え上がる。
頭部：尿量減少に伴う頭痛。めまいで、舗道に倒れる傾向。
耳：雑音、車中での混乱した声、＜嚥下、戸外を歩くこと。

鼻　：キャベツ、埃、または何か鼻につくにおいがするような気がする。鼻中隔のかゆみ。
顔　：顔に銅色の斑点。食事中に、無意識に下唇をかむ。
口　：舌；表面は海綿状、深い亀裂と潰瘍の蔓延。口と喉の症状は、＞食べること。歯痛＜横になる。
喉　：塊があるような感覚、はれ、収縮、＞食べること。
胃　：塩辛いもの、または苦いものを吐き出す。食事中の発汗。
腹部：へそ周辺の切られるような痛み、＞便。肝臓周辺の縫われるような痛み。**多量の灰色の便**、石鹸水のような、刺激性の尿のようなにおい、非常に悪臭、白い。
泌尿器：**尿；熱い、こげ茶色；強烈なにおい、アンモニア臭；または馬の尿のにおい**。遺尿（症）；高齢者の悪臭の尿の滴下。石。遺尿（症）による、シーツのひどい茶色のしみ。子どもの尿閉。
女性：子宮脱、悪臭の尿を伴う。
呼吸器：激しい、乾いた咳、緑色の粘液喀出を伴う。喘息、リウマチ性疾患を伴う。衣服による胸の圧迫に耐えられない。咳、＜夜、右側を下にして横たわる。
心臓：痛む部位が変わる、しかし常に心臓周辺。夜中に目が覚める、激しい動悸、または心臓の焼けるような感覚で。
首・背中：仙骨の冷え。腎臓近辺のだるさ；腰のこわばり。腰部の震え。
四肢：関節、膝が鳴る。手首のガングリオン。足の親指の腱膜瘤。アキレス腱、踵骨の痛み、心臓の痛みを伴う、踏みつけるとき。
皮膚：赤い斑点。かいたときの快感を伴うかゆみ、しかし、ひりひりする感覚が残る。
熱　：多量の発汗、それによる緩和はない。寝汗。手、足、背中、膝が冷たい、まるで冷たい風にさらされたかのように。発汗には、芳香を伴う。
関連レメディー：Calc.

Berberis aquifolium　ヤマブドウ

総体的症状：皮膚に影響を与え、皮膚は乾燥し、ざらざら、うろこ状、吹き出物だらけになる。頭皮から顔や首にかけての発疹。にきび。乾癬。乾燥性の湿疹。肌の色をよくする。マザーチンキなどの、比較的低いポーテンシーで投与するのが望ましい。

Berberis vulgaris　ヒロハヘビノボラズ

総体的症状：結石や尿酸血の傾向がある場合、泌尿器に作用する。肝臓に際立った効果がある―胆汁の流れを促進する、したがって、肥満で、肝臓はよいが、持続力のない患者に適合する。尿、痔疾、または月経にかかわる疾患を伴う、関節炎や、肝臓疾患に効果がある場合が多い。骨盤周辺の静脈うっ滞、痔の原因となる。患者は、精神疲労、身体的にも疲労し、何もする気力がない。早くに老いが訪れ、疲れ果てた男性、女性。**痛みは、素早くその発現部位や特性を変化させる**。喉の渇きと喉が渇かない状態とが交互に現れる、空腹と食欲不振とが交互に現れるなど、**症状は素早く交互に現れる**。痛みは一点から**放射状**に広がる、外側あるいはあらゆる方向に走る、**刺されるよう、焼けるよう、ひりひりする**；うずき。しびれ；ひどい暑さや寒さにも無感覚。ゴボゴボする、あるいは泡立つような感覚。**粘膜の乾燥**―口、腟など。分泌物や皮膚は、**汚い灰色**。骨、目、耳などが冷たい。痔、瘻孔などの手術後の胸部の疾患。薄明かりの下で物を見る。

悪化：**動作；振動；強い歩調**。座位から立ち上がる。立っていること。疲

れ。排尿。たそがれ。

精神：精神活動、綿密な思考を要求するのは非常に**困難**；少しでも邪魔が入ると、思考経路が分断される。無感動。無関心。物が、自然な状態より2倍大きく見える。薄暮のもとで恐ろしい幻影が見える、特に子ども。

頭部：頭が大きくなっているような感覚。冷たいこめかみ。めまい、失神の発作を伴う。小さな帽子を頭にかぶっているかのような感覚。

目：乾燥。まぶたと目の間に砂が入ったかのような感覚。冷たい風に当たったかのような目の冷たさ、目を閉じるときの流涙。読書時のまぶたの震え。落ちくぼんだ目、青黒いくま。

耳：詰まった感覚、圧迫感を伴う。耳の結節。耳の後ろの腫瘍。耳の中が冷たい、または泡立つ感覚。

鼻：乾燥。鼻孔に、虫などがはう感覚、かゆみ。

顔：汚い灰色、病人のよう。胆汁質。化膿しているにきび。戸外にいるときに、冷たい滴が顔に吹きかかったかのような感覚。

口：ねばねばする。粘着性の、泡だらけの、綿のような唾液。舌がやけどしたような感覚；先端の痛い吹き出物。歯茎は汚い灰色。歯茎に小さな白い結節。歯が長すぎるように、大きすぎるように感じられる。

喉：喉の横に栓をされたような感覚、乾燥を伴う。

胃：吐き気、朝食前、夕食後。胃から背中にかけての痛み、またはその逆。朝食前の吐き気、＞食後。

腹部：みぞおちの引き裂かれるような、緩んだ感覚。胆嚢から胃にかけての疝痛、＜圧迫。胆石。汚い灰色、ひりひりする、硬い、水っぽい、黄疸を伴う便。肛門の瘻孔、かゆみと、胸部の疾患を伴う。胆管または尿管の疝痛、呼吸を阻止する。

泌尿器：腎臓からの痛みが、尿管に沿って、または、肝臓、胃、脾臓へ向かい、呼吸の妨げになる。腎疝痛。腎臓周辺の灼熱感、ひりひりする感覚、泡立つような感覚。排尿前に尿道から、透明の分泌物。濃

厚な、**混濁した**、黄色い**尿**；赤い、粉の混じった、**砂のようなまたは粘液性の沈殿物**。排尿後の残尿感。排尿しないときに、尿道がひりひりする。排尿時に、大腿と臀部に痛み。前立腺肥大、会陰の圧迫感を伴う。排尿困難。

男性：精巣と精索の神経痛。精巣が引き上げられる。痛みの出る側が変化する。生殖器は冷たく汗ばんでいる。包皮と陰茎亀頭は冷たく、無感覚。陰茎は硬く、収縮し、上向きに曲がっている。

女性：ほんのわずかな月経、水っぽい血、または茶色や灰色の粘液、月経の代償。敏感な腟；性交中に鋭い痛み；腟炎。性交の快楽がない。卵巣と腟の神経痛。痛みの出る側が変化する。性交後の疲労。月経困難症、灰色の血清のような血を伴う。月経と帯下に伴う泌尿器系の症状。

呼吸器：嗄声；喉頭のポリープ。腕を上げるときの呼吸障害。短く乾いた咳、胸の刺されるような痛みを伴う。

心臓：心臓周辺の刺されるような痛み。脈が非常に遅くなる。

首・背中：首と背中の刺されるような痛み、＜呼吸。**背中の痛み、極度の疲はいを伴う**、＜座位または横たわる。（右の）肩甲骨の下に痛い部分がある。腰部の押しつぶされるような、縫われるような、麻痺するような痛み。**腸骨稜下から始まり大腿前部を下降する痛み**、排尿時。腰部の手術後の痛み。

四肢：爪下の神経痛、手指の関節のはれを伴う。大腿の外側が冷たい、踵に潰瘍性の痛み。足を踏んだときに母指球の痛み。短い距離を歩いた後の激しい疲労と脚の不自由な感覚。中足骨間のくぎで刺すようなちくちくする痛み、＜立つこと。

皮膚：平たいいぼ。かゆみ、灼熱感、ひりひりする、＜かく、＞冷たいものをあてがう。肛門と手の湿疹。発疹の後が茶色いしみになる。

熱：寒けがする。さまざまな部位の冷たい感覚、まるで冷たい水を浴びせられたかのような。背中の下方、臀部、大腿は温かい。すべてが

発汗を促す。
補完レメディー：Mag-m.
関連レメディー：Benz-ac., Coc-c., kali-bi., Lyc., Puls.

Bismuthum 次硝酸ビスマス

総体的症状：Bism. は、**胃と消化管**に影響を及ぼし、カタル性の炎症を起こす。**引き裂かれるような、つねられるような、焼けるような、ねじ込まれるような痛み**。内部器官が重たい。疲労。腹部手術後の疾患。

悪化：**食べること；過食**。

好転：冷たい飲み物；冷たいものをあてがう。後ろに反らせる。動作。

精神：無感動。不満足；自分の状況について不平を言う。誰かと一緒にいたい；母親の手を離さない子ども。激しい苦痛。一つの場所や立場に長くいたことがない。移り気。

頭部：眼窩（右）上の切られるような、圧迫されるような痛み、後頭部にまで広がる、＜食事、＞冷たさ；胃痛と交互に現れる。頭痛は冬に再発。

目：眼球の痛み。両眼角に濃い粘液。

鼻：出血、黒い血。鼻の付け根が重たい。

顔：土気色；目の周りが青い。ほお骨の痛み、＞走り回る、口に冷水を含む。顔は青白く冷たい。顔の痛みと胃痛が交互に現れる。

口：歯茎のはれ。歯痛、＞冷たい水を口に含む、＜含んだ水が温かくなる。甘い味、酸っぱい味、金属の味。舌背や舌の横に、黒い、壊疽にかかったようなくさび形のもの。

喉：液体を飲み下すのが困難、鼻から逆流する。

胃：**冷たい飲み物を欲求、ただちに、または、多量に飲んで胃が満杯に**

なったら吐く；数日の間をあけて。液体のみの嘔吐。灼熱感、痙攣のような感覚、胃の中に重荷があるような感覚。消化に時間がかかる、悪臭のおくびを伴う。食後の胆汁嘔吐。食べたものが、まるで負荷をかけるようにある点を圧迫する。胃痛、＞背中を反らせる。胃癌、茶色っぽい水を吐く。胃痛、カタルや消化不良の症状を全く伴わない。冷水＞。胃の萎縮。胃下垂；へその下方に硬い塊が感じられる。

腹部：鼓腸。排便後の疲労。痛みのない下痢、喉の渇きと頻繁な嘔吐、排尿を伴う。痛みを伴わない直腸出血。小児コレラ、体が温かいとき。

泌尿器：頻繁な、多量の、色の薄い尿；尿の抑圧。

心臓：激しい心臓の鼓動。

四肢：乾燥した手のひらと足の裏。爪の下の引き裂かれるような痛み。四肢は冷たい。上腕と大腿が青い。

皮膚：潰瘍、壊疽性の、黒い、青みがかった。

睡眠：官能的な夢のせいで絶えず動いている；夢精を伴う、または伴わない。

関連レメディー：Ars., Cadm-s

Boricum acidum ホウ酸

総体的症状：皮膚に作用し、広範な表皮剥離性の皮膚炎を引き起こす。目の周囲の水腫。閉経期の紅潮にも効果がある。膣は、まるで氷でも詰めたかのように冷たい。唾液と膣の冷たさ。糖尿病、舌は乾燥し、赤く、ひび割れている。尿管に沿った痛みには、頻繁な尿意を伴う。

好転：戸外を歩くこと。

Borax ホウ砂

総体的症状：**粘膜**に影響を与え、**アフタ性**、**カタル性疾患**を引き起こす。**濃く、熱い、ひりひりするような分泌物**。過剰に神経質、すぐにびっくりする、突然の物音に敏感。身体の一部―口、腟、手のひらなど―が熱くなる。**体内、肋間部**、足の裏などの、突き刺されるような、引っ張られるような痛み。栄養不良、肉に締まりのない子ども。通常は赤い部位が白くなる。手のひら、顔にクモの巣があるような感覚。乱雑な（だらしない）人。皮膚と粘膜には皺が寄っている。午後になると落ち着きがなくなる。総体的な衰弱。消耗症。痛みのある部位を圧迫すると、おくびが出る。安易な考えにひかれる。出世時からチアノーゼのある乳児。

悪化：**下降または上昇する動き**。**突発的な雑音**。寒さ；湿った；わずかな露出。果物。乳児；子ども。喫煙。暖かい天候。月経後。揺れ動くこと；上下にぶらぶらされること。

好転：午後11時。圧迫。夕方。寒い天候。

精神：神経質、不安、落ち着きがない、移り気。**下降する動きを怖がる**。すべての雑音や**突然の雑音**、またはささいなことにびっくりする、または怖がる。排便前にいらいらして、排便後には陽気で楽しくなる。**授乳中、または排便、排尿の前に泣き叫ぶ乳児**。雷への恐怖。子どもは、何もはっきりした原因がないのに、目を覚まし、突然叫び、ベビーベッドのわきをつかむ。あら探しをする。何もしたいと思わない。すべての精神症状は＞午後11時。一つの仕事からほかの仕事へと変わり、部屋から部屋へと移る。何か伝染性の病気にかかったのではないかという恐怖。

頭部：めまい、＜階段を上るとき、または、すべての上昇で。頭痛、吐き気と身体の震えを伴う。乳児の熱い頭。先端でもつれ、からまり、

ほどけない髪。

目：粘着性の、痂皮状の、ねばねばくっつくまぶた。目の周りが赤い。眼瞼内反。瞼板がひりひりする。濾胞性結膜炎。

耳：かすかな音に敏感、大きな音にはあまり気をとられない。耳が開いたり閉じたりするような感覚。

鼻：刺激性のあるコリーザ。乾いた鼻くそ。若い女性の赤い鼻。鼻が赤く光ってはれている、ずきずきして、緊張感を伴う。片方ずつ交代に鼻が詰まる；流涙を伴う。

顔：青白く、汚い。膨らんだ顔；子どもの場合、青みがかっている。不安、下降する動き。クモの巣の感触、まるで唇の上を虫がはっているかのような。

口：乾燥、熱い、軟らかい、**アフタ**の、酸っぱいまたは塩辛い食べ物をとった後。ひび割れた、またははれた、歯跡のついた舌。歯痛、＜湿った天候、＞喫煙。口蓋は硬く、皺が寄っている、焼けたように感じる、そしゃく時の痛み、子どもの場合、授乳中。痛みのある歯槽膿漏。苦い味がする、唾液さえも苦い。鵞口瘡。潰瘍、食べるとき、または触ると出血。

胃：痛む部位を圧迫すると、おくびが出る。吐き気、一生懸命考えているとき、身体の震えと膝の弱さを伴う。酸っぱいものを欲求。胃の周辺の痛み、重たいものを持ち上げた後；縫われるような痛み、腰のくびれに広がる。胃の辺りに発汗。酸っぱい粘液をのみ込んだ後の嘔吐。胃痛、子宮疾患の反射作用。

腹部：軟らかい、たるんだ、くぼんだ腹。食後はいつも、ガスがたまり鼓腸。下痢になりそうな痛み。緑色になる便、または、いつも緑色の便；デンプン糊のような。粘液性の下痢、その後の衰弱。締まりのない、子イヌのような、悪臭の便。細い便。咳をする際、鼠径部につかえる感覚。脾臓から胸のほうに引っ張られる感覚。月経前または月経中の、鼠径部の縫われるような痛み。排便中、直腸が焼ける

よう。

泌尿器：熱い、刺激性の、ひりひりする尿、刺激臭がある。子どもは、排尿前に叫ぶ。頻尿、10〜15分ごと。おむつに小さな赤い小片。腎炎。膀胱炎。

男性：性交に無関心。

女性：性交に無関心。早すぎる、量が多すぎる月経；疝痛と吐き気を伴う。帯下―蛋白性、透明、熱い、糊のような、脚にお湯が流れるような感覚を伴う。膜様月経困難症。乳房の空っぽな感覚、授乳後の、刺されるような痛みを伴う、＞圧縮。授乳中、反対側の乳房に痛み。頻繁なおくびを伴う陣痛。母乳は濃く、まずい。陰核が膨張するような感覚、突かれるような感覚を伴う。不妊。容易な懐妊に好適。

呼吸器：胸の突かれるような痛み（肋間部）、＜咳、吸気、あくび、その他の身体活動。息切れ、＜階段を上る；話しているとちくちくする。しきりに出る、激しい咳；血の混じった、またはカビ臭い喀出物。胸の痛み、＞あおむけに横たわる、水で洗う、または圧迫。横になると肺の停止、飛び起きて息をしなければならない。

心臓：まるで右側にあるような、そして、絞られているような感覚。乳児は出生時からチアノーゼ性。激しい動悸。

首・背中：背中の痛み、かがむことができない。

四肢：午前10時に四肢が震える。手にクモの巣があるような感覚。足の裏の刺されるような痛み。ふくらはぎの弱さ。踵の痛み。手指・足指の発疹、爪の欠損を伴う。大腿をお湯が伝うような感覚。手のひらは熱い。手の甲のかゆみ。特に関節に力がない。

皮膚：乾燥；すぐに化膿する、治癒しない。乾癬。手指や手の職業発疹（刺激物への接触を伴う職業病）；かゆみと刺されるような痛みのある湿疹。しなびた、皺の寄った皮膚。量のある白っぽい吹き出物。靴との摩擦による足の潰瘍形成。

睡眠：官能的な夢、性交の夢。睡眠中に叫ぶ、恐怖におののいたように(子どもの場合)。特に頭が熱くなりすぎて眠れない。まるで落ちるかのように、睡眠中にびっくりする。

熱　：一過性の熱感。

関連レメディー：Bell., Bry., Calc., Nux.-v., Sul-ac.

Bothrops lanciolatus　ヨーロッパクサリヘビ

総体的症状：ヘビの毒は、最も凝固性があるので、血栓症や、片麻痺など血栓症の疾患に効果が見込まれる。舌に疾患のない失語症。神経的な震え。極度の倦怠感と脱力感。網膜出血による失明。昼盲症—日が昇るとほとんど見えない。片腕または片脚だけの麻痺。わずかな身震い、多量の発汗後の。足の親指の耐えがたい痛み。壊疽のため骨がむき出しになり、壊死する。

悪化：右側。

Bovista　ホコリタケ

総体的症状：これは通称ホコリタケとして知られるキノコで、**循環**に影響を及ぼし、毛細血管を弛緩させ、**出血性素因**を引き起こす。**皮膚**には、**ヘルペス性**の発疹を生じる。**総体的な腫脹**、身体の表面が膨れ上がった状態、そのため、(はさみなどの)**鈍器で簡単にへこむ**。**弛緩、特に関節が緩く感じられる。頭、心臓が大きくなったような、または腫脹しているような感覚**。動悸のある高齢の家政婦や、吃音のある子どもに適合する。多発性神経炎、しびれとちくちくする痛みを伴う。木炭の煙による窒息。過労と、タールへの接触によ

143

る影響。神経質で、関節が弱い。
悪化：**月経**。満月。暑い天候。**暖かくなる**。冷たい食べ物。ワイン。コーヒー。
好転：二つ折れになる。熱い食べ物。食べること。
精神：**話すのも、動作もぎこちない**；物を落とす、吃音など。無能。心ここにあらず。記憶力が弱い。怒りっぽい、何でも間違って受けとめる。交互に笑ったり泣いたりする。宙をぼんやりと見つめる。独りでいると悲しい。けんかっ早い。
頭部：寝覚めに混乱。頭が大きくなったかのような感覚、まるで後頭部にくさびを打たれたかのような感覚。性交後の頭のふらつき、混乱、しびれ。頭皮のかゆみ、＜暖かさ。
目：実際よりも、物が近くに見える。一点を凝視する。視神経麻痺による失明。
耳：右耳のせつ、痛みを伴う、＜嚥下。臭い膿の分泌。不明瞭な聴覚、話の内容をよく誤解する。
鼻：糸を引くような、なかなか切れない鼻からの分泌物。鼻が詰まって息ができない、＜横たわる。外鼻孔の辺りのふけ状のものとかさぶた。早朝の鼻出血（睡眠中の）；くしゃみで数滴出る。
顔：ほおと唇のはれ。口角のかさぶた。にきび、＜夏にまたは化粧品によって。喘息前の筋肉のぴくぴくする動き・攣縮。唇が割れてかさぶた状になる。
口：しびれ。唾液の増加。唾液をのむだけで、すぐに歯茎から出血する。喘息前の舌の切られるような痛み。
胃：氷の塊があるような感覚。吐き気。＞朝食。水っぽい液体を嘔吐。
腹部：疝痛、真っ赤な尿を伴う、＞食べること、二つ折れになること。**下痢＜月経中と月経前**。腰周りのきつい衣服には耐えられない。会陰に沿った直腸と性器に向かう刺されるような痛み。高齢者の慢性の下痢、＜夜、早朝。便ははじめ硬く、後のほうは緩く水っぽくなる。

泌尿器：頻繁な尿意、排尿のすぐ後でも（糖尿病）。
男性：性交後、頭がふらつき、混乱する。性欲亢進。
女性：官能的な感覚。**月経は早い**、滲出液、2週間ごとの、**夜間に多く、日中は少ない**。月経間期に出血をみる。卵巣（卵巣近くの）囊胞。濃厚な、刺激性のある黄緑色の帯下、下着に緑色のしみを残す、＜歩行時、月経後。新生児の黄疸。
呼吸器：腕を動かすときに息切れ。粘度が高い喀出物。喘息に伴う、発作的な笑いや泣き。
心臓：目に見える心臓の動悸、高齢の家政婦の。心臓が水の中で動いているような動悸。手の震えを伴う動悸、＜入浴、興奮。
首・背中：重さを伴う背中の痛み、かがんだ後。**尾骨のかゆみ**。
四肢：すべての四肢の衰弱。衰弱；手のぎこちなさ。重たい、痛む脚。捻挫して数年たった後でも、足（右）の浮腫性の腫脹。腋窩の汗、タマネギのようなにおい。骨折後の関節の浮腫。力のない手。
皮膚：鈍器で深い圧痕が残る。**かゆい発疹、滲出、膿の上に分厚く硬い外皮やかさぶたを形成する**。うおのめやいぼの撃ち抜かれるような痛み。全身の蕁麻疹、下痢か不正子宮出血を伴う。ニコチン酸欠乏症。湿疹。
熱：痛みに伴う寒け。
関連レメディー：Apis., Calc., Rhus-t., Sep., Ust.

Bromium　臭素

総体的症状：臭素は、**気道**、特に**喉頭**と**気管**にその効果を発揮する。腺病質の子どもの腺肥大；特に、**耳下腺**、甲状腺、卵巣、乳腺が影響を受け、肥大、硬化する；しかし、めったに化膿しない。収縮と膜形成は喉頭で起こり、上方へと拡散する。患者は**衰弱して、すぐに過**

熱する、そして汗ばみ、すき間風に敏感になる。ブロンド。あちこちが震える。失神。るいそう。骨に穴を開けられるような痛み。癌。
悪化：**暖かさ；湿って、暖かい；加熱**；暖かい部屋。暑いときに冷えた。海水浴。ほこり。すき間風。夕方、夜中まで、左側を下にして横たわる。
好転：鼻出血＞（めまい、頭、胸）。海で。動作。ひげそり。乗車（乗馬）。
精神：見知らぬ人が、患者の肩越しに見ているような気がする、または、まるで誰かが背後にいるかのように、後ろを振り向いて見たいような気がする。家事に全く興味を示さない。明るい雰囲気；精神労働を切望。悲しい。無関心。元気がない；慰められない。平常ではないと感じているが、どうしてなのかわからない。何もせず、独りで部屋に座っている、ずっと、何も言わずに、一方向を見つめている。
頭部：めまい、＜橋の上で、流水を見ると。頭部の充血、脳卒中の恐怖。頭痛、＜乳を飲む、かがむ。日光に当たると頭痛、日陰では消える。頭頂の深部での頭痛、動悸を伴う。
目：流涙、涙腺の腫脹を伴う。散大した瞳孔。突き出た目。目の前がちかちかする。
耳：耳下腺の硬い腫脹、触れると温かい；発疹熱後。
鼻：**刺激性のある、焼けるようなコリーザ**、激しいくしゃみと鼻の痛みを伴う。むずむずする、ひりひりする、クモの巣があるかのように。鼻出血。扇形に広がる鼻翼。長期間続く頑固なコリーザ。
顔：クモの巣がある感覚。鼻のある部分に向かって引っ張られる感覚。灰色。青白くなったり赤くなったりする。
口：乾燥して干上がっている。アフタ、目の疾患を伴う。水が塩辛く感じられる。
喉：扁桃肥大、深紅、血管拡張による。痛み＜固形物よりも液体をのみ

込むほうが、ほんの小さな甲状腺腫でさえも圧迫する。石のように硬い、肥大した腺。ジフテリア。

胃　：舌から胃にかけて、鋭く焼けるよう。石で圧迫されるかのような。胃痛、＞食事。酸っぱいものは不耐。嘔吐；コーヒーの搾りかすのような、血の混じった粘液。習慣的な喫煙に対する嫌悪。

腹部：鼓腸を生じ膨れ上がった。下痢、カキや酸っぱいものを食べた後。痔からの出血、非常に痛む、＜冷たい水、またはお湯をあてがう。脾臓の肥大、硬化。

泌尿器：色の濃い尿。

男性：精巣の肥大と硬化、＜わずかな振動。

女性：腟からの腸内ガス、うるさい。月経困難症。卵巣の腫脹。月経の数日前に体調が悪化。乳房の腫瘍、乳房から腋窩にかけての縫われるような痛み。膜質の小片を伴う月経。腟のかゆみ。月経の抑圧、乳癌における。

呼吸器：吸気が煙たい、冷たい、ひりひりするように感じられる。乾いた咳と嗄声、胸骨背部の焼けるような痛み。**深呼吸をしたい、しかし咳を触発する。息が詰まるような発作；息が詰まる、またはクループ様の、またはぜいぜいする咳、あるいは動悸で始まる**。喘息。声門の痙攣。海に出る船員の喘息。身体が温まると極度の嗄声。肺が毛で覆われたかのような感覚。**喉頭が冷たい**。かぜは、喉頭が冷たい、**上下方向**に向かう。白くて濃厚な喀出物。呼吸困難、極度の発汗を伴う。

心臓：肥大、運動による、動悸を伴う。心臓疾患には、上行性の鋭い痛みがある。激しい動悸、＜左側を下にして横たわる。神経性の動悸、吐き気を伴う、頭痛を伴う。

首・背中：腺肥大、首の両側に嚢胞性の腫瘍。

四肢：氷のように冷たい上腕または冷たい手。片側または両側の脛骨に穴を開けられるような痛み。左腕が不自由、心臓疾患に関連して。

皮膚：腕と顔のせつ。にきび、吹き出物と小膿疱。
睡眠：続けざまのあくび、呼吸器疾患に伴う、嗜眠状態を伴う。読書中の極度の睡魔。
関連レメディー：Lach., Samb.

Bryonia alba　シロブリオニア

総体的症状：Bryoniaは、すべての**漿膜**と漿膜内の臓器に際立った作用があり、**炎症**と**滲出**を起こす。**循環**を乱し、うっ血を生じる；血液を変質させ、腸チフス、胆汁熱、リウマチ熱、弛張熱を生じさせる。**ほんのわずかな動きへの嫌悪**、遠く離れた部位の動きでさえ、それは神経と**筋肉**に作用するからである。**粘膜は乾燥**する、そのため、分泌物はわずかで粘着性を持つ。症状はゆっくりと、しかし力強く進む。**破裂するような**、**縫われるような**、または**重たい**、ひりひりする、後方に向かう痛み。症状は**非常に痛い**；咳をするときは、わき腹、胸、頭を押さえる。関節の痛み。リンパ管炎の赤い筋。胃—胆汁—リウマチ体質。身体のすべての部位が圧迫されると痛む。浮腫性の腫脹は、時間がたつにつれて膨らみ、夜の間に消える。子どもは、抱かれたり持ち上げられたりすることを嫌がる。身体的な衰弱、ほんのささいな労作で；全体に行きわたる無気力（症）。怒り、恐怖、悔しさの悪影響。抑圧された発疹と分泌物。アルコール。暴飲暴食。傷。暑い気候で、冷たい飲み物を飲んだことによる症状の発現。関節の損傷でArnicaが作用しない場合に指示される。筋肉の硬化、神経痛後。口、喉など、あらゆる部位の乾燥。神経質で、乾燥した、細い人に適合する。症状は右側に現れる。代償性出血。

悪化：**わずかな動作**；**起き上がること**；**かがむこと**；**咳**；**激しい活働**；**深呼吸**。乾燥した寒さまたは暑さ。**熱くなること**；**室内**。暑い天候。

熱いときに飲むこと。**食事**。野菜。酸っぱいもの、甘汞。**いら立ち**。**接触**。抑圧。かぜをひく。早朝。

好転：**圧迫；痛みのある部位を下側にして横たわる**。包帯をする。**冷たい外気**。**静寂**。曇りの、湿った日。**膝を引き上げる**。炎症を起こした部位を温める。下降。起き上がって座る。冷たい飲食物。

精神：非常に怒りっぽく、行動が見苦しい。決然としている。口数が少ない。せん妄、**家に帰りたい衝動**、そこにいないように思う。独りになりたい。何かをほしがるが、提供されると拒絶する。鈍い。将来への不安と恐れ。治癒する望みがない、死への恐怖。

頭部：**立ち上がるときにめまいがする、または気が遠くなる**。後頭部に感じられるめまい。**破裂するような**、**引き裂かれるような、または重たい**、押しつぶされるような、前頭部から後頭部にかけての頭痛＜眼球を動かす、咳、排便でいきむなど。すべての物が回るようなめまい、または寝床に深く沈むような、＞寒さ。左目の上の痛み、圧迫されるような、後頭部に向かう、そこから身体全体に広がる。頭皮が非常に敏感、軟らかいブラシにも耐えられない、頭皮の触れられた部分すべてが痛む。脂っぽい髪。アイロン中、便秘時の頭痛。

目　：眼球の痛み；**眼球の奥の痛み**。緑内障。流涙、日中、特に日なたで。まぶたがはれて膨らんでいる。

耳　：耳性めまい。耳の鳴り響く音、ブーンという音。耳からの代償性出血。

鼻　：鼻出血、代償性、月経になるはずのところ、妊娠中。鼻先の腫脹、触ると潰瘍形成しそうに感じる。せつ。かぜは下方に向かう。

顔　：赤黒く、熱く、膨れている。

口　：**乾燥**。舌、非常に乾燥、ざらざら、中央の苔、付け根は赤い。苦い味、食べ物を嚥下することができない、＞冷たい飲み物。歯痛＞冷水、＜歯磨き。ずきずきする歯痛、喫煙中、もしくは、かみたばこで。石鹸のような泡だらけの唾液。小児の、脳疾患における、そ

149

しゃくのような動作。口唇；乾燥、焼けたような、裂けた、割れた、湿らせたい。高齢の喫煙者の下唇の灼熱感。唇をほじる。子どもの口の痛み；乳房に吸い着きたがらないが、唇が湿るとうまく乳を飲む。

喉　：茶色い塊を咳で努力して吐き出す。喉；乾燥、削られたようなざらざらした感覚がある。喉の奥がはれているような感じ。アフタ性の；再発性。

胃　：**大量の冷たい水を欲する喉の渇き**；温かい飲み物を欲求、それにより＞。享受できないものを欲求。食べ物への嫌悪。吐き気、＜起き上がる、右側を下にして横たわる。苦い嘔吐、胆汁と水の、食後すぐに。固形物だけを吐く。胃の重荷のような感覚、＜食べること。胃は接触に敏感。コーヒー、ワイン、酸っぱい飲み物への強い欲求。乳への嫌悪、しかし、飲むと享受する。無味なおくび。温かい飲み物を吐く。急いで、しきりに飲む。

腹部：みぞおちの圧痛、ずきずきする。肝臓が重い、痛い、腫脹、＞下にして横たわる。腹壁に触れると非常に痛む。虫垂炎。腹膜炎。便；**大きい、乾燥、非常に硬い**、真っ黒の；軟らかい、痛みがない、未消化、不随意、睡眠中。便秘。下痢、ほとばしるような、＜朝、寝起きの、キャベツを食べる。下痢；暑い天候で、冷たい飲み物の後。排便後の濃い粘液の塊。便で肛門は焼けるよう。黄色いかび臭い便。黄疸。月経前の鼠径部の痛み。重すぎるものを持ち上げたこと、衝撃による疾患。

泌尿器：赤い尿、ビールのように茶色い；微量、熱い。尿を漏らす傾向、重荷を持ち上げるために息を止めたときに。作業中の不随意の排尿。排尿時以外の尿道の焼けるような痛み。

女性：代償性の分泌物または頭が割れるような頭痛を伴う抑圧された月経。月経期間中の乳房の痛み。乳房が熱く、痛む、硬い。授乳熱。月経中間痛、腹部と骨盤の激痛を伴う。乳腺炎、石のように硬い乳

房。乳房の膿瘍。卵巣炎。経血は黒く悪臭がする。卵巣の刺されるような痛み、深呼吸時。月経開始時の頻繁な鼻出血。

呼吸器：**乾性**、**激しい**、**非常な痛みを伴う**咳、夜にまるで胃からくるような、起き上がらなければならない、＜飲食。深呼吸をしたい、しかし深呼吸をすると、咳がひどくなるのでできない。さびのような、血の筋のある、または途切れにくい喀出物。気管支炎。喘息。肺炎。**鋭い刺されるような胸部の**、または右の**肩甲骨**の痛み、＜深呼吸と咳。胸膜炎。暖かい部屋に入ると咳がひどくなる。咳が出るときは、胸を押さえるか、胸骨を圧迫する。乾いた、すれるような音(聴診時の胸膜摩擦音)。くしゃみを伴う咳。

心臓：心臓周辺の刺されるような痛み。**充実脈**、**速い脈**、**荒い脈**。

首・背中：肩甲骨間のしびれ、または痛みはみぞおちに向かう、または左の肩甲骨から心臓に向かう。首が痛くてこわばっている。腰のくびれの痛み、＜歩行または向きを変えること。腰のくびれの刺されるような痛みとこわばり。腰痛、＜かがむ。

四肢：関節が赤い、はれている、熱い。足の裏のちくちくする痛み、歩くことが困難。左の腕と脚が常に動く、ため息を伴う。肘のむくみ。膝ががくがくして、歩行時には身体の下で曲がる。後方に走る傾向。坐骨神経痛、＞静かに、痛む側を下にして横たわる。

皮膚：**ゆっくりと進行する**、**または急に現れる発疹**、発疹熱。発現が不十分なはしか。皮膚は黄色い、青白い、むくみ、水腫。

睡眠：夢；重労働の、家事の、その日の仕事の、せん妄で。うとうとした。眠りに落ちるときにびくっとする。夢遊病。

熱：頭が熱く顔は赤い悪寒、＜暖かい部屋。乾燥した灼熱感、＜すべての症状。血が熱く感じられる。痛みを伴う継続的な熱。酸っぱい、または脂っぽい汗。

補完レメディー：Abrot., Alum., Kali-c., Lyc., Nat-m., Rhus-t., Sep., Sulph.
関連レメディー：Phyt., Rhus-t.

Bufo　ヒキガエル

総体的症状：ヒキガエルの毒は、神経系統と生殖器に際立った作用をする。最も低級な情熱を喚起する；患者は、**精神的に低劣であるばかりでなく、低級な種の病気を発症**する。**遺伝的な悪液質による堕落**のためのレメディーである。早々に挫折し、老け込む人。循環に影響を及ぼし、さまざまな部位の突発的な熱感、紅潮；灼熱感を引き起こす。血の混じった滲出；乳頭から、唾液など。振戦麻痺のような震え。体中に電気のようなショックが走る。全身がむくんだように感じられる、午前中に悪化。無意識に陥る、血も凍るような叫びを伴う。肥満。てんかん性発作；夜間に発症；性的な局面との関連：月経時に；女性の場合、性欲亢進時；若年層では、自慰や性交中に。発作後の頭痛。関節に杭を打たれているような感覚。浮腫。麻痺。癌。癰。横痃。損傷に起因する腐敗性のリンパ管炎、痛みが閃光のように駆け上がるとき。子どもの痙攣、怒っている、またはおびえた母から授乳された後。皮膚に、感覚の麻痺した部位がある。きらきらするものを見ることを嫌悪。さまざまな症状は、てんかん発作の前に起こる。精神は子どものまま、身体だけが成長する。悪臭のする分泌物、呼気。化膿状態からの痙攣。

悪化：暖かい部屋。性的興奮。マスターベーション。わずかな動作。損傷。

好転：出血。冷たい空気。冷水浴。熱いお湯に足を浸す。

精神：道徳的腐敗。知的障害；子どもっぽい、愚か、くすくす笑い。心が弱い。動物、見知らぬ人が怖い。ばかげた話をして、理解されないと怒る。床を歩きながら、腕をねじる。独りになりたい、マスターベーションをするために。かむ傾向。不正直さ。音楽に耐えられない。

頭部：熱い蒸気が頭頂に向かって上がってくるような感覚。脳がしびれている。枕で後頭部が痛い。
目　：きらきらする物体を見ることに耐えられない。物が曲がって見える。左のまぶたの麻痺。散大した瞳孔。目が落ちくぼむ。
耳　：わずかな音が苦痛。音楽が耐えがたい。
鼻　：鼻出血、紅潮した顔と額の痛みを伴う。
顔　：膨れて、歪んだ。汗でびしょぬれ（発作時）。唇が黒い。
口　：舌の麻痺、舌でぺろぺろなめる動作。血の混じった唾液。吃音。甘い飲み物を欲求。舌が割れている、青黒い。抜歯後の痙攣。
腹部：冷たいボールが、腸内を駆け回っているような感覚。鼠径部の横痃。発作後の腸痙攣。飲んだ後の嘔吐。黄色い液体の嘔吐。血と胆汁の嘔吐。
男性：性交中の痙攣。性器に手を触れる、マスターベーションをする傾向。インポテンス。
女性：月経時のてんかん。早すぎる、多すぎる月経。血の混じった母乳。乳腺の癌。子宮の腫瘍やポリープ；子宮頸部の潰瘍。卵巣と子宮の灼熱感。鼠径部から膝にかけてのうねのような腫脹、有痛性白股腫。乳房の激しい痛み、＜夜。卵巣包虫。悪臭の膿性の帯下。
呼吸器：肺が炎のように燃えている。窒息しそうな咳。喘息。
心臓：空中か**水中に浮かんでいるような感覚**。心臓の速い動き、眼球突出症における。大きすぎるように感じる。動悸、頭痛を伴う、月経時。
首・背中：うなじのぐいっとする動き、痙攣の前に。腰痛、＜起き上がる、またはわずかな動きで。
四肢：四肢の震え。こむらがえり。よろめき歩行。関節に、くぎが打ち込まれたような感覚。四肢がこわばり、しびれる。
皮膚：**皮膚下に赤い筋**。リンパ管炎。瘰疬。黄色い水疱。黄色っぽい、腐食性の液体の滲出。鳥肌が立つ。

睡眠：昏睡状態、痙攣後。
補完レメディー：Calc.
関連レメディー：Bar-c., Graph., Tarent.

Bursa pastoris　ナズナ

総体的症状：出血体質、尿酸体質のためのレメディー。出血や、子宮からの腟帯下の抑制による悪影響を取り除く。
悪化：1か月おきに。
好転：入浴。湿気。素早い動き。
精神：遠くまで歩きたい衝動。
頭部：目の上から頭の上、うなじにかけての痛み。
鼻　：鼻の手術における出血。
顔　：目と顔がむくむ。
口　：腐った卵のような味。
胃　：バターミルクを欲求。鼓腸。排便後の血や粘液膿性の分泌物。
泌尿器：血尿。多量の尿砂の分泌。排尿困難：高齢者の、尿滴下を伴う；鉗子分娩後の。直腸疝痛。尿の噴出。レンガ屑のような沈殿物。妊娠中の蛋白尿。
女性：不正子宮出血、激しい子宮の疝痛を伴う；月経は1回おきに多量。子宮筋腫、激しい痛みと凝血塊の排出を伴う。子宮のひりひりする痛み、＜起き上がるとき。**経血と帯下は、落ちないしみになる。帯下によりかゆみが増す**。右の乳頭から乳白色の水が流出。やっと月経から立ち直ったかと思うと、次が始まる。
首・背中：肩甲骨間の弱さ。
関連レメディー：Sep.

Cactus grandiflorus　ヨルザキサボテン

総体的症状：Cactusの主な作用は、<u>心臓</u>と<u>循環</u>に集中している。**輪状筋に作用し**、**心臓**、肺、膀胱、直腸、腟、首を<u>収縮</u>を生じる。**循環は不規則になり**、胃の裏側など変わった部位に、**激しいうっ血や部分的な脈動を起こす**。<u>出血性</u>のレメディーで、素早い凝血が起こる。収縮、または痙攣性の痛みから、叫び声が出る。**周期性が特徴、神経痛も周期的に起こる**。**身体の締めつけ感**、または身体が覆われているように感じられる。胸に向かう熱いほとばしり。甲状腺機能亢進症、心臓疾患を伴う。総体的な衰弱と疲労。失神。浮腫性の疾患。太陽、湿気、失恋の悪影響。心臓疾患に伴うさまざまな症状。生気のなさ、息切れ、疲労。低血圧、心臓の衰弱に起因する。

悪化：横たわる、左側を下にして、あおむけに。周期性。作業。午前10〜11時。または午後11時。夜。歩行。階段を上がる。雑音。太陽の熱。

好転：外気。頭頂の圧迫。

精神：寡黙。すすり泣く、理由はわからない、＜慰め。自分の病気は治らないと信じている。悲しみ。不機嫌。すぐにびっくりする。陽気。恐怖；死の、何かが起こる。

頭部：重たい痛み、頭頂部に重荷がかかっているかのような、＜圧迫、＜話すこと、強い光。頭痛、＜オペラ観賞、食事を抜かす、雑音、光、周期性、圧縮性、拍動性。めまい、＜深呼吸、激しい活動。

目：視界が薄暗い。目の充血。眼球突出性甲状腺腫。

耳：耳内の拍動。耳内の歌うような音、鳴り響く音。

鼻：多量の鼻出血、すぐに止まる。

顔：右側の顔面痛、＜食事を抜かす。**顔；赤い、むくんだ、蒼白、やつれ**。

喉 ：食道の狭窄、嚥下するためには、何か飲まなければならない。頸動脈は最大限に拍動する、窒息しそうな狭窄。

胃 ：胃の背部の腹腔動脈の拍動。喀血。午前中の吐き気—終日続く。食欲不振。以前は好んでいた肉を嫌悪。

腹部：腹部の激しい灼熱感。肛門に重りが乗っているかのような感覚。肛門に刺されるような痛み、＞わずかな摩擦。肛門の瘻孔、激しい心拍を伴う。心臓疾患による肝臓のうっ血。横隔膜を突き抜けて肺に達する鋭い痛み；横隔膜の結合部の周囲に巻かれたひもが、だんだんきつく巻かれているような感覚、息ができなくなる。

泌尿器：膀胱頸部の狭窄、尿閉を起こす。熱による尿の抑圧。血尿；女性の場合、腟内の凝血塊により、排尿が妨げられる。

女性：塊の多い月経、**黒い**、早すぎる、横たわると止まる。腟痙攣のため性交ができない；腟痙。月経は痛い、大きな叫び声をあげるほど。月経不全、心臓疾患を伴う。卵巣周辺の拍動。チアノーゼのある幼児。

呼吸器：圧迫された呼吸が、上方に向かう。咳、心臓疾患に起因する。粘膜で、絶え間なくガラガラいう胸部。胸部の狭窄、呼吸が妨げられたかのような。周期的な窒息、失神、顔面の発汗、脈拍の消失を伴う。喀血、発作的な咳を伴う。横隔膜の炎症、呼吸困難を伴う。

心臓：**鉄の帯による締めつけと緩和を交互に感じる**、または心臓が拡張して収縮するのを感じる、反転しそう。心内膜炎、僧帽弁閉鎖不全症。拍動、＜左側を下にして横たわる、月経が近づく、日中の歩行時、失恋。心臓の刺されるような痛み。心内膜性心雑音。肥大。低血圧。脈拍；脈拍過敏、間欠脈、脈拍微弱。鉗子分娩後の、不規則で断続的な動き。左手の浮腫を伴う心臓疾患。呼吸を止めると、心臓が飛び出してばらばらになりそう。呼吸を止めると脈が速くなる。大動脈と心臓の動脈瘤。タバコ心。

四肢：左手のしびれ。手指のうずき。氷のように冷たい手。心臓疾患にみ

られる手(左)の浮腫、足から膝にまで至る浮腫。手は軟らかく、足は肥大。左腕の痛みは指にまで達する。
睡眠：さまざまな部位で、強い拍動があるための不眠。落ちる夢、怖い夢、みだらな夢。恐怖で目覚める。
熱　：悪寒、覆うことによっては好転しない。亜正常な体温が続く。
関連レメディー：Acon., Coc-c., Dig., Lach., Nux-v., Sulph.

Cadmium sulphuratum　硫化カドミウム

総体的症状：主に胃と呼吸に作用する。極度の疲労と衰弱があり、嘔吐を伴う。患者は、静かにしていなければならない。火の間近にいたとしても、氷のように冷たい。死へと向かう、病気末期の体調。てんかん発作後の衰弱、片腕と片脚の。皮膚と深部組織間の蟻走感。部分、鼻、頭などの無感覚。麻痺した部位の痛み、または、内部で虫などがはい回るような感覚。
悪化：起き上がる。わずかな動き。重荷を持ち運ぶ。睡眠後。刺激物。外気。寒さ。日光。歩行。階段を上る。いら立ち。嚥下。
好転：食べること。休息。
精神：孤独と労働への恐怖。
頭部：起き上がろうとすると**気が遠くなる**。めまい；部屋と寝床が回転するような気がする。
目　：角膜混濁、損傷による、または炎症による。夜盲症。熱い涙。小さい文字は読めない。
鼻　：臭鼻症。ポリープ。鼻のせつ。鼻のしびれ。
顔　：口の歪曲、顔面麻痺による。下顎の震え。顔面麻痺、左側、＜冷気；目を閉じることができない、会話と嚥下が困難。
胃　：冷水を少量飲みたがるが、すぐに嘔吐する。灼熱感と切られるよう

な痛み；激しい吐き気。激しい吐き気と嘔吐、＞静かにすること。黒色嘔吐物。コーヒーかす様吐物。胃癌。ほんのわずかに唇に何かが触れるだけで、吐き気と嘔吐を触発する。嚥下障害。胃の症状＜重荷を持ち運ぶ。

泌尿器：血と膿の混じった尿。

呼吸器：眠りに落ちるときの呼吸困難。喘息による胸部狭窄。胸部の症状＜しゃがむこと。

皮膚：青い、黄色い、うろこ状。鳥肌がたつ、飲んだ後、手の熱さ、胸やけを伴う。肝斑、＜日光に当たること。

睡眠：眠りに落ちるときに息が止まる。眠るのを恐れる。長期化する不眠（症）。目を開けて眠る。

熱：黄熱病。身体は氷のように冷たい。

関連レメディー：Zinc.

Caladium seguinum　ハイモ

総体的症状：男女の生殖器に特別な作用がある。マスターベーション、および男性の場合その結果；女性の場合、外陰部のかゆみ、それは時に線虫が腟に入ろうとしている場合もある、マスターベーションや女子色情症をも誘発する。横になりたい切なる願望と、動作への嫌悪があるが、努力さえすれば十分な力がある。書き物や思考後、横になるときまたは起き上がるときに、失神のような発作。通常、湿っているはずの部位の乾燥。**乾燥感**。たばこへの欲求を緩和。タバコ心。喘息、かゆみのある発疹と交互に発現。好色な；路上で女性に色目を使う、しかしインポテンス。目を閉じて歩けない。蚊に刺されると激しいかゆみと熱感がある。

悪化：**過度の性交**。動作。突然の音。眠りに落ちるとき。たばこ。

好転：冷気。短時間の睡眠。発汗。
精神：自分の健康にとても気をつける。落ち着きがない、喫煙後、自分をコントロールできない。薬をとることを拒む。忘れっぽい。**神経興奮**。病気になることへの恐怖。自分の影が怖い。愚かなまでの大胆さ。
頭部：めまい、まるで揺れ動いているような、＜目を閉じて横たわる。側頭部のしびれ。
目　：戸外を歩いているときも、閉じる。
耳　：音に敏感、わずかな音で、眠りからはっと目覚める。
鼻　：鼻をかむと血の混じった粘液が出る。
顔　：クモの巣があるような、またはノミがたかっているような感覚。
口　：食べ物が乾燥しているように感じ、嚥下するには飲み物が必要。**赤い乾燥した筋が中央の奥寄りにあり、舌先にかけて幅が広がっている**。卵白のような唾液。乳が酸っぱく感じられる。
胃　：(喘息に伴い) 固形食品が詰まっているように感じる。灼熱感、＜深呼吸、紅茶かチョコレートの摂取。不安定な感覚。温かい飲み物しか受けつけない。飲食に空腹感や喉の渇きを伴わない。何日間も喉が渇かない。
腹部：長い寄生虫が、横行結腸をのた打ち回っているような感覚。
泌尿器：臭い少量の尿。
男性：縮んだ、汗ばんだ、冷たい性器。インポテンス。かゆみ。淋病後のインポテンス、精神の抑うつを伴う。性器が膨張して大きくなったように感じられる。みすぼらしい陰茎亀頭。弛緩遺精。性交後の包皮退縮。
女性：**外陰瘙痒症**、マスターベーションの誘因、熱感を伴う、蟯虫による、妊娠中。極度な性的過敏または神経衰弱症。
呼吸器：カタル性喘息、粘液が十分に上がってこない、＞喀出によって。激しい咳、喘息を伴う。ため息をつくような呼吸。

四肢：弱い、寝床から出られない。手のしびれ。歩いたり立ったりできない、目を閉じたままで。
皮膚：ざらざらして乾燥したような感覚。ある点の灼熱感、その部位に触れていなければならない、しかし、かくことはできない。
熱　：単一の部位が冷たい―足。甘い香りのする汗、害虫をひきつける。低熱（訳注：心理的な抑うつ状態および精神活動の鎮静を伴う熱）。熱がある間は眠り、目覚めると下がっている。
補完レメディー：Nit-ac.
関連レメディー：Caps.

Calcarea arsenicosa　亜ヒ酸カルシウム

総体的症状：このレメディーは、臨床で、閉経期前後の太った女性が、ささいな感情の変化で動悸を起こす場合；肝臓肥大や脾臓肥大の子ども；大酒家が禁酒した後の疾患に効果があることがわかっている。腎炎、蛋白尿、および浮腫。頭に血が上るてんかん；心臓周辺で感じられる前兆；心臓疾患を伴う。飛んでいる感覚、または泳いでいる感覚、地に足が着いていないかのような。
悪化：ほんのわずかな激しい活動。誤った食生活。冷気。
精神：憂うつと不安、誰かと一緒にいたい。
頭部：頭に血が上る、めまいを伴う。毎週の頭痛、＞痛む部位を下にして横たわる。動悸を伴う頭痛、同時に悪化・好転する。
腹部：慢性マラリアの肝臓肥大と脾臓肥大、子どもの。膵臓病。**癌の焼けるような痛みを緩和**。下痢、＜サツマイモ、またはヤムイモ。鼠径腺肥大、脚が引き裂かれるような痛みを伴う。
泌尿器：腎臓周辺は圧迫に敏感。毎時間の排尿。

女性：不快で多量の帯下。子宮癌。子宮と腟の灼熱感。
呼吸器：胸部の灼熱感。まるで窒息しそうな感覚、動悸を伴う。喉頭から糸で後ろに引かれるような。
心臓：てんかん性の発作前の動悸と心臓の痛み。4拍目の拍動ごとに途切れる。
首・背中：うなじ周辺の痛みとこわばり。激しくずきずきする痛み、寝床から起きださせる。
四肢：下肢の疲れ、不自由さ。下肢静脈から炎症性生成物を除去する。
熱：際立ったマラリア。悪寒。

Calcarea carbonica　牡蠣殻

総体的症状：Calc-carb. は、カルシウム化合物の代表である。カルシウム代謝は小児期に活発で、中年以降に障害が出てくる。不適切なカルシウムの吸収が、<u>腺の栄養欠乏</u>（小児の頸部および腸間膜）；<u>骨と皮膚</u>の栄養欠乏を招く。<u>血液</u>を変化させ、貧血を起こす。顎の下と首の<u>腺の腫脹</u>；<u>骨の不完全な発育</u>。<u>開いた泉門</u>。湾曲；外骨腫症；くる病。筋肉と皮膚の<u>弛緩</u>または<u>たるみ</u>；患者は<u>肥満する</u>が、頑強ではない。<u>すぐ発汗する</u>；局部的―<u>頭部</u>；<u>胸部</u>；<u>睡眠中</u>。<u>多量の分泌物</u>、<u>酸っぱい場合が多い</u>―便、汗、唾液など。酸っぱい体臭。<u>温和でおっとりしたブロンドの人に適合</u>。生歯時の問題―痙攣、酸っぱい下痢；<u>生歯が遅い、歩くのが遅い</u>―子どもが自分の足を地に着けない。やつれた子ども、頭と腹が大きい。患者は<u>寒さ</u>の影響を受けやすい；<u>冷たく湿った空気で徹底的に冷える</u>；すぐにかぜをひく、特に胸部。たやすく捻挫する傾向。下になっている部位がしびれる。結石をつくりやすい傾向。栄養不良。筋萎縮。肺結核の初期、むずむずする咳を伴う、胸の痛みを感じる、酸っぱい吐き

気と脂肪への嫌悪。過労による精神疲労と身体的疲労。筋肉のひきつりで四肢が引っ張られる。筋肉深部の膿瘍。鼻のポリープ、子宮のポリープなど。嚢胞。要約すると、Calc.の患者は、**太って、締まりがない、色白、40代、汗をかく、冷たく湿っている**。てんかん発作では、太陽神経叢から前兆が広がる、または、まるで腕をネズミが駆け上がる、またはみぞおちから子宮や四肢に駆け下りるような感覚がある。痙攣性のぴくぴくする動き、震え、舞踏病；神経痛；恐ろしい幻想；麻痺などがCalc.の影響である。静脈瘤；静脈の熱感。骨髄炎。アルコール、生命維持に必要な体液の喪失、過度の情欲（性交）、マスターベーション；緊張、重すぎるものを持ち上げる；発汗、発疹、月経の抑圧；恐怖、自己中心癖の悪影響。石切工の疾患。鈍く不活発で、遊びたがらない子ども。下垂体および甲状腺の機能障害。下痢、震え、やけど後。

悪化：**寒さ**；**湿って冷たい空気**；**入浴**。冷えること。気候が寒くなる。**激しい活動**—身体的、精神的、**上昇**。眼精疲労。**生歯**。思春期。**衣類による圧迫**。**乳**。**不安**。目覚め。満月。立っていること。見上げること。閉経期。頭を回転させること。

好転：乾燥した気候と天気。痛む側、背中を下にして横たわる。くしゃみ（頭痛）。さすること、かくこと。手でぬぐう、なだめる。朝食後。暗闇。

精神：忘れっぽい；学習が遅い。**意気消沈**した。**抑うつまたは疑い深い**。恐怖；病気、不幸、災害、精神障害、観察されること。残酷な行為を聞いたことによる恐怖の励起。用心深い。困惑、言葉を間違え、うまく自分の考えを述べられない。無念。無感動。無口。急に怠惰になる。幻覚症状で、火事、殺人、ネズミが見える。憂うつ；すすり泣きたい、家に帰りたい衝動。二度とよくならないという希望のなさ。疑い深い、人が自分を疑いの目で見ていると思う、自分も人を疑いの目で見る。精進することができない。取るに足りないささ

いなことについて、じっくり考える。一日中、座って棒などを折る。自分の後ろを誰かがついてくるように思う。駆け上がったり駆け下りたりして叫んでいるかのように感じる。びっくりしやすい、または感情を害しやすい。強情な子ども。子どもは、目にするものすべてを怖がる。いたずら好き。頑固。怒りっぽい、ささいなことで泣き叫ぶ；取り越し苦労をする。

頭部：さまざまな健康状態に伴うめまい、＜上昇または頭を回転させる、頭をかく；てんかん後のめまい。頭に血が上る。**頭の中と上が氷のように冷たい**；多量の発汗、＜後頭部、枕を湿らせる。**頭をかく、歩きながら。**頭の深部痛、打たれるような、打ち砕かれるような、＜風、＞暗闇、目を閉じる、圧迫；おくびで。重たすぎるものを持ち上げたことによる、またはその他の筋肉の酷使による頭痛。腫脹した頸部の腺を伴う、**濃く**、**悪臭の**、**乳痂**。**大きな頭、大きくて硬い腹を伴う**。**頭頂が氷のように冷たい**。精神労働で頭が熱くなる。頭に冷たい部分がある。水頭症、慢性。頭頂の熱感、悲しみの後。発汗、動悸を伴う。抜け毛。

目：**散大した瞳孔**。視界以外に、目を閉じても像が見える。角膜の斑点と潰瘍。膿性瘻孔。流涙。**極度の羞明**。ガス灯の光では読めない。斜視であるかのように感じる。新生児の眼炎、かぜをひいた後の。継続的な読書や書き物などによる、かすみ。目が疲れやすい。角膜の潰瘍。角膜混濁。

耳：難聴、水中で作業したこと、またはキニーネによる。幻聴。出血しやすいポリープ。鼻をかむとき、咳をするときに痛む。化膿した悪臭の分泌物と、腺肥大。嚥下する音、そしゃくする音が聞こえる気がする。ずきずきする痛み、何かが飛び出してくるような感覚を伴う。

鼻：鼻孔の乾燥、痛み、潰瘍形成。コリーザ、多尿を伴う。鼻の不快なにおい；悪臭の黄色い分泌物。鼻と**上唇のはれ**、子どもの。ポリープに伴う嗅覚喪失。老年性カタル。かぜでもないのに、頻繁にく

しゃみをする。太りやすい子どもの鼻出血。鼻閉塞。

顔 ：蒼白、むくみ、締まりがない。年老いた、皺の寄った。**上唇のはれ、朝、ひび割れと出血を伴う。**顎下腺の腫脹。睡眠中のそしゃくと嚥下、子どもの。顎にかゆみのある発疹。

口 ：酸っぱい味。口に酸っぱい唾があふれる。舌下の嚢腫。歯肉にできる腫瘤、軟らかい、無痛。乾いた舌、夜、話したがらない。舌先がやけどしたように感じる、＜温かい食べ物。歯痛、＜冷気または熱いもの。

喉 ：扁桃の腫脹。甲状腺種。耳下腺瘻孔。嚥下時の刺されるような痛み。口蓋にまで広がる小さな潰瘍。口蓋垂の腫脹、浮腫状。塩辛い粘液を吐き出す。

胃 ：過労が原因の食欲不振。消化できないもの―チョーク、炭、石筆を欲求する。卵、アイスクリーム、塩とお菓子を欲求。肉、乳、ゆでたもの、脂肪を嫌悪。酸っぱいおくび、酸っぱい凝乳の嘔吐。食欲不振、しかしいったん食べはじめると、おいしく食べる。夜間に冷たい水をほしがる。**皿を裏返したような、みぞおちの腫脹。**胃酸過多。水を飲む、あまりに少ないと、吐き気を催すが、冷えていると例外。乳不耐。何かが頭に上がってくるような感覚。

腹部：**大きくて硬い**。疝痛、大腿の冷えを伴う、コリーザがやんだ後、または腹部の冷たい感覚を伴う。嵌頓鼓腸。膨張、＞わずかな圧迫。肝臓周辺の痛み＜かがむ。胆石疝痛。腹膜炎、痛むとき＞冷たいものをあてがう。臍帯周辺のよじれ、ひきつれ。へその痛み、小児の肉芽のような（異常だが無害な）突出物。腸間膜、鼠径腺の腫脹と痛み。チョークのような、灰色または緑色の水っぽい便。貪欲な食欲を伴う小児の下痢。便は、最初硬く、そして粘りが出て、液体になる。脱肛、直腸に虫などがはう感覚。痔は歩行時に痛む、＞座っている。便、＜飲食。未消化物の便―食べたものがそのまま出てくる。便秘のときに具合がよく感じる。赤痢後の、しつこいしぶり腹。

　　　　寄生虫—ひも状、丸い。下痢、慢性、排便後のひりひりする痛み。
泌尿器：色の濃い尿、茶色い、酸っぱい、悪臭、または**強いにおい**。尿に白い沈殿物、乳糜尿に伴う。血尿。膀胱のポリープ。腎疝痛。遺尿（症）、寝床で、歩行時。
男性：性欲亢進、遅延勃起を伴う。頻繁な射精。灼熱感、射精に伴う。性交後に、極度の衰弱、めまい、いら立ち、足腰が立たなくなる、頭痛と発汗が続く。生殖器のかゆみと灼熱感。インポテンス、自慰または放蕩に起因する。早漏。小児の精巣水瘤。
女性：月経が早すぎる（少女の場合）、多すぎる、長すぎる；めまい、歯痛、湿った冷たい足を伴う。濃厚な、乳白色の、ほとばしるような、または黄色い帯下、＜排尿中、かゆみと焼けるような感覚を伴う。胸部に圧痛があり、はれている、月経前。豊富な乳、しかし子どもには不適合。母乳の不足。不妊、月経は多量。子宮のポリープ。乳頭の裂傷、潰瘍形成、非常に痛む。精神的興奮から、月経困難症になる、または再度月経になる。足指または踵のひきつり、妊娠中。太った、締まりのない女児の遅い初潮、動悸、呼吸困難、頭痛を伴う。性交の後には、発汗と衰弱が続く。生殖器のかゆみと灼熱感。多血症の女性の無月経状態、恐怖に起因する。妊娠中は、不器用で、不格好、そして疲れている。乳房に極度の刺されるような痛み、授乳中。
呼吸器：痛みを伴わない嗄声、＜朝。あらゆることで**息切れ**。気腫。喉にほこりか、羽根がひっかかったかのようなむずむずする咳。咳、＜吸気、ピアノ演奏、食事。胸部の鋭い痛みは後方に向かう。化膿した、緩い、甘い喀出物。胸部は、接触、振動、圧迫に非常に敏感、窒息するようなひとしきりの発作。胸部の衰弱感、話すことすらできない。肺の潰瘍または膿瘍。習慣化した咳。
心臓：弱い。動悸、寒さを伴う、不安な胸部の圧迫感を伴う。
首・背中：首の痛み、＜持ち上げること。背中のまるで捻挫したかのよう

な痛み、いすから立ち上がるのが困難。肩甲骨間の痛みのため呼吸困難。うなじのこわばり。背中が弱いので、背筋を伸ばして座ることができない。脊椎が緩んでいるように感じる；圧迫すると痛い。

四肢：**冷たく湿った足**、まるで湿った靴下を履いているかのような。冷たい、べとべとした、手；冷たい膝。ふくらはぎのひきつり、夜、脚を伸ばしたときに。足の裏の灼熱感。足の裏がひりひり痛む。弱い腕、不自由。物をつかむとき、手の無感覚。手指の可動性がない。四肢をネズミがはっているような感覚。荒れた手。不器用、ぎこちない、すぐに転ぶ。子どもの足首の弱さ、内側に曲がる、歩行時。短い時間の歩行で疲れる。関節のはれ、特に膝。四肢の弱さと震え。関節炎；結節性；変形。

皮膚：冷たい、ヘビのよう；弛緩した；不健康な。小さな傷がなかなかよくならない。乾癬。蕁麻疹。＞冷気。頭からつま先までの、目に見えるような皮膚の震え、めまいが後に続く。血瘤腫、再発性。乳白色の斑点。溢血疹。しもやけ。**冷たさ、氷のような、頭頂**の。頭に冷たい部分がある、または、頭、手、膝、足、患部の**冷たさ**。

睡眠：考えがどんどん浮かんで眠れない；うたた寝中に常に現れる不愉快な考え。**悪夢**；子どもは、夜中に叫び、なだめることができない。恐ろしい、そして奇想天外な夢。目を閉じると恐ろしい情景が浮かぶ。

熱　：喉の渇きを伴う悪寒。**冷たさ、氷のよう**、身体のさまざまな部分の、患部の。内側は熱い、外側は冷たくて発汗。発汗を伴う熱。冷や汗、部分的な。熱、夜間の、月経中の。

補完レメディー：Bar-c., Lyc., Sil.

Calcarea fluorica　フッ化カルシウム

総体的症状：このティッシュソルト（生命組織塩）は、特に血管と腺の、**弾性線維を弛緩させる。腺は肥大し、石のように硬くなる。血管は拡張し、静脈瘤になる**、炎症を起こす。骨の成長を分散させる、骨肉腫、外骨腫症、損傷後の。頭部の血腫。**歯のエナメル質不足**。手術後の癒着傾向を緩和する。**石のような硬化**－扁桃、腫瘍、首の、損傷後の；潰瘍の端など。動脈瘤。化膿しそうな硬化。動脈硬化(症)。**瘻孔。白内障。分泌物が草色になる**。午前中の衰弱。終日続く疲労感。さまざまな部位のしびれ。脳卒中の恐れ。のろのろした気質。爪の肥大。X線熱傷。悪臭を放つ膿。下顎、肋骨の骨膜炎、など。口や喉の潰瘍形成にみられる先天的な梅毒の発現。乳房の結節。

悪化：動作のはじめ。冷たい；湿った。すき間風；天候の変化。捻挫。
好転：継続的な動作。温かいものをあてがう。熱。さすること。
精神：優柔不断。財産を失うことへの根拠のない恐怖。貧困への恐怖。
頭部：頭の中の鋭い音、睡眠を阻害する。頭部の血腫、新生児の。
目：目の痛み、＞閉じることと圧迫。目の前に火花が散り、ちらつく。フリクテン性角膜炎。眼瞼の皮下嚢胞。白内障。所々の角膜混濁。
耳：慢性耳漏。中耳の石灰沈着。
鼻：多量の、黄色い、濃厚な、塊の多い、不快な分泌物。臭鼻症。
顔：顎骨の硬い腫脹。ほおの硬い腫脹、痛みまたは歯痛を伴う。小さい、硬い冷たい唇の痛み。
口：歯槽膿漏、顎が硬くはれている。歯がぐらぐら。舌の硬化。歯痛、食べ物が歯に触れると。下顎の骨膜炎。
喉：扁桃は荒れてざらざら、粘液の栓を形成。痛みと熱感、＞温かい飲み物。
胃：乳児の嘔吐、未消化の食べ物の。疲れや頭脳労働からくる急性消化

不良、頭を使いすぎる子どもの。しゃっくり、誰かが粘液を喀出するとき。
腹部：妊娠中の鼓腸。便の噴出、水っぽい、悪臭。痔からの出血、仙骨の痛みを伴う。亀裂。瘻孔。
男性：精巣水瘤。精巣硬化。
女性：乳房の硬い結節。出産に好適。
呼吸器：咳、小さな、強靭な、黄色い塊の喀出を伴う。嗄声、笑った後、音読の後。喉頭蓋が閉じかけているかのような、呼吸困難。
心臓：心内膜に線維性の沈着物。心臓弁膜症。
首・背中：甲状腺腫。使いすぎによる腰痛。＞動作と暖かさ。長時間乗車後の背中の痛み。くる病による小児の大腿骨肥大。
四肢：手首の後ろの被嚢性腫瘍。滑液嚢炎。慢性滑膜炎；膝関節の。冷たい手首と足首。腱と関節周辺の腫脹と硬化。膝窩部の再発性類線維腫。股関節疾患。
皮膚：ひび割れ、乾燥、硬い、白くて滑らか。母斑。端の硬い潰瘍。いぼ状増殖。
睡眠：鮮明な夢、すすり泣く。夢の中で寝床から跳び起きる。
補完レメディー：Rhus-t.
関連レメディー：Graph., Hecla.

Calcarea hypophosphorosa 次亜リン酸カルシウム

総体的症状：カルシウムの次リン酸塩は、生命力の喪失または、継続的な膿瘍形成による活力低下によって、青白く、力がない、激しく滴るような汗、急速なやつれ、極度の衰弱、がみられる人に指示される。
悪化：生命力の喪失。
精神：興奮しやすい、神経質、不眠。早口で話す、すぐに怒る。

耳　：耳の中で、ブンブン、シューシューいう。
胃　：貪欲な食欲、＜食後2時間で、＞胃がいっぱいのとき。食欲不振。
腹部：脾臓のずきずきする痛み。腸間膜結核。下痢；肺結核患者の。
呼吸器：胸部の鋭い痛み。咳；肺結核患者の。肺からの出血。喘息。気管支炎。
心臓：狭心症。血管がまるで縄のように目立つ。
四肢：常に**冷たい四肢**。
睡眠：睡眠中にびっくりする。
皮膚：寝汗で疲労する。体中に膿疱痤瘡性。
関連レメディー：Chin.

Calcarea iodata　ヨウ化カルシウム

総体的症状：主に、2つの成分から示唆されるように、腺の硬化に使用されることが多い。多数の小陰窩がみられる扁桃肥大にも投与できる。思春期の甲状腺肥大。アデノイド。かぜをひきやすい、太って締まりのない子ども。多量で黄色い分泌物。静脈瘤に伴う無痛性潰瘍。冷風の中を乗馬したことによる頭痛。乳房の硬化した増殖物、動く、圧迫すると痛む、腕の動きで痛む。多量の発汗。

Calcarea phosphorica　リン酸カルシウム

総体的症状：このティッシュソルトのレメディーは、さまざまな面でCalc-carb. に似ているが、独自の特徴ある症状もある。骨と腺の**栄養**に影響する；骨が**軟らかく**、**細く**、**もろくなる**；骨折癒着不能時の骨化を促進する。**腺の腫脹**。骨が縫合し、結合する場合、縫合

部に沿った痛みや灼熱感に、特別よく作用する。患者、特に子どもは、繊細で、**背が高い**、**やせている**、または骨ばっている、汚い茶色っぽい皮膚。急性疾患後、または慢性の消耗性疾患後の貧血。震え、または手の震え、痛みやその他の症状を伴う。**局所の冷たさまたは痛み―頭頂**、眼球、鼻の先、手指など。悪い知らせを聞いた後の、**虫がはうような感覚**、**しびれた感覚**。不機嫌で、気力がない、四肢が冷たい、消化機能が弱い貧血性の子ども；あおむけに寝ると、発作的にびくっとする。＞横向きに寝る。抱え上げられると、多量に発汗する。抱え上げられると、息ができない。蛋白質性の分泌物。遊走性の痛み。関節炎。リウマチ炎。同化不良。くる病。アジソン病。育ちすぎ、持ち上げること、勉強しすぎ、過剰な性交あるいは性的不品行、悲しみ、失恋、好ましくない知らせ、瘻孔の手術、ぬれること、少女の成長の遅さからの悪影響。初潮時にかぜをひいたことによる影響。遅い骨化、骨の癒着不能。子どもの知的障害、糖尿病、肺の疾患を伴う。

悪化：天候の変化にさらされること。すき間風。寒さ；**雪解け**。**生歯**。精神疲労。**体液の喪失**。思春期。果物、リンゴジュース。動作。病気のことを考えること。持ち上げること、上昇。

好転：夏。暖かく乾燥した天候。**横たわる**。

精神：**不機嫌**、**落ち着きがない**、**気難しい**。忘れっぽい。常にどこかに行きたがる；家を離れているとき、どこかに行きたがり、そこに行くと、、また別の場所に行きたがる。知的障害。敏捷なクレチン病。

頭部：痛み；後頭部から背骨に沿って、＞冷水浴、またはいびき。学童の頭痛、下痢を伴う。灼熱感、＜**縫合部**周辺の。脳が頭蓋骨に押し付けられているかのような感覚。泉門がなかなか閉じない、または再度開く。頭蓋骨が軟らかくて薄い、紙のように裂ける、＜後頭部。**冷たい、または痛む頭頂**。後頭部に氷を押し付けられたかのような感覚。後頭骨の陥没。水頭症。頭をまっすぐ上げられない、頭がぐ

らぐらする。

目 ：目の奥の冷たい感覚、何かがあるような＜そのことについて考える。びまん性の角膜混濁。ガス灯では見えない。

耳 ：突然の外耳のはれ。中が冷たい；中の雑音；排便後。

鼻 ：鼻先が氷のように冷たい。ポリープ、大きい、有茎性。コリーザ、唾液分泌過多を伴う。

顔 ：蒼白、黄色っぽい、土気色；吹き出物だらけ。顔の冷や汗。上唇の腫脹。

口 ：**生歯**の遅れ。歯、軟らかい、虫歯になりやすい。生歯時の疾患；熱を伴わない痙攣。そしゃくに敏感な歯。実に嫌な味、＜朝、寝覚め；苦い、頭痛を伴う。

喉 ：喉のひりひりする痛み；中が空っぽに感じる。開口時の痛み。扁桃肥大。アデノイドの増大。

胃 ：常に乳を飲みたがり、すぐに吐く乳児。未加工の、塩辛い、ぴりっと辛い食べ物、ハム、塩漬け肉、燻製肉、ベーコンを欲す。消化力が弱い、食べるたびに胃が痛む。しつこく母乳その他の乳を吐く。喫煙欲求＞頭痛。嘔吐、粘液の喀出時に、手の震えを伴う。

腹部：疝痛、食べようとするたび；アイスクリーム、冷水、または果物を食べることによる。**たるんだ**、**くぼんだ**腹。乳児のへそからの血の混じった液体の滲出。**へその潰瘍化**。下痢の傾向、果汁の多い果物による；生歯時。便；悪臭、熱い、未消化物を含む、はね散る、水っぽい、緑色、粘液性、未消化の、悪臭の放屁を伴う。何かが腹の中で生きているような感覚。肛門の瘻孔、胸部の症状と交互に発現。背の高いやせた子どもの肛門裂傷。痔；常に水っぽい液体が滲出。

泌尿器：尿量の増加、衰弱感を伴う。腎臓周辺の痛み、＜鼻をかむ、または持ち上げる。膀胱の痛み、＜空のとき。

男性：会陰の縫われるような痛みが陰茎にまで広がる。乗車中の勃起、性

欲を伴わない。生殖器の衰弱感、排便後。

女性：月経が早い、少ない、2週間ごと；異常に鮮やかな色；少女の場合遅すぎる、黒い経血。性欲亢進、月経前、授乳中。妊娠中の異常なものへの欲求。ひりひりする帯下、蛋白性、一期間から次の期間にかけて、腹痛後に続く。生殖器に何かがはうような感覚；官能的。子宮脱；衰弱した女性、＜排尿または排便中、月経中、リウマチ性の痛みを伴う。子どもは母乳を嫌がる、塩辛い。子宮が重たい、または痛む。発疹＜月経中。月経の遅れ、激しい背中の痛みを伴う。乳房（左）の腫瘍、圧迫で痛む。乳房の痛み、大きく感じる。

呼吸器：子どもは抱き上げられると息切れする。咳、＞横たわる；生歯中の咳。不随意のため息。肺結核；虫歯を伴う、寝汗、黄色い喀出物を伴う。**すき間風による胸部の痛み**。歌う前、話す前に、喉頭から粘液をかき出さなければならない。ゼーゼーいう咳、しつこい。

心臓：心臓疾患に起因する浮腫。動悸と、ふくらはぎの震えを伴う衰弱。

首・背中：**すき間風で首が痛む**。首が**弱い**、**細い**、頭が上下にぐらつく。脊柱が左に湾曲。激しい痛み、＜わずかな努力、叫ぶ、痛みで。仙骨の無感覚と不自由。腰椎が左に湾曲。二分脊椎。脊椎カリエス。

四肢：寒い季節のリウマチ。手指先の痛み。爪の中にとげが入ったような感覚。臀部のしびれ。臀部の弱さ。股関節疾患。胃腸障害に伴う冷たい四肢。痛み、灼熱感、爪の先に沿って。腋窩の硬い青みがかった瘤。腕と手の震え、多くの疾患に伴う。足関節の瘻孔性潰瘍。

睡眠：常に、伸びとあくびをする。子どもは眠りながら泣く。朝、なかなか起きない。

皮膚：黒い、茶色い、黄色い。切断による傷、潰瘍形成。カラシ湿布による潰瘍形成。

熱：すぐに冷える。痛みに伴う寒さ。悪寒が背中を上がる、しかし熱感は背中を伝って下りる。べたべたする不快な汗、＜頭と喉；夜間。

補完レメディー：Hep., Ruta

関連レメディー：Carb-an., Chin., Ferr-p., Nat-m.

Calcarea sulphurica　カルシウム硫化物：石膏

総体的症状：シュスラーの結合組織レメディーである。腺、粘膜、骨、そして皮膚に作用する。無活動性腺腫脹。嚢胞性腫瘍。子宮筋腫。化膿傾向、膿が出口を見つけた場合、このレメディーの範疇に入る。膿は濃厚、黄色い、塊がある、血が混じっている。粘液性の分泌物は黄色い、濃厚、塊がある。再発性の、または膿の出る膿瘍。悪性潰瘍、角膜潰瘍、深い潰瘍。瘻孔。切られるような痛み。反応が鈍い。血の混じったコリーザの乳児、下痢または湿疹。熱や火や腐食剤による熱傷および熱湯や蒸気による熱傷、化膿が始まった後。潰瘍形成開始後の悪性腫瘍。

悪化：すき間風。接触；寒さ；湿気。部屋の熱気。

好転：外気。入浴。食事。（部分的な）熱。露出。

精神：性急。自分に同調しない人を軽蔑する。自分の価値を誰もわかってくれないと不満をもらす。想像上の不幸について熟考する。

頭部：子どものしらくも（頭部白癬）、膿状の黄色い分泌物を伴う。

目　：結膜炎、濃厚な黄色い物質の分泌を伴う。赤く、かゆいまぶた。

耳　：黒っぽい耳垢。耳周辺の膿疹。たたかれた後の耳炎。

鼻　：乳児の血の混じったコリーザ。くしゃみ、＞外気。

顔　：顔の吹き出物と小膿疱。

口　：たるんだ舌。石鹸の味。

腹部：子どもの下痢、膿の分泌、または血の混じった膿。便、白く覆われた。瘻孔の場合、肛門周辺の痛みのある膿瘍。メープルシュガーをとった後の下痢。

泌尿器：腎盂炎。慢性腎炎。

女性：濃厚な白い帯下。（右）卵巣の切られるような痛み。月経は遅い、長期間続く。
呼吸器：窒息しそうなクループ。蓄膿症。
四肢：悪臭の足の汗、冷たい。足の裏の灼熱感、かゆみ。
皮膚：**不健康**；切り傷、外傷、など、**治癒しない**、乾燥性の湿疹、＜乳児の。
睡眠：びっくりして跳び起きる、まるで空気を切望するかのように。
熱 ：膿を出したことによる消耗熱。寒いときにも覆うことへの嫌悪。夜間の乾いた熱。汗をかきやすい、＜咳。
関連レメディー：Hep., Sil.

Calendula　キンセンカ

総体的症状：**筋肉、脊柱、肝臓に作用し、口の開いた、破れた、切れた、裂けた、ぎざぎざの、化膿している傷**；極端に、**損傷と不釣り合いに痛む傷**の治癒に卓越した働きをする。出血；頭部の傷、抜歯後。かぜをひきやすい傾向。**膿血（症）を防ぐ**。湿気や外気に敏感。癌、介入レメディーとして。Calendulaをお湯に溶かし、綿を浸して、産後、患部にあてがうと、患者をとても癒やす。脳卒中後の麻痺。健常な肉芽形成の促進と迅速な治癒を促す。壊疽の予防。
悪化：湿った、曇りの天候。寒い期間。
好転：歩き回る、または完全にじっと横たわる。
精神：非常に神経質、すぐにびっくりする、恐怖による発作。
頭部：脳に重みがかかっている。
目 ：涙嚢の膿漏；黄色い視覚。
耳 ：電車の中で最もよく聞こえる、遠くの音が聞こえる。鋭い聴力。
鼻 ：片方の鼻孔のコリーザ、多量の緑色の分泌物。

喉　：顎下腺の痛みを伴う腫脹、＜頭を動かすと。
胃　：胸やけ、鳥肌がたつ。胸のむかつき。喫煙時のしゃっくり。
腹部：みぞおちの膨張。凝乳状の便。黄疸。鼠径部の引き伸ばされるような、引っ張られるような感覚。
男性：性交後の表皮剥離。
女性：子宮口のいぼ。子宮口が通常より低い。子宮の肥大。月経過多。鉗子分娩後の多量で不快な分泌物。
背中：右肩甲骨周辺の打撲したような痛み。冷たい手。
皮膚：黄色い、鳥肌がたつ。
熱　：悪寒。外気に対して非常に敏感。背中の震え、皮膚は温かい。夕方の熱。
関連レメディー：Arn., Bell-p.

Camphora　樟脳

総体的症状：精神的な苦痛に伴う、冷え、疼痛性痙攣、痙攣が、Camphoraを指示する際立った特徴。青い唇、口の泡、および開口障害を伴う痙攣。神経中枢に作用する圧倒的な影響による、突発性虚脱に効果のあるレメディーである。患者は、**氷のように冷たく**なる；**身体を覆うことを嫌悪**し、はずしたり、かけたりする、**内側の焼けるような熱さと不安を伴う**。**突然の衰弱**、失神の発作が悪化する。衰弱、わずかな嘔吐と下痢、コレラの場合。**強直性**（tetanic）痙攣、歯が見える、唇の収縮を伴う、その後の知覚麻痺と冷たさ。新生児の開口障害。かぜの引きはじめに寒がる。**微量の、または保持された分泌物。冷気に非常に敏感、あるいは、かぜをひきやすい**。発疹の抑圧。不器用さ。軟らかい部位の退縮。損傷、手術、日射病によるショックの悪影響。いら立ち。うまくいっていない症例を修正し、

ほとんどの（特に植物の）薬を解毒する。**消化管**、脳脊椎神経、泌尿器、鼻が特に影響を受ける。痛むときは熱い波がくるかのよう、落ち着きがない。

悪化：**寒さ、すき間風。半分眠りかけのとき。**精神疲労。ショック。抑圧。無関心。動作。夜。

好転：**多量の分泌。発汗。**それについて考えること。冷水を飲む。

精神：**無感覚**、すべての感覚または不安を消滅させる。当惑。記憶の喪失。幻覚症状。宗教的マニア、産後。寝床から、または窓から飛び出したい。何事にも満足しない。興奮、話し続ける、下品な言葉で小言を言う。自分はもう死ぬと思う、まだ生きていることに気づき、安心する。夜に苦悩する。精神錯乱、ヒステリー状態―引っかく、唾を吐く、かむ、自分の服を引き裂く。叫んで助けを呼ぶ。目を閉じて、何の質問にも答えない。

頭部：締めつけられるような感覚。後頭部がずきずきする、脈拍と同時に、＞立っている；性交の自由を奪われたとき。頭頂と眼窩の、つかの間の刺されるような痛み。（痙攣時）頭は片側に引かれている。痛みは頭から手の指先に走る。

目：物が明るすぎるように見える、または、急に片側にぐいっと動いて見える。凝視、じろじろ見る、上目、下目。散大した瞳孔。突出性眼球、躁病に伴う。目が深く落ちくぼんでいる。

耳：熱くて赤い耳たぶ。

鼻：冷たく縮みあがった鼻。**コリーザ**；高齢者の。吸気が冷たく感じられる。しつこい鼻出血。鳥肌。

喉：やせ衰えた、青白い、青みがかった、年老いた、縮んだ。青白くなったり赤くなったりする。冷や汗。上唇が退縮している。開口障害。歪んだ顔。しかめっ面。口から泡をふく。

口：青みがかった舌、冷たい、震える。支離滅裂な、弱々しい、しわがれ声の話し方。冷たい息。熱いお茶が冷たく感じられる。歯痛、＞

ビール。

胃 ：灼熱感と喉の渇き。胃の中、腹の中の灼熱感。アジアコレラ。虚脱に伴う少量の嘔吐または下痢。米のとぎ汁状の便。朝の嘔吐、胆汁の、酸っぱい。

泌尿器：有痛性排尿困難。血尿。尿閉。

男性：性的興奮。男子色情症。持続勃起症、夢の中で。インポテンス。

女性：性欲亢進。腹部と四肢の冷たさを伴う紅潮、閉経期の。常に胸をあらわにする；躁病。

呼吸器：新生児仮死。嗄声、キーキー声。冷たい息。呼吸停止。乾性の咳の激しい発作。

心臓：弱い脈、知覚できないくらい、頻繁、小さい。食後の動悸。

四肢：後反した手の母指。ふくらはぎの疼痛性痙攣（こむらがえり）。関節が鳴る。冷たい、しびれる、うずく。冷たい足、まるで捻挫したかのような痛み。

皮膚：乾燥；鉛色。青い、**冷たい**、覆われることには耐えられない。**丹毒**。すべてのはしかの続発症。

睡眠：冷たい四肢を伴う、不眠症。落ち着きがない。昏睡状態の睡眠。

熱 ：震えるほどの寒さと**冷たい皮膚**；熱いときだけ、身を覆いたい。突然の炎症性の熱、熱と冷えが交互に発現、その後は急速に衰弱する。熱または発汗、＞覆うこと。悪寒、肩甲骨の下、かぜをひく前に。覆っているときの発汗、覆わないと体が冷たくなる。

補完レメディー：Canth.
関連レメディー：Carb-v., Cupr., Op., Sec.

Cancer fluviatilis (Astacus fluviatilis) ザリガニ

総体的症状：一般に、サワガニまたはザリガニとして知られている。チンキは生体全体からつくられた。肝臓、リンパ腺に顕著な働きをする。**肝臓疾患に伴う蕁麻疹**を発生；子どもの黄疸。さまざまな部位のかゆみ。乳痂、リンパ腺肥大を伴う。子どもと高齢者の首のリンパ腺肥大。さまざまな部位の**刺されるような痛み**。内部の寒さまたは震え。全身の神経性の鳥肌。**丹毒**、蕁麻疹を伴う。肝臓周辺の差し込み、肝臓の炎症、＜圧迫。咳、＞歩行時、しかし座るとすぐに再発。激しい熱、頭痛を伴う；赤く、燃え立つような顔。十二指腸および特に十二指腸につながる胆管の開口部を収縮させ、時には完全に閉鎖することもある。

悪化：空気。露出すること。
関連レメディー：Calc., Rhus-t.

Cannabis indica & sativa インド大麻&アメリカ大麻

総体的症状：Cannabis indicaは、麻酔薬に使われる。**精神**、**感情**に際立った効果があり、**激しく高揚**する、その**観念**と**知覚**が、最高レベルまで**誇張される**。患者は、最も素晴らしい幻覚や想像の世界を体験する、非常に幸福で、満足感がある、または時には、幻覚が非常な恐ろしさや苦痛である場合もある。均衡感覚、時間や空間の見当識が失われる。誇大妄想。空中浮揚感。陽気；笑いを抑えられない。暴力行為。振戦せん妄。弱々しく、すべてが失われたように感じる。眼球突出性の甲状腺腫。強硬症。**泌尿器系**と**急性淋病の症状**が最も顕著な場合には、Cann-i. よりもむしろ**Cann-s.** を使用した

ほうがよい。熱いお湯をかけられたかのような、または**冷水の滴**が頭に**滴り落ちるような**感覚、肛門、**心臓から滴り落ちるような感覚**が、Cann-s. にはみられる。患部のひりひりする痛みを伴う麻痺。

悪化：排尿（Cann-s.）。**暗闇**。**激しい活動**。話すこと。歩くこと。コーヒー。アルコール。たばこ。横たわること、および階段を上がること（Cann-s.）。

好転：新鮮な空気。冷水。休息。

精神：**多弁**。非常に忘れっぽく、最後まで文章を終えることができない。時間が長すぎるように感じる。距離が果てしないように感じる。光を欲求。寝ることへの恐怖（Cann-s.）、寝床に行くのが怖い。むやみに笑う、まじめな発言に対して、または、ほんのささいなことで。笑い、泣く。恍惚とした、天国のように。聞こえる；声、鈴の音、音楽。固定観念、**極度の移り気**。すべてが非現実的であると思う。透視力。話すとき、誰か別の人物が話しているように感じられる。愚痴をこぼし、泣く。

頭部：激しい頭痛；幻覚を伴う。**頭頂が開いたり閉じたりしているように感じる**、＜雑音。頭が身体から分離されたよう。不随意の頭の震え。脳の衝撃。

目：凝視。読むときに、字が一緒になって走る。弱視。視野の外にあるものが見える。角膜混濁。

耳：お湯が沸いているような音。

顔：顔の皮膚が突っ張る。落胆した、心労でやつれた。両唇がくっつく。顎を引いている。

口：睡眠中の**歯ぎしり**。白い唾液、濃厚、泡だらけ。どもる、詰まりながら話す。すべての食べ物が何でも口に合う。以前は好んでいた肉を嫌悪（Cann-s.）。

腹部：腹の中で何かが生きているような感覚。ボールの上に座っているかのような肛門の感覚。あちこちが拍動する。

泌尿器：腎臓の痛み、笑うとき。排尿するのに力まなければならない；尿が流れ出るまで、しばらく待たなければならない；尿の流れが止まった後の尿の滴下。<u>わずかなひりひりする</u><u>尿が一滴ずつ出る</u>、（膀胱に向かって）後戻りするような痛み。淋病の急性段階、尿道は過敏である、脚を開いて歩く（Cann-s.）。腎疝痛。尿道カルンクル。

男性：はれた包皮。性欲亢進。持続勃起症。みだらな想念を伴わない勃起。

女性：多量の月経、激しい子宮疝痛を伴う、排尿困難を伴う。不妊または月経困難症の女性の性欲亢進。流産の恐れ、頻繁すぎる性交のため、または淋病と絡み合って（Cann-s.）。

呼吸器：湿性の喘息。動悸による呼吸困難、＞立ち上がる（Cann-s.）。声の調子をコントロールできない。窒息しそうな発作。

心臓：動悸で目覚める。遅い脈。心臓から滴が滴り落ちているかのような感覚（Cann-s.）。

背中：痛みは肩と脊柱を駆け抜ける、かがまなければ、直立歩行できない。斜頸、顎を引いている。

四肢：四肢の痛み、＜深呼吸。下肢の麻痺。手指の収縮、捻挫後の（Cann-s.）。少し歩いただけで、疲れ果てたように感じる。まるで、鳥の爪が、膝をしっかりとつかんでいるかのように感じる。上階に上るときの膝蓋骨脱臼（Cann-s.）。

睡眠：官能的な夢、死んだ人の夢。眠たいのに眠れない。

解毒するレメディー：Apis..

Cantharis　ヨーロッパミドリゲンセイ

総体的症状：一般に、スペインバエとして知られている、**泌尿生殖器**に作用する、機能を妨げ、激しい炎症を起こさせる、熱狂的な興奮を生む。**迅速で激しい**。粘液および漿膜の**炎症は**、**激しい急性**、または**迅速で破壊的**。<u>切られるような</u>、<u>ひりひりする</u>、<u>焼けるような</u>、<u>鋭い</u>、または<u>皮がむけたような痛み</u>、精神的な興奮を引き起こす。分泌物には血が混じる、刺激性がある、水っぽい、粘着性。突然の衰弱で、声が出なくなる。漿液性滲出液。腎炎、急性実質性。奇胎、死亡した胎児、胎盤を排出する；生殖力の増進。失語症を伴う、(右側の) 片麻痺。尿量が少なく、切られるような痛みと灼熱感を伴う場合には、Canth. を考えるべきである。排尿困難や恐水病の症状を伴う痙攣。痛みの最中の興奮。**火や熱や腐食剤による熱傷や熱湯や蒸気による熱傷**に効果のあるレメディー。さまざまな疾患の随伴症状としての排尿痛。

悪化：<u>排尿</u>。飲むこと。寒さ。光るもの。水の音。接触、特に喉頭の。コーヒー。

好転：温かさ。休息。さすること。

精神：色情狂。急性の躁病、性的な種類の。過剰な性欲、性交で好転しない。怒りの発作では泣く、わめく、かむ、＜光るもの、喉頭に触れる、冷水を飲む。突然の意識喪失、赤い顔を伴う (生歯)。常に何かをしようとしているが、何も達成できない。下劣な歌を歌う。生殖器、糞尿のことについて話す。横柄。矛盾した気分。

頭部：脳の灼熱感、または沸騰するような感覚。頭が重たい；入浴あるいは冷水浴で痛む。櫛でとかすと髪が抜ける。

目：物が黄色く見える。炎のように、光彩を放つ、じっと見つめる。

耳：耳から風、または熱い空気が流れているような感覚。

顔 ：蒼白、みじめな、死人のような青さ。極度の苦痛、恐怖、または絶
望の表情。熱くて赤い。顔にかゆみのある発疹。固く閉じた顎；急
性躁病。

口 ：歯ぎしり、開口障害を伴う。口の中の灼熱感、咽頭と喉。腫脹した、
震える舌；端がひりひりする。唾液が、むかむかするほど甘い。

喉 ：まるで**焼けているよう**。痛みのある収縮；水分を飲み下すのが非常
に難しい。多数の水疱。

胃 ：**焼けるような渇き**、しかしどんな液体も嫌悪。激しい吐き気と嘔
吐。胃の敏感さ；わずかな圧迫から痙攣が起こる。コーヒーを飲む
ことによる悪化、少量でも。あらゆるものに対する嫌悪。

腹部：全消化管の激しい焼けるような痛み、接触に敏感で痛む。**切れ切れ
のひりひりする便**、**直腸と膀胱のしぶりを伴う**、排便後の身震い。
排尿困難を伴う、赤痢または下痢。直腸の切られるような痛み、部
分的に＞放屁で、排便で完全に。便秘、尿閉を伴う。排尿中の便
意。

泌尿器：腎臓周辺が**非常に敏感**。**尿の灼熱感**、**やけどするほど熱い**；**切
られるような痛み**、**我慢できない尿意**、**ひどいしぶり**、または**滴下
を伴う**。**有通性排尿**困難。排尿障害。血尿。膀胱の不快感。急性腎
炎；腎疝痛；膀胱炎。むくみ。腎疝痛、＞陰茎亀頭の圧迫により多
少。膀胱の無緊張、長時間の尿閉による。

男性：生殖器の痛みを伴う腫脹。持続勃起症。陰茎の引っ張られるような
感覚。**性欲亢進**、性交で好転しない。血の混じった精液。遺精。淋
病。尿道の灼熱感、性交後の。

女性：女子色情症。卵巣の切られるような痛み、灼熱感；卵巣炎。月経
は早すぎる、多量、黒い経血、または少量。乳房の痛み、排尿困難
を伴う。奇胎、死亡した胎児、胎盤を排出する。かゆみ、強い性欲
を伴う；閉経期。帯下、性的興奮を伴う、かゆみを生じ、マスター
ベーションを誘発する。

呼吸器：嗄声、弱々しい。気道の粘着性の粘液。短い乾性の咳のひとしきりの発作。滲出を伴う胸膜炎。胸部の痛み、＞おくび。胸部の灼熱感。胸骨の刺されるような痛み。

心臓：失神（syncope；血圧低下と心収縮不全が突然起こり、脳貧血とほぼ完全な意識障害を生じる）傾向。（感情の）吐露に伴う心膜炎。脈；弱々しい、不規則。

背中：前弓緊張と後弓反張。頻繁な尿意を伴う腰の痛み。

四肢：階段を上がるとき、膝がよろめく。足の裏の潰瘍性の痛み、歩くことができない。

皮膚：小水疱性の発疹、黒くなる、灼熱感とかゆみを伴う。丹毒。火や熱や腐食剤による熱傷や熱湯や蒸気による熱傷、＞冷水。壊疽しやすい傾向。発疹は触れるとひりひりする。

熱：寒い、まるで冷水を浴びせかけられたかのよう、排便中。手足の冷たさ。生殖器に尿臭のある発汗。

補完レメディー：Apis..

関連レメディー：Apis..、Ars.、Merc-c.

Capsicum　トウガラシ

総体的症状：粘膜と、骨、特に**乳様突起**に激しく作用する。粘膜は、黒っぽく、赤く、スポンジのようになる、または血液の混じった粘液を滲出する。痛みは、**焼けるよう**、**ひりひりする**、刺激性がある、窒息しそう、糸のよう、＜冷水。ひりひりする**感覚**と収縮感。**線維の弛緩**した、弱い、**怠惰**な、不精な、太った、**赤い**、**不器用**な、ぎこちない、そして**不潔な性質**の人に適合するようである。そのような人は、身体的に激しい活動は好まず、自分の日課以外のことをすることを嫌い、すぐに**ホームシック**になる。頭脳労働や、貧困生活

で、生命力を使い果たした高齢者。患者の**反応は乏しく**、患者は、**寒さを嫌がる**。禁酒する人。排出物は悪臭がする。筋肉痛。神経痛。深い膿瘍。循環は不活発で、ある部分をつまむと、その部位はしばらく盛り上がったままである。痛みがある間、または飲んでいる際中に**身震いする**。

悪化：わずかなすき間風、暖かい風でも。冷気；水。露出。湿気。入浴。空嚥下。**飲むこと**、＜喉、または排尿を引き起こす。食後。大酒家。

好転：継続的な動き。熱さ。食事中。

精神：気まぐれで、気分がよく変わる。ホームシック、赤い顔で、睡眠不足、自殺傾向。不機嫌、怒りっぽい、怒る、気分を害しやすい。不器用、ぎこちない；何にでもぶつかる。頑固、特に子ども。ひょうきんで、歌を口ずさむ、しかし、ささいなことで怒る。常に気に障ることに目を光らせている。何かほしいものがあったとしても、人がそれを提供してくれると拒む。交互に笑ったり泣いたりする。

頭部：破裂しそうな頭痛、＜咳、＞熱、動作、頭を高くして横たわる。

目：物が黒く見える。突出した目、灼熱感、流涙、咳の間。

耳：交互に症状が現れる。耳の後ろのはれと痛み。乳様突起。錐体骨の圧痛。熱い耳。耳痛、その後の難聴。妊娠中の耳の疾患。鼓膜の穿孔。

鼻：**赤いが、冷たい**；先はとても熱い。朝の鼻出血；寝床で。

顔：**赤いが、冷たい**；あるいは青白くなったり、赤くなったりする。神経に沿った細い線状の痛み。唇のはれ、ひび割れ、灼熱感。

口：小水疱または平らな、痛みのあるアフタ。口内炎。悪臭のする口臭。**舌の根が緑色がかっている**。歯茎は熱く、スポンジのよう、後退している。**舌の先が焼けるようにうずく**。唾液の増加。腐った水のような味、食べ物が酸っぱい。

喉：喉が焼けるようにうずく。喉が収縮するための嚥下衝動。喫煙者や

大酒家の咽頭痛。喉まで広がる痛みと乾燥。**口蓋垂の腫脹**、伸び、何か硬いもので圧迫されているような感覚を伴う。喉からこみ上げてくる熱い刺激性の空気、咳をすると悪臭がする。咳をすると痛む。麻痺性の嚥下障害。

胃：刺激物、ぴりっとするものを欲求；刺激性飲料を欲求。喉の渇き、しかし飲むと震えを起こす。呑酸。**酸性の消化不良**；胃の灼熱感、または震える、あるいは、氷のように冷たい、または冷水でいっぱいになっているかのよう。コーヒーを欲求、しかし吐き気を催す。野菜で鼓腸を起こす。

腹部：鼓腸性疝痛。へそ周辺の疝痛、粘液便を伴う。小さい、熱い、焼けるような、血の混じった粘液便、直腸と膀胱のしぶりを伴う、その後、喉の渇き＜**飲むこと。ひりひりする痔**；出血する、肛門の痛みを伴う。赤痢。腹部動脈の激しい脈動。粘液性の下痢。

泌尿器：頻繁な、ほとんど無駄な尿意。有痛性排尿困難。開口部の灼熱感。尿は、最初は滴だけで、次第に噴出する。尿道からの白いクリーム状の分泌物；淋病。飲むと、排尿と排便を刺激する。めくれ上がった尿道口。

男性：冷たい陰嚢、皺が寄っている。精巣の萎縮、軟化、感覚がなくなる；皺が寄った精索。前立腺の焼けるような極度の痛み；淋病。愛撫の最中、全身が震える。はれた包皮。精巣の差し込み、射精後。

女性：閉経期の疾患、舌先の灼熱感を伴う。左の卵巣周辺に、押されるような、突き刺されるような感覚、月経不順を伴う。吐き気を伴う月経過多。

呼吸器：深呼吸をしたい、そうすればすべての症状が改善すると思う。**咳をすると、膀胱、耳、脚など離れた部位が痛む**、または悪臭の空気がこみ上げる＞冷水を飲む。痰を吐き出す力がない。胸部の収縮で息が止まる。歌手や聖職者の嗄声。顔の赤みを伴う喘息、＜上昇。肋骨が外れたかのように感じる。肺の壊疽。

背中：排便後の腰の痛み。痔と赤痢に伴う仙骨の痛み。水を飲んでいる間の背中の痛み。冷水が背中を伝うような感覚。

四肢：関節が鳴る、硬い、動きはじめに痛む；麻痺したかのような痛み。臀部から踵にかけての痛み、＜咳。坐骨神経痛、＜後方に曲げる、そして咳。脚（左）の萎縮、激しい痛みを伴う。歩くとよろめく。

睡眠：不眠、感情的に、ホームシックが原因で、または咳のせいで。食後眠くなる。睡眠中に高いところから落下するかのような感覚。日中のあくび。

皮膚：灼熱感。膨れ上がった、たるんだ。

熱　：**寒け、痛みに伴う**。寒けは背中から始まり、激しい喉の渇きを伴う、しかし**飲むたびに震える**、耐えがたいほどの背中の痛みを伴う。寒けと頭に上る熱感が交互に現れる、その後、発汗。患部の冷たさ。発汗しやすい。大腿の冷や汗。熱；感情に起因する、感動した後；ホームシックから。

補完レメディー：Nat-m.
関連レメディー：Canth.

Carbo animalis　獣炭

総体的症状：Carb-an.または獣炭は、炭化した牛皮である；少量のリン酸カルシウムを含有する。**弱い根本体質の高齢者**、または、何らかの深刻な疾患、または根の深い疾患によって生命力が低下している人、または体液喪失に適合する。**患者は、かぜをひきやすく、すぐに捻挫する**。わずかな活力の低下に影響されすぎる。静脈うっ血で、**皮膚は青くなる**。腺の肥大、ゆっくりと**痛みを伴いながら、やがて硬化する**。炎のような灼熱感。悪性腫瘍の傾向。潰瘍形成、腐敗。**分泌物は、刺激性があり、悪臭がする**。弛緩した感覚、虫が

はっているような感覚。ゴム腫。放置されてきた横痃。授乳中の女性の衰弱、食べながら泣く、向かいの部屋まで歩くことさえできない。胸膜炎後に刺されるような痛みが残る。出血。赤銅色の発疹。ゆっくりとした、**硬い**、**痛みを伴う**進行。Carbo-v.よりも深く作用する。傷んだ魚や腐った野菜を食べたことによる悪影響。

悪化：**ささいな原因**；体液のわずかな喪失；捻挫、持ち上げること。かぜをひく。**乾燥、冷気**。月経後。ひげそり。**食事中**。

好転：患部に手を当てる。

精神：**すすり泣く**。独りになりたい。悲しく内省的。対話を避ける。食事中にすすり泣く。すぐにおびえる。ホームシック。暗闇への恐怖、＜目を閉じる。

頭部：頭が弛緩したように感じる、＜動作と咳。まるで頭蓋骨がばらばらになったかのように感じる；両手で押さえなければならない、＞食べること。ずきずきする頭痛、月経後。鼻出血の後に続くめまい。ひげそり後のめまい、＞よろめく。

目：痛みは（右の）眼球を伝って下に下がる。何かが目の上に載っているような感覚、そのため、見上げることができない。眼球が眼窩の中で緩んでいるように感じる。物が遠く離れたところにあるように感じる。読書中、視界がぼやける、＞目をこする。老人性白内障。

耳：どの方角から音が聞こえてくるのかがわからない。鼻をかむと、耳鳴りがする。耳下腺の腫脹。

鼻：硬い、赤い、はれた、熱い、かゆみを伴う吹き出物と落屑。鼻に茶色の筋。鼻の頭に、硬い、青みがかった腫瘍。頻繁なコリーザ、嗅覚喪失を伴う、あくびとくしゃみを伴う。

顔：青みがかったほおと唇。赤銅色の発疹。にきび。多数の吹き出物。

口：舌の節だらけの硬化。食事中に、ほおをかむ。歯がぐらぐらする、＜かむこと、および、わずかな寒さ。歯痛、＞塩味のものを食べる。

喉：胸やけのようなひりひりする感覚＞食事。

胃 ：食べると疲れる。口から塩味の水が流出。むかつき、嘔吐；しゃっくり；癌。胃のなえた、衰弱した感覚；食事によって好転しない、授乳中の女性の場合。すべての食べ物が胃の苦痛の種となる。吐き気、喫煙による、それによりたばこを嫌悪。消化力が弱い。吐き気、＜夜；つわり。胃の周辺の冷たさ、＞さすることと圧迫。

腹部：極度の膨張；手術後。鼠径部（左）に硬い塊があるような感覚、＜座る、＞圧迫と放屁。放置されていた横痃。肛門の痛み。肛門と会陰からの湿った滲出。喉に冷たさが上がる。脾臓の硬化。

男性：梅毒。横痃。

女性：月経；黒っぽい、凝固した、悪臭を放つ；朝だけの流出、極度の疲労が後に続く、あまりに衰弱しているため話すこともできない。右の卵巣が重たいボールのよう。水っぽい帯下；灼熱感、ひりひりする、＜歩行または直立；下着に黄色いしみが着く。子宮癌；大腿に至る焼けるような痛み；着席時の骨盤の痛み。骨の硬化、灼熱感を伴う。乳房に矢が突き刺さったような痛み、授乳中、呼吸停止。乳房（右）の痛みを伴う硬化。硬くて痛む乳房の腫脹。子宮出血、腺の疾患に伴う。悪露；長期間続く、薄い、不快な、四肢のしびれを伴う。

呼吸器：目を閉じると息が詰まる。神経性の呼吸困難。肺の潰瘍形成、肺の冷たい感覚を伴う。緑色の膿を伴う咳。胸膜炎の後、刺されるような痛みが残っている。痰の色が黒っぽい、茶色い、しつこい、シロップ状。

心臓：教会や公共の場で歌を聞いているときの動悸。前胸部の冷たさ、鳥肌がたつ。

背中：尾骨の痛み、触れると焼けるよう、＜座るまたは横たわる。腰の冷たさと痛み、咳を伴う。

四肢：腋窩腺の腫脹、硬化。すぐに足首をくじく。手のしびれ、胸部の疾患を伴う。関節が弱く、脱臼しやすい。

皮膚：**青みがかった**患部。多孔質の潰瘍。赤銅色の発疹。発疹のひどい跡。
睡眠：鮮明な夢。寝言、うめき、寝ながら泣く。
熱：紅潮。発汗；悪臭、衰弱する、夜間、**黄色いしみ**になる。
補完レメディー：Calc-p.
関連レメディー：Calc-f., Graph.

Carbo vegetabilis　木炭

総体的症状：Carbo-veg. または木炭は、それ自身が不完全な酸化である。そのため、不完全な酸化や腐敗が、このレメディーのキーノートである。少量の炭酸カリウムが含まれる。脱臭効果、殺菌効果、防腐効果は、高ポーテンシーになるほど高められる。**静脈循環**、特に、血液が停滞して、青くなったり、冷たくなったり、斑状出血を起こしているような毛細血管に作用する。体液の喪失や、**死にかけたこと**、または**重病のため、薬物や病気の影響のため**、またはしつこい症状のために、**生命力が低下**している。あまり**反応がみられない**ような、弛緩した状況にも適合する。典型的なCarbo-veg.の患者は、太って、緩慢で、怠惰で、慢性疾患がある。高齢者の疾患。以前にかかった何らかの病気以来、完全にはよくならない。コレラや腸チフス、その他の深刻な病気による衰弱状態、患者の身体は冷たい、息も冷たい、脈も感知できない、呼吸が速く、激しく扇がなければならない、しかし**頭は熱いまま**。**出血**；黒っぽい、滲出；ショックから、外科手術後の、数時間、数日続く。骨、潰瘍の**灼熱感**；**重たい感覚**、または**重くうずくような痛み**。衰弱、鼓腸、強い悪臭、あるいは**空気飢餓感**が、ほとんどの症状にも伴う。震え。常に**弱く、病気で、疲れ果てている**、しかし突然そのような状態になる。

失神の発作。**濃厚な刺激性の分泌物**。**寒い、しかし扇がれたい**、あるいは冷たい飲み物を欲求。<u>青さ</u>と<u>腐敗</u>。敗血症性の病態。**充満感**。**静脈うっ血**。**潰瘍形成**、アフタ。総体的な打撲痛、以前のカタル。学生は緩慢で、学ぶのが遅い、夜間、恐怖に苦しむ、独りでは眠れない、または暗い中を寝に行けない。反応の欠乏、激しい発作、激しいショック、激しい苦しみの後の。〜以来の不調。リンパ腺の肥大、硬化または化膿。壊疽、湿性の、老年期。

悪化：**暖かさ**。<u>消耗</u>。冷やす。**消耗性疾患**。**ぜいたくな暮らし**。**脂っこい食べ物**；傷んだ食べ物；鶏肉。**放蕩**。重たいものを持ち上げる。戸外を歩く。衣服の圧迫。極端な気温；冷たい夜風；凍るような、頭部に湿った風。抑圧。高齢。読書。

好転：<u>おくび</u>。冷気。扇がれること。脚を高く上げる。大声で歌う。氷のように冷たい飲み物。

精神：思考が緩慢。**怠惰**。不安。**怒りっぽい**。意気消沈。不幸。無関心、何を聞いても喜びも痛みも伴わない。暗闇への嫌悪。幽霊への恐怖。突然の記憶喪失。不活発、愚か、怠惰。すぐに怖がる、または驚く。

頭部：鈍い、圧縮されるような、重い頭痛、＜後頭部；＜過熱、帽子による圧迫、過度の放蕩。吐き気と耳鳴りを伴うめまい。寝床で温まると頭皮がかゆい。髪の毛が痛い、すぐに抜ける、一つかみ、重篤な病気の後に、産後。額の冷や汗。頭が熱い；四肢は冷たい。頭のかぜをすぐにひく。

目　：目に重たいものが載っているような感覚。目からの出血、頭のうっ血を伴う。黒い点が浮かんで見える。目の灼熱感。見上げると、目の筋肉が痛む。光に無反応な瞳孔。

耳　：耳の前に何か重たいものがあるような感覚。難聴、または耳漏、発疹後の。不十分な、または悪臭の黄色の耳垢。流行性耳下腺炎、転移を伴う。

鼻 ：喉頭の刺激によるくしゃみ、＜鼻をかむ。くしゃみをしようとしても出ない。毎日の鼻出血、青白い顔。寒けが下降するかぜ。赤い。枯草熱；枯草喘息。頻繁なくしゃみ、多量のコリーザ。くしゃみ＜くしゃみ。

顔 ：**やつれた**、**ヒポクラテスのような**、**浅黒い**。冷たい顔、冷や汗を伴う。**上唇の痙攣**。茶色い、または黒っぽい見かけ、唇のひび割れ。顔の極度の青白さ。

口 ：冷たい息。冷たい舌、黒くはれ、白、黄褐色の粘液で覆われている。アフタ；青みがかった、黒っぽい潰瘍、灼熱感を伴う。歯がぐらつく。壊血病の歯茎。歯磨き中の歯茎からの出血。膿漏。苦い味、酸っぱい味。悪臭。唾液の増加。そしゃく中の歯茎の痛み。黒い歯茎。冷たいもの、または熱いものを食べるときの歯痛。

喉 ：喉が詰まったような感覚。アフタのような、ひりひりする。どす黒い血のような粘液を咳払いで出す。嚥下時の痛み。

胃 ：消化が遅い、食べ物がガスに変わる。肉、脂、飲むと鼓腸を起こす。乳を嫌悪。食べ物のことを考えるのも嫌がる。塩辛くて酸っぱいもの、または甘いもの、コーヒーを欲求。朝の吐き気。**悪臭のするおくび、大きな音；＞を伴わない**；咳を伴う。食後の重さ、充満感、眠気。胸にまで広がる収縮性の痛み。胃の灼熱感が背骨に沿って背中に広がる、冷たさを伴う。授乳中の女性の胃痛。消化不良。消化のよい、あるいは最良の食物のほとんどを嫌う。喀血；胃潰瘍、胃癌。

腹部：**過度の鼓腸**、腹部、特に**上部**の非常な膨張、＜横たわる。腸内ガスがたまる、それによる症状の発現。できるかぎり簡素または少量の食べ物＜腹部の苦痛。疝痛で患者は二つ折れになる。みぞおちの圧痛。肝臓の痛み。腰周りのきつい服には耐えられない。腹部がまるで垂れ下がっているかのような感覚、腰を曲げて歩く。直腸の灼熱感。肛門のかゆみ。熱い、湿った、悪臭の腸内ガス。直腸からの刺

激性のある微量の液体。湿った会陰。青みがかった、白い、焼けるような痔、排便後の痛み。車に乗ることで始まった疝痛、＞放屁。高齢者の痛みを伴う下痢。悪臭のある便；無駄な便意；軟らかい便も、なかなか排出できない。放屁とともに糞便も出る。黄疸；過食、または脂っこい食べ物を食べたことによる。

泌尿器：尿中のアルブミン。腎炎、敗血症性の、または酒による。多量の尿、澄んだ黄色または濃く白っぽい尿。糖尿病。夜尿症。尿；コレラでの抑圧；冷たい舗道に立ったことからの尿閉。

男性：性交中の早すぎる射精、その後、頭の中に怒号が響く。前立腺液の分泌、排便時のいきみで。陰嚢近くの大腿のかゆみと湿り気。流行性耳下腺炎の転移による精巣の腫脹。

女性：月経過多、仙骨周辺の灼熱感、受動的な流れ。ひりひりする、熱い、かゆい、陰門の腫脹。帯下は濃厚、緑色がかっている、乳状、かゆみと灼熱感を生じさせる、＜月経前。乳房の瘤；腋窩腺の硬化を伴う。乳房；硬い、はれる、今にも膿瘍になりそう。帯下の流れが解放されるときが、最も体調がよい。月経は早すぎる。外陰部と陰門の静脈瘤、灼熱感と青みがかった潰瘍を伴う。産後の疲労。膣の瘻孔、焼けるような痛み。

呼吸器：夕方の嗄声。咳、喉頭のかゆみを伴う。さいなまれるような空咳または窒息しそうな咳の発作、頭痛と嘔吐を伴う、胸の灼熱感、＜冷たい飲み物と寝床に入ること。喉頭の荒れた感じ、低いがらがら声。吐き気を伴う喀出。ゼーゼーいう咳、青みがかった顔と合併症。寝覚めに、重たい、ひりひりする、あるいは痛む胸。呼吸困難、速く短い、＜歩行。高齢者の喘息、青い肌を伴う、＞夏。器質性の心疾患のチェーン・ストークス呼吸。深呼吸をしたい。胸の灼熱感、喀血を伴う。胸に黄褐色の斑点。破壊的肺疾患。肋骨の痛み。喀出物は濃く、粘着性、黄色く、多量。

心臓：間断ない、不安な動悸；＜食事、座ること。脈；糸のような、弱

い、小さい、間欠脈。心臓の周辺の灼熱感。身体全体の脈動。

背中：腰のくびれの極度の痛み、何かが差し込まれるような感覚を伴う、座ることができない、横たわるときは、下に枕をあてがわなければならない。肩の後ろ側の灼熱感。

四肢：重たい、硬い、麻痺したように感じる。下にして横たわるとしびれる。手首と手指の麻痺性の衰弱、何かをつかむとき。書くときの腕の疲れ。足のしびれと汗。膝から下の冷え。手指と足指の老人性壊疽、火が燃えるようにひりひりする小水疱、血の混じった液の滲出。悪臭の足の発汗、＜歩行。

皮膚：皮がむけた、斑、青い、冷たい、斑状出血。潰瘍；悪臭、焼けるよう、出血。静脈瘤性潰瘍。癬。老人性壊疽が足指から始まる。とこずれ、出血しやすい。妊娠中の拡張蛇行静脈。傷が治ってもまた口が開く。さまざまな個所での灼熱感。青い色。細かい湿った発疹で灼熱感を伴う。潰瘍；静脈瘤の、出血しやすい、アギ（asafoetida；セリ科植物の樹脂）のようなにおいの膿、治癒して、また発現する。

睡眠：睡眠中の恐怖。たびたび目が覚める、手足の冷たさから、特に膝の冷たさ。昏睡状態の睡眠、喉のガラガラいう音を伴う。頻繁なあくびと伸び、それにより好転するようである。

熱　：悪寒と熱感が交互に現れる。**氷のような冷たさ**、片側だけ、舌、膝、脚、足、夜に。温かい頭と冷たい四肢。心臓と胸部の、**内側の焼けるような熱さ**、氷のように冷たい皮膚と、冷や汗を伴う。すぐに発汗する。酸っぱい、冷たい汗、＜咳；顔への発汗。黄熱病。

補完レメディー：Ars., Chin., Kali-c., Lach., Phos.
関連レメディー：Am-c., Ars., Colch., Graph., Lyc.

Carbolicum acidum　石炭酸

総体的症状：Carbolic acid. は、強力な防腐薬、刺激薬、麻酔薬である。**粘膜**、**心臓**、**血液**、そして、**呼吸**に作用する。**活気がない、痛みを感じない、悪臭のする、破壊的**なレメディー。疲はいが非常に著しい；麻痺性の疲はい、感覚と動作の喪失、分泌物は**悪臭がする、焼けるよう**。極度の痛みが急に始まり、急に消える。鋭敏な嗅覚が、強い指針となる症状である。刺されるような痛み、灼熱感、悪性の**敗血症性の病態**。身体的な激しい活動後に、膿瘍が生じる。コレラでVerat-alb.が指示されるのに、効果がなかった場合。虚脱。血の混じった滲出。読書であらゆる症状が悪化するので、勉学には向かない。震え；不安、よろめき歩行。

悪化：振動。読書。妊娠。髪をとかす。

精神：精神的・身体的無力感、勉学またはどんな肉体労働もしたくない傾向。

頭部：ゴムバンドで締めつけられるような締めつけ感、＞緑茶と喫煙。額に熱い球があるような感覚。頭皮の圧痛。月経時の頭痛。

目：右の眼窩の極度の神経痛。

鼻：鋭い嗅覚。強い悪臭と潰瘍形成を伴う臭鼻症。

顔：**鼻と口の周辺の青白さ**。浅黒い顔。

口：非常に臭い口臭、便秘を伴う。口内から胃まで熱い。

喉：光沢がある。白くなり、皺が寄った口蓋垂。ジフテリア、口臭、液体を飲み込んだときの逆流、しかし痛みはほとんどない。

胃：吐き気と嘔吐、妊娠中の。船酔い。癌。嘔吐は、暗いオリーブグリーン色。胸やけ。胃痛。発酵性消化不良、悪臭とひどい味。刺激物またはたばこを欲求。

腹部：鼓腸。腹部陥没を伴う便秘。**切れ切れの便**。排尿中の、肛門からの

粘液排出。下痢、米のとぎ汁、便、悪臭。
男性：尿は少量、緑色、濃い色、ほとんど黒い。高齢男性の夜間の頻繁な排尿。糖尿病。蛋白尿。
女性：帯下、濃厚、かゆみを生じさせる。極度の背中の痛み、腰にかけての、大腿を伝う；子宮偏位。悪臭の刺激性のある分泌物；子宮頸部のびらん。
心臓：糸様脈。
背中：肩甲骨間の痛み。
皮膚：灼熱感、かゆみのある小水疱や小膿疱。熱傷は潰瘍形成しやすい。丹毒。血が混じった小水疱または小膿疱。
睡眠：非常に眠たい。
熱：多量の冷や汗。
関連レメディー：Kreos.

Carboneum sulphuratum 二硫化炭素

総体的症状：目に特に親和性がある。進行性の、中心暗点を伴う、視力喪失。赤と緑の色覚障害、白は問題なし。石炭ガスの悪影響。

Carcinosin 乳癌

総体的症状：上皮性悪性腫瘍からつくられたノゾーズで、上皮性悪性腫瘍の病歴がある場合、あるいは現在罹患している場合に、好ましく作用し、ケースを改善すると言われている。指示されるレメディーとともに、介入レメディーとして使用することができる。

Carduus marianus　セントメリーアザミ

総体的症状：主として、**肝臓**と脾臓、これらの臓器の疾患による出血に作用するレメディーで、出血は症状を緩和する。血管に作用して、血管性うっ血、静脈瘤、潰瘍形成を起こす。呼吸困難を伴う、炭鉱夫の疾患。門脈と骨盤内臓器のうっ血を伴う水腫性の症状。ビールの乱用。衰弱、疲れ、＜食事と乗り物に乗ること、頻繁なあくびを伴う。縫われるような、引っ張られるような、焼けるような痛み。肺の疾患と関連する肝臓疾患。

悪化：左側を下にして横たわる。**ビール**。食事。接触。動作。地下貯蔵室。

好転：出血。

精神：今しようとしていたことを忘れる。心気症。意気消沈。喜びがない。

頭部：鈍い前頭骨の頭痛。前に倒れる傾向のあるめまい、＞鼻出血。

目：眼球が熱く圧迫される感覚。

鼻：鼻出血、疥癬の若者に習慣的な。

口：舌の中央が赤い、赤くでこぼこした端。舌が弱い。苦い味覚。

胃：食欲不振。吐き気、むかつきと**緑色の酸性の液体または血液の嘔吐**。塩味の肉への嫌悪。

腹部：**肝臓のうっ血**、横方向に肥大、圧痛。黄疸。脾臓周辺の刺されるような痛み、＜吸気時、かがむ。肝臓の刺されるような痛み、＜左側を下にして横たわる。肝臓疾患が肺の疾患を引き起こす、喀血を起こす。胆石。肝硬変、浮腫を伴う。腹の膨張、ゴロゴロいう。横隔膜が高い。硬い、困難な、瘤のある、粘土のような便。出血性の痔。直腸癌によるおびただしい下痢。下血。息を吐くときに、へその周辺で腸が動くような感覚。

泌尿器：尿の混濁；黄金色。

女性：慢性的な子宮出血、門脈の障害を伴う。
呼吸器：**胸部の痛みは、肩、背中、腰、腹に広がり、尿意を伴う。喘息性の呼吸。咳；胸の横の刺されるような痛みを伴う、血の混じった唾液を伴う。**
四肢：股関節の痛み、臀部から大腿にかけて、＜かがむ、身体を起こすことが困難。弱い脚、座るとき。背中全体に引っ張られるような痛み。
皮膚：**断続した、または硬く血栓症を起こした静脈**。静脈瘤性潰瘍。
熱 ：悪寒と熱、黄疸を伴う。
関連レメディー：Calc., Sang.

Castor equi　ウマの蹄

総体的症状：ウマの原始的な指の鱗屑から、粉末がつくられた。硬化する皮膚、もろく、はがれ落ちる爪に作用する。脛骨、尾骨などの骨が特に痛む。授乳中の女性の乳頭のひび割れや潰瘍形成で、過剰な圧痛があり、衣服が触れるだけでも耐えられないような場合に、非常に効果がある。乳房の腫脹、過敏さ、＜階段を下りる。乳房のかゆみ、赤くなった乳輪。ほとんど、ぶら下がったような乳頭。額と乳房のいぼ。舌の乾癬。

Castoreum　ビーバーの分泌物

総体的症状：ビーバーの包皮嚢から採取した分泌物からつくられたチンキ。重病後に、ひきつり、痛み、衰弱などの症状がある、神経質でヒステリーな女性に適合する。完全に治癒せず、常に過敏で、消耗性発汗に苦しむ神経質な女性。**衰弱と反応の欠乏**。反射性の子宮症

状；神経性、痙攣性。線維性攣縮。身体全体の重さ。継続的なあくび。舞踏病。てんかん。神経性動悸。
悪化：感情。寒さ。月経中。消耗性疾患。
好転：圧迫。
精神：いら立ちやすさ。すぐに涙を流す。憂うつで、不安な熱望でいっぱい。
口：舌の腫脹；痙攣。舌の中央に、丸い豆のような隆起があり、周囲が赤い。食べ物や接触に敏感で、舌骨のほうに引っ張られるような痛みを伴う。
腹部：疝痛やその他の腹部の症状には、あくびを伴う。**衰弱を伴う疝痛**、＞圧迫。緑色の粘液便の夏季下痢。激しい喉の渇き、いくら飲んでも十分ではない。
女性：激しい、切られるような、月経困難症の疝痛、数滴出血すると、冷や汗が出る。無月経、痛みのある鼓腸を伴う。
睡眠：随伴症状として、絶え間ないあくび。落ち着きのない睡眠、怖い夢を見たり、びっくりして起きる。睡眠中のあくび。
熱：悪寒と、氷のように冷たい背中。消耗性発汗、発熱後。
関連レメディー：Mosch., Valer.

Caulophyllum　ルイヨウボタン

総体的症状：これは、女性のレメディーであると同時に、特に小関節が痛むリウマチのレメディーである。**遊走性の**、**引っ張られるような**、ひきつるような、撃ち抜かれるような、**リウマチ性**の**痛み**が特徴、痛みは首で終わり、首はこわばっている。多くの症状は、子宮疾患に起因する。**内部の震え**、衰弱を伴う。子宮の緊張力不足。思春期のヒステリー性、またはてんかん様の痙攣、月経困難症に伴う。出

産後の対麻痺。**極度の疲労**。総体的な衰弱。思春期の舞踏病。
悪化：**妊娠**。月経の抑圧。外気。コーヒー。
精神：気難しい、怖がり。**神経質**。興奮しやすい。不機嫌になりやすい。
頭部：子宮または脊椎の問題に起因する頭痛、目の奥の圧迫感を伴う、＜**かがむ**、光、正午から夜にかけて。
顔：額の蛾のような斑；帯下を伴う。上まぶたが重たいので、指で持ち上げなければならない。
口：アフタ。鵞口瘡（限局的に、内側に）。
胃：頻繁に、酸っぱい、苦い液体をごくりと飲み込む、めまいを伴う。子宮に原因のある嘔吐。
女性：激しい、断続的な痙攣痛を伴うが、経血の流れはわずか；月経困難症―子宮後屈。<u>陣痛のような痛み</u>、乳房にも<u>波及する</u>。分娩時には、陣痛が**微弱**、**または不規則**で、衰弱のため、またはあまりの痛みで中断する；**仮性陣痛**。**分娩を容易にする**；**患者が**、**長時間にわたる陣痛で疲労困憊しているとき**。**習慣性流産**、子宮の緊張力不足のため。後陣痛；長時間にわたる、疲労困憊の分娩後。子宮口が硬い、子宮頸部に、針でつつかれるような痛み。多量の刺激性のある帯下、幼い女の子によくみられる。遅い月経。腟の敏感さ、痙攣性の激しい痛み。月経過多、性急な出産の後、多量に流出する。悪露、多量で長期間。
首：こわばり。左側に引っ張られる。
四肢：**手指の関節の痛む結節**。**小関節のリウマチ**。手を握るときの指の関節の鋭い痛み。月経前の下肢のひりひりする痛み。産後の対麻痺。
皮膚：首の肝斑。
熱：まるで血が多すぎるように感じる。高熱。
関連レメディー：Cimic., Puls., Sep.

Causticum　水酸化カリウム

総体的症状：Causticumの化学組成はいまだ不確かだが、水酸化カリウム、または苛性カリであると考えられている。大きなポリクレストレメディーで、**神経**、**運動神経と感覚神経**、**筋肉**、随意筋と不随意筋；**膀胱**や喉頭や四肢の筋肉に作用する。衰弱、進行性；筋肉の強度の喪失、筋肉のコントロールが次第に不確実になる、最終的には、一臓器または一部位の麻痺を生じる。冷えからの麻痺、ジフテリア後の、鉛による。慢性的なリウマチ性疾患による腱の収縮と、関節の変形。引き裂かれるような、引っ張られるような、**焼けるような痛み**、手でつかんだ部位の。**ひりひりする痛み**、**すりむけたような痛み**。震え。痙攣、舞踏病、神経質な少女の、＜月経時。交感神経による痙攣性のぐいっとする動き、ぴくぴくする動き、衝動的な動き、落ち着きのなさが、その他の特徴的な症状である。あちこちの疼痛性痙攣。疾患によるるいそう、恐怖、不安、悲しみ、そして長期にわたる病気。子どもは言葉と歩きはじめるのが遅い。無感覚。てんかん、ぐるぐる回って倒れる、思春期の。患者は暑さにも寒さにも敏感。関節の硬さ。壊れたような、疲れ果てた老人、あるいは、浅黒い、硬い線維質の人。夜間は、落ち着きがない、特に脚は常に動いている。火や熱や腐食剤による熱傷や熱湯や蒸気による熱傷、恐怖、悲嘆、心配、悲しみ、不安で眠れない夜による悪影響。鉛による潰瘍の間違った治療。いぼ。冷水が麻痺を正常化させる。亀裂；ささいな刺激から、小鼻周辺、唇、肛門など。性交時のような動き；舞踏病。会話、そしゃく、歩行がぎこちない。精神的効果；痙攣発作、発疹の抑圧から。鎖骨から、つま先にかけて、冷水が流れているような感覚。

悪化：乾燥した冷たいまたはじめじめして冷たい空気。風。すき間風。極

端な気温。かがむこと。発疹の抑圧。コーヒー。脂肪。午後3〜4時、または夕方。激しい活動。天候の変化。排便後。乗り物の動き。たそがれ。暗闇。何かをつかむこと。酸っぱいもの。夏の川での水浴。

好転：<u>冷たい飲み物</u>（寒いときも）。じめじめ湿った天気。洗うこと。**温かさ、寝床の**。穏やかな動作。

精神：望みがない、意気消沈、死にたい。野望がない。**精神疲労**。**不安な予兆**、＜たそがれ。無口な。共鳴しすぎ。子どもは独りで寝床に行きたがらない；ほんのささいなことで泣く。不満なことばかり考える、＜それら、特に、痔。めそめそする、笑う；舞踏病。笑う：痙攣前に、痙攣と同時に、あるいは痙攣後に。まるで、自分が何か罪を犯したかのような意識に襲われる。悲しみ。泣き言を言う。疑い深い、不信の多い；心ここにあらず。悪い側面を見る。コントロールの欠如、バランスの欠如。頭音転換、文字や音節を混同する。仕事上の心配でいら立つ。

頭部：頭全体の痛みのない振とう。額と脳の間に空間があるかのような感覚、＞温かいものをあてがう。前後に動く、あるいはうなずく動作、または右に振り向く。頭皮が突っ張る。頭脳労働による、頭頂の刺されるような痛み。吐き気と嘔吐または頭痛で目が見えなくなる、その後の麻痺。めまい、睡眠中、夜間の、朝の、横たわっている間の、かがむと、月経時の、見上げると。頭皮または眉間の小さな、軟らかい、丸い結節。

目：眼前の火花、黒い点。片方（右）のまぶたの麻痺。重く膨れたまぶた。下垂症。直筋の弱さ－複視＞右方向を見る。断続的な目の痛み、触れたりこすったりする傾向があり、そうすることにより、圧力が緩和されるようである。ガーゼを通しているようなぼやけた視界、鼻をかむ際に。物が大きく見える。多量の刺激性のある涙。白内障。てんかん発作時のぎょろぎょろする目。まぶたの震

え。まゆ毛上のいぼ。眼角の亀裂。目が開いたまま、まばたきをしない；麻痺。

耳 ：耳鳴り、うなり声、拍動、難聴を伴う。言葉や足音が耳の中で何度も反響する。耳の中の灼熱感、赤くなる。非常に臭い耳垢、茶色い。メニエール病。濃厚な、粘着性の、膿状の分泌物。

鼻 ：嗄声を伴うコリーザ。鼻先の吹き出物。古いいぼ。朝のくしゃみ。どろどろした黄色または黄緑色の分泌物。痙攣発作中の鼻出血。

顔 ：**顔面痛**、＞冷水。**顔面麻痺**（右）、＜口を開ける。顎の痛み、口を開けることができない。黄色い顔、病気のような見かけ。唇の痙攣。毛で覆われているように感じる。顔の発疹。

口 ：そしゃく中にほおの内側をかむ。舌の麻痺、はっきりしない話し方、唐突に言葉を口にするように思える。舌の付け根のはれ。歯茎が出血しやすい。歯茎の再発性の膿瘍―歯瘻。脂の味。歯茎はスポンジのようで、後退している。歯がぐらぐらするように、長くなったように感じる；痛み、＜冷たいもの、または温かいものによる。ほおの内側のはれ、または硬化。舌；中央部が赤い、横は舌苔。舌先に、痛い水疱疹。

喉 ：まるで喉が細すぎるかのように、常に嚥下したい欲求。違った方向に嚥下する、あるいは食べたものが鼻を通過する。喉の症状＜かがむ。嚥下困難、喉の麻痺から；粘液を吐き出すことができない、それをのみ下す。すりむいたような、焼けるような、ひりひりする喉の中。

胃 ：脂っこい味、おくび。呑酸、塩味の。甘いものへの嫌悪。胃の中で石灰が焼けているような感覚。氷水による胃痛。喉にボールが上がってくるような感覚。酸っぱい嘔吐、それに続く酸っぱいおくび。生肉は吐き気を催させるが、薫製肉は受けつける。妊娠中、空腹感はあるものの、食物を目にしたり、食物のことを考えると、食欲が失せる。夜間の血液の嘔吐。高酸性消化不良。

腹部：子どもの腹の肥大。疝痛、痙攣性の。痛みが背中と胸部に放射状に広がる、＞二つ折れになる、＜少量の食べ物。便は硬く、切れにくい、粘液で覆われている、脂のように光る、軟らかくて小さい、ガチョウの羽軸大。立っていると容易に排便できる。かがんだ姿勢で直腸の激しい痛み、尿意を伴う。咳による脱肛。肛門のかゆみ、＞冷水。肛門周辺の小膿疱。大きな痔核によって今にも便が出そうになる、＜歩行、立ってそのことを考えているとき。瘻孔、拍動と会陰の痛みを伴う。固形の便に対して無感覚な直腸。かぜからの下痢。へその痛みを伴うはれ。便秘、便意は頻繁にあるが出ない。

泌尿器：膀胱の麻痺、長時間の尿閉による、その結果としての失禁（睡眠中のまたは女学生の）。**尿失禁**；**咳をするとき**、歩行中、鼻をかむとき、くしゃみするとき。**出産後**、外科手術後の**尿閉**。排尿中、尿道の灼熱感、＜性交後。尿が滴り落ちる、またはゆっくり出る。排尿中の尿道の無感覚。尿は座ったほうが出やすい。夜尿症、夜、熟睡中に。尿；黒い、濁った、白い。尿道のかゆみ。

男性：陰茎亀頭周辺の恥垢の増加。性交中の血の混じった精液。陰茎に赤い斑点。精巣の打撲のような痛み。

女性：性交への嫌悪。月経；日中にのみ流出、凝血を伴う、少量、顔面痛を伴う。多量の帯下、夜に流出、非常に衰弱する。微弱陣痛。排尿後、外陰部がひりひりする。乳頭の痛み、ひび割れ、ヘルペスが周辺にできる。経血のにおいのする帯下。母乳の消失、疲労から、眠れない夜に、または不安から。月経困難症、背中と大腿の引き裂かれるような痛み。月経中の不安、悲しみ、衰弱。月経中に夢を見る。月経は遅く多量。左乳房下方の刺されるような痛み；月経困難症。授乳中の女性の乳房の強烈なかゆみ。

呼吸器：失声症、または**嗄声**、胸の痛みを伴う、＜午前中、演説家の、歌手の、＜かがむ、＞話す。空咳、激しい咳、乾いた咳、妊娠中、喉のくぼみや喉頭のむずむず感から；ひっきりなしの；乾性、夜と

203

朝、＜かがむ、寝床の熱、冷気、＞冷水をすすり飲む。十分に深い咳ができない。**喀出物が逆流する**、微量；脂ぎった、ねばねばする、石鹸の泡のような、のみ込まれなければならない。喉頭にひりひりする筋ができる。胸が苦しい、痛い、下着がきつく感じられる。息切れ、咳の前に。胸がゴロゴロ鳴る。遊走性の胸の痛み、＞圧迫、＜くしゃみ。喉頭の痛み、＜鼻をかむ。会話中と歩行中の苦しい呼吸。胸苦しさ、またはえぐられるような感じ。

心臓：動悸、胸の痛みを伴う、灼熱感と脱力感を伴う。

首・背中：首または背中のこわばり、いすから立ち上がるとき、頭をほとんど動かすことができない。背中の痛みが前に、あるいは大腿に伝わる。脊椎の痛み、＜嚥下。臀部の痛み、＜咳。斜頸。尾骨周辺の打撲のような、突き刺されるような痛み。腰周辺と臀部の痙攣。

四肢：右手が麻痺する感覚、舌の麻痺を伴う。三角筋の麻痺、手を頭まで上げられない。手の震え。書痙。手のしびれ。何かをつかんでいるときの手の充満感。手指先の破裂感；いぼ。ふくらはぎ、足、足指、アキレス腱のひきつり。不安定な歩行で、すぐに転ぶ、子ども。足首の弱さ。四肢の引き裂かれるようなリウマチ性の痛み、＞寝床の温かさ。膝がぽきっと鳴る、膝の緊張。関節を伸ばす、曲げる、ぽきっと鳴らす。膝のくぼみのこわばり、＜座る、＞歩き続ける。関節の灼熱感。腱の萎縮。四肢の痙攣性のぴくぴくする動き・攣縮、痙攣性のぐいっとする動き；舞踏病。変形性関節炎。膝がぽきっと鳴る、＜歩行と下ること。夜、脚を動かさずにはいられない。脚に、電気ショックのような痛み。踵で立つことができない。足の親指の瘭疽。

皮膚：ひび割れ、潰瘍。皮膚のひだ部分の痛み。いぼ、しんのある、大きい、ぎざぎざのある、すぐに出血する、潰瘍形成する；手の指先、鼻、まぶた、額に。**かゆみ。深いやけどとその影響**。瘢痕反応。生歯時に、間擦疹になりやすい傾向。

睡眠：睡眠中の激しい腕と脚の動き。睡眠中に泣いたり笑ったりする。非常に眠い、ほとんど起きていられない。あくびと伸び。夜間の不眠、乾燥して暑いときに、不安を伴う。ほんのささいな音で目覚める。人の言うことを聞き、注意を向けているときにあくびが出る。

熱：冷えは、温かさで好転しない。午前4時の発汗、多量、わずかな労働で、戸外で。午後6〜8時の熱。寒さ；左側の、患部の、痛みを伴う。一過性の熱感の後に冷えが続く。

補完レメディー：Carb-v., Graph., Lach., Stann., Staph.
関連レメディー：Gels., Kali-bi., Phos., Rhus-t., Sep.

Ceanothus　アメリカライラック

総体的症状：このレメディーは、特に、極度に肥大した脾臓に親和性がある。左の下肋部の痛み、呼吸困難、下痢、多量のまたは抑圧された月経、帯下を伴う。2週間ごとの月経。肝臓と脾臓の機能不全、貧血症の患者。白血病。肝臓肥大。緑色の尿、泡立った。周期的な神経痛。

悪化：寒い天候。左側を下にして横たわる。動作。
関連レメディー：Chin.

Cedron　ガラガラヘビマメ

総体的症状：このレメディーの最も特徴ある症状は、**完璧な周期性**をもって発現する神経痛である。官能的な気質の人、興奮しやすい神経質な傾向の人に適合する。ヘビ毒や虫刺されを解毒する。性交後の症状―女性の舞踏病、男性の神経痛。震え。身体全体のしびれ。マラ

リア性疾患、湿った、暖かい、湿地の国々の。月経中の痙攣。就寝恐怖。
悪化：**周期的**；同じ時間帯。戸外。横たわる。嵐の前。睡眠後。
好転：まっすぐ立つ。
頭部：眼窩の神経痛。額を横切るような痛みで、気が狂いそう。身体全体のしびれ、頭痛時。性交後にどもる。頭がまるではれているかのように感じられる。
目　：**炎のような灼熱感**。眼球の極度の痛み、目の周辺に放射状に広がる痛み；やけどするほど熱い流涙。虹彩炎。脈絡膜炎。目が赤い。目の上の痛み、＜性交。物が、夜は赤く見え、昼は黄色く見える。
四肢：右手の母指球の鋭い痛みが肩に向かう、同様に右足の母指球の鋭い痛みが右膝に向かう、そのため、床に崩れ落ちる。
熱　：悪寒の前の興奮。マラリア。
関連レメディー：Aran.

Chamomilla　ジャーマンカモミール

総体的症状：きわめて**感情的**、**気難しい**、**過敏な**レメディー。コーヒーと薬物の乱用による過敏さ。**妊娠中の女性、看護人、幼い子どもの疾患に**、特に適合する。**不機嫌；半狂乱のいら立ちとかみつく癖**。**耐えがたい痛みのせいで、気が狂いそうになる**、あるいは、痛みを誇張する、痛みで疲はいする。非常に不機嫌、なだめることができない。寝返りを打つ。泣き叫ぶ、床を歩き回る。すぐに苦しみから解放されることを要求する、苦しむよりは死にたい。精神症状と身体症状は激発する—いら立ち、**落ち着きのなさ**、**疝痛**、咳など。**しびれ、痛みの後**；寝覚めの。再発性の痙攣；顔、腕、脚など。疝痛、下痢、黄疸、怒りの後の痙攣性のぴくぴくする動き・攣縮や痙攣

(convulsion)。神経性の痛風、リウマチ性疾患。**疼痛性痙攣**；胆汁性嘔吐を伴う；筋肉の。生歯時の痙攣。**熱さと喉の渇き**。**熱い汗と痛み**。ホメオパシーのアヘン。短気の悪影響。痙攣発作中、身体は硬くなり、後弓反張、目はぎょろぎょろし、顔は歪み、手の親指は内側に反る。

悪化：<u>怒り</u>。<u>夜</u>。<u>生歯</u>。冷気、湿った空気。風。かぜをひく。<u>コーヒー</u>。麻酔薬・麻薬。アルコール。寝床に横たわる。音楽。おくび。熱さ。温かい食べ物と覆うこと。接触。見られること。

好転：<u>抱かれる</u>。穏やかな天候。熱さ。発汗。冷たいものをあてがう。

精神：<u>醜いふるまい</u>；<u>不機嫌</u>で<u>不作法</u>。**けんかっ早い**。**ささいなことでいらいらする**。無愛想。**話しかけられること、触られること、見られることを嫌がる**。<u>抱かれて</u>、なでられたい子ども。**何でもほしがるが、与えられると拒む**。哀れみを誘う愚痴、ほしいものが手に入らないため。話すことを嫌悪。書くときや話すときに、言葉を省略する。月経前に、突然、気まぐれ、けんかっ早く、頑固になる女性。性急、慌ただしい。そばに誰かがいることに耐えられない。

頭部：脳の半分のずきずきする痛み；頭を後ろに傾ける傾向。髪の毛が逆立つような、震えを伴うような感覚。額と頭皮の熱い、ねっとりした汗、睡眠中、髪がぬれる。繊細で疲れすぎている女性の頭痛。頭痛＞心が何かにとらわれているとき。頭痛＜朝と午後９時。

目　：黄色い結膜。まぶたが痙攣して閉じる。新生児の目から出る、血の混じった水。

耳　：耳に当たる冷たい風や雑音に敏感。耳痛、突き刺されるような、＞暖かさ。耳が詰まったような感覚。その場にいない人の声が聞こえる、夜に。出血後の耳鳴り。水がゴーゴー流れるようなうなり声。音楽が耐えがたい。お湯が流れ出てくるような感覚。

鼻　：あらゆるにおいに対して敏感。熱いコリーザ、鼻閉塞を伴う；眠れない。皮膚の皺。涙が出るほどむずむずする。

顔　：ほおの膨れ、または赤み。片ほおが赤くて熱い、もう一方は青白くて冷たい。痛みのため、青白い、こけた、歪んだ顔。顔面神経痛、頭部の熱い発汗を伴う；痛みが耳まで広がる。顔の筋肉の痙攣。顎が疲れる。飲食後の発汗。

口　：歯痛、＜温かい飲み物を飲んだ後、妊娠中、コーヒーで。舌の痙攣。濃厚な白い、または黄色い舌苔。睡眠中の唾液分泌過多、甘い味がする。悪臭の、酸っぱい口臭。苦い味。歯が長いように感じられる。

喉　：横たわったまま、固形物を嚥下することができない。収縮感、詰まった感覚。

胃　：腐った卵のようなおくび。極端に苦い胆汁性嘔吐、かなりの不快感を伴う。モルヒネ後の嘔吐。胃の中に石があるかのような胃痛。飲食後の発汗。冷水、酸っぱい飲み物を飲みたい。コーヒーを嫌悪。嘔吐前の激しいむかつき。

腹部：膨張。**疝痛の発作**。横から横へかけての痛み、あるいは上昇性、怒りの後の。**切られるような風気疝痛**、＜夜、排尿、＞温かいものをあてがう。**便、熱い、酸っぱい、草色、粘着性、切れ切れ、黄緑色**、あるいは、**未消化物を含む**、腐った卵のようなにおい。裂肛の痛み。下痢、生歯時の、かぜから、怒りから。黄疸、怒りの後。疝痛の間、ほおが赤くなる、熱い汗を伴う。肛門がはれて突き出す、まるで腸に結び目があって、腹が空っぽのような。

泌尿器：尿は熱く黄色い。尿道の刺されるような痛み。

女性：不規則な陣痛のような痛み、内腿を上下する；多量の赤黒い凝血塊の排出を伴う。怒りの後の、産褥痙攣。悲惨な後陣痛。乳房が痛む、乳頭が炎症を起こして、極度の圧痛がある。乳児の胸も触ると痛む。授乳中に痙攣する。黄色い、暗い、塊のある、刺激性のある、帯下。膜様月経困難症、特に思春期の。母乳の腐敗、乳児は吸わない。月経困難症、性欲を伴う、感情や怒りに起因する。悪臭の

赤黒い血の滲出、ときおり鮮血の勢いある流出を伴う。月経困難症、黒い凝血塊、多量の、冷たい四肢、強い喉の渇きを伴う。耐えがたい陣痛で、医者や看護士を追い出し、また呼び戻す。悪露、多量すぎる、血の混じった、抑圧された。

呼吸器：乾性のむずむずする咳の発作。喘息、怒りからの、＜乾燥した天候、＞頭を後ろに反らす。子どもの胸部の粘液のガラガラいう音。子どもの場合、怒りが咳を誘発する。ゼーゼーいう咳、窒息しそうな、そして嘔吐。咳、＜午後9〜12時、睡眠中、子どもは目覚めない。

背中：腰と臀部の極度の痛み、患者が下にして横たわっているのと逆側の。腰痛。

四肢：手のしびれとこわばり、物をつかむとき。ふくらはぎの疼痛性痙攣（こむらがえり）。激しいリウマチ性の痛みで夜に寝床から跳び起き、歩き回らずにはいられない。夜、足の裏が焼けるように痛む。午後、足首の力がなくなる、まるで脚の骨の先で歩いているような感覚。足が麻痺した感覚、歩くことができない、夜。手のひらは乾燥している。

睡眠：嗜眠状態、睡眠中、ぶつぶつ言い、めそめそし、嘆き悲しむ。痛みによる睡眠障害。麻薬の乱用による不眠。大腿をそろえずに寝る。眠たいのに眠れない。

皮膚：乳児と授乳中の母親の発疹。黄疸。夜間の潰瘍の灼熱感、ひりひりする。皮膚は不健康で、けがは必ず化膿する。

熱：冷たいが、すぐに熱くなりすぎる、そのためかぜをひく。ある部位の冷たさ、他方の熱さ、＜覆わない。交互に冷えたり熱くなったりする。分泌物の抑圧による発熱。発熱中の喉の渇き。

補完レメディー：Bell., Mag-c., Sanic.
関連レメディー：Nux-v., Staph.

Chelidonium　クサノオウ

総体的症状：圧倒的に、**右側に症状の出る**レメディーである。**肝臓、門脈系、腹の右側、右下方の肺**に作用する。Lyc. と非常によく似ている；Lyc. が指示されるのに、うまく作用しなかった場合、Chel. を与えるべきである。**黄色さ**と**胆汁性の合併症**が、際立った特徴である。右の肩甲骨下角が常に痛むというのがこのレメディーを指示する特徴。痛みは、後方に、またはあらゆる方向に走る。漿液性滲出液による縫われるような痛み。**重たい**、**硬直した**、痛む、麻痺した、脱臼した、または骨折したような感覚。しびれ。総体的な倦怠感と、何も努力をしようとしない傾向がみられる。動くことを恐れる。少しの動作で疲れる。胆汁性の合併症、妊娠中、肺疾患における。黄疸。

悪化：**動作**。**咳**。**接触**。**天候の変化**。北東の風。午前4時と午後4時。見上げること。

好転：**熱い食べ物**。食べること。夕食。乳。圧迫。温浴。後ろに反らせる。うつぶせに寝る。

精神：頭脳労働や会話を嫌悪。意気消沈。まるで犯罪を犯したかのような不安；気が狂うのではないかという恐怖。不機嫌から、あるいは理由なく泣きたい。落ち着きがない、そのため機敏。

頭部：めまい；頭頂で感じる、＜目を閉じる、胆汁性嘔吐と肝臓の痛みを伴う。頭痛は後方に広がる。後頭部が鉛のように重たい、**うなじから後頭部にかけて、氷のように冷たい**。右目の上、右ほお骨、右耳の神経痛、過剰な流涙を伴う。頭骸が小さすぎるように感じる。

目：白目が汚く黄ばんでいる。目の痛み、＜見上げる。眼前のきらきら光る点。熱心に見ると、涙が出る、痛みを伴う、または喉頭のむずむず感から。目やに。顔面痛で目が開かない。

耳 ：両耳の風が通り抜けるような感覚、または、何かがはい出すような感覚。咳の最中の難聴。

鼻 ：赤い。**鼻翼のはためき**。閉塞、肝臓疾患に伴う。鼻先がはれて赤い。乾燥。

顔 ：赤黒い、または**黄ばんで、こけている**。黄色い、特に額、鼻、ほお。右ほお骨がまるではれているかのように感じられる、引き裂かれるような痛みを伴う。熱による紅潮。結節性の発疹。

口 ：苦い味。**黄色い舌**、歯の跡がついている、大きな、たるんだ。極度の口臭。舌は幅が狭く、先が尖っている。吐き気を伴う唾液分泌過多、めまい。口内にたまる苦い水。

喉 ：詰まる、＜呼吸。詰まる、急いで嚥下したため、あるいは、大きすぎるものを嚥下したため。左側の甲状腺腫。

胃 ：乳、辛い食べ物、熱い食べ物や飲み物を欲求。吐き気、＞乳を飲む。嘔吐、＞非常に熱いお湯。胃痛、かじられるような、こすりとられるような、＞食べること。胃に栓をされたかのような感覚。肉、コーヒー、チーズを嫌悪。食欲不振。

腹部：みぞおちの圧痛。**肝臓の痛みが後方に行く**、あるいは、右の肩甲骨の角に定着する。肝臓肥大；圧痛。胆石。腹部の締めつけ、ひもによるような。糊のような、色の薄い、明るい黄色の、粘土のような、あるいは硬いボール状の便。下痢と便秘が交互に生じる。腹水症で、手のひらが黄色い。直腸の何かがはうような感覚とかゆみ。みぞおちで、何か生き物がうごめいているような感覚。疝痛の間、へそが引っ張られる。

泌尿器：ビールのような、多量の泡の、黄色い尿。右の腎臓と肝臓に痙攣性の痛み。尿はおむつに暗い黄色のしみを残す。

男性：頻繁な勃起、日中も。陰茎亀頭の痛み。陰嚢と陰茎亀頭のかゆみと何かがはうような感覚。

女性：遅すぎる、多すぎる月経。妊娠中、異常なものを食べたがる。白い

帯下、下着に黄色いしみを残す。膣の灼熱感、日中の同じ時間に繰り返す。

呼吸器：息切れと、胸苦しさ、衣服が窮屈すぎる感覚、＞深呼吸。呼吸困難、＜排尿。深く吸気するときに、胸部の圧迫されるような痛み。**ほこりからのような、ガラガラいう咳；しかし、ほとんど喀出物はない、または口から飛び出す。根深い痛み、またはねじ込まれるような感覚、右胸部の奥深くに**。胆汁性肺炎。肝臓疾患を伴う呼吸器系の疾患。喉頭の圧迫感、空気が通らないような感覚。胸部の刺されるような痛み。

心臓：激しい動悸、胸苦しさを伴う。周期的な動悸。

首・背中：右肩甲骨の内側下角の恒常的な痛み；胸部や胃まで広がり、吐き気と嘔吐を起こす場合もある。首からこめかみにかけての痛み。(右)；脊椎の圧迫されるような痛み、＜前後に反らせる。後頭部が重たい、背中の右側の痛みを伴う。首の周囲にひもがある感覚。頸後頭部の神経痛。

四肢：触れると非常に痛い。**冷たい手指先**。踵の痛み、小さすぎる靴で締めつけられているかのような。右膝の灼熱感とこわばり、＜動作。四肢が麻痺したように感じる。下肢が重たい。足首がこわばる。足首と足の浮腫。下肢の不全麻痺、筋肉の硬直を伴う。片足が冷たく、もう一方は熱い。

皮膚：黄色い。かゆみ、＞食べること。痛みのある吹き出物や小膿疱。皺の寄った皮膚。

睡眠：**傾睡状態。うとうとし**、そして**寒い**。死体や葬儀の夢。眠いが眠ることができない。話をしながら眠りに落ちる。

熱：焼けるような熱が、手から全身に広がる。汗ばむ、覆わないことへの嫌悪を伴う、発汗による緩和はない。睡眠中の発汗、夜半過ぎ、わずかな労働から。体温の変動。高熱。

補完レメディー：Lyc., Merc., Merc-d.

関連レメディー：Bry., Kali-bi., Merc., Op.

Chenopodium anthelminticum　アカザ

総体的症状：Chel.と全く同じように、右肩甲骨の下角、脊椎寄りに、鈍い痛みを起こす。脳卒中と、その結果として右の片麻痺と失語症を起こす。気管をボールがゆっくり転がっているような、ガラガラういびき呼吸。ほおが揺れるほどの荒い息づかい。同じ動作を何度も何度も繰り返す。人の声に対する難聴が進むが、車の通る音や、遠方の音には敏感になる。麻痺；前腕と手の屈曲部の痙攣；四肢の収縮。黄疸。耳性めまい。メニエール病。多量の尿、泡立つ、黄色い、灼熱感。

Chimaphila umbellata　オオウメガサソウ

総体的症状：主に、腎臓と膀胱に作用し、腎結石を形成、膀胱の急性・慢性カタル（膀胱炎）を起こす。また、腺—腸間膜腺、**前立腺**、乳腺、肝臓—にも作用する。肝臓と腎臓の浮腫に効用がある。乳房の大きな女性、あるいは多血症の女性、排尿困難を伴う。初期の進行性白内障。
悪化：冷たい湿気。立っていること。座っていること；冷たい石の上に。排尿開始時。
好転：歩行。
頭部：前頭結節の痛み。
目：照明の周囲の光輪。左目の突き刺されるような痛み、流涙を伴う。
口：顎のこわばり、夜、口を閉じることができない；口を開けたまま寝

る。歯をそっと引っ張られているような歯痛、＜食後と作業後、＞冷水。

泌尿器：尿：**ねばねばする**、または**粘液膿性、悪臭、少量、濃厚、混濁**。尿の流出には、いきまなければならない。急性の前立腺炎、尿閉と排尿困難を伴う、**会陰**のまるでボールの上に座っているかのような**感覚**を伴う。淋菌性前立腺炎。遊走腎。膀胱のしぶり、＜座る、＞歩行。足を開いて立って、上体を前に傾けなければ、排尿できない。尿管の急性炎症。子どもの排尿の抑圧。尿とともに凝血が出る。

女性：乳房に、痛みのある腫瘍；必要以上の母乳分泌に伴う；大きな乳房の女性、乳房には鋭い痛みがある。乳房の急激な萎縮。

補完レメディー：Kali-m.
関連レメディー：Berb., Coc-c., Sabal.

China oficinalis　キナの樹皮

総体的症状：ハーネマンが最初にプルービングを行ったレメディーである。**血液**に作用し、血液を薄くし、衰えさせる。心臓を衰弱させ、**循環**を害し、うっ血、**出血**、貧血、完全な弛緩および虚脱を生じる。Chinaの衰弱は、**多量の消耗性の分泌物**、体液の喪失、過剰な化膿、下痢、出血などが原因である。**間欠的**な周期性が、発熱と神経痛の特徴ある症状である。患者は衰弱し、**過敏**で**神経質**になる；何に対しても気分を損ねる—光、**雑音、におい、痛み**など。**破裂しそうな痛み**。神経痛。浮腫、体液喪失後、出血。るいそう、特に子どもの。貧血。硬い腫脹。リウマチ。敗血症。出血している臓器の炎症、出血後、そして患部はすぐに黒くなる。出血時の痙攣。出血多量、視力を失う、気が遠くなる、耳鳴り。手術後の腸内ガスによる

痛み＞出すこと。マスターベーション、いら立ち、寒さ、コリーザの抑止、茶、水銀、アルコールの悪影響。腰筋膿瘍。やせて、乾燥した、胆汁質の人に適合する。傷は黒ずみ、壊疽する。てんかん；舞踏病；麻痺；体液の喪失から。

悪化：**体液の喪失**。接触。振動。雑音。**周期性**；隔日。寒さ。風、すき間風。外気。食事。**果物**。乳。汚れた水。傷んだ魚、肉。茶。精神労働。排便中、排便後。喫煙。秋、夏。

好転：**強い圧迫**。緩い服。二つ折れになる。部屋の中；暖かさ。

精神：反抗的、頑固、すべてを軽視する。自分は不幸であるという、敵に迫害されているという固定観念。他者の感情を傷つける傾向。犬その他の動物が怖い、夜に。朗らかなときに、突然泣き出し、転げ回る。不機嫌、＜愛撫と抱擁。すべての頭脳労働や身体労働を嫌悪。空想にふける。無関心、悲しみ、生きる意欲がない。自殺したいが勇気がない。話したがらない。言い間違い、書き間違い。頭音転換。精神統御を失う。

頭部：破裂しそうな、ずきずきする痛み、頸動脈の拍動を伴う。まるで脳があちこちにはねるような感覚、痛みを起こす；脳の打撲したような痛み、＜こめかみ。めまい、歩行中に後ろに倒れる。こめかみからこめかみにかけての刺されるような痛み。**痛い、敏感な**頭皮、＜接触または髪をとかす。頭痛、＜日なたで、＞頭を上下に動かすこと、強い圧迫、さする。戸外を歩くときの発汗。頭が重い。

目：目の周囲のくま。夜盲症、貧血性網膜症のため。熱い涙。目の圧迫感、眠気からくる。眼前の黒い点。散大した瞳孔。断続的なまつ毛の神経痛。塩が入ったようなひりひりする痛み。砂が入ったような刺されるような痛み。読み書きすると目が痛む。

耳：赤い、熱い。耳の中の鳴り響く音、頭痛を伴う。**耳鳴り**、その後めまい。耳の中が刺されるように痛む。難聴。悪臭の、膿状の、血の混じった分泌物。

鼻　：抑圧したコリーザの悪影響—頭痛。習慣的に鼻出血が出やすい、特に、朝の寝起き。鼻周辺の冷や汗。鼻が熱い、赤い。激しい乾いたくしゃみ。
顔　：土色、病気のように、青白い；ヒポクラテスのような、目の周りのくま。顔のむくみ；赤い。乾いた唇、黒っぽく、皺が寄っている。静脈の膨張。赤く熱い顔と冷たい手。出血・性的な不摂生・体液の喪失の後の紅潮、昏睡状態における紅潮。
口　：哺乳時の乳児の歯痛、＞歯と歯を強くかみ合わせること、および暖かさ。発汗を伴う歯痛。**食べ物が苦い**、水さえも、あるいは塩辛すぎる。舌；分厚い、汚い苔舌；舌先の灼熱感、唾液分泌が続く。**苦い、塩辛い、または鋭い味**。歯茎のはれ。
胃　：苦い、または酸っぱいおくび、乳の後。欲求；珍味；酸っぱいか、甘いもの、濃い味付けのもの、（子どもの場合）それが何かもわからずに、さまざまなものを欲求する。すぐに満腹感を感じる。**拒食症**、常に満腹感がある、嫌悪、すべての食べ物に対する、パン、バター、コーヒーに対する。子どものるいそうと、むさぼり食うような食欲。**大きなげっぷをするが楽にならない**。消化が遅い。乳不耐。重さ、わずかな量を食べた後の。茶の悪影響。胃の冷たい感覚。冷水を欲求＜下痢。みぞおちの拍動とゴロゴロいう音。頻繁な嘔吐。しゃっくり。吐血。胃の痛み。果物を食べた後の発酵。喉の渇き；発熱間欠期の；悪寒の前に。空腹でも食欲はない；食べている間だけ、いくらかの食欲と通常の味覚が戻る。
腹部：肝臓と脾臓の肥大。鼓腸；＞動作。疝痛＞二つ折れになる。術後のガスによる痛み、ガスが出ても和らがない。腹部の熱、まるでお湯が流れ落ちるかのような。周期的な肝臓の症状。直腸から生殖器にかけての痛み。胆石疝痛。黄疸。帯下、マスターベーション、性的不摂生、下痢の後の。便；未消化物を含む；黒っぽい、**悪臭**；**水っぽい**、血が混じった、痛みのない；＜食べること；夜、果物；乳、

ビール、暑い天候の間。下痢；離乳後、子どもの；子どもの慢性の、眠たくなる、散大した瞳孔、身体、特に顎と鼻が冷たくなり、呼吸が速くなる。不随意の排便。

泌尿器：頻繁な排尿。尿道の灼熱感＜衣類でこすれる。混濁した、濃い、わずかな尿。ピンク色の堆積物。血尿。子どもの毎週の遺尿（症）。

男性：インポテンス、または病的な性欲、みだらな空想を伴う。頻繁な射精、ひどい衰弱が後に続く。精巣と精索の腫脹―淋病後。精巣炎。性欲、珍味への欲求を伴う。

女性：過度の性交による卵巣炎。分娩中の女性の強すぎる性欲。月経；早すぎる、黒っぽい、多量の、凝血している、腹部の膨張を伴う。血の混じった帯下；血が黒っぽく感じられる、失神痙攣を伴う。母親の多量出血による新生児仮死。腟の痛い硬化。

呼吸器：**喀血**。息切れのする、ガラガラいう呼吸、窒息しそうなカタル；頭を低く下げては呼吸できない。喘息；＜湿った天候、秋、また水分減少の後。すべての動きが動悸を起こさせ、一息入れさせる。**ひりひり痛む胸部**、肩甲骨間の痛みを伴う、衝突や聴診には耐えられない。化膿性肺結核。食後、笑った後の発作性の咳＜夕方、夜。扇がれたいが、強すぎないように、息ができないので。

心臓：あらゆる動作が動悸を起こさせる。

首・背中：肩甲骨の間に石があるような圧迫感。**肩甲骨間の脊柱の痛み**。腎臓を横切る鋭い痛み＜動作、夜間の。背中の辺りのナイフのような痛み。仙骨の強い圧迫感。長時間湾曲させて座っていたことによる背中の痛み。腰痛＜わずかな動き。

四肢：まるで肩に重いものが載っているような。痙攣性の腕の伸び、曲がった手指。（書くときの）手の震え。膝の痙攣。脚または腕をベルトで締めつけられているような感覚。片手が氷のように冷たく、もう一方は温かい。手の血管の隆起。青い爪。四肢と関節の痛み、捻挫したかのような＜わずかな接触；＞強い圧迫。関節の

疲労＜朝、座っていること。骨髄の痛み。骨のカリエス、多量の発汗を伴う。
皮膚：接触に非常に敏感；強い圧迫で和らぐ。皮膚炎。湿った壊疽。黄色い。
睡眠：嗜眠状態。ひどい、いびきの睡眠；特に子どもの。不安で怖い夢；夢の恐怖が残る。前駆症状としての不眠。
熱　：**際立った前駆症状**。悪寒の段階、熱と汗が特徴。悪寒、その後の喉の渇き、そして熱、その後の喉の渇き。悪寒は胸から始まる。赤くて熱い顔、冷たい手。**消耗熱**。びしょぬれになるような汗；**夜間の**；＜わずかな動作；衰弱から；水分減少により。熱帯性熱病。敗血症。
補完レメディー：Carb-v., Ferr., Kali-c.
関連レメディー：Carb-v.

China arsenicosum　亜ヒ酸キニーネ

総体的症状：衰弱、疲労、疲はいと、頭脳労働を嫌う傾向がこのレメディーの主要な症状。頭痛に先立っていらいらする。突然のめまい＜見上げる。（右の）片頭痛、恐怖からの。拒食症。卵や魚による下痢。上昇時の息切れ。心臓性呼吸困難；初期の心筋変性、急性感染症後。動悸。心臓が停止したかのような感覚。周期的な喘息の発作、ひどい衰弱を伴う。神経性の原因による不眠。冷え：手足の；膝と四肢の。持続熱；体温変動を伴う。発汗：多量、消耗性；夜間の。たばこの悪影響。太陽神経叢の圧迫感と圧痛。胃酸が過多になったり、減少したりする。
悪化：休息。午前中。胃が空のとき。
好転：動作。

China sulphuricum　硫酸キニーネ

総体的症状：硫酸キニーネは、**神経**に作用し、**外部からの影響に対する非常な敏敏さ**と周期的な神経痛を起こす。血中では、赤血球とヘモグロビンを急速に減少させる；白血球増加症の傾向。衰弱と神経質、わずかな活動で動悸が起こる。球後神経炎、突然目が見えなくなる。立っていることができない。道に倒れこむ。横になりたい。死にそうなほど具合が悪く、気を失う；寝床を通過して沈んでいくような感覚。

悪化：**正確な周期性**。寒さ。午前10〜11時。接触。

好転：あくび。圧迫。かがむ。

精神：神経質。物の名前を言う能力の消失。

頭部：正午になると、マラリアが原因の頭痛が徐々にひどくなる＜左側。**耳鳴りを伴うめまい**；まぶたの痙攣を伴うずきずきする頭痛。眼窩の神経痛。

目：眼前の膜、霧、あるいは煙。横目でなければ、物が見えない。(子どもの) 1日おきの斜視。

耳：耳鳴り。難聴。メニエール病。

顔：非常に定期的に再発する神経痛＞圧迫。眉毛のおこり。青白い不安気な顔。

泌尿器：むぎわら色の、顆粒状の、あるいはレンガ色の沈殿物。血尿。

背中：**頸部脊柱**が痛む、または接触や圧迫に非常に敏感；呼吸の圧迫を伴う。

四肢：急性関節リウマチ。関節が非常に敏感。

皮膚：かゆみ。点状出血。蕁麻疹。

熱：先行する悪寒。あらゆる段階での喉の渇き。発熱時のせん妄。熱の上昇と衰弱、多量の寝汗を伴う。＞多量の発汗しかし消耗。明らか

な無熱（発熱間欠期）。典型的なマラリア。正常以下の体温。
関連レメディー：Chin.

Chionanthus　アメリカヒトツバタゴ

総体的症状：肝臓、頭部に対する強力な作用があり、頭部では、神経衰弱症—周期的な吐き気、月経時のまたは胆汁性の頭痛—に有用である。さまざまな器官—肝臓、眼球など—に、**打撲のような痛み**がある。痛みは、額、胃などから始まる。毎夏の黄疸。

悪化：振動。動作。寒冷。

好転：うつぶせに横たわる。

精神：疲れきったように感じる。何もする意欲がない；独りになりたい。

頭部：ひどい**胆汁症性の頭痛**、＜かがむ、動作、振動。

目：眼球の打撲したような感覚。黄色い結膜。

鼻：鼻の付け根の圧迫感、または鼻梁の圧搾感。

口：乾燥、水では緩和されない。幅の広い舌、分厚い黄緑色の舌苔；からからに乾いたように感じる。唾液分泌過多。

胃：苦くて酸っぱい、熱い、胆汁質の、粘着性の、ほとばしるような嘔吐；歯を押し出さんばかりの。嘔吐には、疝痛と額と**手の甲の冷や汗**を伴う。

腹部：肝臓の極度の肥大、不安な痛みと黄疸を伴う。へその差し込むような痛み。まるでひもで締めつけられるかのような、または腸が結ばれ、急に締めつけられ、徐々に緩められたかのような感覚。胆嚢炎。胆石。黄疸、月経の抑止を伴う。下腹部の弱さ。タールのような、泥の色の、または未消化の便。排便中、額と手の甲に冷や汗。膵臓疾患。

泌尿器：橙黄色の尿、濃い、黒い、シロップのような。尿中の胆汁と糖。

糖尿病。高比重。
呼吸器：渋い味の喀出物。
皮膚：体中が黄色い。黄疸、慢性、毎夏の再発、サイダーを飲みすぎることが原因。
熱：熱があるが、覆わないことを嫌悪。手の甲に冷や汗。
関連レメディー：Bry., Iris., Lept., Merc.

Chloralum hydratum 抱水クロラール

総体的症状：脳に作用し、幻覚を伴った大脳の興奮や、子どもの夜驚症を起こす。心臓は拡張または衰弱し、胸部には特有の充満感や軽さが感じられ、胃には空洞感がある。筋肉疲労。舞踏病、長期間の、しつこい；患者は寝ることも立っていることもできない。
悪化：アルコール。夜。激しい活動。横たわる。熱い飲み物。刺激物。
好転：外気。扇がれること。
精神：うつ病、知的障害と精神障害。性急で興奮している、部屋の中を歩き回る、想像上の相手と会話する、または独り言。
頭：こめかみから、こめかみまで、ベルトで締められている感覚。
目：眼球が大きすぎるように感じる、血斑、涙目。物が白く見える、色覚障害。まぶたが重い、ほとんど開けられない。
耳：声が聞こえる。
顔：顔とまぶたのむくみ、蕁麻疹は、ほとんどみられない。
便：胆汁の少ない。
泌尿器：夜尿症；気づかないうちに、寝床に多量の排尿をする、睡眠の後半に。
呼吸器：呼吸困難、胸部に重りがあるかのような。鼻から吸気して、口から吐く、あおむけに寝ているとき。

心臓：衰弱、または拡張。
皮膚：蕁麻疹、＜夜に、日中消える、急に寒さで、＞暖かさ、＜アルコール。皮膚は石のように冷たい。
睡眠：疲労による不眠。怖い夢。
関連レメディー：Apis..,　Calc-f.

Chlorum 塩素水

総体的症状：この気体は、塩素水の状態でプルービングされた。**呼吸器**に際立った作用があり、声門の痙攣を引き起こす。**収縮感**も特徴の一つである。患者は急速にやつれる。**粘膜**は炎症を起こし潰瘍を形成する。
悪化：**息を吐くこと**。深夜過ぎ。横たわること。
好転：外気。動作。
精神：狂気、または正気を失うことへの恐怖。名前や人物を忘れる。
目：突出。
鼻：すすけた。**刺激性のコリーザ**、頭痛に伴う、突然滴り落ちる、涙とともに。
顔：むくんだ顔、突き出た目。
口：ひどい口臭。悪臭を放つアフタ。**乾燥した黒い舌**。
喉：詰まる感覚、嚥下することができない。喉のくぼみが痛む、むずむず、またはヒューヒューする感覚。
呼吸器：声帯の痙攣による突然の**呼吸困難**、目の突出、青い顔、冷や汗を伴う。息を吸うことはできるが、**吐くことができない**。喉頭炎。喘鳴痙攣。枯草喘息。空気が無理に胸の上側に入れられるような感覚。
皮膚：敏感、乾燥、黄色、皺が寄った。

熱：発汗しやすい。
関連レメディー：Ars-i., Iod., Meph., Merc.

Cholesterinum　胆石

総体的症状：この物質は胆汁と胆管結石に豊富に含まれている。肝臓肥大、肝癌、胆石、硝子体混濁と、執拗な黄疸に有効である、
悪化：接触、または振動。横向きに横たわる。曲げること、あるいは急な動作。

Cicuta virosa　ヨーロッパドクゼリ

総体的症状：一般に、ドクゼリとして知られている、主に**脳と神経系**に作用し、**激しい痙攣症状を起こす**。痙攣、開口障害、破傷風、しゃっくり。頭がぐいっと動く、腕や手指など、さまざまな部位の痙攣性のぴくぴくする動き・攣縮。**強烈な歪み**。身体もしくは頭部への突然のショックを伴い、**痙攣は猛烈な激しさで下方に向かう**、そして**硬直する**、または金切り声を出す；そして無意識状態が長く続く；**後弓反張**、恐ろしい顔の歪み、口から血の混じった泡、そして**完全なる疲はい**；接触、雑音、大声による痙攣の再発。てんかん。横隔膜の痙攣；食道の痙攣。筋肉の硬直。脳脊髄膜炎。脳振とう。ひげそりからの不調。カタレプシー。何が起きたのか覚えていない、誰のこともわからないが、うまく受け答えする。
悪化：**脳の損傷**、肉片の骨による食道の損傷。振動。雑音。接触。寒さ。生歯。抑圧された発疹。吸気。たばこの煙。頭を動かすこと。
好転：痛みについて考えること。暖かさ。

精神：子どもっぽいふるまい。歌う、踊る、叫ぶ。愚痴ばかり言う、わめく、むせび泣く。悲しい話に過剰に影響される。人間不信、人を遠ざける。他人を軽蔑する。現在と過去を混同する。躁病、ダンス、笑いと奇妙なしぐさを伴う。自分が見知らぬ場所にいるかのような感覚。すべてが奇妙で、極端にみえる。激しい。性急。せん妄。ほかの人の幸せそうな様子を見ると悲しい。記憶がない、数時間、または数日間。地面に倒れ、辺りを転げ回る、痙攣を伴う、または伴わない。自分が不安定；自己の過大評価。何が起きたのか覚えていない、誰のこともわからないが、うまく受け答えする。

頭部：一方にねじれている（痙攣）。**頭がぐいっと動く**。頭のうっ血、嘔吐と下痢を伴う。**めまい**、物が横方向に動く、または近づいては退く。頭の症状＞そのことを考える、まっすぐに座る、放屁。頭の厚い黄色いかさぶた。寝汗。髄膜炎。胃痛と筋肉痛に伴うめまい。退縮した頭部、硬直した脊椎。

目：脳振とう時の散大した瞳孔、痙攣時の縮瞳。読書中、文字が上下に動く、または消える。何かを見つめているとき、座り込んで明らかに寝ているとき、頭は前に傾く。斜視─周期的、痙攣発作、落下または殴打後。雪にさらされた影響。物が二重または黒く見える。**目がぎょろぎょろする、ぐいっと動く、じっと見つめる**。まぶたの痙攣。

耳：出血、脳の問題。突然の爆発音、特に嚥下時。耳が熱い、または冷たい。

鼻：少し触れただけで出血する。コリーザを伴わない、頻繁なくしゃみ。

顔：赤い、または青白い、やつれた、汗ばんだ；極端に、あるいはこっけいに歪んだ。開口障害。融合性小膿疱による分厚いかさぶた。唇の上皮腫。

口：口内と口周辺の泡。歯ぎしり、開口障害を伴う。舌のはれ；話すの

が難しい。舌をかむ。

喉：まるで詰まったかのような、あるいはくっついたかのような感覚。食道の痙攣；嚥下障害―損傷、魚の骨などによる。鋭い魚の骨をのみ込んだ影響。食道狭窄。

胃：石炭、チョーク、その他変なものを欲求、食べられるものと食べられないものを見分けられないため。**大きなしゃっくり、泣く、胸部の痙攣と交互に**。胆汁、血液の嘔吐、かがむとき、立ち上がるとき、妊娠中の。みぞおちの拍動、膨張を伴う。呑酸；睡液が口から垂れる、全体の熱感を伴う。

腹部：痙攣（convulsion）を伴う疝痛と嘔吐。不安と不機嫌からの鼓腸。

泌尿器：尿失禁、高齢男性の。排尿するにはかなり力が必要。尿道狭窄、炎症後、淋病後。膀胱の麻痺。

男性：浅鼠径輪のほうに引き寄せられている精巣。

女性：月経が始まらない状態の痙攣。月経時の尾骨痛。産後の痙攣。

呼吸器：胸部の締めつけ感、ほとんど息ができない。胸部の熱い、または冷たい感覚。

心臓：心臓の震える動悸。まるで心臓が鼓動を止めたかのように感じられる、失神するような感覚を伴う。

首・背中：首の筋肉の痙攣とひきつり、頭が後方に引っ張られている。後弓反張。尾骨が月経時にぐいっと動く。

四肢：腕と手指の痙攣性のぐいっとする動きやぴくぴくする動き、痙攣。終日、左腕がぐいっと動く。左脚の震え。足が歩行中に内側に傾く。痙攣では、足は内側を向き、足指は上を向く。曲がった四肢をまっすぐにすることができない、まっすぐな四肢を曲げることもできない。歩行中、半円を描くように足を動かす。

睡眠：睡眠中に舌をかむ。深い眠り。鮮明な夢、記憶には残らない。

皮膚：膿疱の融合、**分厚い**、**黄色い**、大きなかさぶた状に、＜頭と顔。とびひ、**かゆみのない湿疹**。発疹の抑圧が脳疾患の原因となる。かみ

そりまけ、パン屋瘙痒症。
関連レメディー：Cupr., Strych.

Cimicifuga　サラシナショウマ

総体的症状：このレメディーは、**神経と筋肉**に幅広く作用する。**気持ちを落ち込ませ、元気を失わせる**、特に痛みへの**過敏さ**を伴う極度に疲労した状態にする。素晴らしい女性のためのレメディーである。ぽっちゃりしている、繊細、神経質、身体が冷たい女性で背中、首、あちこちの痛みを訴える人；多くの症状は子宮卵巣の過敏状態による。**総体的な調子の悪さ**、極度の疲労を伴う。症状の多くは、変則的、変わりやすい、またはいくつかの症状が交互に現れる；身体的な症状と精神的な症状が交互に現れる。精神症状とリウマチ性疾患が交互に現れる。痛みは激しい；うずく、撃ち抜かれるよう、**遊走性**、衝撃のよう；泣くこと、**気を失うこと**などを伴う、上昇性、または**横から横へ**、首を上昇する；喉の周辺、卵巣から卵巣にかけて。**腹筋が打撲したように感じられる、ひりひりする、重たい、うずく**。さまざまな器官の、または横になった際に下になっている器官の震え、痙攣。圧縮性の痛み。月経時のヒステリー性またはてんかん性の痙攣。間代性痙攣と強直性痙攣が交互に起こる。痛みの道に沿ったひりひり感と圧痛。**神経性**の身震い。出産予定日前に投薬すると、陣痛を早め、吐き気を抑え、後陣痛を楽にする。何ら理由は見つからないのに、過去に死産しか経験したことのない女性の生児出産を確実にする（予定日までの2か月間、毎日1Xのポーテンシーで投与）。筋肉痛。卵巣痛。腰痛。流行性髄膜炎の痙攣。インフルエンザ。舞踏病、思春期の、月経の遅延に伴う；心臓性舞踏病。不安、恐怖、失恋、過労、業務上の過失、出産による悪影響。生歯期の子ども。

悪化：**月経**；抑圧時。分娩中。感情。**アルコール**。夜。天候の変化。暑さと寒さ。座っていること。思春期と更年期。動作。**湿った冷気**。風。すき間風。

好転：暖かく覆うこと。外気。圧迫。食事。継続的な動作。物をつかむこと。

精神：あちらからこちらへさまよいたい。憂うつ。動揺。**神経質**。**落ち着きがない**。**興奮しやすい**、そして衝動的。過敏、ほんのささいなことがうまくいかないといらいらする。うつ状態で、よくしゃべる、話題がころころ変わる。疑い深い。**嫌な予感**、死の、精神障害の、悪いことが差し迫っているという、など。**自分は気が狂うであろうと思う**。友人に会うと、みぞおちがなえた感じがする。閉ざされた乗り物に乗ることへの恐怖。家にいる者に殺されるという恐怖。**ネズミが死ぬほど怖い**。ネズミ、ハツカネズミ、さまざまな色形のものが見える。躁病、月経前；アルコール中毒；自傷。産後の躁病、神経痛が消えた後の躁病。意志の弱さ。家事に興味がない。無関心。意気消沈；黒く垂れ込めた雲の中にいるかのよう。疑い深い、薬をとろうとしない。座り込んで意気消沈する、大きな悲嘆；質問すると泣き出す。精神症状は＞下痢または月経、＜リウマチの後。

頭部：脳が波打つような、荒れるような感覚。**退縮した頭部**（髄膜炎）。撃ち抜かれるような痛み、ずきずきする痛み、心配の後、勉強しすぎ、あるいは子宮疾患の反射作用、＞外気。頭または脳が大きすぎるように感じられる。脳が開いたり閉まったりするような感覚。**頭頂がまるで飛び去るような感覚**、＜上階に行く、あるいは、まるで開いたままで冷気を入れようとするかのような。まるで冷気が脳に吹き付けているかのような、あるいは頭頂の熱感。殴打されたような、または**後頭部**から頭頂を突き抜けて（左）目までボルトをねじ込まれたような感覚。学生の頭痛。

目：**眼球、またはその奥の極度の痛み**、＞圧迫、＜わずかな動作。目か

ら頭頂にかけての痛み。目が大きく感じられる；狂暴な目つき。黒い縁のある赤い閃光がまたたく。人工的な光に耐えられない。眼球に針が突き刺さるかのような感覚、＜目を閉じる。毛様体神経痛。

耳：耳鳴り。ささいな音に敏感、痙攣性の陣痛を伴う。耳の中で激しい音がすることからの難聴。

鼻：冷気に敏感；息を吸うたびに、脳に冷気を運んでいるかのよう。

顔：青白い、熱い。神経痛がほお骨に影響、＞夜、翌日再発する。額が冷たい。若い女性の顔のしみ。額が冷たく感じられる。荒々しい、恐ろしい表情。

口：**濃厚な唾液**。銅のような味。粘着性の銅の味のする粘液を咳払いで出す。舌が震える。歯に濃厚な粘液が付着する。努力しても一言も話すことができない。舌も口も温かく感じられる。舌のはれ。

喉：灼熱感。月経前の甲状腺の痛み。

胃：**吐き気**、朝に、妊娠中の、アルコール中毒の、腸に感じられる、＜脊柱と頸部の圧迫。緑色の物質を嘔吐、うめく、うなる、緩和するために両手で頭を圧迫する。みぞおちの沈む感じ、友人に会うとき。おくび、吐き気・嘔吐・頭痛を伴う（女性）。

腹部：疝痛、＞二つ折れになる、排便後。頻繁な、細い、黒っぽい、悪臭の便。子どもにみられる朝の下痢。下腹部の鋭い痛み。下痢と便秘に交互になる。

泌尿器：多量の澄んだ尿、衰弱させる、黄色い砂を含む。神経性の排尿。

女性：月経、多量、黒っぽい、凝血する、**乏しい**、背中の痛み、神経質を伴う；周期も量も不順；**量が多いと痛みも増す**。月経間期のひどい衰弱。卵巣神経痛；骨盤の痛み、**卵巣から卵巣にかけて、または大腿に沿って上昇あるいは下降する**。感情や寒さによる月経の抑圧。月経時のヒステリー性、またはてんかん様の痙攣。子宮弛緩症。まるで痛むかのように乳房を圧迫する。躁病。乳房の灼熱感。神経性の震えを伴う遅い陣痛。耐えがたい後陣痛、＜鼠径部。帯下、子宮

に重みを感じる。出産中の心臓神経痛、＜左側。感情や寒さによる悪露の抑圧。咳をするときや排尿時に神経質。身震い。

呼吸器：むずむずする、短い、乾性の、ひっきりなしの咳、＜夜間、話すとき。左胸の鋭い刺されるような痛み、動くとうめく。胸膜痛。神経性の咳。

心臓：痛み、腫脹、または肥大したように感じる。心臓の針で刺されたような痛み。狭心症—胸部と背中全体、しびれ、体側に縛りつけられているような感じがする左腕に広がる痛み。心臓の働きが突然止まる、窒息を余儀なくする。弱い脈、不整脈、震える脈；3拍目、または4拍目が飛ぶ。

首・背中：首の痛み、頭を後方に倒す。首の硬直、痛み＜手を動かす。退縮した首。脊椎、頸部、上背部が非常に敏感、＜圧迫、吐き気とむかつきを催す。すべての筋肉の痛み。硬く縮んだ首と背中。左の肩甲骨周辺の痛み。重たい拍動性の腰痛、臀部から大腿にかけて。

四肢：四肢の不安定で落ち着きのない感覚。左腕が体側に縛りつけられているような感覚。左腕のひっきりなしの不規則な動き（舞踏病）。書くとき手が震える。四肢、ふくらはぎの疼痛性痙攣。アキレス腱、硬く縮んだ。足の裏のかゆみ。手足の冷や汗。リウマチ性疾患と精神症状が交互に現れる。脚の震え、ほとんど歩けない。四肢のしびれ。

睡眠：昏睡状態、まるで酔ったように。不眠。腕を頭の上に上げて、またはあくびをしながら眠る。

関連レメディー：Bapt., Caul., Gels., Ign., Puls.

Cina　メセンシナ

総体的症状：Cinaはアルカロイド、サントニンの原料である。**神経質な精神症状と身体症状は、回虫がいること、または腹部の過敏状態、消化管の疾患**が原因と考えられる。子どものレメディー；大きな、太った、バラ色の、腺病質の子ども；**咳をしているとき、または不機嫌なとき、見つめられると硬直する**。子どもは落ち着きがなく、寝返りを打つ。痙攣性のぴくぴくする動き・攣縮。回虫による痙攣（convulsion）、片側だけ。発作時に、腕を左右に投げ出す。身体全体を動かすことや、接触で痛む、ひりひりする、打撲したようなひりひりする痛み。子どもたちは空腹で、空腹であればあるほど、やつれる。随伴症状としてのあくび、誰かがあくびをすると必ずつられる。酸っぱい体臭、特に子どもの。痛みからのショック。患者は、まるで痛みに驚いたかのように突然跳び上がる。あくびでぶるぶる震える。意識下の痙攣（convulsion）。対麻痺、尋常でない空腹を伴う。舞踏病。

悪化：接触。寄生虫。いら立ち。**見られること**。<u>睡眠中</u>。じろじろ見る。あくび。**満月**。日光に当たる、夏。何かをじっと見つめる。

好転：うつぶせに寝る。目をこする。動作。頭を振る。揺れ動く。

精神：非常に**気難しい**；怒りっぽい、**不機嫌**；かんしゃくもちで不満足。触れられたくない、抱かれたくない、揺すられたがる子ども；多くのものをほしがるが、与えられたものはすべて拒否する；いつも安らぎがなく、苦しんでいる。神経質。何か悪いことをしてしまったという、現実離れした感覚。子どもの痙攣、怒られたり、罰せられたりしたとき。子どもたちはいかなる愛撫にも屈しない。気立てのよい子どもが、扱いにくくなる。

頭部：頭痛、腹痛と交互に、＞かがむ。読書中や、じっと見つめている

ときの頭痛。子どもは常に頭を横に傾けている。女性は、頭痛時には髪を下ろさなければならない。子どもの髪をとかすことができない。てんかん発作前後の頭痛。

目：**散大した瞳孔**。眉の筋肉の拍動。眉がぴくぴく動く、何かをじっと見つめるとき、ガーゼ越しに見るような、＞目をぬぐう。眼精疲労。視界が黄色い、青い、紫色、または緑色。寄生虫に起因する斜視。**目の周りのくま**。マスターベーションによる弱視。

鼻：かゆみ。鼻出血が出るまで、**鼻をつつき、ほじくる**、ぬぐいとりたい。くしゃみ、ゼーゼーいう咳を伴う。外鼻孔が狭まっている。

顔：青白い、病人のように見える、咳の間中。口周辺が、青みがかった白。顔は、青白くて冷たいか、赤くて熱いかに交互になる。顔と手の舞踏病のような動き。

口：夜、睡眠時の**歯ぎしり**。睡眠中にそしゃくして、のみ込む。きれいな舌。

喉：液体を飲み下すのが難しい；嚥下する音がうるさい。喉から胃にかけての音；咳または痙攣後。不随意のひっきりなしの嚥下。

胃：**空腹、むさぼり食う、食後**、嘔吐後、胃がかじられるような痛みを伴う、食欲不振と交互に。悪寒の前の空腹、または、発汗後の。対麻痺時の空腹。あらゆるものをほしがる；甘いもの、パンを欲求。嘔吐、きれいな舌。食後、特に飲んだ直後の嘔吐と下痢。母乳を嫌悪。

腹部：へそ周辺のよじられるような痛み、＞圧迫。膨張して硬い。肛門のかゆみ。不快な温かい感覚。

泌尿器：夜尿症、＜満月。尿；混濁、白い、乳白色、または時間が立つと乳白色になる。

男性：自慰の悪影響、弱視を伴う。

女性：思春期前の子宮出血。乳児の母乳拒否。月経は、早すぎる、多量。

呼吸器：再発性の息が詰まるような咳、くしゃみを伴う。激しい咳で涙が

出て胸骨が痛む。何かがはぎ取られるような感覚。咳の後、喉から胃にかけてゴボゴボいう。子どもはじっとしたまま、話さない、動かない、咳が出る恐怖から。胸骨が背中にくっつきすぎているように感じられる。咳は痙攣で終わる。窒息しそうな発作。喀出困難。

四肢：腕を左右に放り出す（子ども）。突然、右手の指が内側にぐいっと動く。足をびくっと外に伸ばす（子ども）。四肢の痙攣性のぴくぴくする動き・攣縮や痙攣性のぐいっとする動き。左足の絶え間ない痙動。対麻痺、突然、不自然な空腹感。

睡眠：落ち着きがない。睡眠中、膝胸位またはうつぶせになる。子どもの夜驚症、**泣き叫ぶ**、叫ぶ、恐怖で目覚める。睡眠中に叫び、話す。

熱 ：冷たく、青白い顔で温かい手。高熱、きれいな舌。額、鼻、手の冷や汗。悪寒の前と発汗後の空腹。

補完レメディー：Calc., Dros., Rat.
関連レメディー：Cham., Nat-p.

Cinnabaris　赤色硫化水銀（辰砂）

総体的症状：硫化第二水銀は、抗淋病、抗梅毒レメディーである。頭脳労働には、怠惰で気乗りしない。接触に対して過敏－骨、頭皮、など。右側を下にして横たわると、体内のものすべてがそちら側に引っ張られる感じがする。

悪化：接触。光。湿気。歩行。
好転：外気。日光。夕食後。
目 ：眉に沿って外側に向かう痛み、眼球を取り囲む、鼻の付け根の鞍のように。目全体が赤い。
鼻 ：鼻の付け根の強い圧迫感、＜眼鏡による圧迫。鼻からの分泌物には刺激性がある、悪臭、焼けるよう、水っぽい、または黒い塊がある。

口 ：口と喉の乾燥、睡眠中に目が覚める、口をゆすがずにはいられない。糸をひく粘液を喉から咳払いで出す、または後鼻孔から粘液の塊を出す。鼻咽頭カタル。

腹部：肛門の蟻走感、大きな虫がはうような。血の混じった赤痢。薄くて白い便。緑色の粘液便の下痢、それによって、肛門や陰嚢周辺の皮膚が銅色に染まる。

男性：睡眠中に陰茎がぐいっと動く。陰嚢と大腿間に、悪臭のする刺激性の発汗。包皮上のいぼ、特に扇形。陰茎亀頭に小さな赤い吹き出物。古い、硬い、下疳。亀頭冠のかゆみ。包皮の赤みとはれ。

女性：腟への圧迫感を伴う帯下の分泌。

心臓：粗動、そして血が頭に上る。

四肢：脛骨の結節。歩行時に、左脚が右脚よりも短いように感じられる。歩いた後のふくらはぎの疼痛性痙攣（こむらがえり）。歩行時の、アキレス腱と踵骨の痛み。膝または関節が冷たい。肘から手にかけての痛み。

皮膚：皮膚と粘膜上の、**炎のように赤い潰瘍**。赤い発疹。激しいかゆみと刺されるような痛み。鼻の汗。ハチの巣状の潰瘍。

補完レメディー：Thuj.
関連レメディー：Merc.

Cistus canadensis　カナダハンニチバナ

総体的症状：通称ハンニチバナ、腺病質のための古くからあるレメディー。腺、特に、**鼻咽頭**、首と乳房（左）に作用する。ヘルペス様の湿疹、壊血病の状態、慢性的な腫脹、壊疽性の潰瘍形成。患者は**痛々しいほど痛みや、冷たい吸気に敏感**。さまざまな部分が**冷たく感じられる**；舌、唾液、喉の中；おくび、胃の中、分泌物までも。粘液

性の分泌物は、**濃厚、黄色い、悪臭**、ひりひりする痛みを残す。**化膿**。内側と外側の**かゆみ**。身体全体の蟻走感、不安と呼吸困難を伴う。首の腺の悪性疾患。毒された傷、咬傷、侵食性潰瘍。灼熱感。硬化。ひび割れを伴う皮膚のたこ。

悪化：寒さ；話すこと；すき間風；吸気。冷水。精神労働；興奮。接触。動作。

好転：食事。喀出。

精神：いら立ちの悪影響。恐怖。

頭部：食事を抜くと痛む、＞食べる。首のはれのため、頭が片側に引っ張られている。

目：何かが目の周辺で動いているような感覚。眼角の亀裂。

耳：悪臭の水っぽい膿の分泌、発疹性疾患後。耳周辺から外耳道にまで広がる皮疹。

鼻：冷たく感じられる、または灼熱感。鼻先が痛い。鼻の湿疹。鼻咽頭に塊がある感覚。慢性の鼻カタル、激しく、頻繁なくしゃみ。鼻の付け根の圧痛、頭痛を伴う。

顔：ほお骨の上のかゆみ、灼熱感、痂皮。下顎のカリエス、首の腺の化膿を伴う。開口し出血する下唇の癌。唇のひび割れ。

口：壊血病患者、歯茎の後退、出血しやすい、むかむかするほど臭い。冷たい舌。冷たい息。冷たい唾液。舌を突き出すと痛む。膿漏。

喉：かぜの喉への影響、喉は冷たい。軟らかい、スポンジのような感覚；喉のかゆみ。少しでも冷気を吸い込むと痛む。喉に乾燥した部分、＞水をすする。咳をするときの痛み。腺の腫脹と化膿。甲状腺腫、頻繁な下痢を伴う。

胃：冷たい感覚、食前と食後。チーズや刺激物を欲求。冷たいおくび。

腹部：全体が冷たい。下痢、コーヒーと果物による、甲状腺腫に伴う、吐き気を伴う。細い、慌ただしい便、＜午前中。

男性：陰嚢のかゆみ。

女性：乳房（左）の硬化と炎症。冷気に敏感。癌。悪臭の帯下。
呼吸器：喉頭と気管が、冷気を吸い込むと冷たく感じられる。胸部の冷たさ。多量の卵白状の、粘着性の粘液を、横臥時に喀出。気管が狭く感じられる、呼吸困難になる、蟻走感が先行する。胸部がひりひりする、喀出の後。
首・背中：首の硬く腫脹した腺。尾骨の焼けるような痛みで、座ることができない、＜接触。
四肢：足が冷たい。手指先の**ひび割れ**、冷たさに敏感。作業員は、手に硬い部分をつくり、ひび割れる。
皮膚：硬い、分厚い、乾燥、**ひび割れ**。かゆみ、全体の蟻走感、発疹はない。
熱：悪寒。発汗しやすい；夜の発熱。
関連レメディー：Calc., Helo., Hep.

Clematis erecta　センニンソウ

総体的症状：目と尿道の**粘膜**、そして特に**精巣**、乳房、子宮などの**腺**に影響する、**非常に硬くなり**、**痛み**、**腫脹する**。さまざまな部位の神経痛。灼熱感、かゆみ、ひりひり痛む、鳥肌がたつ。極度の衰弱。筋肉弛緩または痙攣。横たわった後の全身の振動する感覚。るいそう。洗うことを嫌悪。リウマチ、淋病、梅毒体質の患者。器質性狭窄症。
悪化：**淋病**。寝床の熱。夜。**冷水で洗う**。冷気。光。月＜そして＞。水銀。
好転：発汗。外気。
精神：**無関心**。独りになることへの恐怖、しかし気の合う仲間とも会いたがらない傾向。ホームシックが原因の病気。不機嫌、不満、何ら理由なしに。憂うつ。

頭部：混乱した感覚、＞外気。発疹、後頭部の髪の生え際、湿疹、膿疱、
　　　敏感、かゆみ。
目　：虹彩炎。慢性の結膜炎。
耳　：鈴の音のような耳鳴り。
顔　：顔の右側、目、耳、こめかみの痛み、＞口に冷水を含む。顎下腺の
　　　腫脹、硬い結節を伴う、ずきずきする、＜接触。口唇癌。
口　：歯痛、＜夜、たばこ、＞空気、冷水を吸い込む。他者に不快な息。
胃　：食後の、全四肢の衰弱、動脈の脈動を伴う。たばこを吸うと吐き
　　　気、脚の衰弱を伴う。耐えがたい、胃の冷たい感覚。
腹部：腹部から胸部にかけての痛み、＜呼吸と排尿。**鼠径腺の腫脹**、硬性
　　　癌の痙攣性の痛み、淋病の抑圧、関節リウマチを伴う。
泌尿器：止まったり出たりする尿、排尿後の**滴下**。数滴出すためにいきま
　　　なければならない、その後勢いよく流出。尿道狭窄。太いむち縄の
　　　ように感じられる尿道、圧迫すると痛む。排尿中の尿管の灼熱感。
　　　尿を一度に全部排出することができない。尿の最後の一滴が激しい
　　　灼熱感を引き起こす。
男性：性交の嫌悪。精巣の硬化、打撲したような感覚を伴う。精巣炎。精
　　　巣が重くぶら下がる、または退縮する。精索の腫脹、灼熱感とひ
　　　りひりする痛みを伴う、腹部にまで広がる。性交中の射精による陰
　　　茎の灼熱感。陰嚢の右半分の腫脹。激しい勃起、尿管の刺されるよ
　　　うな痛みを伴う。
女性：豊満な、重たい、敏感な乳房；痛みは外側に向かって広がる。乳腺
　　　の腫脹と硬化。乳癌、肩と子宮の刺されるような痛みを伴う。月経
　　　は早すぎる。乳房の撃ち抜かれるような痛み、＜排尿。
呼吸器：呼吸障害、＜山を登る、平坦ではない道を歩く。犬吠様の咳、乾
　　　性の咳、胸部の痛みを伴う。
心臓：心臓の鋭い痛み、中から外側へ。
四肢：食後の四肢の衰弱；あるいは吐き気を伴う喫煙の。腋窩腺の腫脹。

皮膚：激しいかゆみとおびただしい落屑、＜冷水で洗う。小水疱、小膿疱。腐食性の発疹は、分厚い痂皮と湿疹を伴う平らな腐食性の潰瘍になる、＜後頭部と脚の下方。静脈瘤性潰瘍。帯状疱疹。
睡眠：眠気。絶えず動き回る、夢を見る睡眠、全身に振動を感じる。
補完レメディー：Merc.
関連レメディー：Phos., Rhod., Staph.

Cobaltum　コバルト

総体的症状：この金属は、脊柱（腰椎部）、生殖器、腎臓と骨に作用し、脊髄に原因がある神経衰弱症や性的な機能障害に効果がある。**泡状の分泌物**。ひりひりする痛み。骨の痛み。酸っぱい味、胃、足、汗、など。疲労。
悪化：精液の喪失。座ること。寝床または太陽の熱。朝。
好転：粘液を咳払いで出す。継続的な動作。
精神：罪悪感。精神の高揚＜苦痛。自分のことを考えなさすぎる。
頭部：めまい、頭が大きくなったかのような感覚を伴う、＜便。頭痛、＜かがむ、振動。歩行に合わせて脳が上下するかのような感覚。
目　：羞明。春季カタル。目の突き刺されるような痛み、日光が目に入ると。
顔　：顎を固く閉じている傾向。
口　：歯が長すぎるように感じられる。舌が白い苔に覆われている；**中央を横切るひび**。酸っぱい味。
胃　：酸っぱい、または苦い水が痛みとともに胃から上がってくる。
腹部：肝臓周辺から大腿にかけて撃ち抜かれるような痛み。へその空虚感。歩行中の便意、＜立っている、下痢が後に続く。肛門から継続的に血が滴る；血便ではない。腹部の黄色い斑点。肝臓周辺の撃ち

抜かれるような痛みと膵臓周辺の鋭い痛み、＜深呼吸をする。
泌尿器：蛋白尿。排尿の最後に、尿道が痛む。尿の強い刺激臭。
男性：右の精巣の痛み、＞排尿後。**頻繁な夢精、みだらな夢に伴う、頭痛と腰痛を伴う**。生殖器の黄褐色の斑点。勃起を伴わない精液分泌。インポテンス。
呼吸器：咳に伴う多量の泡状の、甘い、白い粘液の塊。
背中：腰痛、＜性交、座ること、＞立ち上がる、歩行または横たわる、膝の弱さを伴う、まっすぐにできない。射精後の背中の痛みと衰弱。脊椎に沿った痛みと、仙骨から脚を伝って足に達する痛み。
四肢：肝臓から大腿に向かう撃ち抜かれるような痛み。弱い膝。脚に沿った一過性の熱感。四肢の震え、特に脚、座るときに痛む。足の発汗、特に趾間、酸っぱいにおい。足がちくちくうずく。左臀部の突然の虚弱感、＜歩行。
睡眠：眠れない；あまり寝ないでも大丈夫。みだらな夢による阻害。眠い、十分な睡眠をとれることはめったにない。
皮膚：臀部、顎、頭皮の吹き出物。寝床で温まると、そこらじゅうがかゆくなる。
関連レメディー：Eup-per.

Coca　コカ葉

総体的症状：Cocaはアルカロイド、コカインの原料で、局所麻酔薬。身体的、精神的緊張からくる、**脳と神経系**の疲労のレメディーで、標高の高い所に行くこと、登山、飛行機などにより、**めまい感、呼吸困難、疲労**に襲われる人に適する。特徴的な症状は、まるで、虫か異物が皮膚の下にあるような感覚、触れると移動する；もし、何らかの病気にこの症状が伴っている場合は、Cocaが指示される。

高齢者に適合。息切れする人、病弱な人、神経質、太って多血症の人。消耗症の子ども。筋肉疲労。

悪化：上昇。標高の高い所。寒さ。頭脳労働。歩行。座ること。塩辛い食べ物。

好転：**素早い動作、戸外で乗り物に乗る**。日没後。うつぶせに寝る。

精神：精神疲労と高揚感が交互に起こる。**臆病**、恥ずかしがり、社会では落ち着かない；独りになりたがる、薄暗がりを好む。死が差し迫っている感覚。幻聴；心地悪い；自分自身の。多弁で幸せな空想で興奮する。月経前の高揚感。善悪の判断の欠如。身なりに構わない。

頭部：痛む、めまいを伴う、眼前がちかちかする。後頭部からの衝撃、めまいを伴う。片頭痛、＜咳、＞食べること、日没。

目：眼前がちかちかする。白い、黒い、または炎のような点が目の前に飛ぶ。散大した瞳孔。複視。

耳：耳の中の雑音。耳鳴り。

鼻：嗅覚の極端な衰え。

口：虫歯。舌苔。口の中のぴりっとした感覚。

喉：食道を切り裂かんばかりの、大きな激しいおくび。

胃：長時間の満腹感。空腹と喉の渇きを感じにくい。アルコールとたばこを欲求。甘いもの以外には食欲がわかない。固形の食べ物を嫌悪。

腹部：高地での赤痢。腹部の膨張。

男性：陰茎がないような感覚。糖尿病、インポテンスを伴う。

女性：勢いよく流出する月経、寝ていても起きる。

呼吸器：声が出ない（声が出るようになるまで、チンキを5～6滴、30分ごとに投与）。老人性喘息。気腫。呼吸困難、息切れ、特に高齢のスポーツ選手。嗄声、＜話す。

心臓：動悸；紅潮を伴う、過度に速い脈；激しい発汗を伴う。

四肢：腕のしびれ。歩行中、不随意に速足になる、頭は前に傾き、めまい

を伴う。
皮膚：皮膚の下に虫がいて、触れると逃げるという感覚。
睡眠：不眠。眠いが、どこでも休まることがない。脳のショックで目が覚める。
関連レメディー：Cann-i.

Cocaina　コカイン

総体的症状：CocaとCocainaの症状は、ほとんど似通っている。まるで、虫か異物が皮膚下にあるかのような感覚、身体や衣服に虫がついているように見える、感じられる、まるで身体の一部分がなくなったかのような感覚、これらがCocainaのより顕著な症状である。道徳心が鈍くなっている。恐ろしい迫害者の幻覚。容姿に無頓着。自分のことを悪く言うのが聞こえる気がする。理不尽な嫉妬。何か大きなことをやりたい、多大な任務を請け負いたいという絶え間ない欲求。舞踏病。振戦麻痺。アルコール性または老年の震え。

Cocculus indicus　アオツヅラフジ

総体的症状：麻痺毒、**感覚中枢**を乱し、**脳脊髄軸**に影響を与え、筋肉を重く、麻痺、弛緩させる。患者は恐怖、怒り、悲しみ、その他の精神障害に対して非常に敏感。**頭を支えたり立ったりする力がない、あるいは話す力さえない**。麻痺―顔の；舌、咽頭の；対麻痺、しびれとうずきを伴う。髪の色が明るい、臆病、神経質な人；本の虫；未婚または子どものいない女性；敏感、ロマンチックな少女。ヒステリー。しびれ。**空洞感**または**空虚感**―頭、胸部、腹部。一部分が

眠ってしまったような感覚。身震い。四肢と胴体の痛みを伴う収縮。**震え**、頭の、下顎の；興奮、激しい活動、痛みから。**疼痛性痙攣**、筋肉の、咬筋の、腹部の、心臓の。電気ショックのような、体を通り抜ける痙攣。月経にならなかったこと、または突然の抑止による痙攣。交互に現れる症状。怒り、恐怖、悲しみ、不安、失望、不眠、精神と身体の酷使、旅行、日光、茶を飲むことの悪影響。**寒さに敏感**。突然意識を失って床に倒れる。鋭い感覚。**列車酔いと船酔い**。動作、返事の緩慢さ；あらゆることをするのに、多くの時間を必要とする。片側だけの疾患。一部の筋肉の痙攣。

悪化：動き、**船**の、**車**の、**水泳**。**睡眠不足**。接触。雑音。振動。ひざまずく。かがむ。月経。食べること。**不安**。**寒さ**。外気。激しい活動。痛み。

好転：座ること。部屋の中。横向きに寝る。

精神：放心状態。深い悲しみ。一つの不愉快な事柄から考えが離れない；深い悲しみの中にまるで溶けてしまったかのように座り込み、自分のことは何も見えない。突然の大きな不安。物事が現実ではないように感じる。物事の把握が遅い。すぐに気分を害する、反対意見に耐えられない。極度の悲しみ、寡黙で不機嫌。物事の悪い局面ばかり見る。時間がたつのが速すぎる。大酒家；非常な動揺、大騒ぎ、けんかっ早い、歌う。他人の健康を非常に心配する。話好き、機知に富んだ、冗談、踊る、身振り手振りを交える。壁、床、いすなどに、何か生き物が見える。優柔不断、何も仕事を達成しない。死と未知の危険への恐れ。

頭部：めまい、吐き気を伴う；動悸を伴う、＜午前中、頭を上に上げるとき；額に感じる。頭が重い。**後頭部**とうなじの痛み、＜痛い部分の上に横たわる；＞後ろに反らせる、＜コーヒー。頭痛時には、あおむけに寝ることができない。**開いたり閉じたりする感覚**、＜後頭部。頭の発作的な震え、首の筋肉の弱さによる。左側頭筋の

ひきつり。

目：(頭痛で) 頭から引き裂かれそうな痛み。目を閉じても、眼球が常にころころ動く；痙攣。突出した目。縮瞳または散瞳。物が上下するように見える。まぶたの痙攣。

耳：音に敏感；突然の物音に怖がる。詰まったような感覚（右）。水が勢いよく流れるような音。難聴。

鼻：嗅覚が敏感。

顔：麻痺、片側。そしゃく筋の痙攣＜開口時。顔面痛、手指に拡散していく痛みを伴う。下顎の震えと、歯がガチガチ鳴る、話そうとするとき。膨れた、歪んだ、触ると冷たい。

口：舌；麻痺した感覚、話すのが難しい、性急；舌を前に出したとき、舌の根が痛い。金属の味。料理の塩味が足りないように感じられる；たばこが苦い。歯痛、＞かむ、口に何も入れずに。歯が冷たく感じられる。

喉：麻痺のため嚥下できない。喉がむずむずする、流涙を伴う。食道の乾燥、灼熱感。喉の収縮、呼吸困難と咳をする傾向を伴う。

胃：あらゆる飲食物への嫌悪。吐き気；頭に上がってくる、または頭で感じる。むかつき。嘔吐、多量の唾液の流出を伴う、頭痛と腸の痛みを伴う、かぜをひいたときに、酸っぱい、苦い、臭いにおい。まるで虫が動いているかのように感じる。しゃっくりと痙攣性のあくび。食物のにおいを嫌悪。失神を伴う嘔吐。脳腫瘍による嘔吐、大声で話したことによる嘔吐。ビールを欲求。ずっと長い間食べ物を食べていないかのような感覚、空腹が治まるまで。

腹部：膨張。**尖った石でいっぱいになっているような感覚**、動くたびに、下痢を伴う＞横向きに寝る。疝痛；腸内ガス、ねじれる、ヒステリー性、神経性、気を失いそうな感じを伴う、唾液分泌過多を伴う。みぞおちの痙攣、呼吸困難を伴う。怒りの後、肝臓の痛みが悪化、＜わずかな振動。腹筋が弱い。深鼠径輪の痛み、まるで何かが

無理やり通ろうとするかのよう。

泌尿器：頻繁な尿意、少ししか排出しない、妊婦の。水っぽい尿。

男性：精巣の引っ張られるような痛み、接触時。過敏な生殖器、性欲を伴う。

女性：月経：早い、多量、頻繁すぎる、勢いよく噴出する、つま先立ちで。月経時の衰弱、ほとんど立つこともできない。化膿性の帯下の噴出、月経間期の、あるいは月経の代償性、衰弱する、ほとんど話すこともできない。月経困難症、痔になる。子宮の握られるような痛み。乳房の震え。しゃがむとき、かがむとき、帯下の噴出、妊娠中、頻繁な尿意を伴う。

呼吸器：胸部の空洞感または痙攣。ヒステリー性喘息。喉のつかえによる咳。（左）胸の聞き取れるほどのガラガラ鳴る音、＜歩行。

心臓：動悸、＜素早い動作、精神的高揚；めまいと失神を伴う動悸、腕が伸張する、手の親指が内側に曲がる。

首・背中：首が弱い、頭を支えることができない。頭を動かすとき、あくびをするとき、首が痛むか、頸椎が鳴る。**脊髄の弱さ；腰部**の；＜歩行。腰のくびれの麻痺性の痛み。

四肢：まるで打撲したかのように、肩や腕が痛む。手、しびれ、または熱くなったり冷たくなったりする；物をつかもうとするとしびれる；食事中震える。ぎこちない様子で物をつかみ、落とす。四肢の麻痺。四肢の震えと痛み。膝が弱い；動くと鳴る。片麻痺。片手ずつ交互に。四肢がまっすぐに伸びる、曲げると痛む、またはその逆。ぎこちない歩き方。下肢の麻痺に伴う足の水腫。上腕が骨折したように感じられる。足の裏のしびれ；座っているとき。右腕と右脚の不随意の動き、＞睡眠中。

睡眠：精神疲労、肉体疲労による不眠。常に眠たい；徹夜後、授乳後。発作的なあくび、しゃっくりを伴う。不安で怖い夢。

皮膚：ひどいかゆみ、＜着衣を脱ぐ；羽根布団でのかゆみ。接触に非常に

敏感な潰瘍。
熱：悪寒、発汗と皮膚の熱感を伴う。悪寒と熱さが交互に。心因性微熱、怒りの発作から。疝痛、吐き気、めまいを伴う悪寒。発汗；わずかな労働で、患部に発汗。
補完レメディー：Petr.
関連レメディー：Gels., Ign.

Coccus cacti　コチニールカイガラムシ

総体的症状：サボテンの寄生虫。乾燥した雌からチンキがつくられた。**粘膜**に作用し、**カタル性疾患**、喉、呼吸器、生殖器の過敏状態を引き起こす。**分泌物は糸を引くよう**で、**血が混じっている**、黒っぽくて大きな凝血であることが多い。**耐えがたい内側のかゆみ**、コショウのようにひりひりする。さまざまな器官の**脈動**。痛むときの、液体が無理に流れようとしているような感覚。**痙攣**。尿酸、痛風、リウマチ性疾患。尿閉、全身浮腫。腹水症。総体的なだるさ。
悪化：周期的。**熱**。**横たわる**。**寒冷にさらされる**。寝起き。接触。衣類の圧迫。歯磨き。わずかな激しい活働。**喉の過敏状態**。うがい。
好転：冷水で洗う。歩行。冷たい飲み物。
精神：悲しみ、早朝に目覚めたときの、または午後2〜3時ごろ。
頭部：ずきずきする痛み、液体が無理やり外に出ようとしているかのような。
目：上まぶたと眼球の間に異物があるかのような感覚。
耳：耳の中のパチンと鳴る音、嚥下時。
鼻：鼻孔にコショウがあるかのような灼熱感。鼻咽頭に濃い粘着性の粘液の蓄積。
顔：虫がはうような感覚。紫色になる、赤くなる、＜咳。

口 ：大声で話すこと、あるいは歯磨きから咳を起こす。舌先がトウガラシのようにひりひりする。甘い味、金属の味。唾液分泌過多、常に唾液を吐き出したい衝動。

喉 ：非常に刺激性のある粘液の蓄積、**咳払いから咳になる**、むかつきと嘔吐。喉の奥に糸がぶら下がっているような感覚。喉のどんな刺激も咳、むかつき、嘔吐を誘発する。喉の収縮；あるいは、何かが詰まっているような感覚。後鼻腔の多量の分泌物。口蓋垂が長くなったような感覚のために、常に咳払いをする。

胃 ：喉の過敏状態、咳払い、歯磨きからむかつきと嘔吐を起こす。喉の渇き；水をたびたび大量に飲む。

腹部：左の腸骨の耐えがたい痛み、鼠径部と、大腿の途中まで広がる；まるで液体がそこに向かって流れていくような感覚。

泌尿器：刺されるような、激しい痛み、腎臓から膀胱にかけて、排尿困難を伴う。腎疝痛。常に尿意を催す、＞腟から凝血が出た後。尿管に沿った刺されるような痛み。尿；少量、濃厚、重い、酸っぱい；**砂のような沈殿物、暗赤色、茶色または白**；血の混じった粘液。腎炎。

男性：陰茎亀頭の脈動。

女性：敏感な外陰部、＜排尿時。月経は早すぎる、多量、黒くて濃厚、黒っぽい凝血塊、排尿困難を伴う。排尿中、じっとしているとき、起き上がるときに、大きな凝血塊が腟から出る。月経；断続的；夕方または夜間だけ流出する。

呼吸器：**定期的に発作のように起こる、激しいむずむず感。苦しい咳は、嘔吐**、あるいは口から垂れ下がる**透明な糸を引く粘液を吐き出して終わる、赤紫色の顔と内部の熱**を伴う。砂ぼこりで悪化した慢性気管支炎。ゼーゼーいう咳。咳；周期的、徐々に激しくなり、徐々に緩和する、＞冷気、冷たい飲み物。風に向かって歩くと息ができない。肺尖のうずき、または刺されるような痛み。息切れ。

大酒家の咳。
心臓：すべてが心臓に押し付けられているような感覚。
背中：冷たさ。腎臓周辺の圧痛。
四肢：手指の爪の間に、細いとげが刺さっているような感覚。
熱　：灼熱感；コショウのような。
関連レメディー：Apis., Berb., Lach., Phos.

Coffea cruda　非焙煎コーヒー

総体的症状：非焙煎コーヒーと、焙煎コーヒーの症状には、何ら差異は認められない。コーヒーは、ほとんどすべてのホメオパシーのレメディーを解毒するといわれているが、特に高いポーテンシーで与えられた場合については疑問が残る（クラーク）。経験上、正しく選択したレメディーは、コーヒーの摂取いかんにかかわらず作用することがわかっている。コーヒーは、**神経**の感度を高め、**過度に興奮させ、過度に敏感にする**；特殊感覚が**異常に鋭くなる**；感情、特に喜びと**思いがけない楽しみ**は、危険な症状を生む。**痛み、接触、雑音**、においに耐えがたくなる。異常に活発な精神と肉体。生歯時の子どもの痙攣、歯ぎしりと四肢の冷たさを伴う。虚弱児の、遊びすぎ、または笑いすぎによる痙攣。背の高い、細い、猫背の人、肌が浅黒い；短気な人に適合する。恐れ、恐怖、失恋、疲労、笑いすぎ、長い旅行の悪影響。温かさの感覚。神経興奮と落ち着きのなさ。ヒステリー：叫ぶ、めそめそ泣く。耐えがたい痛みに、絶望する。

悪化：雑音。接触。におい。空気—外気、冷たい、風の強い。**頭脳労働**；感情。過食。アルコール。夜。麻酔薬・麻薬。強いにおい。

好転：横たわる。睡眠。暖かさ。

精神：エクスタシー；発想が豊か、素早い行動、そのため**眠れない**。**しくしく泣く、嘆き悲しむ、激しく動揺する**、ささいなことについて。すぐに泣き、すぐに笑う；泣いている最中、突然腹の底から笑い、しまいにまた泣き出す。今楽しそうにしていたかと思うと、もう落ち込んでいる。同情を極端に嫌がる。すぐに気を失う。**過敏で眠れない**。突然のうれしい驚きからの恐怖。震え。物を投げる。

頭部：まるで脳がばらばらになる、粉々になる、つぶされるような感覚、あるいは、くぎがねじ込まれるかのような感覚。鶏眼。締めつけられる痛み。頭が小さすぎるように感じる。頭頂にひびが入る音が聞こえる。こめかみの拍動、目の灼熱感を伴う。

目：小さな活字のほうが、よりはっきりと読める。散大した瞳孔。輝く瞳。

耳：雑音が耳に痛い。**聴覚が鋭い**；遠くの音が聞こえる。難聴、ミツバチの大群の羽音のような音が聞こえるため。

鼻：鋭い、敏感な嗅覚。鼻出血、頭が重い、不機嫌；排便でいきんでいる最中の鼻出血。

口：歯痛、＞氷水を口に含む、＜それが温められると、腕から指先にまで広がる；月経中の歯痛。繊細な味覚。唾液分泌過多；妊娠中。

顔：痛み、（右）、放射状に広がる。乾燥、熱い、ほおが赤い。

喉：何かが刺さっているような痛み、常に嚥下したい衝動。口蓋垂が長すぎる。

胃：極度の空腹感；大慌てで飲み食いする。胃に詰め込みすぎた感覚、疝痛時。

腹部：衣服による圧迫感。腹痛、絶望的な（女性）。家事を気にしすぎる主婦の下痢；生歯時の下痢。

泌尿器：尿の抑圧。頻繁な、多量の排尿、無色の尿。

男性：熱くてかゆい生殖器。

女性：早すぎる、長く続く月経。月経困難症、大きな黒い凝血塊。官能的

な外陰部のかゆみ、しかし外陰部も腟も敏感すぎて、かいたり、こすったりできない；性交への嫌悪。後陣痛。ひどい陣痛または後陣痛、死への恐怖を伴う。女子色情症。
呼吸系：短い、乾性の、しきりに出る、絶え間ない咳、はしかの咳、神経質で虚弱な子どもの咳。
心臓：神経性の動悸、四肢の震えを伴う、＜太陽熱、過剰な楽しみや驚きの後。突然の血圧上昇。
四肢：手の震え、ペンを手に持てない。坐骨神経痛、または下腿神経痛、＜動作、＞圧迫。四肢の痙攣。
皮膚：**痛いほど敏感**。かゆみ、出血するまでかく。
睡眠：**神経性の不眠症**、次々と考えが浮かぶことから、頭脳労働；すべての物音が聞こえ目が覚める；楽しい興奮からの不眠。
補完レメディー：Acon.
関連レメディー：Coca., Ign.

Colchicum autumnale　　イヌサフラン

総体的症状：**筋肉**、**線維組織**、**漿膜**、**関節**、特に小関節に素晴らしい作用がある。筋肉を極度に弛緩させる、患者が枕から頭を起こすと、頭は前か後ろに倒れ、腕はだらりと垂れ下がる。患者は衰弱し、冷たい（内部が）、**しかし過敏で落ち着きがない**。痛みは、引き裂かれるよう、掘られるよう、引っ張られるよう。痛み＜頭脳労働と感情、わずかな接触と振動。同時に複数の関節に症状が現れる。ひどい痛みの現れる部位は小領域で迅速に変わるが、はれは少ない。うずく痛み、虫がはうような感覚。心臓関節炎疾患。水腫。心膜水腫、水胸症；腹水症、子宮留水症。**虚脱する傾向**、湿気による虚脱、繰り返す嘔吐や排泄による脱水症のため。半身に、電気ショッ

クのような衝撃、＜動作。悲嘆、他人の無作法、ぬれること、**発汗の抑制**、徹夜；猛勉強の悪影響。印象、強いにおいなどに刺激を受けやすく、敏感。急速に衰弱する。何かがはうような感覚。どんなささいな傷も、極端に痛む。つま先をぶつけるとひどく痛い。突然の発汗、特に足の発汗の抑制、ぬれたことによる麻痺。

悪化：**動作**。**接触**。**夜**。つま先をぶつける。振動。**天候**、**冷たい**、**湿った**。**湿った部屋で**。天候の変化。秋。わすかな激しい活動（精神または肉体の）。体を伸ばす。発汗の抑制。日没または日の出。睡眠不足。食べ物のにおい。

好転：暖かさ。休息。二つ折れになる。座る。排便後。かがむ。

精神：意気消沈、怒りっぽい、過敏。短い文章を読むことはできるが、理解できない。記憶力が弱い。明るい光、強烈なにおいのような極端な印象、接触、他者の無作法などで、われを忘れる。

頭部：額を何かがはうような感覚。圧迫するような頭痛、＞夕飯、暖かさ、静かに横たわる。

目 ：瞳孔が不ぞろい。眼球の内部と周辺の痛み、後頭部にまで広がる。刺激のある涙。視力の変化。半眼、下まぶたの収縮が目に見える。読後、視界がぼやける。

耳 ：非常に鋭い聴力。耳のかゆみ。詰まったような感覚。

鼻 ：鼻孔が乾燥して黒い。**病的に嗅覚が鋭い**；においで吐き気を催す、気を失うことさえある、しつこいコリーザ。

顔 ：やつれた。落ちくぼんだ。ひりひりする浮腫性の腫脹。赤い、熱い、汗ばんだほお。下顎角の後ろの痛み。

口 ：舌；鮮紅色、重たい、硬い、しびれ、無理をして突き出されている。舌炎。味覚、味気ない、苦味がある。半開きの口。乾燥感が伴う唾液の流れ。喉の渇きを伴う口内の熱さ。歯痛、＜冷たさと暖かさ。

喉 ：喉の緑色っぽい、薄い粘液が、不随意に口に上がってくる。

胃 ：喉が渇く、しかし、**食べ物のにおいも**、**食物を見ることも嫌がる**、

＞静かに横たわる。**吐き気**、むかつき。胃の灼熱感、または**氷のような冷たさ**、疝痛を伴う。さまざまなものを欲求するが、それらのにおいをかぐと、嫌悪する。炭酸水または発泡性飲料を欲求。卵不耐。吐き気と嘔吐する傾向、唾液をのみ込むことによって生じる。

腹部：膨張、触れると収縮、脚を伸ばすことができない。腹水症、恥骨部に覆いかぶさる。下痢、そして痛風の影響。便；非常に痛い、悪臭、胆汁質；切れ切れ、血が混じった、ゼリー状の粘液、しぶり、または肛門の痙攣。粘液性大腸炎、赤痢後。秋の赤痢。疝痛。排便後も長く続く苦痛。

泌尿器：尿意があればあるほど、多量に排尿。尿；熱い、色が濃い、水っぽい、頻繁、血が混じった、ほとんどインクのような黒さ；黒い沈殿物。蛋白尿、糖尿病。腎炎。

男性：陰嚢の水腫。

女性：大腿の冷たさ、月経後。腟と陰核がはれたような感覚。臨月の熱っぽい落ち着きのなさ。

呼吸器：胸部が手で締めつけられるような感じ。夜間の咳、尿失禁を伴う。ひどい呼吸困難。

心臓：心臓の切られるような、刺されるような痛み；心臓が弱い。リウマチ性疾患に続いて起きる心臓疾患。心膜水腫。心臓性呼吸困難。心膜炎。心臓の辺りの圧迫感と抑圧感、＞歩行。糸様脈、感知不能。

背中：痛み、＞圧迫と休息。頸部筋肉の緊張は嚥下時にも感じられる。腎臓周辺の痛み、＞あおむけにだけ寝る。

四肢：四肢の冷たさ。手と手首に、ピンや針で刺されたような感覚。手指先のしびれ。関節は赤い、熱い、はれている；硬い、移動性のリウマチ、＜夜間。足の親指の腫脹。そこに触れられることに耐えられない。手指の爪の中がうずく。手指の関節の歪み、手指の収縮、常に動く。膝がぶつかる、ほとんど歩けない。浮腫性の腫脹と脚、足の冷え。臀部は熱い。

皮膚：背中、腹部、胸部にピンクの斑点。蕁麻疹。皮膚の乾燥；発汗の抑圧または多量の発汗。
睡眠：読書中に眠りに落ちる。あおむけに寝る。
熱　：突然出て、突然ひく多量の酸っぱい汗；リウマチ性疾患。身体は熱い、四肢は冷たい。顔の冷や汗。酸っぱい汗、夜間の。
補完レメディー：Ars., Spig.
関連レメディー：Ars., Carg-v., Verat.

Collinsonia　ストーンルート

総体的症状：このレメディーは、**骨盤内臓器、特に肛門、直腸**と子宮に**うっ血**を起こし、結果として、**痔、便秘**を招く、特に女性の場合。**痔による、または痔と交互に現れる**疾患、特に心臓に有効。門脈系のうっ血；慢性の鼻カタル、胃カタル、咽頭カタルを起こす。子どもの便秘、腸アトニーによる。身体のさまざまな器官—四肢、腟、陰核—などの収縮感と膨大感。直腸疾患の手術前に投与すると、合併症を軽減する傾向がある。心疾患による水腫。
悪化：**痔**、のある間、または抑圧。**夜間**。**妊娠**。寒さ。興奮。
好転：熱。朝。
精神：憂うつ。
頭部：鈍い前頭部の頭痛、便秘または痔を伴う、あるいは痔の分泌抑圧による。
口　：黄色い舌、苦い味。
喉　：演説者の咽頭痛。
腹部：肝臓周辺の鈍痛。骨盤の重い、掘られるような痛み。下痢、刺激性がある、毛を損なう。明るい色の便、塊がある、強くいきむ。粘液便または黒い便。便秘、または妊娠中の痔。**直腸の痛み、灼熱感**、

乾燥、砂や棒切れがいっぱい詰まっているような感覚、**心臓の痛み**を伴う。**痔、出血性、慢性；心疾患、胸部疾患またはリウマチ性疾患と交互に現れる。脱肛。肛門のかゆみ。**便秘と下痢に交互になる。子どもの慢性の下痢。産後の下痢。頑固な便秘、痔を伴う、便が硬い。

男性：精索静脈瘤、直腸症状を伴う。
女性：子宮脱、痔核を伴う。**腟のかゆみ、痔を伴う、妊娠中の。陰唇と陰核が腫脹感。**痔による月経困難症；膜形成性の。月経後、大腿に冷たい感覚。
呼吸器：声の出しすぎによる咳。痔の抑圧後の喀血。胸部の痛みと痔が交互に現れる。
心臓：動悸、痔に影響する。心疾患が緩和されると、痔や月経が戻る。
四肢：手足が大きくなったかのような感覚。下肢が自分のものではないような感覚。
熱：一過性の熱感、重苦しい呼吸を伴う、痔を伴う。
関連レメディー：Lycps., Nux-v., Sulph.

Colocynthis　コロシントウリ

総体的症状：通常、Colocynthisは強烈な下剤として使用される。ホメオパシーでは、**消化管や腸**の急性症状だけではなく、特に**三叉神経、坐骨神経、脊髄神経**などの**神経**にも有効で、作用は長く続く。腹部では、**突然の、ひどい差し込み、つかまれるような、引き裂かれるような痛み**を起こし、患者は身をよじり、のたうち回り、**泣き叫び**、または緩和するために、二つ折れになる；患者は何か硬いもので腹部を圧迫する。痛みには吐き気や利尿を伴い、あまりの痛みで嘔吐する。神経痛は、**切られるような、つねられるような、締め**

つけられるような、かじられるような、または穴を開けられるような痛みで、しびれが後に続く、＞圧迫により。筋肉の疼痛性痙攣、痙攣性のぴくぴくする動き・攣縮および短縮、または部分が短すぎるように感じられる。収縮。怒りっぽい、いらいらする、肥満傾向のある人；座りがちで、月経が多量な女性によく適合する。開口部の手術後、膀胱痙攣。怒り、憤り、悔しさ、悲しみ、かぜをひいたことによる悪影響。過度の情欲。痙攣性のぐいっとする動きと収縮、痛むときの。鉄のベルトで、きつく締めつけられたかのような感覚。身体全体のずきずきする痛み。灼熱感。身体の力が抜けてしまったかのような疲労感。痛みや寒さで気を失う。患部の蟻走感。

悪化：**感情**；**いら立ち**；**悔しさ**。怒り。**痛みのない側を下にして横たわる**。**夜**、**寝床で**。すき間風。かぜをひく。排尿前後。

好転：**強い圧迫**；物の端に。**熱**。**休息**。**穏やかな動作**。排便後、放屁後。二つ折れになる。

精神：他者の不運に非常に影響される。**怒り、痛みのある間はすぐにいら立つ**。宗教心を求める。痛みで叫ぶ；歩き回りたい、話したがらない、答えたがらない。性急。友人に会いたがらない。不機嫌；すべてに立腹する。

頭部：頭を素早く左に動かすことによる頭痛。頭痛、＜かがむ、あおむけに寝る、まぶたを動かす、吐き気と嘔吐を伴う。毛根が痛い。頭が熱い。

目　：かがむと、目が飛び出しそうな感覚。緑内障発症前の激しい痛み；目が石のように硬くなる。まぶたの痛みと痙攣。まぶたの灼熱感。

耳　：耳の中に音が反響する。虫などがはうような感覚、かゆみ、縫われるような痛み、疼痛、＞指を耳の中に入れる。

顔　：顔面痛、目の症状を伴う、あるいは腹腔の痛みと交互に現れる、悪寒を伴う。**歪んだ顔**。冷たいほお。どの部位の痛みも顔に反映する。

口　：常に苦い味がする。舌先の灼熱感。舌をやけどしたような感覚。歯が長すぎるように感じられる。

喉　：食道の痙攣、おくびと心臓の動悸を伴う。

胃　：痛みからの嘔吐。胃の中の何かが出てこないような感覚；胃の引っ張られるような痛み。非常に喉が渇く。硫苦水の嘔吐。胃の痛み、歯痛と頭痛を伴う。イモ類やデンプン質の食べ物不耐。コーヒー＞疝痛。

腹部：**激しい、切られるような、握り締められるような、つかまれるような、放射状に広がる疝痛；波状的に押し寄せる、＞身体を折り曲げる、強い圧迫**、＜わずかな食べ物；または飲み物、コーヒーと喫煙以外。鼓腸性疝痛。**腸が石の間でつぶされているような感覚**。疝痛、ふくらはぎの疼痛性痙攣（こむらがえり）を伴う、熱くなりすぎたときに飲んだことから。へその辺りの腸の切られるような痛み。圧迫＞急性段階での腹痛、しかし痛みが長期間続くと、患部は圧痛を感じるようになり、圧迫＜痛み。**便；泡状の、水っぽい、切れ切れの、黄色い、酸っぱい、またはゼリー状；鼓腸と痛みを伴う**。赤痢性の便、わずかな食べ物や飲み物をとるたびに再発する。つるつるした泡が肛門から流出。疝痛時、子どもはうつぶせに横たわり、少しでも動くと叫ぶ。慢性の水様の下痢＜朝。痛み、怒り、憤りからの下痢。

泌尿器：排便時、尿道に灼熱感。排尿時に、腹部全体の痛み。直腸疝痛、利尿に伴う。胆嚢痙攣、開口部の手術後。尿；ゼリー状、粘着性、糸を引く。赤い、硬い結晶が管に付着する。乳白色の尿、立っていると凝固する。糖尿病。

男性：すべてが性器に向かって流れているような感覚、腹の両側から、射精を引き起こす。嵌頓包茎。

女性：子宮周辺の、つかまれるような痛み、＞二つ折れになる、落ち着きのなさを伴う。月経困難症、＜食べることと飲むこと。卵巣嚢胞、

痛みを伴う、＞骨盤上で大腿を曲げる。怒りによる月経や悪露の抑圧。座っていることの多い女性の多量の月経。乳房の痛みのあるしこり。卵巣腫瘍、嚢胞。

呼吸器：喫煙時の短い咳。月経中の呼吸困難。

心臓：膨張した胃に押し上げられているような感覚。すべての血管の強い拍動。

背中：右肩甲骨下の痛み、＞圧迫。腰の痛み、＞圧迫。**臀部の痙攣性の痛み**、＞患部を下にして横たわる。首が硬い、＜頭を動かす。腰背筋周辺が重い、＞左側を下にして横たわる。

四肢：筋肉の収縮。坐骨神経痛、撃ち抜かれるような、締めつけられるような、ねじ込まれるような痛み、＞圧迫、熱、＜わずかな動き、回転、夜。ハリネズミのように四肢が立っている。性交中の筋肉の疼痛性痙攣。三角筋の痛み（右）。膝の硬直感、冷感。足が冷たい、疝痛を伴う。

睡眠：不眠、落ち着きがない、痛みを伴う、怒りの後。

熱：手の冷たさと痛み、身体のほかの部分は温かい。痛みに伴う悪寒と震え。発汗；夜間の、冷たい、尿のようなにおい。

補完レメディー：Caust.

関連レメディー：Staph.

Comocladia　ウルシ科

総体的症状：Rhus-toxのような刺激毒で、皮膚に悪性炎症を起こす、左側の脚と足のおびただしいはれ、または**浮腫**。目の灼熱感とかゆみ、目が大きすぎるように感じられる。右目が非常に痛い、大きく感じられる、左より突き出ている。毛様体神経痛。鼻の焼けるようなかゆみと、激しいくしゃみ。左胸下の痛みが、肩甲骨にまで広が

る、咳をするとき。遊走性のリウマチ痛。深い潰瘍、端が硬い。ハンセン病。皮膚全体が赤い。再発性の湿疹。
悪化：接触。暖かさ。休息。夜。
好転：外気。動作。引っかく。

Conium maculatum　ドクニンジン

総体的症状：ギリシャの哲学者ソクラテス殺害に使われたとされる毒。**神経と筋肉**に作用し、協調運動障害と麻痺を起こす、足どりや、話す能力がおぼつかなくなる；患者は徐々に**衰弱**する。**不規則な作用、症状の進展**。歩行中、突然、脱力する。全四肢の**震え**。**突然の病気と衰弱、しびれを伴う**。高齢者、または早くに老けた人に適合；高齢の未婚女性、独身男性、マスターベーションの悪影響を患う若者に適合。腺、特に**乳腺**と卵巣が影響を受け硬くなる、**石のような硬化**。塊がある感覚；脳、みぞおち。症状の上昇性：ジフテリア後の麻痺。引き裂かれるような、突き刺されるような痛み。新生物。動脈硬化症。多発性神経炎。癌性糖尿病。患者＜怠けているとき。禁欲または性的過剰によるヒステリー発作と心気症。ヒステリー性痙攣。打撲傷、殴打、酷使、過労の悪影響。悲嘆。酔いやすい。気落ちして、人生に疲れ、弱気になり、今にも泣きそうになりながら、悲しみをのみ込み、まるで、喉に塊があるかのように、息を詰まらせる女性。進行性の**衰弱**。慢性化。衣服による苦痛。排便時に気を失う。患部に輪やベルトなど、何か締めつけるものがあるような感覚。

悪化：**動くものを見ること**。**アルコール**。腕を上げる。頭脳労働後、または**肉体労働後**。損傷。自慰または性的過剰。禁欲。寒さ；かぜをひく。**高齢**。頭を低くして横たわる。寝返りを打つ。きつい衣服の圧

迫感。振動。**夜**。立っていること。月経前、月経中。乾燥した、熱気。春。

好転：患部をぶら下げる。かがむ。動く、歩く。日なた。暗がり。圧迫。かがんで歩く。座るとき。断食。

精神：落胆、臆病、社会を嫌悪、しかし独りでいることへの恐怖。把握するのが遅い、理解が困難。弱い記憶力。仕事や勉強をする気がない。無関心。読んでいるものを理解するのが困難。迷信的。精神的努力を維持することができない。周期的な精神障害、交互に現れるタイプ。路上を歩くときは、誰かを捕まえて、虐待したい。ささいなことが重要に思える。動物が寝床で跳ねているように思う。悲しみ、自分自身と環境に不満足。目を使うと思考が伴わない。細かいことにこだわる；不必要なものを買う、それらを無駄にする。一張羅を着たがる。悲しみ、＜同情、まるで大罪がのしかかっているかのよう。独りでいることへの恐怖、しかし見知らぬ人と一緒にいることを恐れる、月経中。

頭部：**めまい、ぐるぐる回る、＜横たわる、寝床で寝返りを打つ、目や頭のわずかな動き**；高齢者の。頭に熱い部分。こめかみの圧縮感、＜食後。脳の右半分に塊があるかのような感覚。嘔吐性頭痛、排尿困難を伴う。前頭から後頭にかけての痛み、＞かがんで頭を動かす。頭痛時の充満感と、破裂しそうな感覚。片側がしびれて冷たい。

目：交差したように感じられる。**まぶたが重い、垂れ下がる、＜戸外。羞明と過剰な流涙**、炎症を伴わない、あるいは、目の潰瘍形成によるわずかな表皮剥離による。目の灼熱感。視界が色づいて赤く見える。前髪が目にかかるため。人工的な光ではよく見えない。目の損傷以後の白内障。まぶたの下垂症。目を閉じると発汗する。複視。眼前の黒い点、めまいを伴う。近視。いらいらすると、視界がぼやける。

耳：紙パルプのような、または血のように赤くて硬い耳垢がたまる、難

聴の原因になる。音に異常に敏感。耳下腺の腫脹と硬化。鼻をかむと、耳が詰まったように感じられる。

鼻 ：鋭敏な嗅覚。出血しやすい。常に鼻をほじる。ポリープ。頻繁にくしゃみをする。しつこい鼻閉塞。

顔 ：顔に広がるヘルペス性の湿疹。口唇癌（キセルの圧迫による）。顎下腺の腫脹と硬化。

口 ：歯痛、＜冷たい食べ物、しかし、冷たい飲み物では悪化しない。舌の麻痺により話すことが困難。舌癌。酸っぱい唾液。舌と口の歪み。

喉 ：丸いもの、またはボールが胃から上がってくるような感覚（ヒステリー球）。食べ物が、違うほうに入り、嚥下する間、そこに止まる。食道の不全麻痺。喉の塊により、常に嚥下したい衝動、＜戸外を歩く。扁桃肥大。

胃 ：刺激性の胸やけ、刺激性のおくび、＜寝床に向かうとき。乳を飲んだ後の胃の膨張。胃の痛み、＞食べる、しかし＜食後数時間（2〜3時間）で、＞膝胸位。妊娠中の吐き気と嘔吐。コーヒー、塩、酸っぱいものを欲求。パンを嫌悪。嘔吐、コーヒーの出し殻、チョコレート色の塊、あるいは透明の酸っぱい水。癌。潰瘍。

腹部 ：膨張＜乳を飲んだ後。切られるような痛み、放屁前。肝臓と肝臓周辺のひどい痛み。慢性的な黄疸と右下肋部の痛み。腹部全体の震え。硬く膨張した腹部。震えるような衰弱、排便後毎回の心臓の動悸。不随意の排便、睡眠中。冷たい放屁と便。1日ごとの便秘。直腸の灼熱感と冷たさ。下腹部痛が脚にまで至る。排便に至らない便意。

泌尿器 ：中断される排尿、尿が止まりまた出る、＞立っている。高齢男性の尿の滴下。排尿後の切られるような、焼けるような感覚。立っていても、尿の最初が出にくい、次第に自由に出るようになる。尿が熱く感じられる。

男性：精巣の肥大。不完全な勃起、時間が短すぎる。単に女性がいるだけで、または接触するだけで、射精する。性的神経症、落胆、性交後。性欲の抑制による悪影響。精液放出時の尿道の切られるような痛み。前立腺液の滴下，＜便、感情など。包皮のかゆみ。勃起を伴わない性欲。インポテンス。

女性：月経不順、遅すぎる、少ない。月経困難症、大腿が下に引っ張られるような感覚を伴う。**乳房の肥大と痛み**、月経前と月経中、＜足を踏み出すごとに。乳房を手で強く圧迫したい。締まりのない、しぼんだ乳房、性欲を伴う、または伴わない。乳房の硬い腫瘍；刺されるような、あるいは突き刺されるような痛み。癌。乳房、乳頭の刺されるような痛み、深呼吸をするとき、または歩行中。月経前の過剰な乳量。**帯下**；白い、**刺激性がある**；つかまれるような腹痛が先行、排尿後の帯下。卵巣と子宮の切られるような痛み。卵巣肥大と硬化；刺されるような痛み。卵巣炎。月経中、独りでは怖いが、知らない人、または人と一緒にいることを恐れる。性的欲望の抑圧、月経の抑圧の悪影響。妊娠中、胎児の動きで痛む。子宮脱、硬い便をいきんだことから。腟の奥深くのかゆみ。

呼吸器：喉頭の乾燥した部分による、または胸部と喉のくぼみのむずむず感による絶え間ない苦しい咳、＜横たわる、笑う、話す、妊娠中、座らなければならないとき。咳は腹部からくるように感じられる。喀出物のない咳、咳で上がってきたものはのみ込まなければならない。胸骨のカリエス。呼吸困難、＜わずかな労作。胸や肩の辺りの衣服がまるで重りのよう。深呼吸時の咳。胸部の苦しさ、＞咳。胸骨から脊柱にかけての鋭い痛み。

心臓：動悸、＜激しい活動、飲むこと、排便、など。不整脈。

背中：肩の間の痛み。脊椎損傷。腰椎の引っ張られるような痛み、＜立つこと。尾骨痛。背中中央の有茎性腫瘍。冷たい首。首のはれ。小さい、平たい、いぼのような臀部の腫瘍。

四肢：肩の打撲したような痛み、衣服が重りのようにのしかかる。疲れきった、重たい、震える、落ち着きのない手。腋窩腺の肥大。黄色い爪。手指と足指のしびれ。踵の、まるで骨が中から押し出されてきそうな**感覚**。撃ち抜かれるような踵の痛み。手の発汗。衰弱して、麻痺したような下肢。膝関節が鳴る。目を閉じると、まっすぐ安定して歩けるが、目を開けて歩くと、よろよろして、吐き気を催す。

睡眠：日中の嗜眠状態。深夜過ぎに眠る。悪夢を見る。

皮膚：**緑色がかっている**、古い打撲傷のよう。赤い斑点が黄色または緑色になる。激しい肉体労働による蕁麻疹。壊疽性の潰瘍。高齢者の点状出血。皮膚の無感覚あるいは不活発。小さな赤い吹き出物、灼熱感、少量の月経に伴って発現し、月経後に消滅。

熱　：うなじ、ふくらはぎなどの冷たさ。**紅潮**、あるいは**発汗**、**眠りに落ちるとき**、または目を閉じるとき。発汗、目の下、顎、膝窩の；うなじと手のひらの冷や汗、皮膚がひりひりする不快な発汗。

補完レメディー：Phos.

関連レメディー：Arn., Bar-c., Calc-f., Caust., Gels., Iod.

Convallaria majalis　ドイツスズラン

総体的症状：心臓疾患に有効。心拡張、代償性肥大を伴わない、静脈うっ血がみられるとき。心臓の働きを増進し、より規則正しくさせる。子宮付近の痛みに、心臓の動悸を伴う。心臓が鼓動を止め、また突然鼓動しはじめるかのような感覚。腹の中に子どもの握りこぶしのようなものの動き。呼吸困難；水腫；無尿症の傾向。タバコ心。

悪化：あおむけに寝る。暖かい部屋。

好転：外気。

Copaiva　バルサム

総体的症状：泌尿生殖管の粘膜と、気管支に作用し、過剰な分泌を促す。臭い；膿漏；気管支漏、化膿。

悪化：午前中。かぜをひく。

精神：ピアノを聴くとめそめそする。

頭部：後頭部の頭痛、＞手による穏やかな圧迫。頭と顔に血が上る。

耳：鋭い音への過敏さ。

鼻：灼熱感と乾燥。幼い少年の、数日間続く鼻出血。多量の濃厚な、悪臭のする分泌物。

顔：にきび、顔を醜くする。赤ら顔、紅潮した顔。

口：喉の慢性カタル。歯が冷たい。

胃・腹部：食べ物が塩辛すぎる。粘液の塊のような便、または粘液で覆われた便。粘膜性大腸炎。

泌尿器：陰茎の拍動。尿道が大きく開いているような感覚。刺激性のある、少量の、血の混じった、スミレのにおいのする尿。

呼吸器：多量の、灰色の、膿状の、緑色がかった、不快な唾液を伴う咳。気管支拡張症。痛みを伴う咳、胸部の熱感と圧迫感を伴う。肺の灼熱感。臭い血の混じった喀出物。

皮膚：発熱と便秘を伴う蕁麻疹。小児の慢性蕁麻疹、

補完レメディー：Sep.

関連レメディー：Ter.

Corallium rubrum　ベニサンゴ

総体的症状：ベニサンゴには、**炭酸カルシウム**と酸化鉄が含まれている。特に**呼吸器の粘膜**に作用し、潰瘍形成と糸を引くような分泌を起こす。冷気が頭蓋骨や気道内を流れていくような感覚。患者は、覆っていないとあまりにも寒く、覆うと暑すぎる、＞人工的な熱。神経質な人に適合。梅毒と疥癬。

悪化：吸気；空気が変わること；食事。朝にかけて。

精神：めそめそする、痛みについてぶつぶつ言い、悪態をつく傾向。

頭部：額が平らになるかのような感覚。頭痛、眼球の裏側のひどい痛みを伴う、＜冷気を吸う。頭が大きく、空洞に感じる。頭を静かに動かしたり、振動させたりするとき、冷たい空気が駆け抜ける感覚。

目：熱く、痛む；目を閉じると涙があふれる。

鼻：後鼻孔に、多量の粘液が落ちる、頻繁に咳払いを起こさせる。後鼻腔カタル。空気が冷たく感じられる。鼻出血。

顔：咳で、紫色、黒になる。

口：食べ物の味がおがくずのよう。パンは藁のような味。ビールが甘い。塩を欲求。

呼吸器：激しい痙攣性の咳の発作がほとんどひっきりなしに続く、息切れから始まる、顔色は紫色になる、糸を引くような粘液の嘔吐と衰弱が後に続く。機関銃のように鳴り響く咳。食べたとたんに咳き込む。ひっきりなしのヒステリー性の咳；または、一日中、一定の間隔で咳をする。深呼吸をすると気道が冷たく感じられる。ゼーゼーいう咳。

皮膚：非常に赤い、平たい、性病性の潰瘍、腺と包皮下。手のひらと足の裏の乾癬。深紅の平らな斑点；赤銅色に変わる。

睡眠：頭を布団にもぐらせて眠る。

補完レメディー：Sulph.
関連レメディー：Coc-c.

Cornus circinata　　丸葉ドックウッド

総体的症状：古来のマラリアのレメディー。患者は衰弱して落ち込んでいる。**肝臓の症状に伴う、眼球の痛み**。黒っぽい臭い便、肛門の灼熱感。黒っぽい下痢、胆汁性で、臭い、土気色の顔色を伴う。子どもの顔の水疱性の湿疹、哺乳時の口の痛みを伴う。悪寒と熱感の前の眠気、食後の眠気。
悪化：かぜをひく。夜間。

Crataegus　　サンザシ

総体的症状：心臓の筋肉に作用し、強壮効果がある；何ら蓄積作用はない。患者は衰弱して疲労困憊している、時折、突然衰弱する。心臓出血性または尿酸血症性体質。高動脈内血圧症。動脈硬化症。腸チフスによる虚脱。腸からの出血。呼吸困難。浮腫。
悪化：暖かい部屋。
好転：休息。静けさ。新鮮な空気。
精神：いら立ち、不機嫌さ。憂うつ；絶望した。
泌尿器：糖尿病、特に小児の。
呼吸器：蛋白性の喀出物を伴う咳。
心臓：衰弱、圧迫感、刺されるような痛み、**不眠症を伴う**。心臓性の呼吸困難。心筋炎。弁膜無力症。心臓拡張。狭心症。心臓性浮腫。速い脈、不整脈、小さい脈、間欠脈。左の肩甲骨下の痛み；左鎖骨下の

痛み。
皮膚：首の後ろ、腋窩、顎の焼けるようなひりひりする発疹；＜熱さと発汗、＞洗浄。手指と足指が青い。
熱　：過剰な発汗。汗ばんだ手のひら。
関連レメディー：Apoc., Stroph-h.

Crocus sativa　サフラン

総体的症状：サフランは、**神経**と**精神**に作用し、**精神的な傾向が素早く変化する**、または交互に現れる；正反対の；激しい怒りに続く絶望的な良心の呵責；笑いの後の涙、といった症状を生じる。症状が発現する側が急速に変わる、または精神症状と身体的症状が交互に現れる。一つの筋肉の痙攣性のぐいっとする動き、または痙攣性の収縮。舞踏病とヒステリー。7日ごとの陽気な舞踏病、歌い踊る。疲はい、衰弱、失神、鼻出血・不正子宮出血を伴う。眠気、＞文筆業。ちくちくする、何かがはうような、刺されるような、かゆいような感覚。**何かが腹や胸などの中で生きて動いているような感覚**、吐き気、気が遠くなること、震え、または**あちこちを飛び回ること**を伴う、さまざまな部位の。**出血**は黒っぽい、粘着性、塊がある、開口部から、だらりと糸を引いて垂れ下がる。ヒステリックな人に適合。腫瘍。脂肪腫。脳腫瘍。殴打の影響。
悪化：**動作**。思春期。妊娠。熱。断食。横たわる。読書。新月と満月。凝視する。
好転：朝食後。外気。あくび。
精神：**影響を受けやすい；愛情深く、気まぐれ。優柔不断**。気質が変わりやすい。笑う躁病。ジャンプ、ダンス、笑う、口笛を吹く、誰にでもキスをする。歌声を耳にすると歌い出す。不随意の笑い、すすり

　　　　　泣き、＜音楽。
頭　：ずきずき脈打つような頭痛、更年期の、月経時、または月経の代わ
　　　りの；＞圧迫。
目　：乾燥、灼熱感、泣いた後のよう；目の中を冷気が吹き抜けるような
　　　感覚、または煙が目に入ったかのような感覚。頻繁にまばたきをし
　　　たり、目をぬぐわなければならない、まるで粘液の膜が張っている
　　　かのよう；目をきつく閉じなければならない。強い眼鏡を通して見
　　　ているかのような感覚。眼前の火花、または眼前を飛び回る点。読
　　　書中の流涙。上まぶたの痙攣。
耳　：難聴を伴う耳の中の雑音、＜かがむ。
鼻　：鼻出血、鼻から黒っぽい血が糸を引いて垂れる、気が遠くなるこ
　　　と、額の冷や汗を伴う。思春期の女の子の鼻出血。
顔　：熱い、赤い、または青白さと交互に。
口　：口の中が異常に温かい。酸っぱい味。臭いにおい。
喉　：嚥下中、および嚥下しないときに、ヒステリーで、口蓋垂が長く
　　　なったような感覚。喉と胸部の吐き気。
胃・腹部：冷たい飲み物への過剰な欲求。胃と腹（の左側）の中で、何か
　　　生き物が跳ねているような感覚。便に、黒っぽい糸を引く血液が含
　　　まれている。頑固な便秘、子どもの。肛門を何かがはうような、ち
　　　くちくする感覚。胃の問題、膨満、おくび、嘔吐など。痔の手術後。
男性：性欲亢進。
女性：**経血は黒っぽい、臭い、糸を引く**。流産の恐れ。子宮出血、＜わ
　　　ずかな動き、＜新月、または満月。不正子宮出血。左胸の跳びは
　　　ねるような痛み、背中のほうに引っ張られるような、まるで右胸
　　　に何か生き物がいるかのような。想像妊娠。胎児の動きは激しく
　　　痛みを伴う。
呼吸器：乾性の咳、＞みぞおちに手をあてがう。糸を引く粘着性の喀出
　　　物。胸部の重さ、深呼吸しなければならない。

心臓：心臓に向かって熱が上がってくる感覚で、呼吸が切迫する、＞あくび。左胸の鈍い刺されるような痛み。心配による動悸、＜階段を上る。
背中：突然の冷たさ、まるで冷たい水を浴びせかけられたかのような。
四肢：股関節と膝の関節が鳴る、＜かがむ。氷のように冷たい、不正子宮出血時、鼻出血時。
皮膚：ちくちく刺されるような感覚、虫などがはうような感覚。皮膚が緋色になる、または緋色の発疹；昔の瘢痕の口が開いて化膿する。腫瘍の分散。脂肪腫。脳腫瘍。
睡眠：深い眠り。寝ながら歌う。
熱：体内の一過性の熱感、ちくちく刺されるような、虫などがはうような皮膚感覚を伴う。下半身にのみの発汗。絶え間ない悪臭の、＜衰弱時；産後の出血。
関連レメディー：Ign., Tarent.

Crotalus horridus　ガラガラヘビ

総体的症状：ガラガラヘビの毒は、**血液、心臓、肝臓に作用**する。激しい神経ショック；**致命的な疾患、震え、疲はい**を伴う。わずかな労働で疲れる。麻痺、ジフテリア後の、精神障害者の。血液と組織の混乱を生じる。**出血**は、ゆっくり、滲出する、黒っぽく薄い血、凝血はない、すべての開口部や表面から、特に**咽頭**から。血の混じった膿、汗。細胞は迅速に腐敗し、**膿性**で、**悪性の状態**をつくり出す。黒っぽい、または青みがかった患部。敗血症、扁桃、甲状腺腫、潰瘍、膿瘍、血瘤腫。点状出血。壊疽。敗血症の次の段階としての神経痛。慢性の胆汁異常、閉経期の状態。失神。痙攣、てんかん、四肢の震えを伴う、口の泡、激しい泣き声、幻覚症状。疫病。黄熱

病。黄疸。一般的なやけど。分泌物のかび臭いにおい。硬化症、多発性、側索。進行性筋萎縮症。不健康な体質や、高齢で栄養の問題がある場合に適合する。恐怖、太陽、雷、汚染された水、有害な蒸発物による悪影響。症状は右側に現れる。水腫、総体的なまたは患部の。

悪化：**右側を下にして横たわる**。**入眠時**。暖かい天候。春。アルコール。湿ってじめじめする。年ごとに。振動。寝覚め。

好転：光。動作。

精神：めそめそした雰囲気。記憶力が弱い；自分を正確に表現することができない。悲しげな話。臆病。不吉なものを恐れる。書き間違い。せん妄、不平を言う；ぶつぶつ言う、言葉をごちゃまぜにする、つっかえる；振戦せん妄。憂うつ。悲しみ。死ぬことばかり考える。老人性認知症、初期の；数字、名前、場所を忘れる、または友人を疑う、あるいは、敵や恐ろしい動物に囲まれているように感じる。家族に反感を持つ。怒りっぽい、不機嫌。

頭部：めまい、失神・衰弱・震えを伴う。**後頭部の痛み**、殴られたかのような；脊椎から波のように襲う痛み。額の中央のひどい痛み。頭痛、左側を下にして横たわったときの心臓の痛みを伴う。頭痛、＜振動、つま先で歩かなければならない。

目：灼熱感、赤い、流涙を伴う。目が黄色い。神経痛、目の周辺が切れたかのような。眼球内の出血を吸収する、特に、非炎症性の；網膜出血。弱視、悲しみからの、あるいは目の使いすぎによる。

耳：耳性めまい。耳からの血液滲出。

鼻：鼻出血、特に、ジフテリア、またはほかの敗血症にかかっているとき。臭鼻症、梅毒性、発疹からの。鼻先が青い。

顔：寝覚めに歪んでいる。唇；はれ、硬く無感覚。黒っぽい、酔ったような顔。黄色い顔；死人のように青白い。開口障害。にきび、マスターベーション愛好家の、大酒家の；月経の遅れを伴うにきび。

口 ：かび臭い息。夜間の歯ぎしり。舌は黄色い、はれて、右側に突き出されている。唾液に満ちている。唾液は、血が混じり、泡状。出血を伴う舌癌。硬い口蓋。舌と喉の収縮感のため、話すことができない。
喉 ：乾燥して喉が渇いている。締めつけられるような狭窄。固形物の嚥下困難。壊疽にかかった喉の腫脹。
胃 ：豚肉、刺激物、砂糖を欲求。嘔吐；胆汁の、草色の；何も保持することができない。胃の周りに衣服があることに耐えられない。嘔吐、下痢、排尿が同時に。胃癌、胃潰瘍；右側を下にして横たわると嘔吐。喀血；黒い。毎月月経後の吐き気と嘔吐。
腹部：腫脹、熱い、圧痛。腹膜炎。鼠径腺の肥大。肛門出血、立っているとき、歩行時。便は黒い、細い、臭い。会陰膿瘍。血液性の黄疸、悪性。一かけらの氷からくるような胃または腹部の冷たさ。肝臓と、肩の上の痛み。腸の出血。
泌尿器：黒っぽい、血の混じった尿；蛋白尿、少量、黄緑色。血尿、膀胱癌、または前立腺癌に伴う。
女性：月経困難症、下腹部の痛みを伴う。痛みは大腿を伝って下降し、心臓周辺の痛みを伴う。まるで子宮が外に飛び出しそうな感覚。産褥熱。悪臭の悪露。有痛性白股腫、＜接触。
呼吸器：不安な、苦しい呼吸。咳と一緒に、かび臭いにおい。高齢者の圧迫感。
心臓：衰弱、震え、緩く感じる、まるでひっくり返りそうな。月経時の動悸。左側を下にして横たわると心臓に圧痛。
四肢：腕と脚がしびれる、まず一方、そして他方。肩先の痛み。右側の麻痺。左手と左脚の麻痺。縫い物をするとき、手が無感覚。足をじっとしていられない。
皮膚：黄色い；黄疸、敗血症。出血性紫斑病。血瘤腫、癰、瘭疽。古い瘢痕の口が開く。患部の水腫。皮膚は冷たく乾燥。さまざまな色合い

に見える皮膚。
睡眠：眠たいが眠れない。神経興奮による不眠。**恐ろしい夢**、死の夢。息苦しくて目が覚める。
熱　：悪性の熱、高熱、黄熱病、脳脊髄膜炎、黒水熱。冷たい汗、血が混じった。
補完レメディー：Lycps.
関連レメディー：Lach., Sul-ac.

Croton tiglium　クロトン油

総体的症状：普通、強力な下剤や、皮膚の刺激薬として使用され、腸の**粘膜**に作用し、水っぽい排出を促す。皮膚、特に**顔**と**陰嚢**の皮膚が、最も影響を受ける。目、乳頭などの**一部分が後ろに引っ張られる**ような特徴的な**感覚**がある。皮膚の症状が下痢などの体内の症状と交互に現れる。皮膚が硬く感じられる。
悪化：**飲む；ほんのわずかな食物**。洗浄。夏。接触。動作。発疹が引く。
好転：睡眠後。やさしくさする。
精神：不安な感じ、個人的に不幸なことが起こりそうな。働く気がない。自分以外のことを考えることができない。疲れきった感じ。不機嫌。不満足。
頭部：帽子の重みで頭痛になる。めまい、＜飲む。
目　：化膿性眼炎、赤い、生々しい外観。眼角の小膿疱、目の周りの発疹。目が後ろに引っ張られるような感覚。（右）眼窩上の緊張を生じさせるような痛み。
耳　：耳漏、ひどいかゆみのある場合。
顔　：顔の膿疱疹。まるで虫がはっているような。
口　：舌の神経痛。食道の灼熱感。

胃：過剰な吐き気、視界が消えていく。
腹部：へその圧迫が直腸痛を起こし、便意を催させる。まるで栓が外に飛び出すような肛門の痛み。腸で**水がゴロゴロまたはバシャバシャいう音**。そして突然の多量の黄色い水の便の噴出、＜ほんのわずかでも飲むこと、または食事中、衰弱が後に続く。夏季下痢。小児コレラ。疝痛＞熱い乳。
泌尿器：夜間頻尿；泡立ち、暗いオレンジ色の、たつと混濁する、表面に脂肪性の粒子が浮かぶ。日中の尿は色が薄く、白い沈殿物がある。
男性：陰嚢の湿疹。陰嚢と陰茎の水疱疹。左の精巣が引っ込んでいる。右は垂れ下がっている。
女性：生殖器のひどいかゆみ、＞やさしくさする。授乳時の乳頭から背中にかけての痛み。乳房の結節、乳頭から肩甲骨にかけての痛みを伴う。乳房が硬い、はれている。乳頭は触れると極端に痛む。
呼吸器：枕に触れるやいなや咳、座っていなければならない。**十分深く息が吸えないように感じる**。肺を広げることができない。
四肢：首と肩が痛い。
皮膚：強皮症性、ぴんと張った。激しいかゆみ、灼熱感、赤い皮膚；かくとひりひり痛む、＞やさしくさする。**発疹、水疱状、水ぶくれ**、一塊になる、壊れて痂皮を形成、生殖器、こめかみ、頭頂に多い、帯状疱疹。湿疹。
関連レメディー：Rhus-t.

Cubeba クベバ

総体的症状：尿道の粘膜と、膀胱、腟のカタル形成。喉、胃、腹部、直腸、尿道、舟状窩の灼熱感とひりひりする感覚。分泌物は濃厚、刺激性、**黄色**、膿状、緑色、臭い、激しい炎症後。便秘傾向のある胆

汁質の患者に適合。
悪化：夜、寝床で。
好転：起床して、歩き回る。
頭部：額とこめかみの静脈の膨張。
口 ：笑おう、話そうとすると、口が一方に曲がる。
喉 ：喉の灼熱感と乾燥を補うために、常に唾液をのみ込む。カタル。
胃 ：オレンジ、タマネギ、アーモンド、ナッツを欲求。
腹部：胃と腹部の灼熱感。ゼリー状の便、透明の粘液が、白っぽい、米のような光る小片と混じっている、＜夜、寝床で、＞起床、歩き回る。便は冷たい。
泌尿器：尿道の差し込み、切られるような痛み、灼熱感、排尿後。膀胱炎。前立腺炎、濃厚な黄色の分泌を伴う。糸を引くような淋病。
女性：尿道腟炎、多量の分泌物を伴う。子どもの刺激性のある帯下。
呼吸器：鼻と喉のカタル、悪臭のする喀出物を伴う。
関連レメディー：Cist., Cop.

Culex musca　蚊

総体的症状：鼻をかむときに、めまいを起こす。胸部と背中の衣服の穴を冷風が吹き抜けていくような感覚。経血は消えないしみになる。臀部にある相当な不快感が子宮へと移動する。浮腫性の腫脹。

Cundurango　コンズランゴ

総体的症状：Condor plant は、癌のレメディーとして導入された。口角の痛いひび割れは、癌、または梅毒の状態を示唆する症状である。

腫瘍；食道の狭窄。胃癌、常時の灼熱感と嘔吐を伴う；食物が、胸骨の後ろ側にくっつくような感覚。乳癌、陥没乳頭を伴う、乳房全体の腫瘍から発する刺されるような痛みを伴う。舌のぎざぎざした潰瘍。ほかの指示されるレメディーが作用しないときに、試してみる価値のあるレメディーである。
関連レメディー：Ast-r., Con., Hydr.

Cuprum aceticum 酢酸銅

総体的症状：天井の高い部屋にいるとめまいがする、ほお骨、上顎と耳の後ろの顔面神経痛、＞かむこと、圧迫、熱いものをあてがうこと。舞踏病；周期的、抑うつと、社会への恐れを伴う。慢性の乾癬やハンセン病のような発疹、全身の、さまざまな大きさの、**かゆみを伴わない**。てんかんの前兆は、膝から始まり、上昇して、下腹部に至る。遷延分娩。
悪化：熱。動作。感情。接触。
好転：かむこと。圧迫。暖かさ。

Cuprum arsenicosum 亜ヒ酸銅

総体的症状：消化管の炎症を起こす、激しい疝痛、嘔吐、下痢、尿毒症を伴う；しつこいしゃっくりと、氷のように冷たい身体。コレラ。胸部、手指、ふくらはぎ、足指などの**激しい疼痛性痙攣**。内臓神経痛—鋭い、撃ち抜かれるような腹痛。米のとぎ汁よような便；小児コレラ。心臓の衰弱。冷たい、べとべとする断続的な汗。痙攣；尿毒症性の、あるいは胃腸症状が先行する。脚の疼痛性麻痺＞脚を床に

押し付ける。脚がしびれて麻痺した感覚。恐怖後の舞踏病。歩こうとするときの全身の震え。ニンニク臭のする尿。
悪化：接触。圧迫。湿気。動作。

Cuprum metallicum　銅

総体的症状：金属の銅は、最も重要なレメディーの一つで、発疹や分泌物が出ないこと、あるいはその抑圧よりに病気が「内攻」する。**脳脊髄軸**の**神経**と**筋肉**に作用し、**痙攣性の症状**、痙攣、**激しい疼痛性痙攣**を引き起こす。痙攣は、間代性、または強直性である；膝、足指あるいは手指から始まり、そして全身に放射状に広がる；**甲高い泣き声**、頭を片側に**ねじ曲げる**；**開口障害**、後に頭痛、笑いの発作、震え、死ぬほどの疲労感、冷や汗などが続く。てんかん、夜の、月経時の。てんかん発作では、患者は甲高い声を出して倒れる、小便・大便をする；痙攣、または患者の死んだような、あるいは恍惚とした状態が後続する一群の症状の後に、頭痛が現れる。生歯時の子どもの痙攣；子どもはうつぶせになって、臀部を突き上げる。痙攣には、青い顔、手の親指の湾曲を伴う。疼痛性痙攣は、胸部、胸骨の後ろ側（狭心症）、足指、手指、ふくらはぎで起こりうる、筋肉がきつく結ばれたようになる＞脚を伸ばす；脚の裏の疼痛性痙攣など、**泣かずにはいられない**。睡眠中にびくっと**動く**。痛み、＜接触と動作。痛みは**圧迫されるよう**、殴られたかのよう、骨折したかのよう；全身を駆け抜ける苦痛を感じる。恐怖からの舞踏病；周期的。症状はいくつかまとまって発現する、周期的に、または短い間をあけて再発する。症状は左側から始まる。神経性の震え。ずっと続く衰弱感。反応が乏しい。潜伏。頭脳労働、肉体労働の悪影響；睡眠不足。**青み**。**すぐに再発する**。患者は**過敏**；どの薬にも、過剰

に反応するだけで治癒しない。虚脱。単独の筋肉の麻痺。多数の子どもを産んだ女性（時を経てから現れる痛み）。

悪化：感情、怒り、恐怖。**抑圧**。精神的、身体的な過労。動作。**接触**。睡眠不足。**暑い気候**。嘔吐。腕を上げる。月経前。新月。

好転：メスメリズム、患部に手をあてがう。**冷たい飲み物**。心臓の圧迫。

精神：神経質。**堅苦しい**。意図しないことを言う。**金切り声**。激しく泣く。発作的な笑い。せん妄；冷や汗。社会を恐怖、皆を遠ざける。混乱、自分に近寄ってくる人が怖い。多弁；そして落ち込む、死への恐怖で。意識を失うような感覚。怒りの発作、そばにいる人にかみ付きたい衝動。不機嫌；扱いにくい；従順さと頑固さが交互に現れる。意地悪。躁病；かむ、殴る、物を引き裂く。まねをする。

頭部：めまい、体内の震えを伴う、頭が前に倒れ胸に沈む、＞排便、横たわる、＜見上げる。頭をまっすぐにしていられない、枕に沈み込ませる；髄膜炎。変わった、うずくような、虫などがはうような頭頂の感覚（月経の抑圧）。痛みを伴う空洞感。てんかん後の頭痛。頭に水をかけられたかのような感覚、頭痛を伴う。髪を引っ張る。頭を左右に振る。

目：凝視、落ち込んだ、きらきらした、上を向いた。**閉じたまぶたの裏側で、眼球が素早く左右に動く**。眼窩の痛み、＜目を動かす。まぶたが発作的に閉じる。まぶた（左）の痙攣と羞明。乱視。

顔：**青い、鉛色、青白い**；または、歪んだ、沈んだ、やつれた。氷のように冷たい。唇が青い。開口障害。下顎のそしゃくする動き。

口：固く閉じている、または開いている、舌がヘビのように素早く出たり入ったりする（発作時）。歯ぎしり。ねばねばした、または金属味の甘い味。話すことができない；どもる；舌の麻痺。口の泡。食物が水のような味がする。

喉：喉の痙攣のために話すことができない。液体を飲み込むと、ガラガラいう。

胃　：冷たい飲み物を欲求。乳で呑酸を生じる。しゃっくり；嘔吐前に；痙攣または喘息。吐き気、より顕著な。嘔吐；激しい、苦しい；**苦しい疝痛**；下痢；金切り声を出すこと、または痙攣を伴う；＞冷たい飲み物。食道の痛みを伴った痙攣性の圧迫感＜接触と動作。うつぶせに寝て、臀部を上げる（疝痛、痙攣）。午前中に目覚めるといつも嘔吐する。わずかな動作で嘔吐。周期的な嘔吐の発作。何か苦いものが胃の中にあるかのような。

腹部：緊張、収縮、熱い、触ると圧痛がある。**強烈な疝痛**、腹部の収縮を伴う、＞圧迫；＜腕を上げる。腸重積症；吐糞症を伴う。下痢；多量の；噴出する；緑色の水。コレラ；小児の夏季下痢。回虫；サナダムシ、線虫。便秘と身体の非常な熱。腹部の筋肉の痙攣性の動き。肝硬変。

泌尿器：尿の抑圧（コレラの）；尿毒症性。痙攣時、または痙攣後に、澄んだ水っぽい尿を排出。

男性：ふくらはぎの疼痛性痙攣（こむらがえり）のため、性交ができない、特に高齢男性または神経質な若い男性。

女性：足の発汗を抑圧したことによる、無月経。月経前、または月経中に、または月経の抑圧により、激しい腹痛が胸部にまで広がる；月経前の痙攣。産後の痙攣、口を開ける、後弓反張。最も苦痛な後陣痛、特に多数の子どもを産んだ女性の。

呼吸器：声門の痙攣。呼吸困難―口の付近に何かがあることに耐えられない＜咳、笑う、反る、月経前。喘息；の前にしゃっくり；痙攣性の嘔吐と交互に起こる。咳、激しい発作；咳で呼吸困難になる；＞**冷たい飲み物**；＜深呼吸、反る；痙攣、流涙、ゼーゼーいう咳を伴う。胸部（下方）の痛みのある狭窄。**胸部の大きなガラガラいう音**。咳の後の震え。肋骨下で、丸い球が前後に動く＞きつい衣服、静かに横たわる。嗄声＜冷気を吸う。プロの歌手の一時的な失声。

心臓：狭心症、喘息症状と疼痛性痙攣を伴う。月経前の動悸。徐脈、硬

脈、充実脈、速い脈。
首・背中：首までのすべての筋肉の麻痺。
四肢：手足の痙攣性のぐいっとする動き。親指が手のひらに握り締められている。手のひら、ふくらはぎ、足の裏の疼痛性痙攣。関節の萎縮。足首が重く痛む。膝；症状の始まり；損傷したかのように感じる。肩の関節の硬直。歩行中、膝が不随意に折れ曲がり、がくんとする。
皮膚：抑圧された、または十分に発現していない発疹。潰瘍；関節の屈曲部のかゆい斑点と吹き出物。発疹を伴わないひどいかゆみ。黄色いうろこ状の発疹（肘の屈曲部）。慢性の乾癬。らい。
睡眠：深い睡眠；身体に衝撃を伴う。睡眠中、常に腹がゴロゴロ鳴る。
熱：皮膚の氷のような冷たさ。冷たい。汗；冷たい、べとべとした、夜間の；酸っぱいにおいのする、痙攣の後。
補完レメディー：Calc.
関連レメディー：Verat.

Curare クラーレ(矢毒)

総体的症状：筋肉に作用する毒であり、感覚や意識を損ねることなく、筋肉の麻痺を引き起こす。脳が液体でいっぱいのような感覚。分泌物は悪臭がある。麻痺―顔面の、頬の。呼吸の麻痺の恐れ；仮性肺肥大。糖尿病。強硬症。らい。腕や脚など身体の局部に重りがぶら下がっているような感覚。
悪化：動作。湿気。寒い天候。午前2時。右側。

Cyclamen シクラメン

総体的症状：消化管と**女性**生殖器に影響を与え、胃腸障害、月経不順に起因する、**視覚**障害または**めまい**を起こさせる。働きたがらない、疲れやすい、貧血性の人。戸外を恐れる。細い骨の圧痛。縫われるような痛み。悲嘆、良心の呵責による悪影響。

悪化：寒さ。夕方。座っていること。立っていること。新鮮な外気。脂肪。

好転：動作。月経中。さすること。暖かい部屋。レモネード。めそめそする。患部を洗う。

精神：鈍い、眠い、不機嫌。楽しい気分といら立ちが交互に現れる。自己非難。何か悪いことでもしでかしたか、自分の責任を果たさなかったかのような悲しみ。黙ってすすり泣く。部屋が小さすぎるように思う。自分の寝床に、2人の人が寝ているような妄想。想像上の悲しみに涙し、ずっとそのことを考える。自分は独りぼっちで迫害されていると感じる。

頭部：めまい―物が回る、または色あせて見える、＜戸外、＞室内、座っているとき。脳が布で包まれているような感じ、目の前を何かがちらちらする、＞冷水。**左のこめかみの痛み**。しつこい片頭痛。歩行中、まるで脳が揺れ動くような感覚。

目：ぼやけた視界、頭痛を伴う。**ひらひらする、きらきらする、または黒い点**。月経後の斜視、左目が内側に引っ張られている。数え切れないほどの星が見える。複視、半盲。

耳：耳のかゆみ、耳垢の増加。

鼻：くしゃみを伴う耳のかゆみ。嗅覚が失われる。

顔：青白い、貧血性の。上唇がしびれているように、または硬化しているように感じられる。

口　：味がしない、または塩辛い味がする、すべての食物が。食物が塩辛すぎる。唾液が塩味。
胃　：数口食べただけで、満腹になる、ほんのわずかな食物でも嫌悪、そして、めまい。茶やコーヒーを飲んだ後の食欲減退。しゃっくりのような、おくび。しゃっくり、＜妊娠；あくびを伴うしゃっくり。喉の吐気。妊娠のつわり。レモネード、食べられないものを欲求。豚肉不耐。イワシを欲求。パン、バター、肉、脂肪、ビールを嫌悪。
腹部：下痢、＜コーヒー。まるで何か生き物がいるかのように腹の中が動く。肛門付近と会陰の痛み、まるでその部分が化膿しているかのような、＜歩行または座ること。
泌尿器：多量の、水っぽい、頻繁な尿。
男性：包皮と亀頭冠が、少しこすると痛む。前立腺の刺されるような痛みと圧迫感、便意と尿意を伴う。
女性：月経；多量、黒い、変わりやすい、粘液質の、凝血のある、早すぎる、背中から陰部にかけての陣痛のような痛みを伴う、動くと軽減。月経困難症。痛みを伴う産後出血、＞血液が勢いよく出た後。月経の抑圧。乳房の腫脹、月経後に乳のような分泌物。乳頭から空気が流れているように感じる。妊娠していない未婚女性の乳房からの乳。踊りすぎた後、あるいは過剰に熱くなった後の月経の抑制。帯下、月経の遅れ、あるいは乏しい月経を伴う。
呼吸器：睡眠中の咳。
心臓：月経の抑制による頻脈。
四肢：骨が表面に近い部分の痛み。焼けるように痛む踵、＞歩行、＜座ること、立つこと。膝の弱さ。右手の親指と人さし指のひきつれるようなゆっくりした収縮；力をかけて伸ばさなければならない。書痙。
睡眠：夢を見る、怖い、みだらな。
皮膚：若い女性のにきび。かゆみ、＞引っかくこと、月経の開始、＜夜、

寝床で。
熱 ：あちこちが冷える、覆うことで好転しない。不快な発汗。
関連レメディー：Puls.

Daphne indica　ジンチョウゲ科

総体的症状：下層組織―筋肉、骨、皮膚―に作用する。突然の稲妻のような痙攣性のぐいっとする動き、身体の異なる部位の。たばこを欲求。身体の部分が分離されたかのように感じる。打撲したような痛み。**悪臭のする分泌物**；息、尿、汗。極度の疲労。外骨腫症、縫われるような、圧迫されるような、あるいは鈍い痛み、＜夜間。
悪化：冷気。下弦の月。夕方、寝床で。
精神：悲しい。心ここにあらず、優柔不断。意気消沈した。動揺している。
頭部：まるで身体から分離されたかのような；大きく感じる。頭頂周辺の骨の軟らかい結節性の腫脹。痛み、＜夜間と接触。
口 ：**舌の片側だけ、苔で覆われている**。唾液；熱い、臭い。
腹部：わずかな便、最後に血が混じる。
泌尿器：濃い、混濁した、黄色い、腐った卵のようなにおいの尿。
男性：前立腺漏、＜たばこ。歯痛時の勃起。性交後の歯痛。
四肢：撃ち抜かれるような痛みが、迅速に上方に、腹部、心臓のほうに向かう。臀部の冷たさ。
睡眠：**骨の痛み**からの睡眠不足。黒ネコの夢。
熱 ：べとべとする汗、多量。
関連レメディー：Rhus-t.

Dictamnus　ミカン科

総体的症状：女性器官に作用する。分泌物の増加。喉に塊が上がってくるような感覚。頻繁に、臭い放屁をする。尿量の増加。胆汁性の嘔吐を伴う、下方に押されるような感覚＜立っていること。月経が早い、黒い凝血塊、月経に先駆けて目が見えなくなる。乳房に乳が流れ込むような感覚。多量の腐食性の帯下、しぶり腹を伴う。**夢遊病**。自分の子どもたちの身体を縫い合わせる夢。
悪化：立っていること。
関連レメディー：Puls.

Digitalis　キツネノテブクロ

総体的症状：Digitalisは心臓のレメディーである。肝臓、肺、泌尿生殖器にも作用する。主として心臓がかかわるすべての疾患で、異常なほど**遅い脈**、**不整脈**、間欠脈とともに、不明瞭な原因のない症状がある場合に考えるべきレメディーである。**激しい衰弱**、ほとんど口もきけない；**力の衰え、失神**；皮膚の冷たさと不整呼吸が、器質性の心疾患にみられる、その他の症状である。**肝臓肥大**、硬化と黄疸に、特徴のある脈の症状がみられる場合、Digitalisが指示される。横臥姿勢で、脈は遅くなり、動くと速くなる、起き上がるときに、不整脈または二重脈。自慰後または思春期の遅い脈。胸内苦悶で**歩き回らずにはいられない**、尿意を伴う。チアノーゼ。水腫、尿の抑圧を伴う。電気ショックのような感覚が身体を駆け抜ける。わずかな労働で疲労する。ぜいたくな生活の悪影響。自慰または過剰な性行為。アルコール。

悪化：**激しい活働。起き上がる。左側を下にして横たわる**。動作。食べ物のにおい。冷たさ；飲み物、食べ物、天候。暑さ。自慰または過剰な性行為。音楽。
好転：休息。冷気。あおむけに寝る。胃が空の状態。まっすぐに座る。
精神：将来の不安。悲しみ；不眠症、失恋からの、音楽で。高齢男性のみだらな想像、前立腺肥大を伴う。怖がり。ばらばらになって飛んでいくような感覚。夜、窒息することへの恐怖。独りになりたい。元気がない。すべてのショックは、みぞおちで感じる。良心の呵責のような、大きな不安。
頭部：めまい、歩行中、乗り物で、震えを伴う、＜起き上がる；心臓疾患または肝臓疾患による。前頭部の頭痛が鼻のほうまで広がる、ひどい、冷たい飲み物を飲んだ後、またはアイスクリームを食べた後。眠りに落ちるとき、**頭が砕ける**ような感覚。頭を枕に押し付ける、髪を引っ張る。痙攣性片頭痛。座っているとき、または歩行中、頭が後ろに倒れる。
目　：黄色っぽい、赤い。流涙、＜明るい光で、または冷気で。両目とも左を向く。網膜剥離。左右不同な瞳孔。複視。まぶたが青い。まぶたの血管の膨張。
鼻　：鼻の付け根の痛み、嘔吐後。
顔　：青白い、**青みがかった**；青い唇。血管の膨張。唇の乾燥。
口　：青い舌、きれいな、吐き気と嘔吐を伴う。舌は分厚く、たるんでいる。苦い味。甘い味；唾液分泌、喫煙後。舌の血管の膨張。
胃　：喉が渇くが、食欲はない。**死ぬほどの吐き気**、嘔吐によっては好転しない、**または、みぞおちの力なく沈む感覚を伴う**。持続的な吐き気と嘔吐、きれいな舌。食べ物をちらっと見たり、そのにおいをかいだりしただけで、吐き気を催す。みぞおちの圧痛。食物とは関係のない胃の神経痛。大量に飲むが、ほとんど食べない。苦いものを欲求。排尿前後の吐き気。

腹部：肝臓、肥大、ひりひりする、硬い、痛む。白いチョークのような、灰のような、糊のような便。下痢、黄疸時。腹水症。

泌尿器：排尿後の充満感。常に尿意を催す；尿；滴下（前立腺肥大）、熱い。膀胱頸のずきずきする痛みを伴う灼熱感、まるでストローを前後に突き動かされているかのよう。排尿；抑制；困難。萎縮腎。

男性：**弛緩による毎夜の射精**、性交後。淋病；亀頭炎、包皮の水腫を伴う。前立腺肥大、老年性。生殖器の水腫性の腫脹。精巣の腫脹。精巣水瘤。多量の濃厚な黄白色の淋菌性の分泌物。早朝の勃起。能力を伴わない情欲。射精後、何かが尿道を走り抜けていくような感覚。

女性：腹部と背中の陣痛のような痛み、月経前の。肺からの代償性月経。

呼吸器：深呼吸の欲求、呼吸困難時。ゆっくりした呼吸、＜話す、歩く、冷たいものを飲む。咳が肩と腕の痛み、または胸部のひりひりする痛みを起こす。甘い喀出物、デンプン糊のよう、血の混じった粘液が混入。喀血、心臓の衰弱を伴う、または慢性気管支炎からの、月経前の。老人性肺炎。嘔吐せずには喀出することができない。胸部の極度の衰弱、口もきけない。眠りに落ちるときに息が詰まる、そのため、夜に窒息することへの恐怖。月経の抑制による咳。

心臓：衰弱、動くと、**止まってしまうような感じがする**、息をとめて、じっとしていなければならない。わずかな動きで動悸が起こる。心臓の頻繁な刺されるような痛み。狭心症の発作、＜腕を上げる。心臓の疲労、捻挫の後。心拡張。拡張に伴う心肥大。心臓性浮腫。動悸、うつ病を伴う、悲しみからの。遅い脈、弱い脈、不整脈、間欠脈。

四肢：しびれ、重たさ、または麻痺性の衰弱、＜左腕。手指がすぐ、頻繁にしびれる。手指が夜むくむ。手足の冷たさ。まるで赤く熱い針金を突然突き刺されたような脚の感覚。青い爪。片手が熱く、もう一方は冷たい。

皮膚：青みがかった。水腫性の。冷たい。はしかのような背中の発疹。あちこちに何かがはうような感覚。

睡眠：びっくりして跳び起きる、夢の中で、高い所から落ちて。眠たい。

熱：一過性の熱感、その後、著しい神経衰弱、閉経期の。全身の冷えと震え。じっとりした冷や汗。

関連レメディー：Glon., Spig.

Dioscorea　野生ヤマノイモ

総体的症状：さまざまな痛みや疝痛のレメディー。神経－腹部神経、坐骨神経、および脊髄軸に作用する。耐えがたい、鋭い、切られるような、ねじられるような、握り締められるような、すり砕かれるような、あちこち動く、または離れた所まで放射状に広がる痛み；発作的に生じる、突然、ある部位は治まる、そしてほかの部位で始まる。神経性の身震い、痛みからの。消化能力が弱い人；食べすぎや、間違った食習慣の影響を受けやすい人に適合する。茶の飲みすぎによる悪影響。断食、自慰。舞踏病、射精を伴う。

悪化：横たわる；二つ折れになる。茶。食事。夕方。夜。

好転：体を伸ばす；背中を反らせる。動作；戸外で。強い圧迫。まっすぐに立つ。

精神：物を間違った名前で呼ぶ。機嫌が悪い。神経質で、すぐ問題を抱える。落ち込む、射精後。

頭部：両こめかみの鈍い痛み、または万力で締めつけられるような、＞圧迫、しかし、その後で＜。頭が押しつぶされたかのような感覚。混乱した、充満した頭。

目：目の中に丸い球か、棒状のものが入っている感覚。そこから熱い空気が流れ出る。

耳 ：痛み、＜鼻をかむ、または咳。耳で感じる吐き気。耳垢の小さな球が出てくる。
鼻 ：悪臭が、長時間鼻につく。
口 ：苦い、乾燥、朝に。飲食していないときに舌をかむ。顎が発作的に閉じる。
胃 ：おくび、しゃっくりを伴う。鋭い、痙攣性の痛み、みぞおちの、そしてげっぷ。しゃっくりと放屁、＞直立。胃痛。
腹部：肝臓の鋭い痛みが乳首にまで達する。胆嚢疝痛－痛みは胸部、背中、腕にまで広がる。痛みは、急にさまざまな方向に移動する、かなり離れた部位に現れる、例えば手指や足指のような。腎疝痛、痛みは精巣、四肢に広がる。放屁。サクランボの房のような痔、肛門から肝臓にかけての突き刺されるような痛みを伴う。朝の下痢で寝床から跳び起きる、衰弱の原因。便意にせきたてられる。便をしても、腹痛は楽にならない。肛門から肝臓にかけての突き刺されるような痛み。絶え間ない。うずくような、切られるような、つかまれるような痛み、へそ辺りの。
男性：一晩中、勃起が続く。冷たい、弛緩した生殖器。勃起を伴わない射精、その後の衰弱、特に膝の。陰嚢と陰毛のにおいの強い汗。
女性：ひどい月経困難症―痛みが子宮から放射状に広がる、手指や足指の痙攣が、代わりに現れる。
呼吸器：呼吸時に、胸部が広がるようには思えない。胸部の痛みは両腕に広がる。わずかな労作からの呼吸困難。
心臓：胸骨の後ろの痛みが、腕に伝わる；狭心症；苦しい呼吸を伴う、心臓の弱々しい働き。
背中：不自由さ、＜かがむ。
四肢：瘭疽―ちくちくする痛みが感じられる、または痛みが鋭く、苦しい初期に。四肢の衰弱感、特に膝；射精後。（右の）坐骨神経痛、下方の大腿を襲う、灼熱感としびれを伴う、起き上がる、＞つま先で

立つ、じっと動かずに横たわる。膝窩腱が短かすぎるように思われる。爪がもろい。
熱：寒いときでもすぐに発汗する。汗；冷たい、べとべとする、またはにおいの強い、生殖器の。
関連レメディー：Coloc., Mag-c.

Diphterinum　ジフテリア

総体的症状：このノゾーズは、ジフテリアのウイルスまたは粘液からつくられている。ジフテリアの予防薬として、そして感染後の症状、麻痺などや、抗ジフテリア毒が使われたときに有効である。ジフテリアは、感染初期からきわめて有害である。患者は**極端に衰弱するが、じっとしていられない、痛みは伴わない**。抱きしめられたい。単一の筋肉の痙攣性のぐいっとする動き。体内の震え。筋肉が引っ張られる、そして急にパチッと音をたてる。気道のカタル性疾患。不快な分泌物。撮空模床。ジフテリアの再発。
悪化：横たわること。
好転：寒さ。乳をすすり飲む。
精神：撮空模床。架空のものが見える。
頭部：髪の生え際の湿り気。
目：幻影を見る。
鼻：いびきで鼻翼がはためく。濃厚な、黄色い、鼻からの分泌物。鼻出血。
顔：紅潮、ほおの真ん中が紫色。
口：舌が潤っている、先は赤い、または奥には暗赤色の斑点、赤い乳頭突起。
喉：黒っぽい。扁桃（左）に、**濃い灰色の粘液。痛みを伴わないジフテ**

リア、嚥下に痛みを伴わないが、液体は吐き出されるか、鼻から戻る。ジフテリアの再発。しつこい扁桃炎。冷たい空気を喉に感じたい、または冷たい飲み物を欲求。

胃 ：力がない感じ、＞乳をすすり飲む。
皮膚：乾燥、熱い手のひら；しぼんだ感じ。乾燥した皮膚。
睡眠：寝言を言う、目を開けて。
熱 ：悪寒、そして熱くなる。低体温。
関連レメディー：Carb-ac.

Dolichos トビカズラ

総体的症状：皮膚のひどいかゆみ、発疹の発現または腫脹を伴わない。あらゆる場所に黄色い斑点。夜、過度にかゆい；黄疸。帯状疱疹後に、神経痛になる。冷水はかゆみを好転させるが、皮膚をひりひりさせ、震えを生じる。

Drosera モウセンゴケ

総体的症状：<u>呼吸器</u>に著しく作用し、痙攣性、カタル性、出血性の影響が出る。結核症に対する抵抗を高めるので、**肺結核**、喉頭、関節の骨に効力のあるレメディーである。結節性の腺。喉、咽頭、胃などの締めつけられるような痛み。突き刺されるような、引き裂かれるような痛み。痙攣の後に喀血する、そして眠る。鮮血の出血、鼻、口、便などの。

悪化：深夜過ぎ。横たわるとき。暖かさ。話すこと。冷たい食べ物。笑うこと。食後。歌うこと。かがむ。嘔吐。酸っぱいもの。

好転：圧迫。外気。

精神：怒りやすい；ささいなことで逆上する。没頭する傾向。1つの対象に集中できない、何かほかのことに変更せずにはいられない。独りになるのが怖い、しかし友人のことは信用できない。迫害されているという妄想。落ち着きがない。独りでいると不安。非常に不安（uneasy）。悪意ある、ねたんでいる人に、欺かれているという想像。

頭部：重い、圧迫されるような痛み。戸外を歩いているときのめまい。

目：咳により、はしか罹患中、痙攣発作中、突出する。

鼻：酸っぱいにおいに敏感。痛みを伴ういびき。咳、かがむことによる出血。

顔：左側が冷たい、右側は熱い、刺されるような痛みを伴う。顔は熱く、手は冷たい。

口：膿の味。血の混じった唾液。熱い飲み物による歯痛。舌の中央に、小さな、丸い、痛みを伴わない腫脹。

胃：脂っこい食事後の吐き気。豚肉、酸っぱい食べ物への嫌悪、不耐。固形物の嚥下困難。

腹部：酸っぱい食べ物を食べた後、痛む。

呼吸器：**速い、深い、犬吠様あるいは息の詰まる、長引く、絶え間ない咳**の周期的な発作。咳は、**腹部からくるよう、呼吸できなくなる；わき腹をつかまずにはいられない**、咳に続いて、**むかつき、嘔吐**、まずは飲食物の、その後、粘液の、**鼻出血；冷や汗と多弁さ**、が起こる。ゼーゼーいう咳（百日咳）。喉頭に、羽根か、パン屑がひっかかっているような、くすぐったい感じ。**低い嗄声**のため、話をするのに努力を伴う。**うつろな、弱々しい声**。血性の、黄色い、膿性の喀出物。胸部の狭窄＜話すこと、歌うこと。話すとき、言葉を発するたびに、喉の狭窄を伴う。腋窩の下の刺されるような痛み。痙攣後の喀血。咳を伴う。食後の、喉頭のこすり取られるような痛みと

咳。くしゃみや咳をすると、胸部に縫われるような痛み。しつこい嫌な咳、夜、頭が枕に着いたとたん、日中は出ない。咳＜歌う、話す。

四肢：手指が痙攣的に収縮する；硬直、何かをつかむとき。書痙。右の股関節と大腿の不自由になったような痛み、足首の痛みを伴う、歩くときはびっこをひかなければならない。四肢がひりひりする；寝床が硬いように感じる。長骨の痛み。上腕が、夜になると痛む。

皮膚：かゆみ、＞さすること、手でぬぐうこと、＜脱衣。

熱：常に冷えすぎている、寝床の中でさえも。ゼーゼーいう咳を伴う熱。休息していると震える、＞動くこと。顔が熱くなり、手が冷たくなる、震えを伴う。はしか。

補完レメディー：Sulph.
関連レメディー：Coc-c., Cor-r.

Dulcamara　ヒヨドリジョウゴ

総体的症状：このレメディーは、寒さと湿気にさらされると、カタル性、リウマチ性、疱疹性の疾患を起こしやすい人に効果がある。**粘膜**に作用し、特に、気管支、膀胱、そして目が、**分泌過剰**を起こす。寒さにさらされるたびに、筋肉、特に**背中**と**腰の筋肉**が硬直し、しびれ、痛む。皮膚の反応は、月経前に出やすい。単一部位の麻痺―声帯、舌など。**麻痺した部位**は、**氷のように冷たい**。引き裂かれるような痛み。**へそ周辺の腸**；**精巣の**、つかまれるような痛み。言語障害を伴う片側の麻痺。腺の肥大。冷えから、目、喉、膀胱、呼吸器、腸に問題が出る。製氷工場の労働者の疾患。常に気温の変化（エアコンの）にさらされている人。腺；腫脹、硬化。水腫；全身浮腫。外骨腫症。出血；水っぽい、または鮮血。

悪化：**熱いときに冷える**。突然の気温変化。寒さ。**湿気**。冷たい飲み物、アイスクリーム。湿った大地、地下室、寝床。足の冷え。抑圧；**分泌物、発疹、汗**など。秋。夜。休息。損傷。嵐の前。水銀。覆わないこと。日中の暑さと夜間の冷え。

好転：動き回る。暖かさ。乾燥した気候。

精神：**混乱**、的確な言葉が見つからない、集中力がない。**落ち込み**。立腹していなくても**小言を言う**。頼まれたことを拒否する。すぐに意識が混濁する；痛みを伴う。発語困難。

頭部：後頭部が大きく感じられる；冷たい。額に板を押し付けられているような感覚。頭痛、＞会話。頭皮の乾癬。**しらくも（頭部白癬）**、分厚い茶色い痂皮、かくと出血する、脱毛。髪の毛が逆立ったように感じられる。

目　：読書中に痛む。かぜが原因の眼炎。上まぶたの麻痺。濃厚な黄色の分泌物。冷気によるまぶたの痙攣。

耳　：痛み、吐き気を伴う、一晩中、睡眠が阻害される。耳下腺の腫脹、はしかの後。耳の雑音。

鼻　：痛む。乾燥、または多量の鼻汁。冷たい雨で詰まる。夏かぜ、下痢を伴う。わずかな冷気で鼻が詰まる。温めていたい、暖かい湿った布で。鼻出血；月経の代わりに。新生児のコリーザ。

顔　：顔の分厚い、茶色い、黄色い痂皮。ほおの引き裂かれるような痛みが耳、眼窩、顎にまで広がる、それに先立って患部が冷たくなり、症状と同時に犬のような空腹感に襲われる。顔面神経痛、＜わずかに冷気にさらされただけで。口唇ヘルペス。顔のいぼと発疹。冷気による唇の痙攣。

口　：歪む、一方向に。舌；腫脹；発語の邪魔になる；麻痺；不明瞭な発語、または発語困難。唾液；粘着性の強い、糸を引く、歯痛を伴う。

喉　：口蓋垂が長すぎるような圧迫感。寒くなるたびの扁桃炎。

胃　：食物を嫌悪。冷たい飲み物を非常に渇望。吐き気、便意を伴う。嘔

　　　　　吐中、震える。おくび、身震いを伴う。
腹部：へその切られるような痛み、痛みを伴う、緑色の、**ねばねばした便**が後に続く。下痢。酸っぱい、水っぽい便、＜夜、夏、湿った冷たい天候。腸の冷え。へそ周辺の痛みまたは発疹。
泌尿器：頻繁な排尿。膀胱炎。有痛性排尿困難。尿閉、かぜまたは冷たい飲み物が原因。膀胱の麻痺による尿失禁。尿；**濁った、ねばねばした、または臭い**。かぜからの腎炎。膀胱壁の肥厚。
男性：精巣の肥大、握り締められるような痛みを伴う。インポテンス。包皮のヘルペス。
女性：水っぽい月経。月経前に皮膚発疹が現れる。月経困難症、あらゆる部位に斑点ができる。授乳中の女性の乳房のヘルペス。月経、母乳、悪露がかぜで抑制される。乳房；うっ血、硬い、ひりひりする、無月経になる、または帯下。離乳後の皮膚発疹。
呼吸器：喉の奥のむずむず感が原因の咳、長引く発作；粘着性の少ない多量の喀出物を伴う；肉体労働後の咳。冬の咳。肺が波打つような左胸の痛み。
首・背中：首が硬い。腰のくびれの痛み、長時間かがんだ後の。腰部、および仙骨の冷え。
四肢：かゆみの抑圧後の、腕の外骨腫症。汗ばんだ手のひら。腕（右）の震え、排尿困難を伴う。リウマチの症状が下痢または急性発疹と交互に現れる。手と手指のいぼ。ふくらはぎの腫脹。
皮膚：発疹、うろこ状、分厚い、硬い痂皮、湿った、出血性またはヘルペス様、＜月経前、蕁麻疹、＞寒さ、＜胃酸過多。大きないぼ、滑らか、肉厚、平ら。瘙痒症。新生児の蕁麻疹。子どもの頭髪中の白癬。子どもの湿疹。痛みのある部位の、小さなせつ。体中の分厚い痂皮。
熱：さまざまな部位の**冷たさ**；氷のような冷たさ、**麻痺した部位**の、痛みを伴う。冷えは背中から始まる、暖かさで好転しない、＜夕方。

便意や尿意を伴う寒け。臭い汗。
補完レメディー：Bar-c., Nat-s.
関連レメディー：Rhus-t.

Echinacea　エキナシア

総体的症状：このレメディーは、**血液の悪液質を正す**；そのため、あらゆる種類の血液中毒に有効。自己感染、敗血症、有毒動物の咬傷。リンパ管炎、壊疽、ワクチン病など。急性、亜急性の症状は悪性を示す傾向が強い。患者は、**衰弱感**と**疲労感**を覚え、筋肉が**痛む**、すべての動作が遅い－ゆっくり話す、返事が遅い。**衰弱感**は胃、腸、心臓、膝に強く感じられる、めまいを伴う。リウマチ。癌の末期の**痛みを緩和する**。臭い分泌物。局部の洗浄剤、消毒液として有効。

悪化：食事。損傷。手術。冷気。

好転：横たわること。休息。

精神：落ち込んでいる、または、不機嫌。訂正されると怒る；反対されるのを嫌う。機嫌が悪い。頭を使うことができない。考えたり、勉強したりしたくない。

頭部：めまい、衰弱を伴う。頭痛、顔の紅潮を伴う。頭の深部の鋭い痛み；大きすぎるように思える。こめかみがずきずきする。額が熱く焼けるよう。

目：まぶたの痙攣。目を閉じると熱く感じる。

鼻：臭い分泌物。詰まった感じ。右の鼻孔からの出血。

顔：青みがかった。

口：喉から喀出される泡状の粘液。舌、唇、口峡がうずく、心臓への懸念を伴う。舌がしびれる；コショウのような味。アフタ。歯がすき間風に敏感。

胃　：吐き気、悪寒を伴う。酸っぱい、血の混じった嘔吐、コーヒー殻のような。
腹部：肝臓の裏側に重圧を感じる。排便後、血がめぐる。
男性：夢精。
女性：産褥敗血症；抑圧された分泌物。腹部の圧痛と膨張。
呼吸器：胸骨の下に塊があるかのような痛み。左の肩甲骨下の灼熱感。
心臓：心臓への懸念。増加するが、変動する脈。
四肢：四肢の痛み。寝起きに、手が交互にしびれ、じっとしていられない。
皮膚：再発性のせつ。癰。
睡眠：困難な夢；骨の折れる夢、またはけんかの夢。
熱　：不規則な悪寒；体温上昇と発汗。左後頭部の冷え。上半身と額の発汗。
関連レメディー：Arn., Pyrog., Rhus-t.

Elaps corallinus　サンゴヘビ

総体的症状：ほかのヘビ毒と同様に、サンゴヘビの毒も、血液を乱し、黒い分泌物、特に出血を起こす。胸部、胃の内部の冷える感覚。＜冷たい飲み物を飲んだ後。筋脱力性敗血症。痙攣、その後の麻痺。振動性の動き。右側の衰弱感、無感覚、もしくは麻痺。粘膜の皺。患部に重荷や重りがあるような感覚。ねじれるような感覚。

悪化：台風の接近。冷たい飲み物、食べ物、空気。湿気。夜。室内。接触。寝床の温かさ。果物。

好転：休息。歩行＞鼻出血と腹痛、胸の痛み。

精神：雨を怖がる。独りになることへの恐怖から、歯がちがちが鳴る、震える。少し対立しただけで、震える、刺されるような痛みを伴う。

誰かの話し声が聞こえる気がする。話すことはできるが、話の内容を理解できない。自分自身への怒り、話しかけられたくない。

頭部：めまい—前に倒れる。額が重く、痛い。血液が頭に向かう。湿疹、嘔吐を伴う、またはかがんだとき。

目　：目の周り（左）のくま。眼前に赤い炎のような大きな点が見える。

耳　：黒くて硬い耳垢。突然の夜間の難聴、耳の中で吠え声、砕ける音がする。幻聴。耳漏、不快な、水っぽい、難聴、かゆみを伴う。

鼻　：鼻咽頭の詰まり。慢性鼻カタル、臭いにおいと緑色の痂皮。嚥下時に、痛みが鼻から耳へ広がる。臭鼻症。鼻出血、インクのように黒い、殴られた後。

顔　：顔に赤い斑点。むくみ。鈍い黄色っぽい色。

喉　：食道と喉頭の痙攣性の収縮、食物と液体が、突然つかえ、そして、胃の中にどんと落ちていく。食道にスポンジがあるような感覚。痛みを伴う嚥下困難、固形物も液体も。食道の麻痺。

胃　：飲み物と果物が胃の中で氷のように感じられる、胸部を冷やす。甘いバターミルクを欲求。嚥下時に、食べ物がコルク栓に変わってしまったような感覚。喉の渇き。

腹部：腸が、ねじれて結ばれているかのような感覚。黒い泡状の血の便。

泌尿器：赤い尿。尿道からの粘液の分泌。

女性：月経困難症、経血は黒い。何かが子宮で破裂したような、そして黒い血が流れているような感覚、＞排尿時。月経間期の黒い血液の排出。

呼吸器：空気を渇望。飲んだ後の胸部の冷え。右肺尖の刺されるような痛み。咳、肺のひどい痛みを伴う。肺が無理やり分けられたかのような感覚。喀血、インクのように黒く、水っぽい。

四肢：腕が弱い。腕と手の腫脹、青みがかっている。膝の関節をくじいたような感じ。爪の下がちくちくする。手のひらと指先の皮がむける。氷のように冷たい足。

睡眠：仕事の夢；死んだ人の夢。睡眠中に手をかむ。
熱　：あらゆるところに、冷や汗。皮膚は熱く乾燥。
関連レメディー：Crot-h., Helo.

Elaterium　テッポウウリ

総体的症状：ある種の水腫に非常に有効なレメディー、特に脚気。激しい嘔吐と下痢を起こす、多量のオリーブグリーンの、胆汁質、あるいは泡状の便。舞踏病。小児下痢。新生児の黄疸、胆汁質の便を伴う、おむつにしみをつける。家から家へと移り歩きたい抑えがたい願望。多数のあくびと伸びに伴う悪寒。蕁麻疹、＞さすること。
悪化：湿った天候。湿った大地にたたずむ。

Epiphegus　ハマウツボ科

総体的症状：このレメディーの用途は、神経衰弱型の頭痛、特に女性の、平常とは異なる労働、かがむこと、神経疲労などに起因する、あるいは、それによって悪化するものに特化される。圧迫されるような痛み、まるで、こめかみを押している指先が中に入っていきそうな、または後方に向かう圧縮されるような痛み、＜午後4時まで、その後は＞、**粘着性の唾液の吐出**と吐き気を伴う。毎週の頭痛。頭痛前の空腹感。歯石。神経衰弱症。混乱。
悪化：倦怠感。神経質；買い物に関して。目の疲れ。
好転：睡眠。
関連レメディー：Ign., Iris.

Equisetum　トクサ

総体的症状：主に、**尿生殖路**に作用する。痛み、充満した、圧痛のある膀胱、排尿で好転しない。常に尿意を感じる、澄んだ、薄い色の尿を多量に排出するが、尿意は緩和されない。排尿中、尿道のちくちくする、焼けるような、切られるような痛み。膀胱炎。排尿困難。**夜尿**；子どもの、習慣以外の原因がない。尿閉と排尿困難、妊娠中と産後の。滴下する尿；高齢女性の、不随意の排便を伴う。**尿中に多量の粘液**。
悪化：**排尿終了時**。圧迫。動作。座ること。
好転：午後。横たわる
補完レメディー：Sil.
関連レメディー：Canth.

Erigeron　ノミヨケソウ

総体的症状：出血に作用するレメディー。特に出血が多量、**真っ赤、ほとばしり出る**とき。泌尿生殖器にも作用する；慢性淋病。うっ血－**ひりひりする、灼熱感**。強い痛み。
悪化：雨天。激しい活動。
頭部：うっ血、赤い顔。鼻出血。
目：ひりひりする、焼けるよう。周囲に斑状出血、殴打による。
胃：胃と腹部の灼熱感。吐血、または血便。腹部の膨張。肛門が裂けるよう。痔。
泌尿器：膀胱からのしつこい出血。**排尿困難**、生歯時、排尿時に泣く。膀胱の痛み。尿閉。**膀胱直腸のしぶり**、不正子宮出血を伴う。

男性：性器のべたつく汗。淋病と膿。青黒い、性器の斑点。
女性：不正子宮出血；膀胱直腸のしぶりを伴う；流産後；下痢や赤痢に伴う；少しでも動いた後の。帯下、尿道の過敏性を伴う。激しい活働による流産。
呼吸器：咳、血の混じった喀出物。初期の肺結核。
四肢：すべての四肢が激しく痛む。
皮膚：斑状出血。
関連レメディー：Canth., Ter.

Eucalyptus globulus　ユーカリ

総体的症状：強力な消毒・殺菌薬である。**粘膜に作用し、多量のカタル性の分泌物を生じる**；それらは刺激性がある、そして**悪臭がある**；かぜをひくことからの疼痛、**こわばり**、**疲労**を伴う。マラリア。インフルエンザ。刺されるような、痙攣性の痛み、夜間の。毒血症と出血による消耗。リウマチ。インフルエンザの予防に有効といわれている。
悪化：周期的。夜。
精神：心の高揚。動き回りたい欲求。
頭部：うっ血性の頭痛。片頭痛。発熱のあらゆる段階を通じてめまいがある。
目：うずきと灼熱感。
耳：耳鳴り。
鼻：水っぽいコリーザ。詰まった感覚。慢性の膿状の臭い分泌物。鼻が突っ張る感覚。
口：ねばねばする舌。アフタ；口の灼熱感、充満感。
喉：アフタ、灼熱感を伴う。常に喉に粘液があるように感じられる。

胃 ：消化が遅い、臭いガスを伴う。胃がずきずきする。吐き気と嘔吐、悪寒を伴う。血と酸っぱい液体の嘔吐。癌。
腹部：腸が重たい。急性の下痢；細い、水っぽい下痢便、鋭い痛みが先行する。赤痢、直腸の熱感を伴う。
泌尿器：急性腎炎、インフルエンザの悪化による。利尿。膀胱カタル。尿道カルンクル。スミレのにおいのする尿。
女性：乳頭（右）の下に小結節、突き刺されるような痛みを伴う。
呼吸器：気管支喘息。多量の臭い、粘液状の膿の喀出物。気管支漏；老人性。インフルエンザの咳。
四肢：四肢のちくちくする痛み、疼痛が後に続く。
熱 ：痛みに伴う。悪寒、その後に吐き気と嘔吐。持続する腸チフスのような熱。マラリア熱のどの段階にもみられるめまい。
関連レメディー：Chin., Dulc., Echi.

Euonymum　ニシキギ科

総体的症状：肝臓と腎臓に影響を与える。背中のむずむずする感覚。めまい；額の、まるでまっすぐにされ、前に傾斜させられたような。胆汁性の頭痛；まゆ毛の上の圧迫感；目の圧迫感。肝臓のうっ血。胆石。へそ周辺の痛み。多量の便；色が変化する、または多色。蛋白尿。
悪化：食事；夕方。
好転：冷気。圧迫。
関連レメディー：Rheum.

Eupatorium perfoliatum　フジバカマ

総体的症状：主要な特徴は、**激しい疼痛**、**骨が砕けるような痛み**。胸筋、背筋、四肢の筋肉の**打撲したような**、**ひりひりする痛み**。肝臓に作用し、**胆汁性の症状**を生じる。患者は、落ち着きがなく、悪寒があり、吐き気を催す。かぜ。**インフルエンザ**。デング熱。全臓器と機能の不活発さ。大酒家の壊れた体に適合する。**衰弱**。

悪化：**冷気**。**周期的**；午前7～9時；3～4日おき。患部を下にして横たわる。咳。食べ物のにおい、食べ物を目にすること。動作。

好転：胆汁の嘔吐。発汗。顔を下にして横たわる。**会話**。

精神：疼痛でうめく。

頭部：めまい；左側に倒れそうな感覚；＜右側を下にして横たわる；＞嘔吐。ひりひり、ずきずきする痛み；後頭部の、横たわった後の、重たい感覚を伴う。頭痛と痛風の痛みが交互に現れる。頭に金属の帽子をかぶっているかのような感覚。頭痛＞胆汁の嘔吐、会話。3日ごと、7日ごとの吐き気がする頭痛。頭を手で持ち上げる、頭痛の間。

目：ひりひり痛む眼球；頭痛を伴う。黄色い。

鼻：くしゃみを伴うコリーザ、すべての骨が痛む。

顔：左のほおの、突然のひどい筋肉痙攣。黄色い。

口：黄色い舌。苦い味。口角のひび割れ。

胃：冷たい水を渇望、しかし飲むと、身震いし、**胆汁を吐く**。食べ物のにおいや、食べ物を見ただけで吐き気を催す。アイスクリームを欲求、酸っぱい飲み物を欲求。しゃっくり。胃のひどい痛み、すべてを吐き出すまで好転しない。きつい服が耐えがたい。むかつきと胆汁の嘔吐。嘔吐前の喉の渇き。

腹部：肝臓の痛み。白っぽい、または頻繁な緑色の水っぽい便。

泌尿器：多量になったり、少量になったりする尿。
男性：恥丘のかゆみ。
呼吸器：嗄声、＜朝。咳、胸部のひりひりする感覚を伴う、喉頭がむずむずすることから；頭痛、**胸を押さえなければならない**、＞四つんばいになる。ひりひりする、熱い、**痛む胸部と気管支**。
心臓：まるで心臓が収まりきらないような圧迫感。
首・背中：首の後ろと、肩の間の痛み。激しい背中の痛み、打たれたかのような；上昇性の痛み。熱がある間、背中が震える。
四肢：骨と筋肉の痛み、下肢の。ふくらはぎの打撲したような痛み。脚、足、足首の水腫。痛む**痛風結節**、頭痛を伴う。
熱　：喉の渇き、**または吐き気**、そして、**激しく震えるような悪寒**、腰のくびれから始まる。**悪寒の後**、または熱い間の**苦い嘔吐**。焼けるような熱さ。発汗により、頭痛以外のすべての症状は緩和される。わずかな発汗。
補完レメディー：Nat-m., Sep.
関連レメディー：Bry., Nux-v.

Eupatrium purpureum　ヒヨドリバナ

総体的症状：骨が砕けるような痛みやその他の熱の症状は、Eup-per.に似ているが、それほど著しくない。泌尿生殖器のさまざまな症状がある、特に女性。
悪化：動作；姿勢を変えること。
精神：ホームシック、自宅で家族といても。ため息をつく。
頭部：左側の頭痛、めまいを伴う、左側に倒れるかのような。
胃：悪寒がするのに、レモネード、または冷たい飲み物を欲求。腹部全体の疝痛、排尿後の。

泌尿器：常に尿意がある、頻繁に排尿した後でさえ、まだ膀胱はいっぱいのように感じる。妊娠中の女性の膀胱炎、またはでこぼこ道をドライブした後の膀胱炎；排尿困難。女性の膀胱過敏症。尿の甘いにおい。尿の流れが少ない。糖尿病。
女性：左の卵巣の素早い痙攣性の痛み。多量の帯下。陰門が湿った感じ。卵巣無緊張症からの不妊。
呼吸器：浮腫を伴う呼吸困難。
背中：背中と腰の重さ。

Euphorbium ユーフィルビア

総体的症状：粘膜と皮膚を刺激して、多量の分泌を促す、乾燥した感覚を伴う。**夜間の骨の灼熱感**。**癌の痛み**。ゆっくりと炎症を起こす。水疱。高齢者の壊疽。カリエス。関節の麻痺性の衰弱。すべてのものが実寸より大きく見える。
悪化：**座ること**。休息。動きはじめ。水銀。接触。
好転：オイルを塗る。冷たいものをあてがう。動作。
目：同じ人が、自分の前後を歩いているのが見える。複視。
鼻：なかなか出ないくしゃみ。コリーザ、腫脹を伴う。刺激のある臭鼻症。
顔：黄色い水疱。ほおの灼熱感。ほおの赤い腫脹。
口：歯が、ねじで留め付けられたような感覚；もろい、ぼろぼろになる。虫歯。口が悪臭のする油脂でコーティングされたような感覚。多量の唾液。塩辛い。
胃：冷水を欲求。腹部と胃の燃えているかのような灼熱感。
呼吸器：みぞおちから胸のわきにかけての刺されるような痛みを伴う咳、昼夜；喘息を伴う咳。

背中：尾骨の痛み＜座っていて立ち上がるとき、排便後。
皮膚：丹毒；水疱；粘膜の。不活発な無痛性の潰瘍。水疱性丹毒。黄色いリンパまたは液体で満たされた水疱、まるで、薄いうねが皮膚の下にあるような感じ。
熱　：高熱。
関連レメディー：Nit-ac., Sulph.

Euphrasia　　コゴメグサ

総体的症状：一般名の「eyebright（輝く瞳）」が、このレメディーの使用法を示唆している。**目**、鼻、胸の**粘膜**に作用し、急性カタルを起こす、**多量の、刺激性の、水っぽい分泌物**を伴う。涙は刺激性；**鼻からの分泌物は無刺激性**。刺激性の膿。
悪化：**日光**。**暖かさ**。室内。夕方。**風**。
好転：**外気**。まばたき、目をこすること。
頭部：カタル性の頭痛、鼻と目からの多量の分泌物を伴う。破裂しそうな頭痛、目の暗みを伴う。
目　：**涙目**；涙で泳げそうなほど。目の前に髪の毛が見える；ふき取りたい。**多量の熱い、または刺激性の涙**、＜外気、横たわる、咳；**ニスを塗ったような跡を残す**。ねばねばする目やに。羞明、まぶたの痙攣を伴う。目の圧迫されるような、切られるような痛み。濃厚な、刺激性の黄色い目からの分泌物。結膜炎、はしかの、月経の代わりの結膜炎。慢性的な目の痛み。角膜の混濁、損傷の後。赤い、焼けるような、かゆい下まぶた。白内障、涙目を伴う。目の痛み、腹痛と交互に。
鼻　：多量の**刺激のない**流れるようなコリーザ、咳と多量の喀出物を伴う、横たわると減少。鼻の右側の扁平な癌。

顔 ：左ほお、舌のこわばり。上唇が、まるで木でできたように硬い。
胃 ：粘液を咳払いで出すことからの嘔吐。
男性：前立腺炎。膀胱の夜間の過敏さ、尿の滴下。
女性：月経；痛い、流出はわずか1時間、もしくは1日だけ。無月経、眼炎と鼻の右側の潰瘍を伴う。戸外を歩くときの縫われるような痛みとかゆみ。
呼吸器：日中のみの咳とすぐに出る喀出物、横たわると減少；夜間には減少。
睡眠：戸外を歩くと、あくび。
関連レメディー：All-c.

Eupionum　木タール

総体的症状：木タールの蒸留から得られる精油。顕著な女性の症状がある、背中の痛みを伴う。月経は早すぎて、多量；月経中は怒りっぽい、話したがらない。黄色い帯下、下着に黄色いしみを残す、激しい背中の痛みを伴う、月経後；背中の痛みが治まると、帯下が流れ出る。右卵巣の灼熱感。仙骨が折れたかのような痛み；背中の痛みが骨盤にまで広がる＞何にももたれずに後ろに倒れる、または背中を反らす。夜間のふくらはぎの疼痛性痙攣（こむらがえり）。針の上を歩いているかのような足の感覚。子宮偏位。全身がゼリーでできているかのような感覚。わずかな労作で多量の発汗。
関連レメディー：Graph., Kreos., Lach.

Fagopyrum　ソバ

総体的症状：ソバ粉として知られ、皮膚と消化器に作用する。身体のさまざまな部位—目、後鼻孔、肛門、手の深部、脚など—に、**ひどいかゆみ**がある。目に見えるほどの頸動脈その他の動脈の拍動。臭い分泌物。筋状の痛み。老人性瘙痒症。

悪化：かく。日光。動作。

好転：冷たいものをあてがう。圧迫。コーヒー。

精神：勉強することができない、または覚えられない。落ち込み。怒りっぽい。きわめて幸福。

頭部：頭の深部の痛み、上方に圧迫されるような感覚を伴う。首の疲れに伴う頭痛、＞反らせる。

目：目のかゆみ。眼球が押し出されるかのような感覚。涙腺に沿った痛み。はれた、赤い、熱い目。

耳：耳の中と周辺のかゆみ。

鼻：ひりひりする、赤い。頻繁なコリーザ、くしゃみを伴う。

喉：後鼻孔のかゆみ。後鼻腔カタル。

胃：やけどするほど熱い、酸っぱいおくび。しつこい吐き気、＞食事。

腹部：肛門のかゆみ。

女性：外陰部のかゆみ、黄色い帯下を伴う、＜休息。

心臓：心臓周辺の痛みが、左の肩まで広がる。

首・背中：首の筋肉のこわばりと打撲したような痛み、まるで上顎が頭を支えていないかのような感覚。

四肢：肩の痛み、手指に沿った痛みを伴う。腕と脚のかゆみ。手の深部のかゆみ。足のしびれ、刺されるような痛みを伴う。

皮膚：かゆみ、＞冷水浴、＜引っかく、接触、床につく。湿疹、紅斑。間擦疹。盲せつ。熱い、はれた皮膚。

関連レメディー：Puls.

Ferrum iodatum　ヨウ化鉄

総体的症状：腺の肥大、腫瘍、子宮偏位、特に後傾（症）に有効なレメディー。バイタルフォースの枯渇による衰弱。
悪化：動作。夜。接触。
好転：外気。
目：眼球突出性甲状腺腫、月経の抑圧後。
耳：ゴウゴウいう音。
鼻：太い。
胃：食べ物が喉に上がってくるような感覚。
腹部：詰まった感覚、かがめない。直腸のむずむずする感覚。まるでへそと肛門がひもでつながっているかのような感覚。
泌尿器：尿道のむずむずする感覚。甘い香りの尿、濃い色、白い沈殿物。
女性：常に圧迫感がある。座るとき、何かが膣を圧迫するように感じる。子宮後傾（症）。腸が動くとき、デンプン糊のような帯下。無月経、眼球突出性甲状腺腫を伴う。子宮脱、尿をこらえるのが困難。

Ferrum metallicum　鉄

総体的症状：血液中にも、食品中にも、かなりの量の鉄が存在する。鉄は、**循環**に作用し不規則な血液分配、うっ血、**不規則な血流の増加**などや、**拍動を生じる**。血管を弛緩させ、**出血**を引き起こす、出血は鮮血または小さな凝血がみられる、特に急成長中の青少年の場合；あるいは、神経痛、月経、発熱時の血管拡張。若い、貧血性

で、偽多血症の、頑強そうに見えるのに、歩くことも話すこともできないほど弱く、横になりたがるような人に適合する。皮膚と粘膜は、交互に、青白くなったり紅潮したりする。口、食べ物、腟などの**乾燥**。**貧血**性の青少年、ほおは赤いが、唇は青い；繊細な少女、便秘症の、元気がない。締まりのない、弛緩した筋肉。**浮腫**または麻痺、体液の喪失後。**赤ら顔**の高齢男性。急速なるいそう。患部を**動かすことを余儀なくさせる**夜間の痛み。胸部、胃などの圧迫感。精神も身体も過敏。悪液質。関節が鳴る。骨の軟化。赤い部分が青白くなる。カタレプシー。甲状腺腫、眼球突出性の、月経の抑圧による。脾臓、消化、左の三角筋もまた影響を受ける。

悪化：**夜**。感情；怒り。激しい活動、食べること、飲むこと。**体液の喪失、発汗**。卵。**暑さと寒さ**。突然の動作。腕を上げる。茶。

好転：**穏やかな動作**。少量の出血。頭を何かにもたれさせる。

精神：常に正当である；敏感で、興奮しやすい、＜ささいな反対で。すぐに泣いたり笑ったりする。神経質、ヒステリー。わずかな音にも耐えられない。何か犯罪を犯したかのような不安。月経後の意気消沈。

頭部：めまい、＜突然起き上がる、橋をわたるとき。脳神経衰弱。**ずきずきする、ハンマーでたたかれるような頭痛**、こめかみから始まる、後頭部まで広がる、＜咳、かがむ、階段を下りる、＞髪を下ろす。左目の上の突然の痛み。頭が熱く、足が冷たい。物を書くと頭痛が再発。頭痛時のめまい。

目　：夜、暗闇でも見える。突然見えなくなる。読み書きするとき、字が混ざって見える。まぶたの腫脹。左目の上の痛み。眼球突出性甲状腺腫、月経の抑圧後。

耳　：雑音に過敏。耳の中の雑音、＞テーブルに頭をつく。耳の中の響鳴、＜月経前。

鼻　：貧血性の患者の**出血**、喀血と交互に起こる。

顔　：青白い；わずかな痛み、感情、または労作から**紅潮する**、または**赤くなる**。血色がよい；むくんだように感じる。唇が青い。神経痛、冷水浴後と、熱くなりすぎた後、＜横たわる、＞座る。
口　：歯痛、＞氷水。血の味、または腐った卵の味。口の乾燥、食べ物が乾燥しすぎているように感じる。
喉　：何かが喉にからまっていて、弁のように閉じているような感覚。眼球突出性甲状腺腫。塊がある（左側）、＜空嚥下。
胃　：食欲増幅と食欲減退が交互に現れる。胃が、どんな食物も受け付けない、膨張して、圧迫感を感じる。嫌悪；肉、卵、酸っぱい果物、吸いなれたたばこ、ビール。欲求；パン、生のトマト。**口いっぱいの食べ物を吐き出す**。吐き気なしに、簡単に嘔吐する、食後すぐ、深夜過ぎ、妊娠中。灼熱感。卵を食べた後の嘔吐。
腹部：歩行時、硬い、膨張する、ひりひりする、打撲したような感覚。腸が触れると痛いように感じる。痛みを伴わない下痢、＜食事中（食べようとすると下痢になる）；夜ごとの下痢、噴出する、はね散る、未消化物を含む便；下痢と便秘に交互になる、＜神経質、または疲れたとき。硬い便、困難、背中の痛み、または直腸痙攣が後に続く、直腸脱。回虫による子どもの肛門のかゆみ。夏の下痢。
泌尿器：蛋白尿。慢性腎炎。尿失禁、特に、日中だけ、直立時、突然の動きから、歩くことから、子どもの。多量の排尿、神経質を伴う。熱い尿、月経過多を伴う。
男性：射精；夜ごとの、背中の痛みを伴う、過度の激しい活動後。
女性：膣が乾きすぎている；ひりひりするような痛み、または性交中、無感覚。色の薄い月経。水っぽく、早すぎる、多すぎ、だらだら続く、一時中断する、陣痛のような痛みを伴う。乳白色の刺激性の、水っぽい帯下、思春期。流産しやすい傾向。外陰部のかゆみ。
呼吸器：嗄声、または変化する声。乾燥したむずむずする咳、＜動作、＞横たわる。血を吐き出す、マスターベーション愛好家が、また消耗

性疾患（特に肺結核）において。胸に流れる血液が急に増える。胸部の圧迫感と狭窄感、または胸部の急激な差し込み。呼吸困難、＞ゆっくり歩く、そして話す。咳、後頭部の痛みを伴う。熱い息。放置された胸膜肺炎、滲出物を吸収する。

心臓：動悸、＜わずかな動き、＞ゆっくり歩く、マスターベーション愛好家の、体液喪失後の。すべての血管の脈動。充実脈、軟脈、柔軟な脈。

首・背中：首と肩が痛む。一晩中の腰痛、起きると消える。

四肢：四肢の突然の痙攣、または、引き裂かれるような痛み、力を入れて書くと震える＞速く書く。腕を曲げたいというあらがいがたい欲求、ひどい痛みを伴う。手足の腫脹。踵の痛み、＜あおむけに寝る。関節が鳴る。肩痛。四肢の収縮。

皮膚：青白い。すぐに紅潮する；圧迫でくぼむ。黒、または濃い紫色の斑点。

睡眠：眠りに落ちる；衰弱から；裁縫中、座って勉強中。不眠。

熱：赤い顔と喉の渇きを伴う悪寒。膨張した静脈を伴う熱感。四肢は冷たい；頭と顔は熱い。汗；べとべとした、黄色い、冷たい、刺激性の、または衰弱させるような。

補完レメディー：Chin.
関連レメディー：Arn., Mang.

Ferrum phosphoricum　　リン化鉄

総体的症状：Ferr.と同様に、Ferr-p.も静脈循環に影響し、**局部の受動性うっ血**や、充血による出血を起こす；そのため**分泌物には血の筋がみられる**、あるいは肉汁のよう。神経質で敏感、貧血の（ブロンドの）人に適合する。結核；リウマチなどの急な悪化に非常に有効な

レメディー。るいそう。かぜをひきやすい。打撲したような、**ひりひりする痛み**―胸、眉、筋肉。軟部の炎症。焼けるようなひりひりする感覚。**発汗の抑制**、機械的損傷による悪影響。熱と炎症の初期の段階。ひどい衰弱、ほとんど動くこともできない。

悪化：夜。午前4〜6時。動作。雑音。振動。冷気。接触。**発汗の抑制**。冷たい飲み物と酸っぱい食べ物。肉。ニシン。コーヒー。ケーキ。

好転：冷たいものをあてがう。出血。横たわる。

精神：非常に話好き、陽気で**興奮している**。押し黙る。怒り。一過性の躁病、脳の刺激による。楽しいことに無関心。人と一緒にいることを嫌悪。人込みに行くことを恐れる。

頭部：ずきずきする頭と敏感な頭皮。頭痛、撃ち抜かれるような、うずく、頭頂から側頭にかけて、耳痛を伴う、＞鼻出血、冷たいものをあてがう。太陽熱による悪影響。歩行時に、よく頭が前に押されているように感じる、めまいを伴う。頭の中が空っぽのような感覚、月経中。

目：赤い、炎症を起こした、熱感を伴う。上まぶたに小片があるような感覚。まぶたの被包性腫瘍。涙の充溢した目、かがむと見えない。

耳：**激しい耳痛**；急性中耳炎で、Bell. が効かないとき。難聴、かぜが原因、＜月経時。耳鳴り、＜横たわる。

鼻：鼻出血。鮮血、子どもの。手術後の出血と痛みを抑える。

顔：交互に青白くなったり、赤くなったりする。熱いほお、歯痛を伴う。

口：熱い。歯痛、＞冷たさ。

喉：赤くはれた扁桃。歌手の咽頭痛。痛み＜空嚥下。手術後の痛み。

胃：飲食物を吐く、不定期に、未消化物、緑色のものを。吐血。酸っぱいおくび。肉と乳を嫌悪。酸っぱいものを欲求。

腹部：膨張；衣服に耐えられない。慢性の下痢。**血の水のような便**、黄色い水のような便。発熱を伴う赤痢。夏の下痢。

泌尿器：昼間性遺尿（症）、＞横たわる。尿の噴出、咳をするたびに。飲

むたびに排尿する。子どもの発熱時の尿閉。
女性：早い月経、3週間ごと、頭頂の重たい痛みを伴う。腟が乾燥して熱い。性交中の痛み。腟炎。
呼吸器：喉頭炎、嗄声を伴う、**歌手の**。短い、痛みを伴う、むずむずする、しきりに出る、苦しい、痙攣性の咳、＜朝と夕方。喀血、純血の、肺炎の、脳振とうまたは落下後の。胸部が重い、痛い、または充血した。胸膜炎、縫われるような痛み、＜咳と深呼吸。
心臓：動悸；速い脈を伴う。**充実脈**、**軟脈**、**流れるような脈**。
首・背中：首と背中の筋違い。
四肢：リウマチが、関節を次から次に襲う、＜ほんのわずかな動き。ひりひりする、打撲したような肩の痛み、胸や手首にまで広がる。手首が痛んで、つかむ力がなくなる。手のひらが熱い、子ども。四肢のびくっとする動き。肩痛。肘の捻挫。手がはれて痛い。
皮膚：はしか。にきび。
睡眠：嗜眠状態。落ち着きがない、そして不眠。
熱：悪寒、伸びをしたい欲求を伴う、午後1時に。熱と汗ばんだ手。**持続する**、感染性の、**肺炎の**、間欠性の、はしかの、出血性の**熱**。
補完レメディー：Kali-m.
関連レメディー：Gels.

Ferrum picricum　　ピクリン酸鉄

総体的症状：高齢者の前立腺肥大で、夜間の頻尿を伴い、直腸の充満感と圧迫感がある場合に非常に有効なレメディー。膀胱頸部と陰茎のうずき。尿閉。

Fluoric acidum　フッ酸

総体的症状：破壊性が、この酸のキーノートである。骨、特に長骨のカリエス、潰瘍形成、**とこずれ**；静脈瘤。高齢者、または早老者の疾患に適合。青白い、ひどい、**悪液質の**、たるんだ、衰弱した患者。**常に暑すぎるように感じる；冷水浴をしたい**。組織が**膨れている**、硬化、**瘻孔状**。分泌物は、**希薄；臭い**、**刺激性がある**、または塩分を含んでいる、かゆみを起こす。浮腫。癜疽。二期梅毒。筋肉運動能力の増大、疲れを知らない、過酷な猛暑や厳寒にかかわらない。患部のしびれ、脳疾患や脊髄の疾患に関係しない。石灰変性。母斑、扁平。排便欲求にすぐに従えない場合、非常に苦しむ。水腫、しびれを伴うまたは伴わない。甲状腺腫。

悪化：暑さ、部屋の。夜。アルコール（赤ワイン）。酸っぱい食べ物。

好転：水浴。**素早い動作**。仮眠。頭を反らす。食事。

精神：**素早く動きたい衝動**；いつも動いている必要性。自分の家族を嫌悪、最愛の人を嫌悪；見知らぬ人に興味を持ち、楽しく会話する。責任を感じることができない。精神の落ち込み。路上で通りすがりの女性に色目を使う、非常に強い情欲。静かに座って、一言も発しない、問いかけに答えない。

頭部：強烈な頭痛、＞排尿。後頭部の圧迫感。縫合に沿った痛み。**眉間の腫脹**。脱毛、発熱後の。もろい、乱れた髪。

目：冷風が目を吹き抜けていく感覚。涙瘻。何かが目に入って、こすってもとれないような感覚；まばたきをせずにはいられない。左目が右目より小さい。

耳：難聴、＞頭を反らす。

鼻：多量のコリーザ、睡眠中。唾液分泌過多を伴うくしゃみ。

顔：顔の熱感、冷水で洗いたい。

口 ：歯が虫歯になりやすい、＜根元；歯が温かく感じられる。エナメル層が薄い。歯瘻。舌；あらゆる方向に亀裂；話すときに痛む。生歯が遅い。舌の上下の潰瘍。

胃 ：刺激性の、スパイシーな、味付けの濃い食べ物、冷水を欲求；温かい飲み物で下痢をする。絶え間ない食欲、常に食べ、それにより一時的に食欲は抑えられる。むっとするおくび。わずかに悪いものを食べたことによる、胆汁性の嘔吐。胃の症状＞きつい服を着る。コーヒーを嫌悪。

腹部：肝臓の痛み。温かい飲み物とアルコールで下痢をする。肛門のかゆみと灼熱感。へそ周辺の空っぽな感覚、深呼吸をしたい欲求を伴う、＞包帯を巻く。腹水症、肝疾患に起因する。硬化、肥大、門脈うっ血。

泌尿器：尿道が上方に引っ張られる。少量の尿、暗い色。水腫での尿の増加。

男性：高齢男性の性欲亢進。夜間の激しい勃起。性器の脂っぽい刺激臭のある汗。陰嚢の水腫。精索静脈瘤。過度の快楽。

女性：月経；早すぎる、多量の、頻繁な、長すぎる。不正子宮出血、呼吸困難を伴う。多量の刺激性の帯下。女子色情症。乳頭の痛み、亀裂。月経が少しでも遅れると苦痛を覚える。

呼吸器：胸部の圧迫感、＞反る。水胸症。呼吸困難；不正子宮出血を伴うか、交互に起こる。

四肢：瘭疽。爪の下にとげが刺さっているかのような感覚。爪の変形、ぼろぼろに砕ける、早く伸びる。高齢で弱い体質の人の四肢のむくみ。手指の背に毛があるような感覚。常に手、特に手のひらが赤い。脛骨上の潰瘍。熱い汗ばんだ手のひら。足の指間の痛み。うおのめの痛み。

皮膚：静脈瘤。まるで熱い蒸気がすべての毛穴から出てくるように感じる。乾燥した、ざらざらした、かゆい、またはひび割れた皮膚。

傷、吹き出物に囲まれた、端が赤くなる。ケロイド。
睡眠：実際とは反対側を向いて寝ているようような感覚。
熱　：骨の痛みを伴う激しい発熱。**刺激性の、腐食性の汗、かゆみを引き起こす**。手足の発汗。夜ごとに繰り返す熱。片側（左）の発汗。患部の発汗。
補完レメディー：Sil.
関連レメディー：Calc-s., Puls., Sul-ac.

Formica rufa　アカアリ

総体的症状：生きたアカアリをつぶしてチンキがつくられた。関節炎に効くレメディーで、**突然のリウマチ性の、または痛風性の痛み**に効果がある。重たいものを持ち上げてからの疾患。ポリープの形成を抑止する。傷口の萎縮。かぜをひきやすい。上皮性悪性腫瘍。脊髄、肝臓、腎臓と右側に影響を与える。足の汗の発汗抑制が舞踏病の原因になる。

悪化：寒さ；湿った。動作。吹雪の前。
好転：さすること。髪をとかす。圧迫。温かさ。深夜過ぎ。
精神：活気づく、痛みの後。夕方になると忘れっぽい。不機嫌；恐怖心が強い。
頭部：脳が重すぎる、大きすぎるように感じられる。頭痛、＞髪をといた後。額で泡が破裂しているような感覚。
目　：寝覚めに痛む、＞洗浄。
鼻　：コリーザと詰まった感覚。ポリープ。
喉　：咳払いやうがいをするとき、首が痛む。
胃　：痛みが胃から頭頂に移動する。水が甘く感じられる。
腹部：排便前に、へそ周辺が引っ張られるように痛む。軽い、泡状の便。

泌尿器：尿量が倍増。サフランのような尿。
女性：卵巣嚢胞、水分、または血液を含む。
呼吸器：神経性の喘息。咳は、ほとんど夜半に出る。
首：そしゃく時に首が痛む、特に顎を閉じるとき。
四肢：突然のリウマチ痛、じっとしていられない。下肢の弱さ。対麻痺。筋肉が緊張して、引きちぎられそうな感覚。手のしびれ。関節の内側と外側の硬い結節。
皮膚：赤い、かゆい、灼熱感。扁平な斑状の蕁麻疹。萎縮する傷。
熱：多量に発汗しても、**熱は緩和されない。**
関連レメディー：Rhus-t., Urt.

Fraxinus　アメリカトネリコ

総体的症状：神経質な女性の子宮強壮薬。あらゆる子宮偏位と子宮筋腫に有効。第一級のペッサリーと言われている。
悪化：損傷。捻挫。持ち上げること。
精神：神経の落ち着きのなさと不安を伴う落ち込み。
頭部：**頭頂の熱い点、または乾燥。**後頭部のずきずきする痛み。
腹部：ひどい陣痛のような痛み、太腿にまで至る、または飛び出すような感覚；子宮筋腫を伴う。
女性：子宮肥大、子宮が重たい、子宮脱、月経困難症。多量の経血、または帯下。復古不全。過敏な卵巣（左）。
四肢：足の疼痛性麻痺；深夜過ぎの。
熱：徐々に冷え、紅潮する。
皮膚：幼児性湿疹。
投与量：1日に3回、チンキを10〜15滴。

Gambogia　雌黄

総体的症状：このレメディーの作用は胃と腸に限定されている。さまざまな臓器の灼熱感が顕著。体中が痛む。
悪化：戸外での動作。排便中。
好転：排便後。
精神：明るく、話好き。怒りっぽい。
目　：目の灼熱感；まぶたのかゆみ、こする。まぶたがくっつく、くしゃみを伴う。
鼻　：慢性的なくしゃみ、日中のみ。
口　：歯の縁の冷感。舌と喉の灼熱感、ひりひりする痛み、乾燥。
腹部：肝臓の灼熱感。腸のつねられるような痛み、腸がゴロゴロ鳴る、その後突然、黄色か緑色の細い便が、長い間噴出する、肛門の灼熱感を伴い、非常に緩和する。失神を伴う嘔吐や下痢。
泌尿器：タマネギのようなにおいのする尿。
関連レメディー：Crot-t.

Gelsemium　イエロージャスミン

総体的症状：Gels.の作用は、筋肉と運動神経に集中している。筋肉では、特に四肢の筋肉に感じられる圧倒的な疼痛、疲労感、重さ、衰弱、そしてひりひりする感覚を引き起こす。運動神経の疾患は、目、喉、喉頭、肛門、膀胱などのすべての機能性の麻痺や、顔、顎、舌などの単一筋肉の震えまたは痙攣を引き起こす。循環が緩慢になり、そのため受動性うっ血、または動脈性うっ血や静脈性うっ血を起こす、さまざまな臓器—心臓、肝臓など—の充満感と重い感覚を

伴う。**粘膜**カタルによる、水っぽい分泌物。総体的な不全麻痺、身体と精神の。完全なる弛緩と疲はい、静かに横たわりたい。半身を寄りかからせる；支えられたい。**鈍さ、めまい感、嗜眠状態；目あるいは視覚に対する影響；振戦；多尿症**—これらの1つか2つの症状が、Gels.が指示されるほとんどの病的状態に付随する。筋肉の協調不全、意志に従わない。妊娠中の舞踏病。痙攣；ヒステリー性。葉巻製造業者の神経疾患。自慰愛好家またはヒステリー性の人は、身体が軽く感じる。インフルエンザ。はしか。ニコチン酸欠乏症。ジフテリア後の麻痺。振戦麻痺。恐怖、恐れ、抑うつ的な感情、怒り、悪い知らせ、心地よくない驚きの悪影響。マスターベーション、外傷性ショック。骨盤内臓器の症状が、頭部の症状と交互に現れる。衰弱した、疲れた、繊細な、臆病な、興奮しやすい、怒りっぽい人、子どもと青年。インフルエンザ以来、体調が悪い。昏睡状態。脳卒中。

悪化：**感情**。**恐怖**。ショック。**厳しい試練**。動作。驚き。天候—**湿った、春、霧の深い**。太陽**熱**；夏。周期的。たばこ。雷雨。冷たい湿った天候。生歯。自分の病気について考えるとき。

好転：**多量の排尿；発汗**。震え。**アルコール飲料**。頭脳労働。かがむ。持続的な動作。午後。頭を高くしたままもたれかかる。

精神：混乱；まるで気が狂ったかのようにふるまう。ぼーっとした状態。無感動。独りになりたい、または静かにしていたい願望。高い所から飛び降りたい、**落下**、**厳しい試練**、死、痛みへの**恐怖**。ゆっくりと返事をする。カタレプシー性の不動状態、散大した瞳孔を伴う、目を閉じていても意識はある。驚いてびくっとする子ども、まるで落ちることを怖がるように、看護婦をつかんで泣き叫ぶ。洞察力が弱い。悲しみの影響、泣くことができない；失ったもののことをくよくよ考える。

頭部：**めまい**、後頭部から広がる、まるで酔っ払ったかのように、視覚症

状を伴う。**鈍い**、**重い**、または締めつけられるような頭痛、後頭部周辺の、目の上にかけて、＜きつい帽子；＞震え；頭を高くして横たわる；多量の排尿後。頭が膨張したような感覚。髄膜炎—うっ血段階、頭の後ろの痛みと、散大した瞳孔。頭頂から肩にかけての圧迫されるような痛み。こめかみの痛みが、耳、鼻翼、顎に広がる。頭皮の痛み。脳卒中、クモ膜下の。後頭部から額にかけて血液が殺到する。頭は熱く、四肢は冷たい。午前2〜3時に始まる片頭痛、＞午後。まっすぐにしていられない。泉門の強い拍動。

- 目　：散大した瞳孔。**重く、垂れ下がるまぶた**。**複視**、横方向を見るときの、妊娠中の。つづりがわからない。視界がぼやける、または泳ぐ。光線狂。片頭痛の前の視覚疾患。目；赤い、ひりひりする、**痛む**、紅潮。網膜剥離；損傷、もしくは近視に起因する。緑内障。眼窩神経痛、筋肉の収縮と痙攣を伴う。マスターベーションに起因する黒内障。ヒステリー性視力減退。目の痛みが**後頭部**にまで広がる。網膜炎。目の前にガーゼがあるかのよう。正確に眼鏡を調整した後にもかかわらず、目の不快症状を治そうとする。硝子体のかすみ。
- 耳　：突発性難聴、短期間の。嚥下時の痛み。かぜのため損なわれた聴力。
- 鼻　：詰まり。**コリーザ、薄い刺激性の、水っぽい分泌物**を伴う。鼻孔からお湯が流れ出るような感覚。夏かぜ。くしゃみ；早朝の。
- 顔　：熱い、重い、**膨れた、赤黒い**；酔ったような、または表情がない。顎の震え。下顎がはずれる。下顎が左右に揺れる。麻痺。
- 口　：舌の重さ、**しびれ**、局部の麻痺；**はっきりしない話し方**、まるで酔っ払ったように。ほとんど話すことができない。唾液が黄色い。舌のしびれ、突き出すと震える。黄色い舌苔。口周辺の筋肉が萎縮しているように見える。
- 喉　：嚥下困難。麻痺性の嚥下障害、特に、＜温かい食べ物による。嚥下による耳痛。痛い塊が喉にあり、嚥下することができないように感じる、ヒステリックな女性。喉から耳にかけての痛み。扁桃炎。

ジフテリア後の麻痺。月経時の咽喉痛。脳卒中後の麻痺性の嚥下障害。

胃：通常、**喉の渇きを感じない**が、発汗に伴う喉の渇き。食欲がなくても、飲食できる。胃または腸が空っぽの、または衰弱した感覚。胃の痙攣、＜車に乗る、またはまっすぐ座る。しゃっくり、＜夕方。

腹部：肝臓の受動性うっ血。胆嚢の不快感。周期的な疝痛。多量の黄色い便。下痢；痛みのない；神経質な人の、悲しみ、恐怖、悪い知らせ、通常ないような厳しい試練に対する予期不安などの突然の感情の動きの後の。便、クリーム色、抹茶色。肛門括約筋の麻痺。産後の直腸脱または直腸の痛み。不随意の排便。

泌尿器：多量の、澄んだ、水っぽい尿、悪寒と震えを伴う、頭痛を好転させる。失禁、興奮による、括約筋の麻痺に起因する。排尿困難と遺尿（症）が交互に起こる。途中で止まる流れ。尿閉。常に排尿する；ヒステリー性。

男性：勃起を伴わない不随意の射精。性器が冷たい、弛緩。精巣の引っ張られるような痛み。陰嚢の多量の温かい汗。精力を使い果たす、少し愛撫するだけで射精する。

女性：**子宮が重い、痛む**；まるで絞られるように感じる（前屈）。月経困難症、わずかな流出；痛みは背中と臀部に広がる。陣痛が上昇する、後退する、大腿を下降する。深い黄色の帯下、背中下部の痛みを伴う。子宮口の硬化。仮性陣痛。突然の憂うつ感からの流産の危険。子宮から喉にかけての波を感じる、窒息感を伴う－分娩を遅らせる。神経性の悪寒－分娩第1期。性交困難、腟の筋肉の収縮による。てんかん様の痙攣、月経時の、または月経の抑圧による。産褥痙攣前の、嗜眠状態を伴う全身の筋肉痙攣。ひどい後陣痛。

呼吸器：嗄声、月経中の、ヒステリー性、または抑圧的な感情の後の。疲れさせる、ゆっくりした呼吸。胸部の後ろに塊があるかのような感覚。声門の痙攣。長い鶏鳴様吸息、突然の、強制吐息。乾性の咳、

胸部の痛みと多量のコリーザを伴う。喉頭と胸部の灼熱感、咳をするとき。

心臓：痛み。動き回らなければ、心臓が止まりそうな感覚。**遅い脈、軟脈、弱脈、充実脈**、流れるような脈。高齢者の弱い遅い脈。いすから立ち上がるときの心臓の痛み。

首・背中：首が痛む。頭を支えることができない。**脊椎を上下する鈍痛**、＞歩行；後頭部の痛みを伴う。**肩甲骨下の痛み**。

四肢：上腕（右）の鋭い痛み。手が熱い、乾燥、しびれ、特に手のひら。手を冷水に浸したい。前腕の筋肉の疼痛性痙攣。職業神経症。書痙。下肢が重たい。四肢の過剰な震えと衰弱。膝が弱い＜下りるとき；**酩酊歩行**、脚を思うように動かせない。手首と手の冷たさ。歩行時の膝蓋骨の部分脱臼。

睡眠：**嗜眠状態**。眠りに落ちるときにびくっとする。深い眠り、ぼんやりした眠り。学生の眠気。精神的な興奮による不眠；思考、もしくはたばこ。

皮膚：熱い、乾燥した；湿った；黄色い。

熱：痛みと無力感を伴う悪寒、熱感と入り混じった、または熱感と交互に生じる；悪寒がひどくなり、またましになる。冷たい手足。嗜眠状態を伴う熱感。**喉が渇かない**。震えを伴う発熱。冷や汗。胆汁熱；弛張熱、マラリア熱、腸チフス、流行性脳脊髄膜炎。**はしか**。神経性の、身震いさせる悪寒。視覚障害が先行する発熱。

補完レメディー：Arg-n., Sep.

Glonoinum   ニトログリセリン

総体的症状：ニトログリセリンは爆発物で、その作用は迅速で激しい、破裂と拡張を伴う、嵐のようなレメディーである。循環に作用し、**激しい拍動**と、**沸騰**、**不規則なうっ血**を起こす。**血液は、上昇する**。全身の拍動、しびれを伴う。破裂、拡張、または**肥大**（あるいは小さくなる）、目、頭、舌などのさまざまな臓器で感じられる。損傷後、時間をおいて感じられる痛み。痙攣、てんかん様、脳のうっ血、または月経の抑圧による。小領域または単一部位の灼熱感。閉経期の障害。衣服がきつく感じられる。太陽熱、雪の輝き、炎の熱、恐れあるいは恐怖の悪影響。古傷の口が再び開く。日射病。脳卒中。電灯またはガス灯の下で仕事をしたことによる疾患。子癇。船酔い。日陰を歩く、または傘をさす。

悪化：**太陽熱―頭に**。熱くなりすぎる。**暑い天候**。**動作**。**振動**。**揺れる**。頭を反らす。損傷。**月経の抑圧**。果物。帽子の重み。ワイン。**ガス灯**。散髪。モモ。

好転：**外気**。**頭を高くする**。冷たいもの；冷たいものをあてがう。

精神：感覚を失う、無意識に沈下する。混乱、途方に暮れる；よく見知った地域で道に迷う。痛みで取り乱す。窓から逃げ出したい、飛び出したい衝動。身震いする、めそめそする、痛みの合間に。毒を盛られたという恐怖。ショック、突然恐怖に襲われる、道路に出ようとしない。誰も認識できない、夫や子どもに拒絶反応を示す。話そうとしない。

頭部：ひどい、破裂するような、どんどんたたかれるような頭痛の波、まるで逆立ちしているような感覚を伴う、拡張する感覚と収縮する感覚、または血液が頭の中で前後に押し寄せるような感覚、頸動脈から心臓へと押し寄せるような感覚を伴う、＞嘔吐。痛みは、こめか

みに交互に生じ、＜日光、湿った天候。脳の深部の、裂けるような、パチンと音をたてる、ショック、破裂またはうずき。頭が重いが、枕に横たえることはできない。月経前、月経時、月経後、または月経の代わりに起こる頭痛。しびれ、痛い、熱い**頭頂**。こめかみの静脈の腫脹。頭痛＞長時間眠る。頭をぎゅっとつかむ、まるで頭骸骨が脳には小さすぎるかのように。

目 ：眼球の下側またはまぶたが赤い。目が飛び出している、野生的に見える。痙攣時、眼球が上を向く、または外向きになったり上向きになったりする、すべてが半分は明るく、半分は暗く見える。まぶたが眼球に張りつく。つづりがわからない。落ちくぼんだ目。乾燥した目。黒い小さな点が、飛び散る、ちかちかする、眼前で。文字が小さく見える。

耳 ：ずきずきする；心臓の鼓動がすべて耳に聞こえる。耳の後ろの鋭い痛み。乳様突起炎。難聴；聴覚神経の麻痺。

鼻 ：鼻出血、日光で熱い所に出たときの。

顔 ：**青みがかった**。紅潮、熱い。鼻の付け根の痛み。顎が長すぎるような感覚。ほお骨の痛み、頭痛になる。下唇がはれているように感じる；またはしびれ。日射病で顎が固く締まる。

口 ：歯がずきずき痛む；歯が長くなったような感覚。舌が重い、まっすぐ突き出すことができない；考えが混乱して会話が難しい。唾液の増量、午前中に濃くなる。口の泡。

喉 ：はれた感じ；襟元は開いていなければならない。

胃 ：吐き気と嘔吐。みぞおちがひどくなえた感覚、脈動を伴う。下腹部がゴロゴロいう、特に、＜左側を下にして横たわる。下痢、突然の月経停止を伴う。

泌尿器：多量の、色味のない、蛋白尿、夜間に頻繁。

女性 ：閉経期の紅潮。多量の経血後の頭痛。突然の月経停止、頭のうっ血を伴う。子癇。乳房（左）から始まったずきずきする痛みが、突然

頭に飛ぶ、＜動作。
呼吸器：重苦しい呼吸、胸に重いものが載っているかのような。深呼吸をする。ため息。胸のしびれ、左腕を上下する。胸の圧迫感、頭痛と交互に。
心臓：**激しい動悸**；頸動脈の脈動。心臓が充満し、震えているよう。鼓動が手の指先に至るまで、身体全体に伝わる。心臓周辺がゴロゴロいう。心臓の痛みが、あらゆる部位、腕に伝わる、＜後ろにもたれる、またはワインを飲む。緊満した脈。静脈拍動。周辺の煮えたぎるような感覚。
首・背中：首が詰まって硬く感じる、脆弱で疲れた感覚、頭を支えることができない。背中にかけての熱い感覚；脊柱に沿って；肩甲骨間の灼熱感。
四肢：手の震え。膝が崩れる。大腿と膝が弱く、ぶつかり合う、頭痛時。おぼつかない歩調。手指と足指が痙攣時に開く。坐骨神経痛、＞腹の上で脚を折り曲げる。
皮膚：体中がかゆい、＜四肢。
睡眠：脳卒中の恐怖感で目が覚める。
熱　：熱に伴う熱い汗、うなじから、温かいお湯が上昇してくるような感覚。一過性の熱感。
補完レメディー：Bell.
関連レメディー：Amy-n., Bell.

Gnaphalium　ハハコグサ(ゴギョウ)

総体的症状：主に坐骨神経の疾患に使われるレメディーだが、腹部と女性の症状にも有効。疝痛を伴うひどい下痢、＜朝。骨盤の重さ。月経困難症、わずかな経血、初日に非常に痛む。**ひどい坐骨神経痛**、し

びれと交互に現れる、または後でしびれる、＜横たわる、動作、歩く、＞脚を腹の上で折り曲げる、いすに腰かける。しびれと重みを伴う腰痛、骨盤の重み。前下腿神経痛。油切れような関節の痛み。
悪化：歩行。横たわる。寒さ、湿気。
好転：脚を折り曲げる。いすに腰かける。
関連レメディー：Coloc.

Gossypium　アジアワタ

総体的症状：強力な通経薬として使われた。ホメオパシーでは、**子宮機能障害と妊娠による多くの反射性の病態に対応する**。吐き気、唾液の分泌と嘔吐する傾向を伴う、午前中、朝食前に、子宮周辺の敏感さを伴う。胃が過敏でガスが多い。動く、または急ぐと嘔吐する。妊娠悪阻（つわり）。卵巣の間欠性の疼痛が子宮に向かう。**子宮の不活発さ**による不妊。敏感な子宮。月経が遅い、少ない、水っぽい。復古不全。子宮筋腫。乳房の腫瘍、腋窩腺の腫脹を伴う。首の痛み。遅い月経、今にも流れ出しそうな感覚を伴う。
悪化：動作。
関連レメディー：Senec., Ust.

Graphites　黒鉛

総体的症状：無機炭素、ほんのわずかな割合で鉄を含有する。栄養に対して特有の作用がある－不健康な脂肪太りをする傾向、またはやつれはじめる。**循環**が影響を受けて、血のめぐりが不順になり、特に頭に血が集中する；皮膚と粘膜の紅潮と青白さ。主な作用は**皮膚**、特

に屈曲部またはひだ、粘膜皮膚移行部、**耳の後ろ**。**皮膚**、腺、まぶた、爪、傷跡の**肥厚と硬化**。皮膚に分厚い痂皮が形成される。胼胝を生じる傾向。粘膜皮膚移行部；目、鼻孔、口、**肛門**、乳頭、指先、**皮膚のひだ**に、**擦過創**、**表皮剥離**、**ひび割れ**、**亀裂**を起こす傾向がある。患者はたいてい肥満、弛緩している、**冷たい**、そして**便秘症**。分泌物は薄い、臭い、少量、刺激性。**酸味**；味覚、おくび、便、尿、歯からの出血、など。水っぽい出血。患部のるいそう。**灼熱感**、しびれと無感覚。体重のかかっていない部位が痛む。総体的な不安感、びくびくする感覚のため、**思わずうめき声を上げる**。突然力がなくなる。たびたび、気が遠くなる、部分的な感覚の喪失を伴う。瘢痕組織の吸収を助ける。丹毒の傾向を根絶する。筋肉の収縮。悲嘆、恐怖、重たいものを持ち上げたことの悪影響。カタレプシー、意識はあっても、動く力も話す力もない。浸潤。さまざま部位の疼痛性痙攣と灼熱感。消化器系と皮膚の症状が交互に現れる。**寒さに対して過敏**、それにより骨の痛み、コリーザと、胃の症状が悪化。癌体質；古い悪性の瘢痕。麻痺、または麻痺した感覚。嚢胞性腫瘍、嚢胞をつくりやすい傾向。水腫、浮腫。

悪化：寒さ；すき間風。光。**月経時**、**月経後**。動作。抑圧、発疹の、分泌の。空嚥下。脂肪。熱い飲み物。寝床の温かさ。夜。ぬれた足。引っかくこと。

好転：戸外を歩いた後。熱い飲み物、特に乳。食べること。おくび。接触。

精神：悲しみ；恐れ；**優柔不断**、ささいなことでちゅうちょする。うめきたい衝動。臆病。働きたくない。落ち着きがない、仕事で座っている間。悲惨で不幸に感じている。めそめそする；理由なしに、音楽で。忘れっぽい、話す際、書く際に間違える。怒られても、あつかましい、からかう、笑う子ども。死ぬこと以外考えていない。若いときの出来事はすべて覚えているが、最近の出来事は忘れている。科学的な仕事で疲れる。

頭部：めまい、＜上を見上げる、読書、裁縫。頭に血が上る、紅潮した顔と熱感を伴う。脳がしびれた感じ。頭がしびれて髄のような感じ。額の皮膚が折りたたまれたような感覚。額にクモの巣があるような感覚。後頭部の重圧感、または鈍い圧迫感、頭が後ろに引っ張られるような感じ。頭頂の圧迫性の痛みや**灼熱感**。頭痛、吐き気を伴う、月経時。もつれた、もろい、抜けやすい髪、＜頭頂と側頭部。乳痂。頭部湿疹、触ると痛む痂皮。部分的なはげ。

目：日光を避ける。羞明。眼炎。まぶたが赤い、はれている。外眼角の痛みやひび割れ。逆まつ毛。月経時、視界が突然消失する。炎症を起こした、または乾燥した、うろこ状の、または青白いまぶた。再発性の眼角炎。まぶたの亀裂；湿疹。フリクテン症。熱い涙。まぶたが重く垂れ下がる。書くときは、文字が二重に見え、読むときは一緒になって見える。まぶたの囊胞性腫瘍。

耳：内耳の乾燥。薄い、白い、うろこ状の粘膜が鼓膜を覆っている。耳の後ろの**湿気と発疹**。塩辛い耳漏。耳の後ろの硬い身体感覚。難聴—雑音の中でのほうがよく聞こえる。耳鳴り—シーッという音、銃の大音響のような爆発音。満月のとき、詰まったように感じる、まるで空気が中にあるような、または水がいっぱい入っているかのような。おくびのたびにパキッという音がする。

鼻：乾燥、嗅覚の喪失。鼻出血、血が頭に上る、＜月経前。月経時の冷え。鋭い嗅覚、花の香りに耐えられない。詰まったコリーザ。鼻孔の痂皮と亀裂。目を開けるとくしゃみをする。かぜからのコリーザ。内側が痛い。慢性カタル。多量の分泌、特に月経時。表皮剥離。

顔：顔にクモの巣がかかっているような感覚。青白い、むくんだ、やつれた、紅潮した。月経前のにきび。唇がひび割れて痛い。湿疹、口と鼻の周囲。ひげそりまけ。顔面麻痺、筋肉のねじれと発語困難を伴う。月経時の蟻走感。下顎の痛みを伴う小結節。あごひげが抜ける。

口　：口角の潰瘍形成。酸っぱい味、腐った卵のような。息が尿のにおい。**舌に白い分厚い苔の斑点**。ひりひりする舌の水疱。歯茎が出血しやすい、はれやすい。酸っぱい、臭い口臭。歯からの出血、酸っぱい味。夜間の唾液分泌過多。歯がむずむずする。

喉　：小結節性の甲状腺腫。嚥下時に、甲状腺腫のため息が詰まる。喉に塊が落ちる感覚、＜空嚥下。嚥下したい欲求；常時の痙攣から。慢性の咽頭痛。扁桃肥大。食べ物が下に行かない、痙攣のため。

胃　：肉、魚、調理したもの、塩、甘味を嫌悪。熱い飲み物不耐。過剰な食欲、または食欲がない；空腹時の悪化。酸っぱい、または臭いおくび。胃の灼熱感、空腹感を起こす。＞食べること、熱い飲み物、特に乳、横たわること。月経時の朝方起こる吐き気。嘔吐、酸っぱい、食べ物の。周期的な胃痛、食べるとすぐに吐く、胃の症状＜寒さ。幽門の癌。嘔吐と下痢、氷のような冷や汗、頭痛を伴う。

腹部：鼓腹。ウエストのきつい服に耐えられない。**腹の膨張**、腸内ガスがたまることからの。腹の差し込みのような痛み、排尿不足を伴う、夜間の。腸が引き裂かれるかのような痛み。便、大きい、瘤がある、困難、糸を引く、ねばねばする、または緩い、茶色い、未消化物を含む、非常に臭い。**腸の不活発さ**；数日間の便秘。肛門の亀裂；排便時の切られるような痛み、収縮と痛みが数時間も続く；肛門からの出血と潰瘍形成。多量の粘液便；細い；ねばねばした。直腸脱になりやすい。痔疾、痛み＜座る、大股で歩く。肛門と外陰部の痛み、月経前。疼痛、ひりひりする痛み、肛門をふくときの。下痢、ほんの少し無分別に食べたために。サナダムシ。

泌尿器：酸っぱいにおいの、混濁した、細い流れの尿。仙骨または尾骨の痛み、排尿時。尿道狭窄。

男性：性的衰弱、性欲亢進を伴う。性交を嫌悪。早すぎる射精、または性交中の失敗。性的に楽しみたい。精巣水瘤。持続勃起症。性交時のふくらはぎの疼痛性痙攣（こむらがえり）。性交過多またはマス

ターベーションによるインポテンス。
女性：性交を非常に嫌悪。月経は**遅い**、少ない、色が薄い、不規則、痛みを伴う。卵巣（左）の腫脹と硬化、＜月経後。卵巣と乳房の硬化。嗄声、コリーザ、咳、朝起きたときの吐き気、発汗、足の腫脹または頭痛、月経時の。色の薄い、粘着性のない、多量の、刺激性の、噴出する、背中の衰弱を伴う帯下、＜月経の前後。月経の代わりの帯下。乳癌、乳房膿瘍後の瘢痕からの。乳頭の痛み、亀裂、水疱。腕を高く上げたときの子宮の痛み。子宮後傾；下腹部が重い、大腿に向かう切られるような痛みを伴う；子宮が膣から飛び出しそうな感覚。膣の乾燥、熱いまたは冷たい。湿疹状の発疹、外陰部の。

呼吸器：胸部の狭窄、まるで狭すぎるような、窒息しそう、眠りに落ちるとき、寝床から跳び起きる、何かをつかむ、何かを食べなければならない、＜深夜過ぎ。胸部の痙攣。声のコントロールが効かない、＞声を使うこと。嗄声、歌い出すとすぐに。ハスキーな声。声を変調できない＞話し続けていると。喘息、痙攣性、窒息するような発作、そのため眠りから覚める、＞食べる。乾いた煩わしい咳、顔の発汗を伴う。流涙、＜深呼吸をする。

心臓：心臓から首にかけての電気のような衝撃。全身の強い脈動。心臓の鼓動、不安を伴う、鼻出血を伴う。前胸部の冷たい感覚。脈、日中遅く、朝は速い。

首・背中：首の付け根と肩の痛み、＜見上げる、かがむ。仙骨の痛み、はうとき。仙骨から脚にかけてのしびれ。腰部の痛み、まるで脊椎を損傷したかのような。

四肢：灼熱感；疼痛性痙攣、びくっとする動き。腋窩の下の灼熱感と圧迫感。腕と脚の無感覚。手足のどちらかが熱い、または冷たい。四肢が麻痺した感覚。脚の水腫。爪が、分厚い、でこぼこ、欠損、ぼろぼろになる、肉に食い込む。手のたこ；亀裂を伴う。まるで捻挫したかのような手の親指の関節の痛み、十分に伸ばすことができな

い。歩行時の大腿の表皮剥離。手の指先の亀裂とひび。腱膜瘤、＜炎のような熱、＞圧迫。足の裏と踵の灼熱感。足が冷たい、湿っている、表皮剥離を生じる臭い汗を伴う、＜夕方。足指が汗で湿る。

皮膚：皮膚のひだ部分がひりひりする。発疹が裂ける、湿っている、すぐ出血する、＜頭部に、耳の後ろに。**皮膚は乾燥し**、**ざらざらし**、**過敏で**、**傷つきやすく**、**粘着性の水分をにじみ出させる**、＜ひだが、**治癒が遅い。湿った、痂皮のある発疹。湿疹**―肛門、脚、手のひらの。遊走性、または再発性の**丹毒。臭い**、**刺激性の**、**足の汗**；足指がすりむける。発疹＜熱で。古い傷が潰瘍形成する。古い瘢痕の灼熱感。古傷、元が硬くなり、縁ができる、灼熱感を伴う。

睡眠：疲れすぎて、眠たい。不眠、深夜まで。日中眠気。ひどい夢。朝、爽快な感じがしない。

熱：身体の正面にだけ発汗することが多い。汗；不快、酸っぱい、黄色いしみになる、冷たい。発汗できない。再発性の周期的な熱。夕方の悪寒＜食事、＞外気と水を飲むこと。発熱のどの段階でも覆われていたい。

補完レメディー：Ars., Caust., Ferr., Hep., Lyc., Sulph.
関連レメディー：Calc-f., Carb-an., Carb-v., Kali-bi., Puls.

Gratiola オオアブノメ

総体的症状：このレメディーは、特に**胃腸管**に作用するが、精神的、性的な症状もある。**麻痺性の痛み**と、特に腹部の**冷感**が、特徴的な症状。コーヒーの乱用による神経痛。傲慢なプライドによる精神的な影響。神経衰弱。

悪化：食べること。**水の飲みすぎ**、夏。動作。コーヒーの乱用。夕食。
好転：外気。

精神：意志が弱い。不機嫌；人生に疲れている、忍耐力がない。将来への危惧。ヒステリー。女子色情症。心気症。

頭部：血液の集中、視力低下を伴う。めまい、食事中、食後。頭痛時に、額に皺。まるで脳が収縮して頭が小さくなったような感覚。

目：あらゆるものが白く見える、緑の木々さえも。

胃：食後の空っぽな感覚。冷水か、**だぶだぶする重たいものが胃にある**感覚。何もほしくないが、パンだけは欲求。

腹部：**多量の、黄色っぽい、緑色の、噴出する、水っぽい、または泡だらけの、消耗する**下痢、腹部の冷たさを伴う、肛門の痛み、または灼熱感を伴う。夏の下痢、水の飲みすぎによる。

男性：陰茎の痛みを伴う硬さ、射精後の、毎夜の。

女性：マスターベーションの傾向；女子色情症。多量すぎる、早すぎる、長すぎる月経。帯下、常時の。乳房（右）の突き刺されるような痛み、かがみむと、月経時。

心臓：動悸、排便後、胸部の圧迫感を伴う。

首・背中：尾骨の痛み、排便後。首が、まるで手でつかまれたかのように痛む。

四肢：坐骨神経痛のために、四肢の力が抜ける。

関連レメディー：Mag-c.

Grindelia ネバリオグルマ

総体的症状：迷走神経の不全麻痺を起こし、呼吸を妨げ、気管支に多量の粘液分泌を起こす。**入眠時、または目覚めたときの窒息感**。喘息と気腫、心臓拡張を伴う。ガラガラいう呼吸。気管支漏、粘着性の、白っぽい喀出物。横になると呼吸ができない。切られるような、ひりひりする痛み、脾臓周辺から臀部にまで広がる。脾臓肥大。

チェーン・ストークス呼吸。
悪化：入眠時。動作。暗闇。
関連レメディー：Lach.

Guaiacum　ユソウボクの樹脂

総体的症状：関節の線維組織に主に作用する、**関節炎体質**に有用なレメディー。筋肉と腱が収縮して、痛みを伴ってこわばり、関節がはれる。**多量の、臭い分泌物**、喀出物、汗など。膿瘍の**化膿を早める**。リウマチを伴う扁桃炎。焼けるような熱感：患部の。胸部のかじられるような、または突き刺されるような痛み。**筋肉**―まぶた、背中、大腿などの―**が短すぎるように感じる**、または**痛い**。肩甲骨間、手のひらなどの収縮；歪みを生じ、硬直させる。成長痛。短い腱。皮膚のはれ。不潔な体臭。衣服が湿っている感じがする。痛み、特に頭痛は、いつも刺されるような痛みで終わる。骨が海綿状になる、または化膿する。進行性のるいそう。全身の不快感から、あくびや伸びをしなければならないように感じる。外骨腫症。
悪化：**熱**。接触。動作。激しい活動。早い**成長**。**水銀**。午後6時から午前4時。思春期。冷たい、湿った天候。
好転：（部分的な）冷たさ。リンゴを食べること。あくびと伸び。
精神：**忘れっぽい**、特に名前。すべてのことを批判したい、さげすみたい強い欲求。軽率に物事を始める。怠惰、頑固、気難しい。
頭部：首にまで痛みが広がる、刺されるような痛みで終わることが多い。脳が緩んでいるように感じる。頭痛、＞歩行、圧迫、＜座ること、立つこと。
目：眼球が大きすぎて、まぶたでカバーできないように感じる。目の周辺の硬い吹き出物。眼球突出（症）。

顔　：顔の左側の神経痛、毎日午後6時から午前4時まで。高齢者のような顔。
喉　：**乾燥、灼熱感**；触ると痛む；急性扁桃炎。嚥下時の、耳にかけての鋭い刺されるような痛み；飲み物がないと嚥下できない；再発性の扁桃炎、その後にリウマチ。
胃　：分厚い白い苔舌。乳を嫌悪、すべての食べ物を嫌悪、何も食べることができない。リンゴを欲求、それにより胃の症状は緩和される。胃の灼熱感。多量の水っぽい粘液を吐く、そして衰弱する。毎夏、繰り返す胃の疾患。
腹部：みぞおちの収縮感や閉塞感により、咳や呼吸困難を起こす。小児コレラ、高齢者のような顔とるいそうを伴う。鼓腸性膨張。
泌尿器：排尿後も常に尿意を感じる。排尿中、排尿後の鋭い刺されるような痛み。
男性：夢を伴わない射精。尿道からの分泌物。
女性：リウマチ性疾患患者の卵巣炎、不規則な月経を伴う、月経困難症、神経性膀胱を伴う。乳房の冷たいむずむずするような感覚。乳房が鳥肌だつ震え。
呼吸器：みぞおちの閉塞による窒息感、空咳を起こす、頻繁に繰り返す、喀出物が出るまで。咳の後の臭い息。胸膜炎の痛み、＜深呼吸。再発性胸膜炎。肺尖（左）の痛み。肺結核。戸外で車に乗っていると胸が痛む、＞圧迫、歩行、＜座ること、立つこと。
首・背中：硬直した首、痛む肩。背中の片側の硬直、首から仙骨にかけて。肩甲骨間の収縮性の痛み。
四肢：緊張感、短い大腿筋、＞座る。臀部がちくちく痛む、まるで針の上に座っているかのように。痛みは、足首から上方向に向かう。変形性関節炎。四肢の患部の灼熱感。ハムストリング筋が短い。
睡眠：総体的な気分の悪さを緩和するために、あくびと伸びをする。睡眠中何度も目が覚める、落下するような感覚。

熱　：ある一か所にのみの多量の発汗—顔、など。寝汗。夕方の悪寒を伴う発熱。体の灼熱感。手のひらが熱い。焼けるような熱、熱い顔と乾いた舌を伴う。
関連レメディー：Ferr., Kali-bi., Kreos., Phos-ac., Phyt.

Gymnocladus　ケンタッキーコーヒーツリー

総体的症状：特に舌に、しびれと青みを起こさせる。
悪化：寒さ。歩くこと。
好転：休息。何かにもたれかかる。目をこする。
精神：すべてを忘れる。把握するのに時間がかかる；考えること、理解、勉強ができない。
頭部：締め付けられている感じ、縛られているかのよう。
目　：前に押し出されるかのような感覚；こすりたい。まゆ毛の下の痛みが鼻に移動する。
顔　：ハエが顔にたかっているかのように、むずむずする。丹毒様の腫脹。
口　：冷気に敏感な歯。**青みがかった**、**白い舌**。
胃　：熱い、酸っぱいおくび。胃のある部分が焼けるよう。
四肢：左側の激しい痛み、まるで骨が砕けるかのような。
関連レメディー：Op.

Hamamelis　アメリカマンサク

総体的症状：このレメディーの主な作用は**静脈**、特に直腸、生殖器、四肢、そして喉の静脈にあり、静脈性うっ血、痔、そして出血を起こす。痛みのある、口の開いた傷や第1度熱傷の患部にあてがうのに有効。患部に**打撲したようなひりひりする感覚**を起こす；そこから流血する、血管、腹部などで。緊張した、破裂するような感覚、痔疾の、関節または下肢の。うっ血性の膨満感。静脈の痛み、ひりひりする感覚、切られるような感覚、腫脹、炎症、**痛い**、硬い、結節のある、静脈瘤。**出血**、毛細血管の、黒い、流体の、過度の衰弱を緩和する、または引き起こす。ちくちくする、刺されるような、血管、筋肉、皮膚の痛み。手術後の痛みを緩和する。

悪化：損傷。打撲傷。圧迫。空気；外の、湿った、冷たい。振動。動作。接触。日中（痛み）。

精神：忘れっぽい。学習意欲または労働意欲がない。相応の敬意を払われたい。過敏。出血に伴う平静な心。

頭：ハンマーでたたかれるような頭痛、＜左のこめかみ。頭の鈍い感覚。こめかみから、こめかみにかけて、ボルトが通されたかのような感覚。射精後の頭痛。

目：押し出されるような感覚、＞指で圧迫する。充血した目。目の痛み。眼内出血の吸収を早める。虹彩炎、結膜炎などによる外傷性の影響。

鼻：鼻の悪臭。鼻出血、弱い流れ、凝固性がない、鼻梁が詰まったような。片麻痺における鼻出血、高齢男性の。

口：歯茎からの少量の出血、抜歯後、歯茎の痛みを伴う。血の味。舌がやけどしたようなような感じ。舌と唇のやけど。

喉：ひりひりする、静脈の膨張を伴う。口蓋垂の刺されるような、砕け

るような痛み、咳の間。
- **胃**：胃の後ろ側の痛みと重さ。黒い血の嘔吐。水への嫌悪、そのことを考えるだけで気分が悪くなる。豚肉からの吐き気。
- **腹部**：痔疾、多量の出血、痛みを伴う。多量のタールのような血便。血の混じった赤痢。腹部の静脈瘤。
- **泌尿器**：血尿に伴い、尿意が増す。腎臓周辺の鈍痛。
- **男性**：精索と精巣のひどい神経痛、吐き気を伴う。精巣炎、＜接触。精索静脈瘤。夜間の無自覚の射精。血腫。
- **女性**：黒っぽい経血、多量、腹痛を伴う。不正子宮出血、月経間期の中ほどで、日中のみの。強打後、流産後の卵巣炎、腹部全体の痛みを伴う。乳頭の痛みと出血。白股腫。妊娠中、脚が痛み、歩くことも立っていることもできない。帯下、血の混じった、腟のひりひりする感覚を伴う。腟のひりひりする感覚、圧痛、腟痙。がたがたと揺さぶられることによって月経になる。
- **呼吸器**：喀血、むずむずする咳、血の味を伴う。
- **首・背中**：頸椎のひりひりする痛み。折れそうな背中の痛み。肩甲骨の痛み。腎臓周辺の鈍痛。
- **四肢**：緊張、四肢と関節の破裂しそうな感覚。
- **皮膚**：静脈炎。斑状出血。静脈瘤性潰瘍。やけど。
- **補完レメディー**：Ferr., Flour-ac.
- **関連レメディー**：Arn., Puls., Vip.

Hecla lava　　ヘクラ山の火山灰

総体的症状：下顎への作用が顕著で、敏感で触れると痛む、骨肉種、骨炎、カリエス、壊死、外骨腫症など、さまざまな骨の疾患を阻止する力がある。虫歯に起因する顔面神経痛や抜歯後の顔面神経痛。

Helleborus niger　黒クリスマスローズ

総体的症状：クリスマスローズまたはblack helleboreという名で知られている。略語の"hell（地獄、ひどい体験）"と形容詞の"black（黒い）"が何かを示唆しているとすれば、特徴的な症状の多くに納得がいく。生命力が低い、重篤な病気の状態で、患者の周辺のすべてが暗く見える。患者の顔、唇、手は黒ずみ、鼻孔からはすすが出る、したがって、暗い陰うつなレメディーである。**精神**と脳に影響を与え；**感覚が鈍く、反応が緩慢になる**；見ること、聞くこと、味覚が不完全。筋肉は意志に従わない、そのため、ふらつき、物を落とす。筋肉の衰弱から、最終的には完全に**麻痺**する。痙攣と筋肉のひきつり；自動的な動作；片手と片足の自動的な動き。病気は徐々に始まり、だんだん衰弱が進む。あおむけに横たわる、膝を抱えて、または股を開いて。水腫性の腫脹。てんかん；意識を伴う、深い眠りが後に続く。痙攣、非常な冷たさを伴う、乳児の。雑音から痙攣発作が起こる。発疹の抑圧、殴打、失恋の悪影響。弱々しい、繊細。片側の麻痺、もう一方の自動的な動き。漿液性滲出液。通常赤い部分が白くなる。

悪化：冷気。思春期。生歯。抑圧。激しい活動。夕方、午後4〜8時。接触。**かがむ**。

好転：症状のことを考えているとき、または気がそれているとき。

精神：完全なる無意識。不注意。**鈍い、愚か**；認識に時間がかかる、または**無感動**。憂うつ；陰うつ；絶望；ぼんやりした。他人の幸福をねたむ。何も考えずに凝視する。自責感からのヒステリー性躁病。不随意に歌う。いら立ち、＜慰め；邪魔されたくない。食べない、話さない。固定観念。思春期のうつ。物が新しく見える。小言を言う、あら探しをする。自分が悪い、自分はある特定の日に死ぬと思

い込んでいる、ただじっと座って、何も言わない、何もしない。脳卒中後の知的障害。

頭部：麻痺するような頭痛、＜かがむ。撃ち抜かれるような痛みで、突然叫ぶ。症状を緩和するために、**常に頭を左右に振る**、うめきながら（水頭症）、または**枕に頭を埋め込む**（髄膜炎）。水がパシャパシャはねるような感覚。頭痛が嘔吐で終わる。頭を打つ。額に皺がよって折り重なっている（脳疾患）。脳振とう、頭部の打撃による、Arnicaが効かなかったとき。痙攣の前に、電気ショックが脳に走る。

目：半開き；落ちくぼんだ；上を向く；斜視。**ぼんやり凝視する、または疲れて見える**。夜盲症。羞明、炎症を伴わない。

鼻：嗅覚の衰え。すすけて広がった鼻孔。上を向いた鼻、こする。

顔：青白い；浮腫状の；赤い、熱い、または冷たい。神経痛、そしゃくすることができない。下顎の常時そしゃくする動き、顎がだらりと下がって口が開いている。冷や汗。

口：歯ぎしり。ひどい口臭。舌のしびれ、乾燥、震え、黄色い潰瘍で覆われている。唾液分泌過多、口角のひりひりする感覚を伴う。アフタ。喉の苦味、＜食べること。

胃：野菜、肉、ザウアークラウト（塩漬け発酵キャベツ）を嫌悪。冷水をがぶがぶ飲む、スプーンをかむ、無意識に（水頭症）。乳児は貪欲に乳を飲む。緑がかった黒いものを吐く、疝痛に伴って。食欲不振、脳の疾患に伴う。ほとんどの疾患に、喉の渇きを伴わない、あるいは喉が渇くが飲み物を嫌悪する。ひどい灼熱感、食道にまで広がる、妊娠中の。

腹部：まるで腸に水がいっぱいたまっているかのように、ゴボゴボいう。膨張。軟便、水っぽい、**白いゼリー状の粘液**；不随意。腹水症。完殻下痢。

泌尿器：尿、抑圧された、少量の、黒い小片や沈殿物を伴う、尿閉、膨張しすぎの膀胱、妊娠中の。腎炎。尿毒症。水腫。頻繁に尿意を感じ

る、わずかにしか排出しない。
男性：精巣水瘤、発疹の抑圧による、左右どちらか。
女性：月経の抑圧、かぜまたは失恋による。子宮の水腫、四肢の突き刺されるような痛みを伴う。産褥痙攣、突然の雑音で止まる。
呼吸器：ため息。胸部の収縮。口を開けてあえぐ、寝床で起き上がる（水頭症）。乾いた咳＜夜間に、または突然始まる、喫煙時。
心臓：遅い脈、弱脈、軟脈。
首：首のこわばり（髄膜炎）。
四肢：片方の腕と脚の自動的な動き、睡眠中以外の。親指が手のひら側に曲がる。姿勢を変えようとするたびに、脚が引き上がる。足の浮腫。
睡眠：昏眠、完全に起きられない。**金切り声をあげたり、ぎくっとする、昏睡状態で**。睡眠時の筋肉痙攣。
熱：腕から冷えが広がる。悪寒、発熱を伴う、発汗を伴う、露出を嫌う。冷え、発汗による。
補完レメディー：Zinc.
関連レメディー：Bry., Op., Zinc.

Heloderma　アメリカドクトカゲ

総体的症状：アメリカドクトカゲと呼ばれる、このトカゲの毒は、振戦麻痺や、脊髄癆のような無感覚の麻痺状態を起こす。この毒の最も特徴的な症状は、**極度の氷のような冷たさ**、まるで凍ってしまったような、内側から外側にかけて。呼吸、舌が冷たい；肺と胸部の冷たい感覚；肩甲骨の冷たさ；脊椎の灼熱感。冷気が身体の周りをはい回るよう。患者は、歩行時によろめく。脚を高く上げ、踵を力強く地面に下ろす；スポンジの上を歩いているような、または足がはれ

ているような感覚。歩行時に右側にそれる。
悪化：睡眠後；夜。
好転：体を伸ばす。暖かさ。

Helonias　ヒトツブコムギの根

総体的症状：**女性**のためのレメディー：度重なる妊娠、流産によって**極度に疲れ果てた**；怠惰やぜいたく、あるいは家事のあまりの多さから無気力になった；そして、いつも背中の痛みと疲労感を訴える女性。筋肉が**重たい**、**ひりひりする**、痛む、焼けるよう。腎臓の常時の痛みと圧痛。尿崩症と真性糖尿病。貧血。**子宮弛緩**。子宮出血後の水腫。

悪化：**疲労**。**かがむ**。**妊娠**。衣服による圧迫。動作。

好転：**忙しいとき**。気晴らし。腹部をつかむ。

精神：非常に憂うつ。うつ。**怒りっぽい**；ほんのわずかな矛盾にも耐えられない。全員のあら探しをする。独りになりたい。楽しくない会話。何かをしていると、精神が忙しいと、調子がよい。

頭部：熱感、または、頭頂の上方向への圧迫感、まるで頭蓋がいっぱいであるかのような。

口：妊婦と生歯時の子どもの唾液分泌過多。

泌尿器：**腎臓周辺の鈍痛と熱感**、月経の代わりに。尿；多量、澄んだ、蛋白尿；糖尿、リン酸塩尿。腎炎、妊娠中の、頑固な嘔吐を伴う。頻繁な不随意の排尿、膀胱が空になった感覚後。

女性：頻繁すぎる月経、多量すぎる。出血、無緊張症による、黒っぽい臭い血。**子宮が重い、ひりひりする、子宮の圧痛、潰瘍形成、または子宮脱**、または位置異常。**骨盤内が重く鈍い**。月経、抑圧、腎臓うっ血。子宮が意識される。臭い、**塊のある**、または**凝固した**帯

下。仙骨周辺の神経の高ぶり、脱出症を伴う。外陰部のかゆみ。外陰部のアフタ、炎症。乳房の腫脹。乳頭が痛む、圧痛、＜衣服による圧迫。

呼吸器：胸部が、まるで締めつけられているかのような感覚。

背中：背中の痛みと重さ。肩甲骨間の痛み。疲労と衰弱。衰弱、仙骨周辺の重たさと、下に引っ張られる感覚、臀部のほうへ。

四肢：大腿の外側のひりひりする痛み。まるで冷たい風がふくらはぎを吹き上がってくるかのような感覚。足の無感覚、座っているとき。

熱：疲労時に熱く感じる。

関連レメディー：Senec., Sep., Tril-p.

Hepar sulphuris　硫化カルシウム

総体的症状：カルシウムの不純物を含んだ硫酸塩で、**神経に作用し、患者をすべての影響ー寒さ、痛み**；接触、雑音、におい、すき間風など一に対して過敏にさせる；わずかな痛みで失神する。患者は**不活発な性格**で、筋肉が弱い、ブロンド。**結合組織**が影響を受け、**化膿する傾向**がある；非常に顕著な特徴。**呼吸器系の粘膜**との特別な親和性があり、多量の分泌を促す。**分泌物はすべて多量、臭い、古いチーズのよう、酸っぱいー便**、体臭、汗など。**発汗しやすい、多量**に、しかし露出することを好まない；発汗しても楽にならない。**腺**の炎症；腫脹と化膿。患者は**冷たい**、熱い気候でも、オーバーを着る。患部に**風が吹きつける感覚**。湿った寒い天気でかぜをひく。痛みはひりひりする痛み、**鋭いとげのような**、**刺されるような痛み**。皮膚は一般にひだが侵される。**傷はすべて化膿する**。膿瘍、悪化傾向、**多量の濃厚な膿**。周囲を化膿させて異物を排除する。黄色い、硬化した喀出物、汗など。乳様突起炎。下側にして寝ていた部

分が、徐々に、非常に痛むようになる；反対を向かざるをえない。ペラグラ。硬い、焼けるような結節。精神的にも、身体的にも神経質。損傷、発疹の抑圧、水銀の悪影響。震えるような衰弱、喫煙後。骨の痛み；カリエス。損傷の後の痙攣。

悪化：冷たく乾燥した空気。冬。冷たい風—すき間風。部分が冷たくなる。わずかでも露出すること。接触、雑音、激しい活動。痛む側を下にして横たわる。水銀。夜。

好転：熱。暖かく覆うこと、特に頭、蒸し暑さ。湿気の多い天候。

精神：落胆、悲しみ。突然の記憶力低下。精神的にも、身体的にも神経質。けんかっ早い、仲良くやっていくのが難しい、何をしても喜ばない、嫌悪、人を、場所を；機嫌が悪く、凶暴になる。いら立つ、または不満足、自分に、そして他人に。凶暴；自分に盾つく人を殺したい；火をつけたい。恐ろしい衝動。せっかちにしゃべる、飲む。言葉が先を争って転がり出る。不機嫌な子ども。子供は笑わない、楽しまない。部屋の隅に物も言わずに静かに座っている。

頭部：めまい、＜車に乗る、または頭を振る。右のこめかみと鼻の付け根の穴を開けられるような頭痛、＜動作、かがむ。髪が抜ける；部分的に、頭痛の後。頭皮、ひりひりして過敏。頭のひりひりする結節状隆起。頭の冷や汗。脳の半分の常時の圧迫痛、栓をされたような。

目：角膜の潰瘍または斑。前房蓄膿。物が赤く、大きすぎるように見える。炎症を起こした目の周囲の、小さな膿疱。羞明。視野が1/2。網膜の変性、日食を見たことから。

耳：耳の中の突き刺されるような痛み。耳垢の増加、鼓膜の穿孔。悪臭の耳漏。乳様突起炎。耳と耳の後ろのうろこ状の表皮。

鼻：詰まる、またはくしゃみをする、鼻水が出る、冷たく乾燥した風に当たるたびに。鼻出血、歌った後。鼻の付け根のひりひりする痛み。詰まった痛い鼻。古いチーズのようなにおい。花粉症。化膿性のかぜと古いカタル。

339

顔 ：黄色い、目の周囲のくま。下唇の中央の亀裂。骨が接触すると痛む。顎の撃ち抜かれるような痛み、口を開けるとき。口角の潰瘍。上顎の突出。眼窩上神経に沿って出るヘルペス。額の吹き出物は、戸外では消失。硬くはれたほお、硬い増殖物がある。

口 ：歯がぐらぐらする。虫歯が長すぎるように感じる。歯茎から出血しやすい。軟口蓋の潰瘍が口蓋垂を浸食する。ひどい口臭。唇とほおの内側のアフタ性小膿疱。

喉 ：扁桃、首の腺の腫脹。化膿性扁桃炎。魚の骨やとげが喉に突き刺さっているような感覚、あくびをすると耳にまで達する。何かが詰まっているような感覚。粘液を喀出する。（右の）甲状腺腫。痛みが頭部に行く。嚥下時に、刺されるような痛みが耳にまで広がる。慢性扁桃炎、難聴を伴う。

胃 ：酸っぱいもの、**香辛料と刺激物**を渇望；ビネガーを渇望。胃弱；灼熱感と胃の重さ、軽く食べた後、胃の不調を起こしやすい。胃酸が食道にこみ上げてくる感覚が常にある。食べると元気になるが、重くなる。慌てて飲む。脂っこい食べ物を嫌悪。時に何かを欲求するが、食べると嫌悪。歩行時の痛み、だらりとぶら下がっているかのよう。

腹部：肝臓周辺の縫われるような痛み、＜歩行、咳、呼吸、または触れると。なかなか出ない軟便。腹部；膨張、緊張。肛門からの臭い粘液。軟便に伴う直腸出血。冷水を飲んだ後の下痢。肝炎。肝膿瘍。酸っぱい、白い便。痔疾。

泌尿器：尿はゆっくり出る、出にくい、垂直に垂れる。排尿を待たなければならない。排尿後の血あるいは膿の流出。腎炎、発疹後の。排尿後も膀胱に残尿感がある。

男性：下疳のような包皮の潰瘍。排尿後、排便時の前立腺液の流出。コンジローム、臭い。頑固な淋病。陰嚢と大腿の間のひだの皮膚が湿ってひりひりする。鼠径腺の化膿。

女性：排便時、排便後の子宮出血。非常に臭い、熱い、粘液状の、膿状の帯下；古いチーズのようなにおい。陰唇の膿瘍、非常に敏感。乳頭と外陰部のかゆみ、＜月経。癌、潰瘍形成を伴う。性交、非常に痛む、子宮の肥大と前傾、卵巣のうっ血を伴う。

呼吸器：冷気に敏感な喉頭、痛い。失声と咳、冷気にさらされると。少しでも露出すると咳き込む。嗄声、慢性の、歌手の。ヒューヒューいう、窒息しそうな呼吸、頭を反らさなければならない。**窒息しそうな**、ほえるような咳、＜冷たい飲み物、または午前中；羽毛があるかのような空咳。胸部の**衰弱とひどいガラガラいう音**。**緩い粘液、しかし喀出できない**、冷気で詰まる。**多量の、濃厚な、黄色い、喀出物**。再発性の気管支炎、かぜをひくたびに。胸に熱いお湯が落ちるような感覚。喘息；化膿後の。咳の前に泣く。失声症。咳、＜夕方から夜中まで。

心臓：動悸、刺されるような痛みを伴う

背中：右の肩甲骨がむずむずする。

四肢：肘の被囊腫瘍。瘭疽。足の親指の爪がわずかな圧迫で痛む。手指の関節がはずれやすい。股関節の殴打されたような痛み、＜歩行。膝、足首、足のはれ。四肢の引っ張られるような痛み。腋窩の膿瘍。足首周辺の足のはれ、呼吸困難を伴う。

皮膚：冷気に敏感。ひだの臭い湿った発疹。不活発な化膿性の潰瘍、小さな潰瘍または**吹き出物**やせつに囲まれた。荒れた肌、手足の深い亀裂。非常に過敏な単純ヘルペス。慢性、再発性の蕁麻疹。血管（運動）神経性浮腫。身体から悪臭を発散する。とびひ。不十分な肉芽形成。

睡眠：不眠；火事になる不安な夢。爽快でない。夜、勃起と尿意で目覚める。

熱：微熱；消耗性。多量の発汗、わずかな激しい活動で、昼夜の；酸っぱい、ねとねとする、臭い汗。寝汗。

補完レメディー：Iod., Sil.
関連レメディー：Merc.

Hydrastis　ヒドラスティス

総体的症状：**粘膜**に作用し、**カタル性**の過程を起こす、出血傾向と潰瘍形成傾向を伴う；喉、胃、子宮、尿道など、あらゆる部位のカタル、**濃厚な、黄色い、刺激性の、糸を引くような分泌物が特徴**；便や尿には粘液が含まれている；粘液を喀出；そのため、粘液のレメディーと呼ばれている。アトニー性・悪液質性・変性疾患をもたらす、そのため、ひどい衰弱とるいそうを伴う、高齢の疲れやすい、**弱い人**に適合する。ひりひりする灼熱感。癌と前癌状態。思春期と妊娠中の甲状腺腫。経口そして塗布で与えると、天然痘の疾患経過を和らげる。頻繁に失神の発作を起こす、多量の発汗を伴う。浅い潰瘍形成。小さな傷が出血し、化膿する。鼠径部で衣服が不快に感じる。

悪化：**吸気**。**冷気**。乾燥した風。外気。わずかな出血。洗浄。接触。**高齢**。動作。

好転：圧迫。

精神：抑うつ；死ぬことを確信している、そして望んでいる。忘れっぽい。

頭部：頭皮と首の神経痛。額の、髪の生え際に沿った湿疹、＜洗浄後。

目：眼炎、濃い粘液分泌。黄色。

耳：耳漏；濃い粘液分泌。鳴り響く。耳管カタルによる難聴。

鼻：ひりひりする、出血；血の混じった痂皮。臭鼻症。後鼻漏。鼻では空気が冷たく感じられる。常に鼻をかむ。副鼻腔炎後のコリーザ。

顔：細い、黄色い、落ちくぼんだ。口唇癌。

口：白い、**黄色い、汚い**、はれた舌；大きい、**たるんだ**、ねばねばした、歯跡がついた；やけどしたように感じる。授乳中の母親、また

は病弱な子どもの口内炎。苦い味。アフタ。出血、痛みを伴う癌性の腫瘍、硬口蓋の。
喉：濾胞性咽頭炎。黄色い執拗な粘液を喀出。
胃：消化が弱い。胃の消耗感、食べ物を嫌悪する、または胃の中に、鋭い塊があるように感じる。胃潰瘍と胃癌。みぞおちの、痛みを伴う腫瘍、脈動を伴う。すべての食べ物を吐き出す傾向がある、乳または水だけは保持。パンや野菜は食べられない。
腹部：肝臓から右の肩甲骨にかけての切られるような痛み、＜あおむけに寝る、右側を下にして寝る。萎縮；癌、肝臓の。黄疸。瘤のある便、粘液が表面を覆っている、または混じっている。痔、ほんのわずかな出血で、疲れ果てる。妊娠中、下剤使用後の**頑固な便秘**。排便時の直腸のひりひりするようなうずき、後に長く残る。鼠径部の痛み、まるで捻挫したかのような。
泌尿器：尿中に粘液。後淋（淋菌性尿道炎の慢性型）性の分泌物、濃厚、黄色い。悪臭を放つ尿。
女性：頸部のびらん。濃厚な；刺激性の、黄色い；糸を引く帯下。外陰瘙痒症、多量の帯下を伴う、性的興奮を伴う。乳癌；乳頭；陥没；ひりひりする、ひび割れ、授乳中の女性の。月経過多と不正子宮出血；子宮筋腫を伴う。習慣性付着胎盤の傾向を除去する。腟の痛み、性交中、それ以降の出血。乳房（右）の痛み、くしゃみで。子宮からの熱い、水っぽい分泌物。
呼吸器：疲れ果てた高齢者の気管支炎。痰のからんだ咳、血の混じった、または濃厚な黄色の粘着性の痰、**粘液が多量に上がる**。呼吸困難、＜左側を下にして横たわる。
心臓：動悸、徐々に衰弱が進むことによる。
首・背中：首の神経痛。腰部の鈍い、引っ張られるような、重い痛み；いすから立ち上がるのに腕の支えがいる。
皮膚：天然痘のような発疹。潰瘍、癌（性）の。無力性潰瘍、腫瘍の除去

に伴う。
熱　：熱と悪寒が交互に生じる。多量に発汗する傾向。
関連レメディー：Ars., Kali-bi., Puls.

Hydrocotyle　チドメグサ

総体的症状：インドチドメグサ（Karivana）として知られている。結合組織の肥大と硬化を起こす。皮膚の過剰な肥厚、際立った剥離作用。らい、象皮病に影響を与えると考えられている；赤銅色の発疹、さまざまな部位に。耐えられないかゆみ、特に踵の、腟の。まっすぐに立つことができない。

Hydrocyanic acid　シアン化水素酸

総体的症状：迅速な作用、劇薬；痙攣、麻痺、虚脱、あらゆる部位の疼痛性痙攣を起こす。**影響は突然現れる**—痙縮、虚脱、脳卒中。反応が鈍い。頭から足にかけての、稲妻のような痙動。排便が急にやむ、意識を失う。長引く失神。青み。てんかん性の発作、吐き気と嘔吐または呑酸が先行する。カタレプシー。極度の悪寒。
悪化：満月。抑圧。嵐。
精神：無意識。困難を想定して恐れる；死、家の倒壊、ウマ、車などへの恐怖、車がかなり遠くを走っているときでさえ道を横断することを恐れる。痙攣前の大きな不随意の叫び。
頭部：極度の脳のうっ血；脳が燃えているかのように感じられる。まるで

クモが脳の上をはっているかのように感じる。
- **目**　：歪み、半開き。眼球の固定。
- **顔**　：青白い、または青みがかった；老けて見える。咬筋の疼痛性痙攣、硬直性の痙縮で顎が締めつけられる。唇が青白い、または青みがかっている。口の泡。筋肉のひどい歪み。
- **口**　：乾燥。味；膿の、金属の、収斂性の。舌が冷たい。
- **喉**　：**騒々しい嚥下**；飲むと喉と胃がゴロゴロ鳴る。食道の痙攣、または麻痺。
- **胃**　：みぞおちが沈む感覚。食欲不振。コレラ。へそから食道にかけての灼熱感；慢性消化不良。
- **呼吸器**：**遅い呼吸、不規則、息切れ。呼吸停止。**乾燥してむずむずする夜の咳。喘息；喉の詰まりを伴う。ゼーゼーいう咳を伴う痙攣。
- **心臓**：心臓をわしづかみにされる、まるで苦痛のなかにあるかのような。心不全；心臓の圧縮感。脈；衰える、弱い、不整、不ぞろいの、時折強い拍動を刻む。血管の膨張、苦悶する。狭心症、深刻な痛み。
- **背中**：背部の筋肉の収縮。
- **四肢**：氷のように冷たい手。
- **皮膚**：青みがかった発疹。
- **睡眠**：あくび、震えを伴う。嗜眠状態。覚醒昏睡。
- **熱**　：氷のような冷たさ；＜手。
- **関連レメディー**：Agar., Cupr., Laur.

345

Hydrophobinum 　（「Lyssin」を参照）

Hyoscyamus 　ヒヨス

総体的症状：一般にヒヨスとして知られ、**精神、脳、神経系**に、激しい害を及ぼす。悪魔のような力が脳を支配し機能を奪っているように思える。躁病の完璧な像を、けんかっ早い好色な性質の完璧な像をもたらす。**痙攣、震え、痙攣性のぐいっとする動き**、痙攣性のぴくぴくする動き・攣縮、疼痛性痙攣が、際立った徴候。急性の躁病または痙攣が、**深い昏眠**と交互に現れる、またはそれで終わる。**つかみかかるような**、または、ぎくしゃくした腕の動き；腕を投げ出す、取ろうとしたものを取り落とす；歩行時によろめく。麻痺の後の痙攣。てんかん；発作前のめまい。突然地面に崩れ落ちて泣く。**撮空模床**、シーツをつまむ、指で。あおむけに寝ているとき、突然座りなおし、また寝る、子どもはすすり泣く、眠ったままで。子癇。**振戦**、発熱時。敗血症。寝床で滑り落ちる。悪露または母乳の抑圧、恐怖、失恋の悪影響。舞踏病；部分的な、単一筋肉の痙攣；斜視、どもり。神経質で、過敏、興奮しやすい人に適合。空気の上や空中を歩いているような感覚。

悪化：**感情；嫉妬**；恐怖；不幸な恋愛。月経前、月経中。**接触**。寒さ。睡眠。横たわる。

好転：座る。動作。暖かさ。かがむ。

精神：**多くの、当惑するような、常軌を逸した行動。躁病**。官能的な女性、性器を露出する、なまめかしい歌を歌う。ばかげたことをする、狂った人のようにふるまう。笑う、歌う、**話す、意味のない音を発する**、けんかをする。**性器をいじくり回す**。**嫉妬**。疑い深

い。独りになること、追われること、水、毒を盛られること、かみつかれることなどを恐れる。何に対しても笑う、ばかのように。落ち着きがない、寝床から跳び起きる、**逃げ出したい**。一言一言を大声で話す。怒り、殴りたい、かみつきたい、けんかしたい、侮辱したい、説教したい、殺したい衝動を伴う。大声で苦情を訴える、特にわずかな接触で、意識がもうろうとしているときでさえも。無意識、**ほとんど意識を取り戻させることができない**。**喃語性**せん妄。自分が家にいないように思う。恐怖からの失声。混乱。最初は考えることができず、そして、辛うじて思考力を取り戻す。想像上の人物と話す、死者に話しかける。物が動物のように思える。動物にかみつかれる恐怖。指で遊ぶ。**愚か**、こっけいな動作をする。手が大きすぎるように見えるので見つめる。梅毒感染恐怖。

頭部：頭の波状的な脈動。ずきずきする頭痛。めまい、痙攣前の、花、ガスなどのにおいから。頭を前後に回す、振る；前に曲げるとき、昏迷状態で、脳振とう後。脳が緩んだように感じる。頭の中で水がはねているように感じる。

目　：光を嫌悪。目は開いていても、注意は向けていない。まぶたの痙攣。眼球が眼窩を動く。斜視。周囲の物をじっと見つめる。物；赤く、大きく、または縞（黄色い）があるように見える。

耳　：難聴、聴覚神経の麻痺。

鼻　：すすけた鼻孔。突然、鼻の付け根がびくっとする。嗅覚と味覚の喪失。

顔　：青白い、紅潮した、濃い赤。筋肉痙攣。しかめっ面、ばかげたしぐさをする。下顎がはずれる。筋肉痙攣、舌を突き出そうとしたとき。開口障害。

口　：歯の煤色苔；歯をきっちりかみ合わせる。口の泡。舌を突き出すのが難しい、なかなか中に入れられない。正常に話せない、恐怖から。硬い、赤黒い、ひび割れた舌、焼け焦げた皮のよう。話の途中

で舌をかむ。舌の乾燥、口の中でもごもごしゃべる。子どもの、痙攣時の歯ぎしり。かむとき、歯がぐらつくように、また、長すぎるように感じる。激しい歯痛、手、顔などの筋肉痙攣を伴う。
喉：口蓋垂の伸長。喉の痙攣、水分を飲み下すことができない；＞固形物と温かい食べ物。液体が鼻から出てくる、または喉頭から下に落ちる。
胃：しゃっくり；脳振とうから、乳児の。痙攣に伴う嘔吐。胃の痙攣、＞嘔吐後、＜刺激的な食べ物による。水を嫌悪。
腹部：疝痛、まるで腹が破裂するかのような。疝痛；嘔吐、おくび、しゃっくり、悲鳴を伴う。腹の赤い斑点。開いた臍孔、尿がにじみ出る。不随意の排便、血の混じった、黄色い、水っぽい、または硬い、＜精神的興奮、睡眠中；発熱時、排尿時。胃炎、または腹膜炎、しゃっくりを伴う。下痢、産後の。
泌尿器：頻繁な、微量の、痛みを伴う、夜ごとの排尿；または<u>尿閉</u>、産後；膀胱麻痺。尿失禁。
男性：わいせつ；性器の露出、性器をもてあそぶ、発熱時。
女性：わいせつ；性器の露出、女子色情症。ヒステリー、またはてんかんの発作、月経前。痙攣性の手足の震え、月経中。遺尿、月経時。痛みのない下痢、出産の床についた女性の。こじれて子宮を侵し、陣痛様の痛みをもたらすかぜ。妊娠中の痙攣。産床で排尿をする意思がない。乳と悪露の抑圧。
呼吸器：渇いた、しきりに出る、**痙攣性の咳**、喉頭の乾いた部分から、**夜間**の、＜横たわる、食べる、飲む、話す、歌う、＞座る。喀血；鮮紅色の血、痙攣を伴う。息切れを伴う胸部の痙攣、息切れ、二つ折れにならざるをえない。消耗性の咳、発汗を伴う。
首：硬い、片側に収縮。
四肢：手足の震え。歩行時、階段を上がるとき、足指が痙攣的に収縮する。手の親指の収縮による握りこぶし（痙攣時）。

睡眠：神経性の不眠。返事をしながら眠りに落ちる。恐怖で跳び起きる。一度座って、また眠る。深い眠り。睡眠中に笑う。

熱：低熱（訳注：心理的な抑うつ状態および精神活動の鈍磨を伴う熱）、熱く、青白い皮膚を伴う。温かい汗。

関連レメディー：Bell., Phos., Stram.

Hyoscyamine hydrobromate　臭化水素酸ヒヨスシアミン

総体的症状：多発性硬化症の振戦と振戦麻痺を緩和する。不眠と神経興奮。

Hypericum　セイヨウオトギリソウ

総体的症状：感覚神経に富む部位、特に手指、足指、爪床の損傷に優れた力を発揮するレメディー。<u>裂傷</u>；**耐えがたい、激しい、撃ち抜かれるような、刺されるような痛み**があり、神経にまで傷が及んでいる場合。脳と<u>脊髄</u>の損傷、またはそのような損傷による後遺症。すべての損傷後の痙攣。**非常に痛む患部**、後頭部、尾骨など。痛みはむずむず感やしびれを伴って胴体のほうへ広がる、体側面を下降する。<u>頭</u>または胸、みぞおち、肩甲骨間、手の指先などの神経炎。突き上げるような、患部の痛み。うずき・灼熱感・しびれ、**神経炎**を伴う。歯根の神経痛、身震い。破傷風の予防、手術後の痛みの緩和。関節の打撲感。身体を何かにぶつけた後の痙攣。四肢のぐいっとする動き。刺創、穿通創、接触に非常に敏感。恐怖、かまれること、ショックの悪影響。傷は見かけよりも触ると痛いのが特徴。あおむけに寝る、頭を発作的に後ろに動かす。古い瘢痕の痛み。

悪化：**損傷**。**振動**。脊椎、後頭部への衝撃。**ショック**。打撲傷。激しい活働。接触。天候の変化。霧。冷たい湿気。動作。鉗子分娩後の損傷の合弁症に。
好転：うつぶせに横たわる。反る。さする。
精神：書き間違える；言おうとしていたことを忘れる。空中に高く持ち上げられたように感じる、または高い所から落下するのではないかという不安。うつ。
頭部：脳が重い、または蟻走感がある。脳が緩んでいるような感じ。頭が氷のように冷たい手で触られたような感覚。**頭が大きいように感じる、ある方向に引っ張られるような感じ**。頭頂がずきずきする。髪が抜ける、損傷の後。
顔　：膨張、熱い、顔の湿疹；皮膚の下に発疹があるような感覚。非常にかゆい。歯痛。＞患部を下にして静かに横たわる。
喉　：まるで、虫がはっているような感覚。恐怖の後、または不安感で、食道を熱いものがこみ上げてくる感覚。舌の根のほうが白い、先端はきれい。ワインを欲求、口の中が熱い。
胃　：喉の渇き、口の中の熱感。吐き気。げっぷ、水を飲むと。ピクルス、温かい飲み物、ワインを欲求。
腹部：へそが泡立つ感じ。鼓腸性の膨張。＞排便後（腹壁切開後）。直腸の乾燥。皮膚発疹、夏の下痢を伴う。痛みを伴う痔、出血と圧痛（外用と内服）。
女性：仙骨と臀部の激しい後陣痛、ひどい頭痛を伴う；鉗子分娩後の痛み。
呼吸器：短い、ほえるような咳の発作。喘息、＜霧、＞多量の喀出物。
心臓：心臓が下に落ちそうな感覚。
首・背中：首の付け根の痛み。仙骨の圧痛。脳振とうの影響。尾骨の痛み、痛みは脊椎を放射状に上り、四肢を下りる。痛いほど敏感な脊椎。臀部、腰のくびれ、仙骨の痛み、産後。

四肢：四肢が離れたような感覚。腕の尺骨側の圧迫感。手足のむずむずする感覚。長時間座っていた後の坐骨神経（左）の痛み。手足が毛で覆われた感じ、または骨の痛み。尾骨を打った後の激しい痛み、歩行または前屈不能。
皮膚：神経に富む組織の痛む傷。大きく開いた傷口。小さい結節が多数あるかのようにざらざらした皮膚。古い瘢痕の痛み。
睡眠：常に眠い。困難な夢。
熱　：全身の震え、尿意を伴う。
関連レメディー：Arn., Led., Rhus-t.

Iberis　マガリバナ

総体的症状：このレメディーは、心臓に際立った作用があり、心臓疾患に有効。心臓肥大、心臓壁の肥厚を伴う。インフルエンザ後の心臓の衰弱。肝臓周辺の充満感と痛み。動悸、**めまいと喉の詰まりを伴う**、＜わずかな激しい活動、笑う、咳。心臓の突き刺されるような痛み。左手と左腕のしびれとうずき。
悪化：横たわる；左側を下にして。動作；激しい活動。暖かい部屋。

Ignatia　イグナチア豆

総体的症状：Ignatiaの種には、Nux vomicaより大量のストリキニーネが含まれているが、この２つのレメディーの特徴には、大きな違いがある。**精神**に作用するが、**感情の要素が大きく影響を受け、機能調整が障害される**；迷走性の、**相反する、矛盾する、精神的、身体的症状を引き起こし、それらは迅速に変化し、互いに正反対である**。神経系が影響を受けるために起こる痙攣性の症状；**硬直、痙攣**

性のぴくぴくする動き、震えを伴い激しいことが多い。神経質な気質に適合、特に過敏で、すぐに興奮しやすい性格、温厚な気質、理解も行動も早い女性に適合。**塊がある感覚**、異物がある感覚、または鋭い圧迫感。全身がびくっとする。驚いてびくっとする傾向。ヒステリー球。鶏眼。ヒステリー。恐怖後、悲嘆からの舞踏病。＜食後、＞あおむけに寝る。子どもの痙攣、生歯時、虐待後、恐怖後；毎日同じ時間に再発。痙攣、泣く、または不随意の笑いを伴う。単一部位の緊張性痙攣、口の泡を伴う。痙攣と呼吸の抑圧が交互に起こる。局所の痛み、＜そのことについて考えること。痛みに過敏。痛む部位が変化する、痛みは徐々に始まり、急に治まる、または、急に始まり、急にやむ。症状は多量の排尿後に消失する。疫病―予防と治療。**神経性の身震い**、痛みを伴う。非常に感情的になった後と病室で夜通し看病した後の麻痺。貧困またはほかの原因で、ずっと飢餓感のある人に適合。悲嘆、恐怖、心配、失恋、嫉妬、古い脊椎の損傷の悪影響。カタレプシー、後弓反張を伴う。（慢性の病態では、Nat-murを後に続けるべきである）

悪化：**感情**。**悲嘆**。**悔しさ**。**心配**。**恐怖**。ショック、愛する人や大切なものを失ったことによる。空気―外気、冷たい。におい。**接触**。コーヒー。たばこ。あくび。かがむ、歩行、立つこと。同じ日の同じ時間。

好転：姿勢を変えること。**患部を下側にして横たわる**。排尿。独りのとき。圧迫。深呼吸。**嚥下**。**食事**。暖かいストーブのそば。酸っぱいもの。

精神：**用心深い**；**過敏で神経質**。非常に感情的。気分屋。くよくよしている。**悲嘆**。黙って悲しむ。**ため息をつく**。交互に泣いたり笑ったりする；まじめにすべきときに笑う。**気分が変わりやすい**。**不幸な恋愛**。心の内側で嘆き悲しむ；悲しい状態を楽しむ。自分自身への怒り。独りになりたがる。すべてに腹が立つ、矛盾や叱責に耐えられない。激しい苦悶；助けを求めて金切り声を出す。繊細で根気強

い。泥棒、ささいなこと、自分に近づいてくるものを恐れる。内向的。失神しやすい；少女、教会に行くたびに失神する；または既婚男性と恋愛をする。長期間、絶食をしていたかのような感覚。月経時の性急さ；誰も彼女の欲求どおりに早くできる人はいない。何かを見つけようとするかのように、寝床の辺りを見回す。発作を起こして、脅かしたり大騒ぎするのが楽しい。自分の責務をなおざりにしていると思っている。ため息とすすり泣き。話し好きでない。夜に強盗に遭う恐怖。

頭部：側面から、くぎを引き抜かれるような痛み、あくびと嘔吐で終わる；背中の痛みが、それに代わる。頭痛＜または＞かがむ。頭を後ろに投げ出す、後頭部に重みがかかることによる、または痙攣時。めまい、目の前に火花が飛び散る。大声で話す＜頭痛。頭痛；コカインの乱用、喫煙、コーヒー、そのことについて考えることから。

目　：眼精疲労、まぶたの痙攣、目の周囲の神経痛を伴う。激しい咳で目がちかちかする。まぶたの乾燥。目の前がちらつく、ジグザグに見える。

耳　：耳鳴り、＞音楽で。片方の耳が赤く熱い。難聴、人間の声以外。

鼻　：吸気に敏感。鼻の付け根周辺の痛み。くしゃみの発作。冷たい、膝は熱い。

顔　：顔と唇の筋肉の痙攣。**片側のほおが赤く熱い**；交互に赤くなったり青白くなったりする。咬筋の硬さ。情緒性開口障害。休息しているとき、顔色がよく変わる。話そうとすると顔の筋肉が歪む。

口　：発作的に顎が閉じる；ほおの内側や舌をかむ、話すとき、またはそしゃくするとき。口角の痙攣。酸っぱい味。歯痛、＜コーヒーを飲んだ後と喫煙。突然の唾液分泌。

喉　：炎症を起こした、硬い、はれた、扁桃、小さな潰瘍を伴う。濾胞性扁桃炎。嚥下しないとき、**のみ下せない塊がある感覚**、＞固形物を食べる。詰まる傾向。ヒステリー球。のみ込む動作の合間に、刺さ

れるような痛みが耳まで広がる。顎下腺、首を動かすと痛む。食道の痙攣。甲状腺腫。

胃 ：空腹、吐き気を伴う。生もの、消化できないもの、酸っぱいもの、パン、特にライ麦パンを欲求。さまざまなものへの食欲、しかし提供されると、食欲がなくなる。温かい食べ物、肉、アルコール、たばこを嫌悪。**胃が空っぽの衰弱感、または痙攣性の痛み**、食べることで好転しない、＞深呼吸。しゃっくり、おくびを伴う、空おくび、または苦い、飲食後の、喫煙後の。吐き気または嘔吐、＞消化できないもの。

腹部 ：疝痛様の、つかまれるような痛み、腹の片側、または両側。痛む便、軟らかいのに排便困難。直腸の締めつけられるような痛み、目に見えない痔によるような、排便後2～3時間残る。神経衰弱症の便秘。**痛みは直腸を駆け上がる**。痔核、＞座る、＜咳。排便時に穏やかにいきんだことによる**直腸脱**。鋭利な器具によるような中から外に向けての圧迫感。肛門の痛みを伴わない収縮。出血と痛み、＜便が軟らかいとき。便秘；かぜをひいたことから；乗り物に乗ったことから。便意、勃起を伴う。

泌尿器 ：頻繁、多量、水っぽい尿。尿意に伴って尿が出ない。

男性 ：排便時の勃起。陰嚢の汗。陰茎の萎縮、小さくなる。

女性 ：変則的な月経、黒い、早すぎる、多すぎる、あるいは微量；悲嘆による抑圧。慢性的な帯下、性欲を伴う。性的不感症。

心臓 ：動悸、月経中。心臓周辺の不安な感覚。

呼吸器 ：落ち着くために<u>深呼吸をする</u>。息が詰まる；声門の痙攣。乾いた、しきりに出る、速い立て続けの衝撃で呼吸が遮断される痙攣性の咳；ほこり、または硫黄のにおいによる咳。咳により、咳をしたい欲求が高まる。歩行時に立ち止まるたびに咳が出る。胸部の収縮、小さすぎるような感覚。ささやくような声、大きな声で話すことができない。咳の後、眠い。乳頭の刺されるような痛み、深く息

を吸うとき。
首・背中：首の付け根のこわばり。発作的に、背中を反らせる。
四肢：四肢の痙攣性のぐいっとする動き。手のひらの温かい汗。ふくらはぎの疼痛性痙攣（こむらがえり）。足の重さ。関節の脱臼性の痛み。歩行時に、膝が不随意に上方に引き上げられる。誰かの前で物を書くと手が震える。踵どうしを近づけると、灼熱感がある、実際に触れると冷たい、＜夜。坐骨神経痛、＜冬、＞夏。ひりひり痛むうおのめ。膝は熱く、鼻は冷たい。殴打により、肉が骨から外れているような感覚。
皮膚：痛み、＞圧迫。全身の蕁麻疹、激しいかゆみを伴う（発熱時）。
睡眠：**激しい発作的なあくび**、流涙を伴う。浅い眠り、あらゆる物音で目が覚める。寝入りばなに四肢がびくっと動く。損傷に起因する夢遊病。同じ恐ろしい夢を何度も何度も見る。子どもは耳をつんざくような泣き声で、全身を震わせて目覚める。しゃっくり。睡眠時のそしゃくするような口の動き（子ども）。
熱：悪寒に伴う赤い顔。震えるほどの冷えと喉の渇き。発汗、＜食べる；顔の小領域に発汗することが多い。熱感があるが、露出することを嫌悪、喉の渇きがない。痛みのあるときの悪寒。まるで汗が噴出しそうな感覚、しかし噴出しない。

補完レメディー：Aur., Nat-m., Phos-ac., Sep.
関連レメディー：Cimic., Nux-v., Sep.

Indigo　インド藍

総体的症状：発作の前に、猛烈に興奮しやすい傾向があり、うつ、臆病、穏やかさが後に続く場合、または脳に特有の波打つ感覚があり、視界のかすみを伴う場合、または、発作の前にまるで脳が凍ったかの

ような感覚がある場合のてんかん治療に効果がある。四肢の痛み、＜毎食後。坐骨神経痛－大腿の真ん中から膝にかけての痛み。

悪化：座ること。休息。
好転：さすること。圧迫。歩くこと。

Indoformum　インドフォルム（アセチルサリチル酸）

総体的症状：結核性の病気、特に結核性髄膜炎、球後視神経炎、中心暗点、視神経円板の部分的な萎縮による視力低下。ため息と嗚咽で睡眠が中断される。散大した瞳孔；不均等に縮小する。慢性下痢、緑色っぽい、水っぽい、未消化な便、短気な気質を伴う、結核の疑いから。腸間膜腺の肥大。目を閉じて立てない、歩けない。

悪化：夜間。暖かさ。接触。動作。

Iodum　ヨウ素

総体的症状：ヨウ素には、**迅速できわめて強い**、**大きな吸収作用**がある；筋肉、脂肪、組織そして腺が消耗し、その結果として、全身的ないそうがみられる。腺—**甲状腺**、**精巣**、**腸間膜腺**、乳腺—がまず**はれ**、**硬くなり**、**重くなる**、そしてだんだん縮む。新生物や過形成は、その成長が急速な場合、このレメディーの作用を受ける。四肢、または全身の震え。食欲旺盛にもかかわらず、**衰弱し**、**急速にやせる**。**常に暑すぎると感じる**。非常な衰弱、わずかな激しい活動で発汗し、話すことができない、二階に上がるだけで息切れする。慢性炎症の急激な悪化。急性のリウマチ後の、関節の腫脹を伴う変形性関節炎。**分泌物は熱い**、刺激性、または水っぽい、しつこい、

または塩辛い。**粘膜の急性カタル**、**特に、喉頭**と肺、急速に進展する肺炎。血管収縮、浮腫・斑状出血・出血を引き起こす。血管の変性。精巣、卵巣、子宮の萎縮、または硬化。腺病質の患者の消耗性疾患。アデノイド。甲状腺腫。膵臓の疾患。関節炎。結核。結合組織の疾患、不活発さと、少量の膿を伴う。全身の脈動、または大動脈の局部的な拍動。灼熱感。浸潤。内側のくすぐったい感じ。神経性ショック、失恋の悪影響。可塑性の滲出液。顔面麻痺またはてんかん、甲状腺腫の抑圧による。るいそう、腺の肥大を伴う。食べているときだけ気分がよい、どのような疾患の場合でも。反応が緩慢、そのための、さまざまな疾患の慢性化。胸部の弱い成長しすぎの少年や、高齢者に適合する。

悪化：<u>暑さ</u>：部屋の；とりまく空気の。激しい活動；上ること、話すこと。絶食。夜。休息。接触。圧迫。

好転：<u>冷気</u>；水浴。戸外を歩き回る。食べること。起き上がって座る。

精神：現在（将来については考えない）についての心配、静かなとき。意気消沈、めそめそする傾向を伴う、あるいは**耐えがたいほど不機嫌で<u>落ち着きがない</u>**。興奮。突然走り出したい、暴力をふるいたい衝動、しかし動作＜そして疲れ果てる。＞多忙な場合。自分は大丈夫だと思う。対人恐怖、医者を恐れる；誰をも遠ざける。自殺傾向。気難しい；話そうとしたこと、しようとしたことを忘れ、それが何だったかわからない。あることについて、なぜそうしたのか理解できない。理由なしに、変なことをする、誰かを殺す、自殺する傾向。動悸、実際のあるいは架空の悪事について考えるとき。

頭部：頭の反響。ずきずきする、血が集まる、きついベルトで締められているかのような感覚。めまい；慢性、うっ血性。高齢者の頭痛、＜暖かい空気、疲労、速く歩く、車に乗る。まるで、脳がスプーンでかき混ぜられているかのような感覚。

目：突出。目の痙攣性の動きと振動；下まぶたの。多量の流涙。急性涙

嚢炎。大きく見開いた目でじっと見つめる；まぶたが引っ込んでいるかのように見える。

耳 ：慢性の難聴、中耳の癒着を伴う。耳管カタル。

鼻 ：鼻根と前頭洞の痛み。コリーザ、＜外気。鼻は赤くはれている；突然のくしゃみ、熱い鼻水が垂れる。高血圧に関係する急性の鼻の充血。鼻翼が広がっているように感じる。降下するかぜ。

顔 ：しぼんだ、**茶色っぽい**、黄ばんだ、または浅黒い；悲惨な見かけ。冷たい顔、肉付きのよい子どもの。顔面麻痺、甲状腺腫の縮小後。

口 ：多量の、臭い、石鹸のような唾液。金属の味。汚い潰瘍；アフタ。口からの不快なにおい。舌；肥大、痛む、結節性または亀裂。

喉 ：収縮、切迫した嚥下。喉の灼熱感と表面をけずり取られるような感覚。**甲状腺腫；硬い**、収縮感を伴う。口蓋垂の腫脹。顎下腺の腫脹。

胃 ：**貪欲な飢餓感があるがやせる、または変化しやすい食欲**、喉の渇きを伴う。食べないと、不安になるか心配になる。冷たい乳を飲む＞便秘。みぞおちの脈動。固形物は苦い味がする、液体は苦くない。しゃっくり。空のおくび。

腹部 ：肝臓と脾臓の肥大と痛み。泡状、乳清状、脂っぽい、チーズ状、または未消化物を含む便；膵臓疾患。腹部の震え。衰弱した腺病疾の子どもの慢性の朝の下痢。黄疸―目、皮膚、爪が黄色い。腸間膜腺の腫脹。

泌尿器 ：頻繁で多量の排尿；尿；暗い色、黄緑色、乳のような、まだらな表皮のある；赤トウガラシのような沈渣。前立腺肥大に伴う高齢者の失禁。乳白色の液体が、排便後に尿管から流出。

男性 ：精巣の肥大と硬化。精索のねじれ。精巣の萎縮；精力喪失を伴う。精巣瘤腫。精巣水瘤。

女性 ：月経時のかなりの衰弱。茶色い月経；排便ごとに再開する。やせ衰える乳房、締まりがなくなる。くさびのような痛み、卵巣から子宮

にかけて。乳房の皮膚の結節、黒い斑点を伴う。**刺激性の帯下**、大腿やシーツを腐食する、＜月経時。重たい乳房、まるで落ちそうな。卵巣と乳房の萎縮による不妊。

呼吸器：痛む、息を詰まらせるような嗄声；子どもは咳の最中に喉をつかむ。ジフテリア。**乾燥した、むずむずする、クループ性の咳**。息切れ、特に階段を上るとき。声門の浮腫。咽頭の円柱（訳注：管状構造内で形成される鋳型のような長方形または円柱状の物質。管状構造内に、分泌または排出される液体が濃厚になった結果生じる）の喀出；または血の筋の入った粘液の喀出。がらがら声。胸のあらゆるところがくすぐったい。気管支がひりひりする。激しい肺のうっ血。肺炎、肝変が、痛みを伴わず高熱とともに、急速に広がる。胸膜炎の滲出液。喘息、静かにしているとき胸が重たい。胸骨の後ろ側の肺の下方がかゆい。

心臓：まるで鉄のバンドで締めつけられるような感覚、ひどい衰弱と脱力が後に続く。動悸、＜わずかな労作。心臓の振動感やゴロゴロ鳴る感覚。頻脈。心筋炎。大動脈幹の脈動。

首・背中：話すときの首のはれ；分厚くなる。

四肢：慢性の関節炎；硬い関節肥大。滑膜炎。手足が冷たい。足背に刺激性の汗。足の浮腫。手背が茶色い、はれたよう；頭を回すと痛い、指を閉じていると痛まない。痛いうおのめ。

皮膚：熱い、乾燥、汚い；皮膚の**茶色い斑点**。結節。心臓性の全身浮腫。かゆみのある吹き出物、古い瘢痕のかゆみ。傷跡の口が開く。

睡眠：血が騒いで眠れない。

熱：超高熱、または不安や無感覚状態に伴う、外側の冷たさ。消耗熱。全身が紅潮して熱くなる；頭に熱が押し寄せる。発汗しやすい。早朝の発汗。

補完レメディー：Lyc., Sil.

関連レメディー：Ars., Flour-ac., Phos., Spong.

Ipecacuanha　吐根

総体的症状：主に迷走神経に作用して、胃腸障害、**絶え間ない吐き気**を伴う、**呼吸器疾患**を引き起こす。**泡状で多量の分泌物**。**真っ赤な、ほとばしり出る出血**、吐き気を伴う。ほとんどの症状に、吐き気と息切れが伴う。痙攣、幼児期、身体が硬直する、伸びる、続いて両腕が互いに片方の腕のほうに痙攣してぐいっとに動く。ぎこちない。何にでもつまずく。強直性痙攣、たばこをのみ込んだことによる。痙攣；ゼーゼーいう咳が出るとき、発疹の抑圧による、消化できない食べ物による。肥満した子どもや、弱々しく、暖かい湿った天候でかぜをひきやすい人に指示される。いら立ち、不満の蓄積、損傷、発疹の抑圧、キニーネ、モルヒネ、消化できない食べ物、出血の悪影響。暑さ、寒さに過敏。後弓反張と前弓緊張。

悪化：**暖かさ**、湿った部屋。**過食**。氷、豚肉、子牛の肉、混合食、**脂っこい食事**；飴、果物、レーズン、サラダ、レモン、ピール、ベリー。周期的。暑さと寒さ。嘔吐。動作。横たわる。

好転：外気。休息。圧迫。目を閉じる。冷たい飲み物。

精神：すべてを侮り、ほかの人にも同様にすることを望む。泣く、叫ぶ、うめく、（子どもは）機嫌をとるのが難しい。欲求は多いが、何を欲しているかわからない。悲しい。突然の失神；夏、または暑い部屋で。

頭部：打撲した、または押しつぶされたかのように痛む、痛みは舌の付け根に向かう。片頭痛、吐き気と嘔吐を伴う。後頭部の痛み、＜嘔吐、寒いとき。額の冷や汗。

目：炎症を起こした、赤い；結膜炎。多量にほとばしり出る涙、吐き気を伴う。眼球の撃ち抜かれるような痛み。動くものを見たことからの吐き気。

耳 ：冷たい（右）、発熱時。わずかな雑音にも耐えられない。
鼻 ：出血、血は真っ赤。コリーザ、鼻づまりと吐き気を伴う。くしゃみ。
顔 ：青白い；目や唇の周辺が青い；鼻筋が白い。周期的な眼窩の神経痛、流涙、羞明、まぶたのうずきを伴う。
口 ：自分のこぶしを口に押し込み叫ぶ子ども。**きれいな、または、赤い、先のとがった舌**。唾液の増量。歯痛、瘴動がこめかみにまで放射状に広がる；＞食事中。舌、きれい、黄色い、または白い、青白い。味；苦い、甘い、血なまぐさい。
胃 ：珍味、甘いものを欲求。**不快感、または衰弱感、または垂れ下がるように弛緩した感じ。ひどい吐き気、嘔吐で好転しない**。嘔吐；血、胆汁、食べたもの、粘液、＜かがむ。食べ物を嫌悪。**喉の渇きがない**。乳児の母乳嘔吐。
腹部：つかまれるような、引っ張られるような、**切られるような痛み**、へその周辺の、＜動作、＞休息；痛みは子宮のほうに広がる。便は、茶色い、草色、黄緑色、泡状、糖みつのよう、または血が混じっている、粘液性。赤痢、頭が熱く、脚が冷たい場合。便に粘液の塊。
泌尿器：尿意を感じても、出ない。血尿、吐き気と腹や子宮の切られるような痛み、胸部の圧迫感、そして息切れを伴う。腎臓から、大腿を下降し、膝に広がる、撃ち抜かれるような痛み。
女性：子宮出血：多量、鮮血、絶え間ない流れ、または、ほとばしり出る、出血のたびの吐き気とあえぎを伴う。子宮の左から右にかけての切られるような痛み。へそから子宮にかけての刺されるような痛み。月経；早すぎる、多量すぎる。妊娠中の嘔吐。子宮脱、＜月経時。前置胎盤の出血。真っ赤な血の絶え間ない流れ、凝固しない。ひどい衰弱、少量の月経に伴う。
呼吸器：かぜの終わりの痛みを伴わない嗄声。胸部と喉頭の絶え間ない収縮、＜わずかな動き。声帯の痙攣。**息切れ。喘息。絶え間ない、激しい咳**、呼吸するたびに。**窒息しそうな咳の発作**、むかつきを伴

う；子どもは**硬直する**、顔は赤くなったり青くなったりする、最終的には吐き気を催す、喉を詰まらせる、嘔吐する、＞戸外に歩き出す、暖かさと休息。ゼーゼーいう咳、鼻出血と口からの出血を伴う。**喀出を伴わない胸部の**、**痰のからんだ**、**粗いガラガラいう音**。気管支肺炎。喀血、＜わずかな激しい活動。喘息には皮膚疾患が伴う。気管の異物による窒息しそうな発作。

首・背中：背中の強縮性痙攣により、背中が前後に曲がる。腎臓周辺から大腿にかけての、撃ち抜かれるような痛み。動作中の肩甲骨間のひきつり。

四肢：片方の手が冷たく、もう一方は熱い。座るときに大腿骨が脱臼したように感じる。すべての骨の打撲のような痛み。

睡眠：入眠時、四肢に衝撃。睡眠中の半眼、うめきやうなりを伴う。睡眠不足から、吐き気と疲労を起こす。

皮膚：かゆみ、吐き気を伴う、嘔吐するまでかき続ける。

熱：少しの間の悪寒、熱感は長時間続く。悪寒と熱が交互に現れる。喉の渇きを伴わない熱感。抑圧された、または混合された間欠熱、**すべての段階における吐き気**。カタル熱、または胃熱。手足から冷や汗が滴る。小児弛張熱。

補完レメディー：Ars., Cupr.
関連レメディー：Ant-t., Lob.

Iris versicolor　ブルーフラッグ

総体的症状：Irisは、**胃腸粘膜**、唾液腺、**肝臓**と**膵臓**に強烈に作用し、酸っぱい、刺激性と灼熱感のある多量の**分泌物**を生じる。**脂ぎった鼻、脂っぽい味と脂肪便**が、その他の特徴。胆汁の流れを促す。症状は突然始まる、急速に解消される。コレラ病と片頭痛。

悪化：周期的。毎週、午前2〜3時。春と秋。深夜過ぎ。**精神疲労**。暑い天候。

好転：穏やかな動作。

精神：元気がない。病気になることへの恐怖。知的能力の鈍さ。

頭 ：頭痛はぼやけた視界から始まる。片頭痛、下痢を伴う。頭皮の収縮するような感覚を伴う、こめかみの撃ち抜かれるような痛み。精神疲労（勉強、裁縫）を伴う、疲労性頭痛、<咳、冷気；>穏やかな動作。

目 ：落ちくぼんだ。激しい眼窩上の痛み。頭痛を伴う、**周期的な視覚障害**、失明、半盲。

鼻 ：脂ぎった。常にいびきをかく。

顔 ：神経痛、<朝食後、顔全体の、多量の尿と、便意を伴う。

口 ：脂っぽく感じる、火や熱や腐食剤による熱傷や、熱湯や蒸気による熱傷。舌の灼熱感、または冷感。**脂っぽい、または甘い味**。多量の**糸を引く唾液**、話すと滴り落ちる。

喉 ：喉の熱感とひりひりする痛み。口峡から胃にかけての灼熱感、>冷気を吸う、または冷水を飲む。甲状腺腫。

胃 ：酸っぱい、苦いおくび。**全消化器の灼熱感**、冷たい飲み物で好転しない。絶え間ない**吐き気**。苦い、甘い分泌液；刺激性の、**水っぽい、酸っぱい、灼熱感を伴う嘔吐**。食欲の欠乏。周期的な嘔吐の発作—毎月、6週ごと、2〜3日続く。

腹部：肝臓の痛み。嘔吐と下痢の発作前の疝痛。**胆汁性の、刺激性の、水っぽい便；炎のような灼熱感**。痛みを伴わないコレラ病。頭痛、顔面神経痛、歯痛を伴う便意。**脂肪便**。肛門が痛い、またはとがったものが突き刺さっているような感覚。

泌尿器：多量の、澄んだ尿、頭痛を伴う。排尿後の、尿管に沿った灼熱感。糖尿病。

女性：いつまでも続く吐き気と嘔吐、妊娠中の；多量の唾液分泌。

四肢：臀部がもぎとられるかのような感覚。撃ち抜かれるような、不自由になったような四肢の痛み；坐骨神経痛。
皮膚：帯状疱疹、胃の機能障害に伴う、右側。乾癬、てかてかした鱗屑を伴う不均一な斑。酢のにおいのする汗。
関連レメディー：Ars., Merc., Phos.

Jaborandi ヤボランジ

総体的症状：プロカルプス属は、強力な腺の刺激薬である。上気道と唾液腺の分泌過多、**異常な発汗**を引き起こす。さらに、非常に重大な目の疾患を生じる。**かぜをひきやすく、汗をかきやすい傾向**。紅潮、唾液分泌、吐き気と多量の発汗。流行性耳下腺炎の持続期間を制限する。液体排泄過多状態。眼球突出性甲状腺腫。
悪化：月経の開始。かぜ。極度の疲労。
精神：非常に神経質で臆病。手斧で、家族全員を殺害するであろうという固定観念。
頭部：頭痛、目を使うと、めまいと吐き気。
目：視覚障害。少しでも使うと目が疲れる。網膜像が長く残存する。目の前の白い点。まぶたの痙攣。目のずきずきする痛み。近視。縮瞳。眼球突出。手術後の輻輳内斜視。硝子体混濁。
耳：神経性難聴。＞雑音の中で。耳鳴り。鼓室への漿液の滲出。流行性耳下腺炎、特に精巣に影響のあるとき。
口：**唾液分泌**；粘着性の唾液—卵白のよう。唾液腺の緊張。
喉：眼球突出性甲状腺炎、心臓の機能亢進を伴う；動脈の脈動、振戦、神経質。
胃：目を使うこと、動くものを見ることによる吐き気。しつこいつわり。
腹部：下痢した、紅潮した顔と多量の発汗を伴う。

男性：精巣炎―流行性耳下腺炎の転移による。
女性：月経；悪寒とともに始まる、頭と骨盤がずきずきする、背中の痛み。
心臓：心臓と胸部に向かう、激しい沸騰。神経性心臓疾患。
呼吸器：咳をする傾向が強い、呼吸困難を伴う。肺の水腫。希薄な漿液の喀出。
皮膚：赤い。**発汗**、動悸、全身の脈動と振戦を伴う。神経性発汗。片側だけの発汗。
関連レメディー：Agar., Ant-t., Ip.

Jalapa　オシロイバナ

総体的症状：強力な下剤、腸と胃に影響を与える。**子どもは、どんな疾患の場合でも、終日機嫌がよいが、一晩中、叫び、寝返りを打つ**、または、昼夜、うるさく、じっとしていられない。疝痛。**水っぽい、濁った、または酸っぱい、血が混じった便**。乳幼児下痢症、総体的な冷え、顔の青さを伴う。
悪化：夜。おくび。
関連レメディー：Coloc.

Jatropha　ナンヨウアブラギリ

総体的症状：強力な下剤、**胃と腸に影響を与える**。嘔吐しやすい、アルブミンを含む。多量の嘔吐に続くしゃっくり。**樽の口からゴボゴボ音を立てて水が流れ出るような大きな腹の音、そして多量の便を噴出**。抑えがたい喉の渇き。米のとぎ汁のような便。激しい疼痛性痙

攣（こむらがえり）で、ふくらはぎの筋肉が平坦になる。全身の氷のような冷たさ、特に下肢。
悪化：覆うこと。朝。夏。
関連レメディー：Crot-t.

Justicia　サンゴバナ

総体的症状：急性の気道のカタル症状に非常に有効なレメディー。くしゃみと涙の発作、**嗅覚と味覚の喪失**。頻繁な、刺激性のコリーザ、激しいくしゃみ、咳、または喘息性の発作を伴う。まるで破裂しそうな、胸部の締め付け感を伴う咳；**気管支のガラガラいう音、呼吸障害**、くしゃみを伴う咳。咳または発熱を伴う硬直、震え、そして痙攣。ゼーゼーいう咳。喀出が困難。午前中のむくんだ手足。悪寒。過敏さ。
悪化：締め切った部屋。ほこり。雑音。食事。
関連レメディー：Ip., Dros., Puls.

Kali arsenicosum　ヒ酸カリウム

総体的症状：根深い皮膚疾患で、患者の状態が悪化している場合に効果のあるレメディー。すべての症状は＜夜。突然の雑音や接触により、全身が震え出す。舌の灼熱感、しびれ；神経痛。腎炎に伴う動悸。**喉の灼熱感**、胃痛。多量の放屁、その後に下痢。カリフラワーのような子宮口の異常増殖、一過性の痛み、臭い分泌物、骨盤の下の圧迫感を伴う。耐えがたいかゆみ、＜露出、歩行、暖かさ。慢性の湿疹。乾癬。皮膚下に多数の小結節。脚の黒い潰瘍、血の混じった、

臭い分泌液を流し、切られるような痛み、灼熱感、かゆみと呼吸困難を伴う。悪寒があり、寒さに対して敏感。夏でも暖かすぎることはない。

悪化：接触。雑音。冷たい足。午前1～3時。
好転：雨の日。

Kali bichromicum　重クロム酸カリウム

総体的症状：重クロム酸カリウムは、特に**気道、鼻、咽頭、胃と腹の粘膜**に影響を与え、**粘着性**の、**ねばねばする**、**糸を引く**、粘り強い、**塊のある**、または**濃厚な分泌物**を生じる。病状は、ゆっくりと、しかし深く進行する、麻痺に近い、かなりの衰弱を起こすが、熱はほとんど出ない。可塑性または線維素性の滲出が下方に広がる。太った、色の白い、肉付きのよい、皮膚の色の白い人、**カタル傾向のある**、または梅毒あるいは腺病の病歴のある人に適合する。**痛みは、小領域で起こる、または、あちこちに素早く移動する**、そして最終的には胃を攻撃する。リウマチと胃の症状が交互に現れる。対角線上の痛み。上昇性の症状—胃痛、悪寒、熱感など。粘膜や皮膚の表面が硬くなる。潰瘍；黒い斑点がある、深い、穿孔性、丸い、打ち抜く；縁が張り出した、または分厚い痂皮を伴う。鼻中隔の潰瘍、または消化性潰瘍。さまざまな部位の重たい感覚。舌の上に髪の毛があるような感覚など。分泌物、目、視界、舌などが黄色い。鋭い、縫われるような痛み。腟、耳、肺などの内側のかゆみ。**関節が鳴る**。痛みを伴わない緩慢な反応、多くの症状で—潰瘍；炎症、など。鼻、舌、陰茎などの付け根の疾患。しつこい化膿。膿で栓ができる；糸を引く。ビールや麦芽酒の飲みすぎの悪影響。神経痛、毎日同じ時間に。病弱、寒い、悪液質。虫刺され。粘膜が毛で覆われ

ているように見える。痛みは、突然発現したり消えたりする。てんかん；口からの粘着性の唾液、痙攣時。衰弱と疲労；痛みの後。

悪化：**冷たい**、湿った。外気。春。**脱衣**。**朝**、睡眠後、午前2～3時。舌を前に出す。**暑い天候**。アルコール、ビール。カタルの抑圧。かがむ。座る。

好転：熱。動作。圧迫。

精神：無関心。怠惰―頭脳労働や肉体労働の嫌悪。対人恐怖症、人間社会を避ける。

頭部：いすから立ち上がるときに、めまいと吐き気を感じる。視覚喪失、その後に続く激しい頭痛；眉の上、または眉の外側の、＜寒さ、＞鼻の付け根を押さえる、温かいスープ。眉間の痛みと充満感。周期的な頭痛。片頭痛、小領域の、カタルの抑圧による。頭蓋骨の痛み；骨の鋭い刺されるような痛み。額に硬い塊があるような感覚。

目：眼角の潰瘍、痛みや羞明を伴わない。結膜が、黄色い、はれぼったい、黄褐色の点で覆われている。糸を引く黄色い分泌物。**視覚喪失**、頭痛の前に。視界が交差する、＞片目で見る。まぶた；はれた；痙攣の間まばたきをする、かゆみを伴う；顆粒状。角膜の著しい混濁。羞明、昼光のみの。目を開けるときのまぶたの痙攣。

鼻：鼻梁または鼻根の痛み。**鼻根の圧迫感、または詰まった感覚**。鼻声、特に丸々と太った子ども。分泌物は；濃厚、糸を引く、緑色がかった、黄色い、刺激性がある。硬くて弾力性のある鼻垢、とれた後に表面がひりひりする。呼気が熱く感じられる。鼻汁が詰まったことによる臭いにおい。左の鼻孔の、毛でくすぐられているような感覚。鼻閉を伴うコリーザ。激しいくしゃみ、＜朝。前頭洞の慢性的な炎症と詰まった感覚。鼻中隔の潰瘍。膿瘍。臭鼻症。**鼻ジフテリア**。鼻をかむたびに、固定されていない2つの骨がすれ合う感覚。嗅覚の喪失。鼻が重たく、乾燥しているように感じる。鼻ポリープ。

顔：青白い、黄色味がかった。しみだらけ。赤い、血色のよい。右側の

耳下腺炎。上唇に発汗。

口 ：歯痛、放射状に広がる、腺の腫脹。舌がてかてかする、ひび割れ、滑らか、または重たい；乾燥、赤い、レモンイエロー、舌苔のある赤痢。**突き出すと、舌が痛む**、根元。**ねばねばする口**。甘い味、金属の味。舌；分厚い苔舌、広い、平たい、歯跡がついた。深く侵食するアフタ性潰瘍。舌の裏側に髪の毛があるように感じる、飲食で好転しない。口の乾燥、＞冷水を飲む。

喉 ：**濃厚な粘液を咳払いで出す**、ふき取らなければならない。浮腫状の口蓋垂、弛緩、浮袋のよう。咽頭の亀裂。乾燥、灼熱感。何かが突き刺すよう、首と肩にかけての痛みを伴う、舌を外に突き出すと喉が痛む。アフタ。ジフテリア。難聴を伴う扁桃のはれ、子どもの。

胃 ：欲求：ビール、酸っぱい飲み物。肉、水を嫌悪。飲んだ量よりも多く吐く、黄色い水の嘔吐。液体の逆流。胃の円形の潰瘍。胃の症状＞食べること。胃の部分的な痛み、または食べ物がもたれる。吐き気、身体の熱感を伴う、＞食べることと外気。肛門の灼熱感と勃起を伴う吐き気。

腹部：肝臓から肩（右）にかけての収縮感。脾臓の刺されるような痛みが腰部にまで広がる。慢性の腸潰瘍、嘔吐と衰弱を伴う。粘着性の、ゼリー状の便、または**茶色い泡だった水の噴出**、その後の灼熱感としぶり、＜朝の寝起き。周期的な赤痢―毎年、夏。下痢または赤痢、リウマチ後。肛門に栓が詰まっているような感覚と、何かが腸を浸食するような感覚。

泌尿器：腎臓が重たい。排尿後も、まだ1滴残っていて、出すことができないように感じる。腎炎に伴う、少量の蛋白尿。血尿、背中の痛みを伴う。乳糜血尿。

男性：陰茎の根幹の締めつけるような痛み、夜目覚めたとき。下疳の深い潰瘍形成。尿道の炎症、糸を引くような、またはゼリー状の多量の分泌物が尿管を詰まらせる。肉付きのよい人の性欲欠如。前立腺の

刺されるような痛み、歩行時、まっすぐに立たなければならない。

女性：月経；尿の抑圧、または血尿を伴う。刺激性、黄色い、粘着性の、仙骨周辺の痛みを伴う帯下、下腹部が重たい。子宮脱＜暑い天候。母乳；糸を引くような、水っぽい。外陰部のかゆみ、灼熱感、性的興奮を伴う。妊娠中の嘔吐。

呼吸器：嗄声、＜夕方。喉頭炎。喉頭がむずむずする、咳を伴う、＜食べること、おくびで、＞暑さ；その後めまい。**ひりひりする、胸骨の下；背中と肩にかけての痛み**、咳をするとき。黄色い、糸を引く、多量の、深い咳に伴う喀出物。胸部が封鎖されているような感覚。喘息、＜性交。咳、＞喀出物による。乾いた、金属味の、しきりに出る咳。

心臓：拡張、腎臓障害を伴う。大動脈機能不全。心臓の冷え。心臓の衰弱。全動脈で感じる拍動。

首・背中：首の硬直、＜頭を前に曲げる。腰部の切られるような痛み；歩行困難。尾骨の痛み＜歩行、座ること、接触、上下に痛みが広がる。排尿前の尾骨痛、＞排尿後。まるで何かが仙骨を砕いたかのような感じ、＜かがむ。

四肢：手の麻痺性の衰弱。坐骨神経痛、＞脚を動かすこと、ほぐすこと、＜立つこと、座ること、または寝床に横たわること。足の縁に沿った痛み。骨に沿った遊走性の痛み。リウマチ性の痛み、＜食べること。アキレス腱のはれと圧痛。脛骨、痛い；殴打による骨膜炎。

皮膚：膿疱、先端が黒い。熱い、乾燥した、赤い皮膚＞冷気。茶色い斑点。足の裏の水疱。発疹や潰瘍が治癒した後の、くぼんだ、丸い傷跡。

睡眠：爽快にならない、四肢の衰弱を感じる。

熱：紅潮；ねっとりした汗、それに続く悪寒。手足の冷や汗。汗を伴う悪寒。

補完レメディー：Ars., Phos., Psor.

関連レメディー：Kali-c., Merc., Phyt., Puls.

Kali bromatum　臭化カリウム

総体的症状：臭化カリウムは、**精神**と**神経**に影響し、知能障害、全身的なしびれ、粘膜、特に目、喉、皮膚の**感覚消失を生じる**。性的な領域に強力な力を発揮する；患者は官能的で、みだらな空想をする；男子色情症、女子色情症。てんかんが関係する、男性の過剰な性行為または自慰と、そして女性の場合、月経時に発作が起こる；発作は、たいてい新月に起こり、頭痛がその後に続く。病気の発症はゆっくりで、**痛みは伴わない**。麻痺。心臓が衰弱し、体温が下がる。心配、失職、評判、そして当惑、過剰な性行為、病気、または近しい友人の死の悪影響。恐怖が原因の舞踏病。振戦麻痺。

悪化：**頭脳労働**。感情―怒り、恐怖、心配、悲嘆。周期的；夜間、午前2時、夏；新月。**過剰な性行為**。思春期。満たされない性的欲求。

好転：精神的そして身体的多忙。

精神：**抑うつ性の妄想**―追いかけられている、毒を盛られる、何か大変な犯罪を犯す、自分の子ども、または夫を殺害するという妄想。神経質。悲嘆と不安からの精神疲労。疑い深い、あらゆる側面を見る、対人恐怖、しかし暗闇に独りではいられない。落ち着きがない、**手が常に動く**、いじくり回す。腕を激しく動かす。**完全なる記憶喪失**。話し方を忘れる、ある言葉を発する前に、教えてもらわなければならない。健忘失語症。うつ、健康に関する多くの懸念、理由のない不満。自責の念；**手を固く握り締める**；突然泣き出す。緩慢、ちゅうちょする、話すとき、書くときに単語を飛ばす、または混同する。人生に対する全くの無関心と激しい嫌悪。ある地点を通過できないと思う。頻繁に涙を流す。夜驚症の子ども、叫び声を上げて起きる、無意識、誰も認識できない、その後に斜視になる。

頭部：頭のしびれ感、＜後頭部。めまい、まるで道が崩れて足がふらつく

ような、＜かがむ。脳卒中の症状。後頭部の激しい頭痛、または、しびれ；脳振とうによる。

目：落ちくぼんだ目。眼球があらゆる方向に動く。子どもの夜驚症後の斜視。

耳：難聴。耳の中で音が反響する。夜間の、脈動と同調する、とどろくような耳鳴り。

鼻：嗅覚障害。鼻汁が喉頭に垂れる。

顔：紅潮、黄色い、悪液質。表情がない。顔のにきび。

口：発語困難、どもり。臭い口臭。しびれ。急激な痙動に伴って舌を突き出す；舞踏病。

喉：無感覚。（子どもの）液体の嚥下障害、固形物しかのみ込めない。

胃：嘔吐―ひどい喉の渇きを伴う；毎食後；ヒステリー性；興奮した後。しつこいしゃっくり。

腹部：腹壁の収縮を伴う痙攣。まるで腸が飛び出すかのような感覚。切れるような疝痛。内側の冷たさ。緑色の水っぽい便、急速な虚脱を伴う。小児コレラ、筋肉の痙攣性のぴくぴくする動きやぐいっとする動きを伴う、腹の収縮を伴う。直腸ポリープ。しつこい下痢、多量の下血。

泌尿器：糖尿病。排便の始めの尿の滴下。尿管麻痺。遺尿。

男性：過剰な性欲、夜間の絶え間ない勃起を伴う。性欲減少、インポテンス。うつ、てんかん、神経衰弱を伴うインポテンス。

女性：女子色情症；産後の。過剰な性行為による不妊。卵巣の神経痛、性的不満による卵巣の囊胞性腫瘍。若い女性の大量出血、性欲を伴う。月経過多、強い性欲から。子宮筋腫。復古不全。性感喪失、性交の嫌悪。

呼吸器：クループ性の咳。反射性の咳、妊娠中の。熱い息；慌ただしい。喘息、乾性の咳を伴う、腕を激しく動かす。

四肢：手と手指を常に動かす。手指の痙攣。随意運動中の手の震え。不安

定な足どり。まっすぐに立てない、脚が弱い。
皮膚：にきび。脚の湿疹。乾癬。冷たい皮膚；しびれ。発疹後の瘢痕。
睡眠：嗜眠状態；発作によることが多い。不眠、心配、悲嘆、過度の性行為による。夜驚症。子どもの夢遊病。
熱　：痛みのある顔の紅潮、閉経期。
関連レメディー：Calc., Con., Op., Stram.

Kali carbonicum　炭酸カリウム

総体的症状：すべてのカリウム塩による衰弱は、カリウム族のこの典型的な塩により顕著にみられる。**心筋、背筋、四肢の筋肉の衰弱；知力の減退**。線維組織、関節の靱帯、子宮、腰部が特に影響を受けて弛緩する；**関節が外れる、背中が骨折したように感じられる**；患者は、横たわるか、もたれかかることを余儀なくされる。**発汗、背中の痛み、衰弱**が、Kali-carbの3つの特徴的な症状である。**肉付きのよい、高齢の、組織の軟らかい、血の薄い**、気圧の変化やすき間風に敏感で、いつも震えている、水腫および麻痺傾向のある、**冷たい人**に適合する。冷気が熱く感じられる。症状が明確でない人、または、古くからの症状がある人。**鋭い縫われるような**、突き刺されるような、あるいは、つかまれるような痛みが、関節、**胸部**、筋肉、頭などあらゆる部位に、患部を下にして横たわったときに、または、ほかの疾患に伴って発現する。**ずきずきする痛み、一つの部位—腹、手指など—のしびれ、または冷え**。横になったときに下側になった部分が痛む、またはしびれる。多量で刺激性のある分泌物。**痙攣は**、おくびで消えるようである。突然の無意識。筋肉痙攣；こわばり、筋肉の弛緩。全身が、まるで空っぽのように感じられる。脂肪変性。結核性の悪液質。甲状腺機能低下症。体の下で、寝床が沈んでいく

ような感覚。肺炎以来の不調。炎のような灼熱感。びっくりする傾向、大声を上げる、ほんのわずかな接触で、特に足の裏、全身がぞくぞくする。痛みは露出している部分、体重のかかっていない部分に出る。小児期の発疹抑圧、潰瘍や瘻孔を閉じること、かぜ、過労の悪影響。流産や産後の衰弱。静脈炎になりやすい傾向。

悪化：**冷たい―空気**。すき間風；冷水；加熱後；激しい活動後。冬。午前2～3時。月経前。**痛みのある部分**または**左側を下にして横たわる**。体液の喪失。産後、流産後。かがむ。突然の、または無防備な動き。天候の変化。性交後。接触。動作。

好転：暖かさ。膝の上に肘をついて座る。日中。外気。動作。

精神：不機嫌。すぐにびっくりする。触れるとびっくりする、特に足、眠りに落ちそうなとき。**不安、独りでいるときの恐怖を伴う**。胃で不安を感じる。自分の思っていることをどう口に出してよいか途方に暮れる。非常に短気。涙もろい。痛み、雑音、接触に過敏。平穏がない、満足しない。恐怖；将来、お化け、死。自分の病気の心配。自分の生計の立て方について家族と口論する。自分の下で寝床が沈んでいくのを感じる。

頭部：頭痛から目が痛む、＜乗り物の動き、くしゃみ、咳、かがむ、あくび、＞頭を起こして額を圧迫する。頭の中で何かが緩んでいて、額に向かって、回転したり、ねじれたりしているような感覚。頭痛で目覚める。髪の毛；乾燥；まゆ毛、こめかみ、ひげから毛が抜け落ちる。頭皮の痛い腫瘍。

目 ：衰弱；性交後、はしかの後、流産の後。点のある視界―眼前の閃光、青か緑の点、しずく。目頭側のまぶたの角の**腫脹**、または上まぶたとまゆ毛の間が袋状に膨れる。目を閉じるときに、光が脳を突き通すかのような痛みの感覚。冷たいまぶた。

耳 ：内から外に向かう耳の刺されるような痛み。耳の中の亀裂。右耳が熱く、左耳が青白くて冷たい。耳鳴り；頭痛を伴う。

鼻 ：コリーザは滴る。はれ、硬い、赤い。鼻閉＞戸外を歩く。臭い、黄緑色の、または痂皮状になる分泌物。朝、洗顔中の鼻出血。鼻孔の潰瘍形成。吹き出物で覆われた赤い鼻。

顔 ：むくんだ。青白い、病気のよう、血色が悪い、目が落ちくぼんだ。そばかす。下顎のはれ、顎下腺の腫脹。顎の痙攣。

口 ：歯痛；右胸の刺されるような痛みと交互に現れる、食事中に限る。ねばねばした口。灰白色の舌。歯茎が歯から離れる。歯茎のかゆみ。膿の滲出、膿漏。アフタ；多量の唾液分泌。舌先の灼熱感、舌先のひりひり感、痛みのあるできもの。

喉 ：午前中に、粘り気のある粘液を咳で出す。嚥下**困難**、食べたものはゆっくりと下に落ちる、食道の真ん中にとどまる、吐き気と嘔吐を伴う；食道狭窄。食べ物の小片が気管に入りやすい。魚の骨が突き刺さったような感覚。

胃 ：塩辛い、酸っぱい逆流。酸っぱい粘液の嘔吐。甘いもの、酸っぱいものを欲求。胃の**膨張と敏感**。ほんの少し飲食しただけで満腹感がある。乳と温かい食べ物に不耐。**胃が水でいっぱいのように感じる**。みぞおちの奥に塊があり、触れると敏感。胃の背部の拍動。胃痛が背中、胸部、四肢などに伝わる。頻繁に食べたいが、少しでも食べると苦痛を感じる。毎夜、食べたものを嘔吐。吐き気、＞横たわる。酸っぱいおくび。食事中、眠たい、疲れる。空腹時の、不安、吐き気、神経質、うずき、動悸。

腹部：**膨張**、**硬い**、**鼓腸**、冷たい。へその拍動。月経時に、冷たい液体が腸を通り抜けていくような感覚。鼓腸。肝臓の刺されるような痛み、またはひりひり痛む肝臓。左の下肋部から腹にかけての痛み；起き上がるには、まず右側を向かなければならない。まるで腸がずたずたに引き裂かれるかのような痛み。**排便困難；大きい、硬い塊**、その後の灼熱感と引き裂かれるような感覚。痔疾；炎症、出血、排尿や咳で下がる、＞乗馬。細い針で突かれるような妊娠中の

痛み、赤く熱くなった火かき棒を直腸に入れられたような感覚、＞冷水浴。直腸脱になりやすい。消化不良による慢性の下痢、日中のみ。便秘、月経中、月経後の。腹（右）から喉にかけて、塊が上昇しては戻る感覚、咳で。痔瘻。水腫。黄疸。便秘と下痢が交互に現れる。

泌尿器：左の腎臓の灼熱感。成人の夜尿、＜咳、くしゃみ。**泡の多い尿**、濃厚な赤い沈殿物を伴う。腎臓の縫われるような痛みが臀部から大腿に伝わる。膀胱の圧迫感、排尿するよりかなり前の；圧迫すればするほど、出る尿の量は少ない。尿道の灼熱感と遅い流れ。腎炎、寒さにさらされたことによる、または損傷に起因する。

男性：性交後の疾患。多量の痛みの多い遺精；それに続く痛みを伴う勃起。性交後の衰弱；震えを伴うことが多い。性交後2～3日の不眠と不安。性交を嫌悪。生殖器の特異な違和感。慢性淋病；痛みを伴うわずかな分泌物、排尿中と排尿後の灼熱感。

女性：初潮の遅れ；胸部の症状と腹水症を伴う。無月経。月経；遅すぎる；刺激性、多量。激しい疝痛、月経前の、刺激性があり、刺すようなにおいを伴う。乳房にわずかな痛み。**帯下、陣痛のような痛みを伴う、外陰部のかゆみと灼熱感を引き起こす**；＞洗浄。効果のない陣痛；背中に感じられ、臀部や大腿に下降する。産後、流産後の疾患。出血、搔爬後、その他のすべての処置後。子癇、＞おくび。産褥熱と下腹部の切られるような痛み、黒い少量の尿を伴う。子宮腫瘍、子宮筋腫。月経過多、＞入浴。性器の痛み、性交中、月経時。月経は早い、多量の排出；遅い、少量で色の薄い排出。ひどい子宮痙攣、無月経、落ち着きのなさを伴う。

呼吸器：カタル性の失声症、激しいくしゃみを伴う。呼吸困難、**喘息性**、＜ほんのわずかな動作から、下痢とめまいが交互に。ひっきりなしのひどいむかつきと**息づまり**、無益な咳、その後の嘔吐。ゼーゼーいう咳。肺が肋骨にくっついているように思える。**突き刺されるよ**

うな胸の痛み。水胸症。過敏な胸部、咳の間。口蓋垂の弛緩を伴う咳。胸部の冷たさ。喀出困難、あるいは、小さな丸い塊が、何の努力もなしに口から飛び出す；塩辛い、濃厚な、血の混じった、黄色っぽい、緑色がかった、臭い、多量の喀出物、酸っぱいまたは鋭い味がする。

心臓：心臓が糸でぶら下がっているかのような感覚。動悸、その後の衰弱、弁膜症の；空腹になったときの動悸。心臓周辺の灼熱感。心臓の痛みが左の肩甲骨にまで達する。**小さい脈、軟脈、変化する脈；間欠脈、または二重脈**。不整脈。心臓の変性。激しい動悸、全身が震える；鼓動は手足の指先にまで伝わる。

首・背中：すべての影響が腰のくびれに出る、またはそこから痛みが始まる。首が太いように感じる。**背中の痛み、あきらめの気持ちを伴う、横にならなければならない**；損傷したように感じる。腰のくびれの衰弱感。腰痛；突然の鋭い痛みを伴う、上下に広がる、背中と大腿に。産後、または流産後の背中の痛み。食事中の脊椎の痛み。脊椎の右側の灼熱感。

四肢：腕の衰弱感。腕のしびれ感、冷感。左腕の鈍い圧迫感。手指の焼けるような灼熱感。**脚の衰え**；重たく感じる。手足の指先の痛み。左足の浮腫。**足の裏が非常に敏感**。臀部から膝にかけての痛み。膝の痛み＜階段を下りるとき、上がるとき。四肢のびくっとする動き、特に、足に触れたとき。坐骨神経痛、大腿の引き裂かれるような痛み、筋肉のぴくっとする痙動を伴う。

皮膚：敏感、乾燥。カラシ軟膏を塗ったような灼熱感。全身のかゆみ、または蕁麻疹、月経時。いぼのかゆみ。瘢痕の突っ張り感、圧迫感、引き裂かれるような感覚。

睡眠：食事の最中に眠りに落ちる。寝言を言う。午前2〜4時に、ほとんどすべての症状で、目が覚める。午前1〜2時に目が覚め、二度と眠れない。頭痛などに伴うあくび。

熱 ：寒け；手は熱い；眠気を伴う；戸外で。内側の灼熱感。足の少量の、臭い汗。わずかな労作で発汗；痛みのある部位に発汗、患部に発汗。
補完レメディー：Ars-i., Carb-v., Nit-ac., Nux-v., Phos.
関連レメディー：Ars., Calc-hyp., Fl-ac., Lyc., Phos., Sep., Sulph.

Kali chloricum　塩素酸カリウム

総体的症状：このレメディーは、血液を混乱させ、口、腎臓、直腸に影響を与える。極度の衰弱；さまざまな部位と器官の**冷たさ**、血液も。**出血しやすい**―鼻出血、血便など、壊血病。これらが、最も際立った症状である。分泌物は**臭い**。灰色の、白い、可朔性の滲出液。肝臓、脾臓、腎臓やその他の充実性臓器の、ラードのような脂肪変性。妊娠中毒症。
悪化：寒さ。水銀。振動。咳。くしゃみ。
好転：鼻出血（精神症状）。
鼻 ：夜間の、右の鼻孔からだけの鼻出血。
顔 ：腫脹；朝は、ほとんど何も見えない。神経痛、＜話すこと、食べること、またはわずかな接触、しびれが後に続く。
口 ：強い悪臭。急性潰瘍と濾胞性**口内炎**；アフタ性、壊疽性。水癌（潰瘍性口内炎）。舌は腫脹し、冷たい。壊血病。唾液分泌過多。
胃 ：冷たさを感じる。突然の嘔吐、絶え間なく、食べたものをすべて吐く、臭い濃い緑色の粘液を吐く。喉が冷たい。
腹部：握り締められるような疝痛、鼓腸と下痢、継続的な直腸の痛みが後に続く。赤痢、かなりの出血とともに、多量の緑色がかった粘液が出る。直腸の激しい切られるような痛みで叫ぶ、赤痢と下痢の場合。

泌尿器：腎炎。蛋白尿、量が少ない、抑圧されている。血尿。
呼吸器：胸の収縮、硫黄のにおいから。
心臓：前胸部の冷たさ。右は充実脈、左は小さい脈。血の冷たさ。
四肢：夕方、足首がはれる。
皮膚：冷たい。唇と顎の間の吹き出物。

Kali cyanatum　　青酸カリ

総体的症状：この最も毒性の強い薬物は、特に眼窩と上顎骨周辺の神経痛の苦悶で、叫び声を上げ、意識を失うような場合に効果があることを、覚えておかなければならない。舌癌、端が硬化する。突然の沈むような感覚。話す力は衰えるが、知性は損なわれない。坐骨神経痛。不安定な歩き方。
悪化：午前4時から午後4時。
好転：戸外での動作。

Kali iodatum　　ヨウ化カリウム

総体的症状：ヨウ化カリウムは、抗梅毒レメディーとして使われていた。線維組織と結合組織に深く作用し、浸潤、浮腫を引き起こす。**腺の腫脹**、または萎縮。外骨腫症、骨の腫脹、くる病、紫斑と出血性体質などが、その影響である。影響する部位が多様で、多様な悪化をみせ、取るに足りない症状が多く、特に顕著な特徴が何ひとつない場合に、このレメディーが必要となる。痛風性、リウマチ性、梅毒性の体質。**頑固な慢性**。消耗感。砕けるような、鋭い縫われるような痛み。分泌物は、<u>**多量**</u>、**水っぽい**、**刺激性**、**塩辛い**；濃厚、緑

色、または臭い。患部の**痛みに続き、ひりひりする感覚が広がる**。損傷後、痛みが長く続く。**衰弱、るいそう**。動脈硬化症。**戸外で動きたい**。悪液質。筋肉と腱の収縮、慢性の関節炎、偽強直を伴う。放線菌症。冷たさ；痛みのある部位の；骨の。真菌性疾患。水腫、圧迫による、腺の腫脹による。

悪化：熱。圧迫。接触。夜。湿気。水銀。天候の変化。振動。冷たい食べ物、特に乳。日没から日の出まで。

好転：**動作**。**冷気**。外気。

精神：怒りっぽい、短気、特に自分の子どもに対して、家族に対して。厳しい性格で残酷。人生のささいなことに対して、耐えがたく感じる。思考できない。落胆。機嫌が悪い。虐待的。神経質、歩かなければならない。話好き、冗談を言う傾向がある。

頭部：暗闇でめまい；＜鉄道旅行。激しい頭痛、側頭からねじ込まれるような、＜暖かさと圧迫。頭蓋の硬くて痛い瘤、頭痛を伴う。頭皮をかくと痛む、潰瘍形成しているかのよう。大きな頭と小さな顎—くる病。脳が大きくなったように感じる。髪が変色し、抜ける。両側性頭痛。頭皮の亀裂と痛み。頭に痛む場所がある。

目：はれぼったい、灼熱感、水っぽい；結膜が赤い。梅毒性虹彩炎。常に眼球が振動する。まばたきに痛みを伴う。結膜浮腫。目の周囲の浮腫。下まぶたの痙攣。

耳：耳鳴り。まるで穴を開けられるような、耳の中の痛み。難聴。

鼻：赤い、はれた。多量の**刺激性**の、熱い、水っぽい分泌物を伴うコリーザ、＜冷気；唾液分泌過多と呼吸困難を伴うコリーザ。**鼻根の詰まった感覚**。鼻中隔の穿孔を伴う臭鼻症。冷たい、緑色がかった、刺激性の鼻の分泌物。鼻と副鼻腔の灼熱感とずきずきする感覚。激しいくしゃみ。湿気の多い日にかぜをひく。

顔：顔面神経痛。ほお骨のこわばった痛み。唇の粘着性の粘液、午前中の。

口　：絶え間ない歯痛、虫が穴を開けているかのように。苦い味；寝起きに；塩辛い。唾液分泌過多。血の混じった唾液、口の中が甘い、または嫌な味がする。舌の付け根のひどい痛み、夜間。口内の潰瘍、乳でコーティングされているように見える。

喉　：演説（講演）者の咽頭炎。接触に敏感な甲状腺腫。乾燥。扁桃の肥大。

胃　：冷たい食べ物と飲み物、特に冷たい乳＜。非常に呑酸が起こりそうな感覚。喉が渇く。拍動；痛みのある灼熱感。すべての食べ物を嫌悪；スープさえも。

腹部：鼓腸、空気飢餓感を伴う。キュッキュッあるいはコッコッいうような音。下痢、腰部が折れそうな、あるいは月経が始まるかのような痛みを伴う。肺結核患者の早朝の下痢。排便が頻繁。切れ痔；乳児の。

泌尿器：頻繁な排尿、多量の、澄んだ尿、＜月経前、夜間。

男性：精巣の萎縮。慢性淋病；分泌物は、濃厚で緑色。わずかな摩擦で擦過創ができる。

女性：子宮が、まるで絞られているよう、月経中。帯下；腐食性、肉を浸食するような。乳房の萎縮。月経は遅く多量。

呼吸器：喉頭がひりひりする。**空気飢餓感**、午前中の鼓腸を伴う、息苦しくて目が覚める。ヒューヒューいう喘息様の呼吸。**気道がひりひりする**。乾性の気管支炎。泡状の緑色がかった、石鹸の泡状の喀出物。胸膜炎の滲出液。肺炎。胸部の痛みが後方に行く。胸骨から背中にかけての痛み。

心臓：動悸と突き刺されるような痛み、＜歩行時。

首・背中：腰のくびれが、万力にかかったかのように感じる。腰部の打撲したような痛み、＜腰を曲げて座る。落下したかのような、尾骨の痛み。

四肢：臀部の痛み、跛行にならざるをえない。坐骨神経痛、痛み＜患部を

下にして横たわる、座る、立つ；夜に目が覚める；＞歩くことと脚をほぐすこと。膝のリウマチ、滲出を伴う。手の親指の先端の潰瘍形成、黄色くなる。

皮膚：にきび。巨大な蕁麻疹。小さなせつ、瘢痕を残す。あちこちに組面を呈する小結節。

睡眠：睡眠中に大きな声で泣く、しかし意識はない。

熱 ：骨の；痛む部位の、冷たさ。夕方の熱感。露出すると寒い。熱と悪寒とが交互に現れる。身震いするような熱。熱さと乾燥、そしてびしょぬれになるほどの汗。多量の寝汗で＞。

関連レメディー：Iod., Sulph., Syph.

Kali muriaticum　　塩化カリウム

総体的症状：塩化カリウムは、シュスラー博士の生命組織塩のレメディーである。**カタル性疾患**を引き起こし、**乳白色**の、ねばねばする、**粘着性のある、濃い**、ぬるぬるした、または塊の多い分泌物を生じる。**粘り強い可朔性**または**線維素性**の滲出物。**硬い沈着物。腺の腫脹。ひりひりする、切られるような、刺されるような遊走性の痛み**。虫がはうような感覚。しびれ。予防接種の悪影響。捻挫。やけど。強打、切り傷。塞栓症。横方向の症状。反応が遅い。頑固な浸潤。

悪化：**外気。冷たい飲み物**。すき間風。寝床の温かさ。横たわる。夜。湿気。動作。捻挫。**脂肪分の多い、こってりした食べ物**。月経時。

好転：冷たい飲み物。さすること。髪を下ろす。

精神：不満足、落胆。悪魔を恐れる。黙って座る。自分は飢えなければならないと想像する。習慣性の食欲不振、または食事の拒絶。**短気で怒っている**；ささいなことに対して。

頭部：頭部へのびっくりするような衝撃、または鉛のように重いものを後頭部にのせられる、>髪を下ろす、暖かさ。脳が緩んだように感じられる。多量の白いふけ。**頭部の発汗**。痂皮。
目　：眼角の小膿疱。白内障。トラコーマ。角膜混濁。咳をすると閃光。角膜の滲出。
耳　：**難聴；カタル性疾患と耳管閉塞に起因する**。鼻をかむとき、嚥下時に砕けるような音がする。耳のパチッという音、かゆみ、詰まったような感覚。耳下腺の腫脹。耳下腺の痛み。
鼻　：鼻頭が詰まって冷たい。白い、濃厚な分泌物。後鼻孔からの粘液の喀出。
顔　：青みがかった；落ちくぼんだ。はれて痛むほお。麻痺、顔面の痛みに後続する。顔面の筋肉痙攣と震え、<食べること、話すこと、または咳。発熱を伴わない流行性耳下腺炎。
口　：口の周りの発疹。アフタ。鵞口瘡。口内の白い潰瘍。壊血病の歯茎。地図状舌；灰色または白い舌根。味覚；塩辛い、苦い、舌の冷たさを伴う。舌上で腫瘍が大きくなっているかのような感覚。
喉　：灰白色、潰瘍形成。慢性の咽頭痛。**扁桃肥大**、炎症、嚥下時のひどい痛み、息もできないほど。**濃厚な白い粘液を喀出、チーズ状**。
胃　：脂っこい、こってりした食べ物で消化不良を起こす、それらを嫌悪する。吐き気、震えを伴う。夜間の胃の重さ。食べたものを嘔吐。水を飲むと空腹感が消える。
腹部：**食後の充満感**。白っぽい、硬い、または綿状の便。**肛門の痛み**、<歩行、または排便後。排便後の肛門のかゆみ、または虫がはうような感覚。痔、出血；黒っぽい濃厚な血。
泌尿器：尿の滴下。膀胱炎。白い濃厚な粘液の分泌。
女性：黒っぽい、凝血のある、タールのような、過剰な経血。帯下、乳白色、濃厚、無刺激性。乳房の軟らかい、圧痛のある結節。月経前、または月経時の乳房の痛み。

呼吸器：呼吸困難、または圧迫された呼吸。気管支炎。粘着性の、乳状の、あるいは口から飛び出す喀出物。胸部がひりひりする。胸部の一過性の熱感。
心臓：心臓の冷たさ。
首・背中：右肩の下の重さ。右肩甲骨下で音が鳴る。背中の痛み、＞横たわる。腰のくびれから足にかけての稲妻のような痛み。寝床から起きだして座らなければならない。
四肢：冷たい手足。書くとき、編み物をするとき、手がこわばる。四肢のひきつり―脚の。大腿の痙攣。脚の緊張と腕の緊張が交互に生じる。足の冷や汗。切られるような骨の痛み。関節周辺の滲出と腫脹。腱、手の甲の亀裂。
皮膚：糠状。滑液包炎。胃の疾患、または月経障害に関係する発疹。
睡眠：不安な夢。
補完レメディー：Calc-s.
関連レメディー：Bry., Ferr-p., Puls.

Kali nitricum 硝酸カリウム

総体的症状：硝酸カリウムは、**呼吸器**、腎臓、心臓、そして血管に作用する。窩・腔の分泌の増加。突然の、全身の水腫性の腫脹。化膿性腎炎、喘息、心臓性喘息によく指示される。痛みは**鈍い、縫われるよう**、ずきずきする。木のような**無感覚**。再発性の肺結核。非常な衰弱。**出血傾向**。
悪化：歩く。寒さ。湿気。かぜをひく。子牛の肉を食べる。
好転：穏やかな動作。水をちびちびすすり飲む。
精神：関心事の不足による精神的な倦怠。落胆と死への恐怖。
頭部：失神の発作、朝のめまいを伴う、＜立っていること、＞座る。後頭

部の痛み、>髪を下ろす。頭痛>乗り物の動き。痛みの最中の、髪の毛を引っ張られるような感覚。

目：右眼角の痙攣、<そしゃく。

耳：聴覚神経の麻痺による慢性的な難聴。めまいと耳鳴り。

鼻：はれた感覚、右の鼻孔のほうが強い。鼻の先が赤くかゆみがある。ポリープ。

口：舌、赤くて、灼熱感のあるできものがある。

胃：吐き気、まるで今にも嘔吐するかのような、<夜間の。みぞおち、または胸骨下から腋窩に向かう痛み。

腹部：子牛の肉を食べたことによる下痢。細い、水っぽい、色の濃い、血の混じった便。

泌尿器：**頻繁な、多量の、澄んだ尿の放出**。糖尿病。腎臓の鈍痛。

女性：多量の経血、インクのように黒い。

呼吸器：速い、あえぐような呼吸、背筋を伸ばして座る。**激しい呼吸困難**、胸部の灼熱感を伴う、鈍い刺されるような痛みと、吐気；喉の渇きがあるが、**ちびちびすすり飲むことしかできない**。右肺のうっ血。喘息。酸っぱい喀出物によって緩和される。

心臓：動悸、<横たわる。

背中：痛みが胸部に広がる。

四肢：手と手指がはれているように感じる。

熱：**外側の冷たさ—顎、皮膚。内側の灼熱感。**

補完レメディー：Cam., Glon.

Kali phosphoricum　リン酸カリウム

総体的症状：シュスラー博士の素晴らしいレメディーで、**神経力の不足か ら生じる状態に適合する**。患者は<u>神経質</u>；<u>敏感</u>、<u>衰弱</u>、そして**痛 み、心配、精神疲労**などにより、<u>へとへとに疲れやすい</u>など。**神経 衰弱症**。麻痺；小児の、生歯時。麻痺性の衰弱、または、麻痺感を 伴う痛み。筋無力症や腐敗にも効果がある；壊死性の疾患、悪性腫 瘍の疑い。<u>悪臭を放つ</u>、死肉のような分泌物のにおい；臭い体臭。 分泌物は黄金色。縫われるような痛み。手術後の、治癒の過程にあ るとき、皮膚は傷の上にぴんと張られる、特に癌。機械的損傷、悲 しみ、いら立ちの悪影響。性的興奮、耽溺または抑圧からの。**不規 則な月経**、脈など。わずかな痛み。るいそう；消耗性疾患。敗血性 の状態、敗血症。癰。出血。進行性の筋萎縮。吐き気を伴わない船 酔い。

悪化：ささいな原因—興奮、**心配**、**精神**疲労、または肉体疲労。接触。痛 み。寒さ。乾燥した空気。思春期。食べること。性交。

好転：睡眠。食事。穏やかな動作。何かにもたれかかる。

精神：恥ずかしがり—神経質な恐怖；びっくりしやすい。ささいなこと を重荷に感じる。人に会いたくない、人と話す気がない。落ち込 み、憂うつ。怒り。歪んだ愛情、自己嫌悪；夫、赤ん坊に対して厳 しい。怒りっぽい；泣き叫ぶ子ども、急に怒りだす、はっきり話す ことがほとんどできない。不安、将来について、自分の健康につい て。群集恐怖、死への恐怖など。忘れっぽい。夜驚症。宗教的な落 ち込み。

頭部：太陽に当たるとめまい、<見上げること、立っていること、立ち 上がることから。頭痛；学生の、<月経前と月経中、>穏やかな動 作。精神疲労。脳貧血。頭痛に伴う空腹感。

目 ：灼熱感、刺されるような痛み；涙があふれる。黄色味がかった灰色、乳白色の分泌物。**まぶたが垂れる（左）**。網膜炎。目の弱さ。知覚力の喪失。斜視、脳疾患後の。眼前の黒い点。

耳 ：耳の中でブンブン音がする。聴覚が敏感で、雑音に耐えられない。難聴、神経の萎縮症による。

鼻 ：**後鼻孔のかゆみ**。ひいたばかりのかぜの症状を伴う激しいくしゃみ；午前2時のくしゃみ。花粉症、予防薬として。

顔 ：**悲しい、疲れ果てた表情**。髪の生え際に茶色い縞。神経痛、＞冷たいものをあてがう。

口 ：口蓋が脂ぎったように感じる。黄色い舌、練りがらしのような。アフタ。臭い息。口の過剰な乾燥、まるで舌が口蓋に付着しているかのように感じる。歯茎；多孔質、出血傾向、それに歯痛を伴う。緩慢で、不明瞭な話し方。舌の潜行性麻痺。神経性のガチガチいう歯。水癌（潰瘍性口内炎）。

胃 ：冷水、酢、甘いものを欲求。**食後すぐの空腹感**。吐き気、＞おくび、＜咳。神経性のみぞおちの衰弱感、＞食事。食べ物を嫌悪、特にパンと肉。甘いもの以外に食欲を感じない。

腹部：下痢、臭い便、腐敗臭、熱い；黄金色の便、痛みがない、恐怖から、衰弱が後に続く。腹部の切られるような痛み。赤痢—鮮血の便。コレラの米のとぎ汁のような便。痔核の除去後の直腸と結腸の麻痺。結腸炎。冷感、＞覆うこと。

泌尿器：サフラン色、または乳のような尿。神経質で、興奮しやすい子どもの、高齢者の執拗な夜尿。尿管出血。尿が止まり、また出る。

男性：性的興奮、しかし衰弱、性交後または毎夜の射精後の視力低下。

女性：**月経；不定期**、遅すぎる、少なすぎる。極端に臭い帯下。腟と直腸からの、周期的な多量のオレンジ色の液体の分泌。微弱な効果のない陣痛。月経の後4～5日間の強い性的欲求。月経の遅れ、うつを伴う。

呼吸器：声帯の麻痺による失声症。神経性喘息、＜わずかな食べ物で。息切れ＜階段を上る。咳、黄色い痰を伴う。
心臓：不整脈。動悸、＜わずかな動き、または階段を上ること。
首・背中：背中の麻痺性の痛み、何かにもたれなければならない。腋窩の汗はタマネギのにおい。脊椎過敏症。脊椎に沿った何かがはうような感覚とひどい痛み、頭痛を緩和する。
四肢：手足のちくちく刺されるような痛み。手の指先のしびれ。しもやけになったような感じのする足。足の裏の痛み。四肢の麻痺性の衰弱。落ち着きのない足。
皮膚：皮膚の青い斑点。不活性な皮膚。冷たい。黄疸。
睡眠：夜驚症；子どもの。眠い。あくび。夢遊病。不眠、心配、仕事上の問題などからの。官能的な夢；睡眠中の落ち着きのなさと熱感。
熱：正常以下の体温。
関連レメディー：Caust., Pic-ac., Zinc.

Kali sulphricum 硫酸カリウム

総体的症状：このシュスラー博士の生命組織塩のレメディーは、呼吸器系の粘膜と、皮膚に影響を及ぼし、**落屑**を起こす。**分泌物**は**多量**で、**濃い黄色**、**薄い**、または**粘着性**がある。進行は、本質的に不活発。**化膿**。**縫われるような、引き裂かれるような、うずくような、遊走**性の痛み。反応の不足。癌、上皮の。熱くなりすぎたことの悪影響。**損傷**。爪の成長の阻害。
悪化：**暖かさ**―部屋、空気の。雑音。慰め。夕方。
好転：**冷気**。歩くこと。断食。
精神：**性急**。怒りっぽい。横たわりたい、しかし横たわると悪化。そのため、安らぎを求めて歩き回らなければならない。ささいなことにお

びえる。物をほしがり、後に拒否する。
頭部：黄色いふけ、湿った、粘着性の。しらくも（頭部白癬）。（淋病後の）部分的なはげ。
目　：新生児眼炎。膿状の黄色い粘液、目の疾患の。
耳　：耳管性難聴。水っぽい、粘着性の、薄い黄色い分泌物、臭い；ポリープを伴う。
鼻　：鼻と喉頭の粘膜の充血、口呼吸、いびき、などを伴う、アデノイドの除去後。
顔　：暖められた部屋で痛む。上皮腫。
口　：**黄色い、ねっとりした舌**。味覚と嗅覚の喪失。
胃　：胃に重荷を感じる。熱い飲み物を恐れる。甘いものを欲求。
腹部：疝痛時に冷たく感じる。硬い鼓腸、ゼーゼーいう咳の間。下腹部の空洞感、＞放屁。
泌尿器：シュウ酸塩尿。腎盂炎。
男性：淋病；慢性尿道炎の膿；べとべとした黄緑色の分泌物。
女性：腹部に重さを感じる月経。帯下、黄色い、水っぽい。
呼吸器：**胸部の粗いガラガラいう音**。クループ性の嗄声。気管支炎。喘息、簡単に黄色い、ねっとりした喀出物を出す。
四肢：遊走性の痛み。リウマチ性疾患、＜熱。関節の結節。
皮膚：黄色い—黄疸。多量の**落屑**。潰瘍、薄い**黄色い水**の滲出。乾癬。蕁麻疹。乾燥した皮膚。発疹；間擦疹。
熱　：多量の発汗をしやすい。間欠熱；夜間の体温上昇。
関連レメディー：Puls., Tub.

Kalmia latifolia　アメリカシャクナゲ

総体的症状：Kalmiaは**神経**、**心臓**、**循環**に作用する。**痛みは神経痛で、うずき、しびれを伴う。震え、または麻痺性の衰弱**。痛みは素早く動く、神経に沿って、外に向かう撃ち抜かれるような痛み、吐き気と、遅い脈を伴う。うずく、**打撲したような、こわばった感覚**。鈍い、引き裂かれるような、押しつぶされるような痛み、**下方に動く**；痛みは心臓症状と交互に現れる、または上肢と下肢で交互に現れる。リウマチ、梅毒性。神経痛、疱疹性発疹が消えた後。動作によって症状が始まる。蛋白尿。神経痛を伴うひどい衰弱。

悪化：**動作**。左側を下にして横たわる。前に曲げる。見下ろす。太陽熱。寒くなる。日光。日の出から日没まで。かがむ。帯下の出る間。

好転：食事。曇った天候。継続的な動作。横臥の姿勢。

精神：横臥姿勢では、記憶力も、知的能力も完全である。

頭部：めまい；頭痛、失明、四肢の痛みと疲労を伴う、＜かがむ、見下ろす。頭の中で砕けるような音がするのが怖い、耳ではホルンを吹くような音に聞こえる。頭の症状＜そして＞太陽で。うなじから頭頂と顔にかけての撃ち抜かれるような痛み。気が狂うような眼窩上の痛み（右）。

目：凝った、引っ張られるような感覚、目を動かすとき。うつむくときに視野が暗くなる。虹彩炎。強膜炎。硬直したまぶた。網膜炎、特に妊娠中の、蛋白尿を伴う。

耳：ホルンを吹くような音。

鼻：コリーザ；嗅覚の増強。

顔：めまいを伴う紅潮。神経痛、＜右側、寒さにさらされたことから、＞食べ物。顎骨の縫われるような、裂けるような痛み。唇の硬化、乾燥、はれ。

口　：舌の刺されるような痛み。唾液腺のうずき。苦い味、吐き気を伴う、＞食事。そしゃく筋の疲労感。

胃　：みぞおちの痛み、＜かがむ、＞まっすぐ座る。上腹部に何かを押し付けられたかのような感覚。嘔吐＞ワイン。

泌尿器：蛋白尿、下肢の痛みを伴う。頻繁に大量の排尿、黄色い尿、＞頭痛。

女性：月経の抑圧、ひどい神経痛を伴う、全身の。月経の1週間後の帯下；症状＜帯下の出ている間。

心臓：不安による心臓の粗動。痛みは、鋭い、**焼けるよう**、撃ち抜かれるよう、突き刺されるよう、放射状に左の肩甲骨と腕のほうに広がる、**息を詰まらせる、遅い脈を伴う**。動悸、＜かがむ；喉に動悸を感じる、寝床に入った後。あらゆるところで、目に見える震え、＜左側を下にして横たわる、＞あおむけに寝る。肥大；弁の機能不全。大動脈閉塞症。タバコ心。**遅い脈、弱い脈**、震える脈。

首・背中：首から腕にかけての痛み；上腕痛。背中下方の痛み、まるで折れそうな。腰部の痛み、神経性の、熱感と灼熱感を伴う。

四肢：三角筋のリウマチー右。痛みが四肢の大部分に影響する。四肢の衰弱、しびれ、ちくちくするような感覚、冷感。左腕のうずき、しびれ感（心臓の痛み）。尺骨神経に沿った痛みが手の小指または薬指に行く。関節は、赤い、熱い、はれる。

皮膚：硬化と乾燥。

睡眠：不眠；頻繁に寝返りを打つ；早朝に起きる。

熱　：長引く、継続的な熱、鼓腸を伴う。

補完レメディー：Benz-ac., Spig.

関連レメディー：Acon., Dig., Rhus-t., Spig.

Kreosotum　ブナのクレオソート

総体的症状：このレメディーは、木タールの蒸留液から得られるフェノールの混合物である。**消化管**の粘膜、**女性生殖器**に作用し、**血液**を乱す。表皮剥離。炎のような**灼熱感**。多量の、**刺激性の**、**熱い**、**臭い****分泌物**、おくび、痰、など、**患部は赤くなる**。塊の多い分泌物、月経、など。**受動性**の、茶色い、黒っぽい**出血**―ささいな傷から。腫脹。重さ。壊血病。癌性疾患。壊疽。ひどい衰弱、悲惨な感情を伴う。やせた人、高齢の女性（更年期後の障害）に適合。発達程度が悪く、大きくなりすぎた子ども―消耗症。歯、帯下、悪露などの黒さ。急速なるいそう。症状にはあくびが伴う。子どもは、愛撫され、なでられないかぎり寝ない。全身の**拍動感**。ひどい、長く続く神経痛。先天梅毒。

悪化：**生歯**。妊娠。**休息**。寒さ。**食事**。**横たわる**。夏。悪臭。月経時。午後6時～午前6時。性交。接触。捻挫。

好転：暖かさ。熱い食べ物。動作。圧迫。睡眠後。

精神：すべてに対して不満；何かをほしがったかと思うと、投げ捨て、また別のものをほしがる。夜に叫ぶ（子ども）。音楽を聴くと悲しくなり、動悸が激しくなる。女性は性交のことを考えることを恐れる。**気難しい、強情、頑固**。愚か。死にたい。常に不平を言う子ども、または半眼で眠る、または生歯時に不機嫌で不眠になる。

頭部：額を板で押さえつけられているような鈍い痛み。頭の中でブンブンいう音がする。頭皮が敏感、＜髪をとかす。抜け毛。

目：熱い、刺激性の、ひりひりする涙。まぶたが赤くはれる。目の疾患と四肢の疾患が交互に現れる。まぶたが常に痙攣する。

耳：月経時、月経前の難聴。

鼻：悪臭と臭い分泌物。高齢者の慢性カタル。

顔 ：悪寒あるいは発熱時の、黄色い青白さ、赤い斑点を伴う。不健全な、苦しそうな表情；老けて見える子ども。焼けるような痛み、＜話すこと、または労作。＞患部を下にして横たわる。赤い唇。喉の渇きがないのに、頻繁に唇をぬらす。

口 ：**すぐに虫歯になる**、膿んだような口臭を伴う。歯の黒い点。**はれぼったい、青みがかった、スポンジのような、出血する歯茎**。妊娠中の耐えがたい歯痛。喉の下のほうが苦い。臭い口臭。栓状歯。

喉 ：灼熱感；窒息感。食べ物をのみ込んだとき、水を飲んだ後の苦味。

胃 ：熱いおくび；泡立つような。吐き気。食べて数時間後の嘔吐；朝、ほのかに甘い水を嘔吐。妊娠中の嘔吐；未消化物の。子宮潰瘍と胃癌における嘔吐。胃が氷のように冷たい。吐血。燻製肉を欲求。冷たい食べ物、絶食＜、絶食を続けようという気を起こさない。回復期の食べ物への嫌悪。胃の硬くて痛い部分。

腹部：膨張。下痢―血の混じった、黒っぽい、茶色い、未消化物を含む、臭い便。生歯時の緑色の便。排便時に苦悶し叫ぶ子ども、まるで発作でも起こしそうに。ひりひりする痛み、＜深呼吸。直腸の狭窄、子宮癌に伴う。

泌尿器：塊に膀胱が押さえつけられているような感覚。せきたてられるような**排尿；横たわるとき**、咳をするとき、**不随意の**。横になっているときにのみ排尿することができる。排尿する夢。宵の口の遺尿。臭い尿。日中の頻繁で多量の排尿。糖尿病。多量に飲むが、一度に少しずつの排尿。

男性：性交時の性器の灼熱感、刺激性の腟の分泌物と触れることによる、翌日、陰茎がはれる。青黒い包皮、出血と壊疽を伴う。

女性：多量の経血；塊のある、断続的＜横たわる、＞座るまたは歩く。**帯下；噴出する**、血の混じった水のような、臭い、腐食性、かゆみを起こす、下着に黄色いしみを残す、付随症状を伴う、白い、未熟のトウモロコシのようなにおい。性交時の激しい痛み、翌日のどす黒

い出血後の患部の灼熱感。外陰部と腟の激しいかゆみ、＜排尿時。塊のある、臭い、断続的な悪露。癌、子宮頸部のびらん。乳房が小さくなる、小さな硬い痛みのあるしこりを伴う。月経＜荷物を持ち上げる、過労。腟の刺されるような痛み、びっくりさせられる。

呼吸器：喉頭の痛みを伴う嗄声、＞くしゃみ。わずかな喀出物、または咳のたびに多量の膿状の喀出物；インフルエンザ後の咳。高齢者の冬の咳、胸骨の強い圧迫感を伴う。胸部の深部痛。熱い石炭があるかのような胸部の灼熱感。肺の壊疽。周期的な喀血。放置された肺結核。

心臓：心臓周辺の刺されるような痛み。休息時のすべての血管の拍動。

背中：背中の引っ張られるような痛みが、生殖器と大腿のほうにまで広がる。まるですべてが飛び出してきそうな（女性の場合）；痛みに伴う便意と尿意、帯下を伴う痛み。仙骨の灼熱感；肩甲骨の打撲したような感覚。

四肢：股関節（左）の痛み、まるで脚が長すぎるかのような感覚、直立時。左手の親指の捻挫したかのような痛み。

皮膚：激しいかゆみ、まぶた、顔、関節、手の甲のうろこ状の湿疹。小さな傷からも出血しやすい。潰瘍が口を開いて癒える、性交後の出血。月経後の蕁麻疹。

睡眠：睡眠障害、全身の落ち着きのなさ、または疲労と四肢の痛みによる。特に理由なしに、一晩中動き回る。排尿する夢。

熱：冷や汗。

補完レメディー：Sulph.

関連レメディー：Ars., Arum-t., Carb-ac., Graph., Nit-ac., Psor.

Lac caninum 犬の乳

総体的症状：雌犬の乳は、**喉、神経、女性生殖器**に作用する。**神経の過敏さ**を引き起こし、落ち着きのなさ、神経質、疲はい、異常な感覚を生じる；身体の一部がほかの部分に触れるのに耐えられない、手指を等間隔に広げていなければならない。**症状の現れる側が変わる**。喉、卵巣、皮膚などの症状が**右から左に移動する**、そしてまた戻る、またはその逆；喉、卵巣、皮膚疾患など。**てかてか光る部位**―炎症部位、潰瘍など。母乳を枯れさせる、授乳することができない女性。ジフテリアとジフテリア性の麻痺。臭鼻症。迷走性の痛み、または症状の傾向。落下した影響。

悪化：<u>接触</u>。振動。月経時。冷たい空気・風・すき間風。ある日の朝、そして翌日の夕方。睡眠後。

好転：外気。冷たい飲み物。

精神：想像でいっぱい―恐ろしい；ヘビ、害虫の。非常に忘れっぽい、書くとき、話すときに間違える。すべての疾患が慢性で治らないように思える。病気、階段から落ちることに対する恐怖。不機嫌で、怒りっぽい、いつも叫ぶ子ども、特に夜。**落胆**。怒りの発作。性的な快感の絶頂でのヒステリー。**まるで空中を歩いているような感覚**、または横たわったときに寝床に触れていないかのような感覚。自分をとるにたりないものと感じる。上の空。誰かほかの人の鼻がついていることを想像する、自分が発言することすべてがうそだと思う。自分の身体が嫌らしく思われる。

頭部：頭痛の現れる側が変わる。不鮮明な視界。頭痛の発作の絶頂時の吐き気と嘔吐＜雑音、話すこと；＞静けさ。まるで脳が収縮と弛緩を交互に繰り返しているかのような感覚。

目：眼前に顔が浮かぶ、＜暗がり。害虫がはい回っているのが見える。

まぶたが重い。
- **耳**：耳の中の雑音。声が反響する、まるで空っぽの大きな部屋で話しているかのような。音が非常に遠くに聞こえる。遺伝的な梅毒による難聴。
- **鼻**：コリーザー片方の鼻孔が詰まる、もう一方はあいていて、分泌物が出る。多量の夜間の鼻からの分泌物、膿状、枕に黄緑色のしみを残す。飲むと液体が鼻から出る。鼻翼の亀裂。花のにおいをかぐと冷やっとするように感じる。
- **顔**：青白い、やつれた、不安な。食事中、顎がカチカチいう。
- **口**：舌の白い苔、端は真っ赤。膿の味、＜甘いもの。話すのが困難、鼻声で話す（神経性の喉の疾患）。ジフテリアでの流涎（唾液が垂れる）。こわばった舌。口角の亀裂。早く話すとどもるので、ゆっくり話さなければならない。唾液分泌過多。
- **喉**：痛む；**陶磁器のように白く光る**、または赤く光る**斑がある**扁桃炎とジフテリア。症状が現れる側が繰り返し変わる、＞冷たい飲み物または温かい飲み物で、しかし＜空嚥下。喉の痛みは月経とともに始まり、ともに終わる。嚥下困難、＜固形物。痛みは耳にまで広がる。
- **胃**：欲求；乳、多量に飲む、味付けの強い料理。液体を嫌悪、特に水；甘いものすべて。みぞおちの衰弱感、吐き気を伴う。塩味の強い食べ物が普通に感じられる。吐き気＞おくび。魚以外のあらゆるもので悪化。
- **泌尿器**：わずかな尿量、回数が少ない；24時間に一度の排尿、多量だが、困難と、わずかな炎症を伴う。夜尿症（特効薬）。排尿後の膀胱の充満感。
- **女性**：月経；噴出する、炎のように熱い；早すぎる；鮮紅色；多量、青臭いまたはアンニア臭。乳房の腫脹、痛む、＜わずかな振動、上下するときは乳房をしっかり押さえなければならない；月経前、＞月経の開始。乳頭が常に痛い。膣からの腸内ガス。**乳の枯渇**。乳漏症。

わずかな乳。帯下；多量の、日中、夜間は出ない、＜直立時、歩行時。生殖器の極度の興奮、＜手を胸にあてがうことで；座っている間の外陰部の圧迫で、または、歩行時のわずかな摩擦で。
- **呼吸器**：月経時の嗄声。絶え間ない喉のむずむず感による咳。触ると痛む鎖骨。
- **心臓**：階段を上下するとき痛む。
- **首・背中**：首のこわばり。脳の基底部から尾骨にかけての脊椎の痛み；接触または圧迫に非常に敏感。悪寒が背中をはい下る。
- **四肢**：坐骨神経痛。脚は膝まで冷たい。右の臀部が常に痛む。リウマチの痛みは片側からもう一方へと動く。踵の痛み。足のひきつり。
- **睡眠**：ヘビの夢。片脚を曲げ、もう一方を伸ばして横たわる。排尿する夢。まるで寝床が動いているかのような感覚で夜目覚める。
- **関連レメディー**：Lach., Lyss., Puls.

Lac defloratum　牛の脱脂乳

- **総体的症状**：脱脂乳は、**栄養**不全や貧血症状に有効である。何もしていないにもかかわらず、完全なる**疲労困憊**；歩行時のひどい疲れ。身体を覆っているにもかかわらず、冷風が吹き付けてくるような感覚；まるでシーツが湿っているかのよう。睡眠不足による疾患。水腫；器質性の心疾患；慢性の肝臓疾患による。乳を飲むと病気になる人や子ども。肥満症。
- **悪化**：**寒さ；わずかなすき間風**。湿気。冷水に手を入れる。**乳**。睡眠不足。毎週。閉所。
- **好転**：休息。包帯などによる圧迫。会話。
- **精神**：落胆；＞会話；生きることに関心がない；死ぬことが怖くない、死を確信している。閉所恐怖症。

頭部：めまい；＜左側を下にして横たわる、頭を枕から動かす、横たわりながら向きを変える；起きて座らなければならない。視覚喪失；その後ずきずきする前頭部の頭痛、色の薄い尿、＜雑音、光、動作、月経時、＞包帯などを巻くことによって、会話。片頭痛、日没で終わる。損傷後の頭痛。頭上に手を伸ばすと気が遠くなる。頭蓋骨が持ち上げられるように感じられる。しつこい頭痛、何年もの間。咳をすると頭が痛くなる。

目：羞明、ろうそくの明かりですら耐えられない。目に小石がたくさん入ったかのように感じる、頭痛時。

顔：青白い、病気のような外見。痛みを伴わない顔のはれ。

胃：**乳を嫌悪**。吐き気と嘔吐、死ぬほどの吐き気。食べたものに関係ないひっきりなしの嘔吐、まずは未消化物、酸っぱい、そして硫苦水。つわり。乳を飲んだ後、コリーザに苦しむ子ども。

腹部：便秘、便意はあるが出ない。**大きい、硬い、力まなければならない、肛門を傷つける便**。しつこい便秘、＞下剤または浣腸によってのみ、激しい片頭痛を伴う。

泌尿器：穴を開けられるような、ひりひりする腎臓の痛み。頻繁で多量の排尿、頭痛またはほかの痛みを伴う。尿失禁、冷たい空気の中を歩いているとき、乗車中、電車に乗ろうと急いでいるとき。膀胱がいっぱいのときに、感覚がない。

女性：月経の遅延；多量の乳を飲む少女の場合；冷水に手を入れることで抑圧。乳汁のわずかな流出；乳汁を回復させる。

四肢：手の指先、氷のように冷たい、手のほかの部分は温かい。

皮膚：寒さに非常に敏感。左右対称の斑、かゆみと、かいた後の灼熱感。足の縁の皮膚の肥厚。

睡眠：睡眠不足から、落ち着きがない。

熱：常に寒く感じる。

関連レメディー：Nat-m.

Lachesis　ブッシュマスター

総体的症状：アメリカ先住民は、このヘビを**スルクク**（ブッシュマスター）と呼んでいた。ヘリング博士は、このヘビ毒を初めてプルービングした。ほかのヘビ毒と同様、<u>血液</u>を分解し、**心臓と循環**に影響を与える。<u>神経</u>は非常に敏感になる、特に、**皮膚神経**と**血管運動神経**。表面が敏感すぎるので、接触、または締めつけに耐えられない；極度の神経過敏、落ち着きのなさ、いら立ち、動き回る。症状は、<u>左側</u>に現れ、その後右側に移行する—喉、卵巣。**女性のための素晴らしいレメディー**。疾病の始まりが猛烈に速く、極度の疲はいを伴う。**悪性**、または敗血性の状態；ジフテリア；壊疽、糖尿病性、外傷性、老人性；癰、丹毒などは、このレメディーの影響である。**出血**は希薄で、藁が焦げたような黒いものを含む；代償性—鼻出血、血尿など。小さな傷でも多量に出血する。**患部が青くなる**；手。刺激性の分泌物、臭い。<u>上昇感覚</u>；喉の；**寒け**。<u>一過性の熱感</u>；血が上る。喉、腹、肝臓、直腸などに**塊**がある感覚；膀胱の転げ回るような感覚。<u>過度の痛み</u>—喉の；潰瘍の；身体の部分の。喉が**締めつけられる**ような感覚、頭にぴったりと密着する帽子のような感覚、肛門の狭窄感。<u>引っ張られるような感覚</u>；頭頂から顎にかけて、直腸、など。極度の神経と身体の衰弱。全身の震え、手、舌など。激しくずきずきする、または**ハンマーでたたかれるような痛み**。神経痛は現れる部位が変わる、拍動を伴う。睡眠中のてんかん；嫉妬；自慰；体液喪失から。左側の麻痺、脳卒中後の、または頭の極度の疲労による。失神、心臓の痛み・吐き気・めまいを伴う。舞踏病、耳にピアスをしたことによる。ぎこちない歩き方；左側が弱い。肝臓疾患、脾臓疾患からの浮腫；猩紅熱後。蜂巣炎、灼熱感と皮膚の青さを伴う。紫斑。腺ペスト。癌。ジフテリア性麻痺と、ほかの疾

患。ジフテリアの保菌者。損傷、刺し傷、悲嘆、恐怖、いら立ち、怒り、嫉妬、失恋、自慰、捻挫（患部が青くなる）の悪影響。更年期以降の不調。症状は睡眠中に進行する、患者は昼夜を問わずいつでも目が覚める。ヒステリー。カタレプシー。糸によって局部を引っ張られているような、または糸が局部の上に広がっているような感覚。

悪化：**睡眠**、**睡眠後**、**朝**、**夏の暑さ**、**春**、**室内**、**太陽**。**空嚥下**、**液体の嚥下**。わずかな接触、**圧迫**。首、腰周辺の衣服による**圧迫**。**排出の遅れ**。月経の開始時と終了時。**閉経**。**アルコール**。曇りの天候。立つこと、かがむこと。動作。目を閉じる。**熱い飲み物**。

好転：**外気**。**多量の排出物**。おくび。**強い圧迫**。**冷たい飲み物**。患部を洗う。身体を折り曲げて座る。食べること、特に果物。温かいものをあてがう。

精神：神経質；興奮しやすい。**多弁**、とりとめがない、一つの話題からほかの話題にたびたび飛躍する、そして悲しむ、または同じことを繰り返す。**妄想にさいなまれる**。自分は超人的な力のコントロール下にあると思う、自分は死んで葬式の準備がされているように思う、自分は追跡され、憎まれ、軽蔑されていると思う。とめどない官能的な想念、能力を伴わない。**狂気じみた嫉妬**。**疑い深い**。朝の悲しみ；外界と交流したくない。恨み。いたずら好き。勉強のしすぎによる躁病。振戦せん妄；見張ること、疲労；体液の喪失；勉強のしすぎから。毒に満ちていると感じる。恐怖；眠ること、横たわること；または心臓が停止すること。落ち着きのなさ、不安、仕事に関心を向けたくない、常にどこかで休んでいたい。時間感覚の錯乱。結婚したがらない女性。宗教的な狂気。話す、歌う、口笛を吹く；奇妙な動作。冷笑する。床をはう；頻繁につばを吐く、隠れる、笑う、または怒る；発作時。記憶力が弱い。書き間違い、言い間違い。精神症状＜睡眠後。将来を正しく予期する。自尊心と怠惰。憎

しみに満ちた。

頭部：めまい；＜右側を向く、目を閉じる、同じものをじっと見つめる；戸外を歩く。頭痛：重たい、破裂しそう、鼻の辺りまで、右側が切り取られたような。片頭痛、痛みは首と肩にまで広がる。頭重に重しがある感じ、頭頂の圧迫感、または頭頂の灼熱感。日光による頭痛、視界のちらつきを伴う。抜け毛、特に妊娠中。頭蓋の穿孔性腫瘍。しびれ、（左側の）むずむずする感覚。髪の毛に触れられたくない。

目　：小さく感じる、または、鼻の付け根にひもで結び付けられているかのように感じる。肺または心臓疾患に伴う失明。目に涙がたまる、痛みから。涙瘻、顔の発疹を伴う。眼球内出血。まるで喉を圧迫すると目が飛び出してきそうに感じる。視界がぼやける。不安定な目つき、ぼんやりと、あちこちを見る。

耳　：難聴、耳垢は伴わない。硬すぎる、色味のない、乾燥した耳垢。耳管の狭窄。

鼻　：抑止されたコリーザ。咳のたびの分泌物。無月経に伴い、鼻をかむと鼻出血。鼻から血と膿。枯草喘息によるくしゃみの発作。大酒家の鼻の赤い吹き出物（鼻瘤）。鼻先に何かがあることに耐えられない。

顔　：紫色、斑：発熱時に浅黒い。顔の網状小静脈。（左側の）顔面神経痛；顔が熱くなる。下顎が下垂する（昏睡状態で）。敗血症性耳下腺炎。一過性の熱感。唇のはれ。

口　：歯茎；青い、はれた、出血しやすい。舌、はれた、突き出すと震える；歯に触る、くねくね動く、赤い、乾燥、先が割れている。ひどい口臭。アフタと露出した斑、灼熱感とひりひりする感覚を伴う。ねっとりした、糊のような唾液。はっきりしない、どぎまぎした話し方；口を大きく開けることができない。コショウのような味、酸っぱい味。口の前に何かがあることに耐えられない。歯痛、耳にまで達する。歯がガチガチいう。歯が長いように感じられる。突

然、舌を力強く突き出したり、引っ込めたりする。

喉　：喉に塊がある感覚；上ってきては、また元に戻る―熱い塊、または、軟らかいもの、パンの軟らかい部分。**喉の痛み**が耳にまで広がる。**息が詰まる。嚥下痛**、気道に入る、鼻から出る、＜空嚥下、液体を嚥下することにより軽減、＞固形物を嚥下。外側からの圧迫で過度に痛む、**襟首を緩めなければならない**。ジフテリア、喉頭の。扁桃炎、扁桃周囲膿瘍。慢性の咽頭炎では、臭い小片、または無理やりのみ込むことも出すこともできない濃厚な粘液を咳払いで出す。喉のくぼみがはれているように感じる。締めつけ、＞食べること。甘いもの、酸っぱいものを嚥下することができない。

胃　：欲求；アルコール、カキ、コーヒー、コーヒーは性に合う。空腹、食べ物を待つことができない、または空腹感の喪失と交互に生じる。喉が渇く、しかし飲むことを恐れる。胃の食い入るような圧迫感、＞食べること、しかし数時間で戻す（癌）；**みぞおちの痛みまたは痙攣**。月経中の嘔吐、頭痛を伴う。おくび；てんかん前、月経時。寝床に入ると吐き気がする、冷水を飲むと吐き気がする。

腹部：痛む、ずきずきする、肝臓の奥で；腰回りに何かがあることに耐えられない。炎症と膿瘍。胆嚢の敗血症。右側の切られるような痛みで気を失う。盲腸周辺のはれ、あおむけに横たわらなければならない、膝を立てて。虫垂炎。腰から大腿にかけての痛み。妊娠中の便秘。肛門の締めつけられるような感じ。咳やくしゃみのたびに、痛みが直腸を駆け上がる。真っ黒の小片を含む腸出血。痔、突出する、痛い＜咳またはくしゃみ。直腸のひっきりなしの衝動、便のためではない。臭い便。肛門の金槌でたたかれるような感覚、月経に伴う。寝返りを打つとき、まるでボールが転がるかのような感覚。果物や酸っぱいものによる下痢。

泌尿器：膀胱の、ボールが転がるような感覚、寝返りを打つとき。血尿。頻尿、泡状の、色の濃い。尿道の小さな腫瘍による尿閉。尿も便も

出ない。

男性：強い性欲、身体的な力を伴わない。性交中の射精は遅い、または射精しない。みだらな想念に、勃起を伴わない。包皮の肥厚。刺激臭のある精液。マスターベーションの悪影響。夢精後、陽気になる。

女性：左の卵巣の腫脹、硬化、痛み、布団を持ち上げなければならない。**黒い、少量の**、塊のある、刺激性の月経、代償性の鼻出血。子宮と卵巣の痛み＞血の流出。まるで子宮口が開いているかのように感じる。乳房；炎症、青みがかった。乳頭のはれ、勃起、接触痛。乳；薄い、青い。帯下は、多量、ひりひりする、しみを残す、硬化する、下着に緑色のしみを残す。閉経期の不調―動悸、一過性の熱感、出血など。女子色情症。流出が少ないと痛みが増す。卵巣腫瘍。初日の月経困難症。月経前に、戸外に出て走り回りたい衝動。

呼吸器：横たわるとき、**眠りに落ちるときの窒息**と頸部絞扼、寝床から跳び起きて、窓に駆け寄り外気を吸わなければならない。深呼吸をしなければならないと感じる。空気飢餓感。くすぐったい、息が詰まるような咳、＜首や耳管を触る、＞少量の喀痰。睡眠中の無意識の咳。まるで皮膚が垂れ下がっているかのような、喉頭に弁膜があるかのような、咳で栓が上下するかのような感覚。肺炎の末期。肺の膿瘍。喀痰；泡状、膿状、困難、血液が混じった、過剰な発汗を伴う。声帯の麻痺または浮腫による失声。まるで何か液体が横道に入ったかのような咳；主に日中の咳。

心臓：動悸、失神の発作を伴う。落ち着きのなさ、震え、心臓についての不安。心臓**衰弱**、ひっくり返ったかのような、大きすぎるかのような、糸でつるされているかのような感覚。弱い脈、間欠脈、遅い脈、不整脈。新生児チアノーゼ。心臓炎；転移性。老年性動脈硬化（症）。

首・背中：首は、わずかの圧迫にも敏感。首のこわばり、顎を動かすのが困難。尾骨の神経痛、＜座っていて立ち上がる、何か鋭い物の上

に座っているかのように感じる。背中から腕、脚、目にかけて糸で引っ張られているかのような感覚。

四肢：腋窩腺の腫脹。左腕、左手の指先のしびれ。手の震え（大酒家の）。腋窩の汗のニンニク臭。瘭疽、青みがかった腫脹。うずくような、刺されるような左手の痛み。爪の角のひび割れ。膝が冷たい、または熱気が吹き抜けるような感覚。臭い足の汗、または冷や汗。坐骨神経痛、じっと横たわっていなければならない、＜わずかな動き。腱の攣縮。足指の損傷したような感覚。喉の疾患における脛骨の痛み。ふくらはぎの疼痛性痙攣（こむらがえり）、恐怖から。有通性白股腫。

皮膚：まだら、または土気色；黒っぽい斑点；潰瘍；侵食；青みがかった紫色の暈を伴う、脚の。真菌性潰瘍。**静脈瘤性**潰瘍、癰、せつ、青みがかった暈を伴う。とこずれ、端が黒い。蜂巣炎。高齢者の丹毒。極度の衰弱を伴う紫斑。赤味がかった瘢痕、痛みを伴う、口が開いて出血する。毛細血管拡張。小さな傷から多量に出血する。

睡眠：睡眠による悪化。不眠、脳の過敏状態による；大酒家の。怖い夢；ヘビの。睡眠中、子どもがうめきながら寝返りを打つ。眠いけれども眠れない。

熱：寒け、＜飲む；発汗を伴う。**頭頂の熱感**；**紅潮時、寝覚め、眠りに落ちるときの熱感**。発汗－首、睡眠中、腋窩、血の混じった、しみになる、黒っぽい、黄色い、ニンニクのような。足は氷のように冷たい。

補完レメディー：Lyc., Phos., Zinc-i.
関連レメディー：Caust., Sep., Zinc.

Lachnanthes　レッドルート

総体的症状：斜頸と首のリウマチ症状のレメディー。心臓周辺の泡立つような感覚と灼熱感が、頭まで上る。首のこわばり、片側に引っ張られるような感覚、咽頭炎の場合。首筋の脱臼したような痛み、首を回すとき、頭を後ろに倒すとき。鼻梁のつままれたような感覚。肩甲骨の間の氷のように冷たい感覚。

Lacticum acidum　乳酸

総体的症状：この酸は、バターミルクから見つかった、つわり、糖尿病、リウマチ性疾患、乳房の不調にとって貴重なレメディーである。貧血性の、青白い女性に適合する。吐き気―起きるとき、＞食べること；糖尿病、または妊娠中の場合。喉の渇き。むさぼり食うような飢餓感。喉の充満感、またはタンポポの綿毛のような塊が喉にある感覚。腋窩腺の肥大を伴う乳房の痛み。頭に広がる痛み。関節、膝のリウマチのような痛み、＜動作。四肢の一過性の痛み。歩行時の全身の震え。多量にサッカリンを含む排尿をたびたびする。熱い、刺激性の、おくび、＜喫煙。唾液分泌過多―呑酸。汗ばんだ足。

Lactuca virosa　ワイルドレタス

総体的症状：このレメディーは、真の催乳薬のようであり、母乳を増加させる。スミレのにおいの尿。座っているとき、常に尿管を尿が伝わっているような感覚。

LApis. albus 片麻岩

総体的症状：これは、ケイフッ化カルシウムで、新生物や腺疾患のレメディーである。焼けるような、刺されるような、撃ち抜かれるような痛み。極度の焼けるような痛みと、多量の出血を伴う、子宮の上皮性悪性腫瘍（癌腫）、線維腫。気絶しそうになる、激しい月経痛。腺の肥大、特に頸部の腺、石のように硬いというより、弾性があり、しなやか。非上皮性悪性腫瘍（肉腫）。脂肪腫。通常、腺のない部位における腺腫脹。

Lappa arctium ゴボウ

総体的症状：このレメディーは主に**皮膚**、肝臓、関節、子宮に影響を与える。**重たい、ひりひりする、痛む**、まるで心地悪く横たわっているかのよう。しびれ─腰部、痛むふくらはぎの。収縮。
悪化：寒さ；湿気。震え。右側を下にして横たわる。激しい活働。
好転：曇りの天候。
頭部：めまい、吐き気と嘔吐を伴う。頭頂の重み。
目：目の赤み。麦粒腫、一群の。
鼻：鼻を横切るような赤み。
顔：根深いにきび、＜接触。
胃：ひりひりする痛み；肉が酸っぱく感じられる；すべての食べ物が酸っぱい；吐き出す。下痢、リウマチ性の症状と交互に現れる。
泌尿器：多量で頻繁な排尿；乳白色の尿。リン酸塩尿症。
女性：子宮の、打撲したような、ひりひりする、重たい感覚、腟組織のかなりの弛緩を伴う。子宮偏位、＜立つこと、歩行、つまずき、突然

の振動。
胸部：胸部の震え。
四肢：大腿の前面の衰弱。関節の古い痛み。
皮膚：発疹；頭、顔などの粘着性の。湿った、臭い湿疹；子どもの。多数の小さな痛みのあるせつ。**腋窩の冷や汗**、**胸にまで流れる**、臭い。
補完レメディー：Mag-c.

Lathyrus sativus　ヒヨコマメ

総体的症状：前柱と側柱に影響を与え、下肢に多くの麻痺症状を起こす。アテトーシス；小児麻痺。衰弱と重たさの顕著な消耗性疾患で、神経の力の回復が遅い場合に適合する。反射の増強。
悪化：冷たい湿った天候。
精神：うつ状態。
頭部：目を閉じて立っているときのめまい。
口：舌の先の灼熱感。舌がやけどしたように感じられる。舌と唇のしびれ。
泌尿器：不随意の排尿、性急な。
四肢：振戦性の酩酊歩行。脚が過度に硬い；痙性歩行。歩行時に膝どうしがぶつかる。膝が激しくぐいっと動く。脚を伸ばして、または、脚を組んで座ることができない。歩行時に踵が地につかない。前のめりに座る、まっすぐ座るには困難を伴う。殿筋と下肢の筋肉のるいそう。足首と膝の硬直と不自由。歩行中、足が、急に力強く引っ張られる、または下ろされる。腰回りの衣服が湿っているような感覚。脚は日中、冷たく、夜、焼けるように熱くなる、＞露出。横たわると、脚を横に動かすことはできるが、持ち上げることはできない。
睡眠：眠気を伴う、ひっきりなしのあくび。

Latrodectus mactans　クロゴケグモ

総体的症状：このクモの毒は、**心臓**に影響を与え、典型的な**狭心症**の症状を生み出す。血液は薄く、水っぽい。強縮性の影響が数日間続く。**落ち着きのなさ；心臓痛を伴う**、そして**疲はいする**。

悪化：わずかな動き、手の動きでさえも。激しい活動。

精神：不安。痛みのため、呼吸ができなくなって死ぬと、大声で、恐ろし気に叫ぶ。

胃　：吐き気、その後の腹痛。黒色嘔吐物の嘔吐。みぞおちを貫くような痛みや衰弱感。

呼吸器：**あえぐような呼吸；呼吸ができなくなって死ぬという恐怖**。無呼吸。

心臓：激しい心臓痛；鋭い、肩や**両腕**、手指にまで広がる、**しびれを伴**う。前胸部の不安。**落ち着きのなさ；心臓痛を伴う**、そして疲はい。速い脈、微弱な脈、糸様脈。

四肢：左腕の痛み、麻痺したように感じる。腋窩のうずくような痛み。下肢の感覚異常。

皮膚：大理石のように冷たい。

睡眠：飛ぶ夢。

関連レメディー：Tarent.

Laurocerasus　セイヨウバクチノキ

総体的症状：この薬が含有する少量のシアン化水素は、特に胸部と心臓の疾患において、**突然の衰弱**と**反応不足**を伴う症状を生み出す。**精神**と脳に影響を与え、**特殊感覚の鈍さ**を引き起こす。**チアノーゼ**。冷

えは、温かさで**好転しない**。括約筋の弱さ。長時間にわたる失神。落ちる感覚－脳、腹、心臓など。てんかん：四肢の慢性的な痙攣、麻痺性の裏弱を伴う。痙攣性のぴくぴくする動き・攣縮。舞踏病：感情的、ひっきりなしにぐいっと動く、じっとしていることができない；興奮後の不明瞭な話し方、あえぐ。息切れ―痙攣の前後と最中。神経性の虚脱。脳卒中。体内の灼熱感。出血；薄い、鮮血、ゼリー状の塊が混じっている。恐怖の影響。青い子ども、新生児仮死。生薬で投与すると、Digitalisの効果を解毒する。適切に選ばれたレメディーの効果がみられないとき。

悪化：起き上がる。激しい活動。寒さ。恐怖。かがむ。
好転：頭を低くして横たわる。食事。睡眠。外気。
精神：意識の喪失、言語障害、運動障害を伴う。不運を想像して恐れ、不安になる。恐怖、痛みなどによる、**突然の記憶喪失**。特殊感覚の鈍さ。理解されないと怒る。
頭部：眠気を伴うめまい。頭痛、＜午前11時〜午後1時。毎夜、頭頂が裂けるように痛む。頭に冷風が吹き付けるような感覚、まるで脳が落ちるような感覚。脳が収縮して痛いように思う。
目：突出した、凝視、見開いた。物が大きく見える。
顔：青い、息切れを伴う。皮膚にハエやクモがたかっているような感覚。開口障害。顔の筋肉の痙攣。
口：口の泡；痙攣時。胃痛のため話すことができない。硬直した、冷たい、焼けたような、またはしびれた舌。
喉：喉と食道の痙攣性収縮。**飲むとゴロゴロする音が聞こえる**、食道と腸から。
胃：しつこいしゃっくり。苦いおくび。咳による食べ物の嘔吐。妊娠中の食べ物への嫌悪。胃の激しい痛みのため、言葉が話せない。排尿時の痛み。熱いストーブのそばで吐き気を催す。
腹部：へその上から腰のくびれにかけて、腹の中で、塊が落ちるかのよ

うな感覚、＜話すこと、または過度な激しい活動。**ゴロゴロいう鼓腸**。肝臓の痛み、まるで膿瘍が形成されているかのような。肝臓；硬化、萎縮；ニクズク肝。肛門括約筋の麻痺；不随意の排便。直腸癌；鮮紅色の血液の出血。

女性：癌に伴う子宮の痛み、鮮紅色の血液の滲出を伴う、ゼリー状の凝血塊を伴う、＞睡眠。月経時に冷えを伴い、失神する。乳房と、乳房の下の灼熱感と刺されるような痛み。

泌尿器：尿；閉塞；抑圧；不随意；動悸と息苦しさを伴う、そして失神する。

呼吸器：喉頭と気管がひりひりする。**起き上がるときに、息が詰まる、あえぐ**。浅い呼吸。呼吸困難、胸壁を持ち上げられないという感覚を伴う；＞横たわる。**咳—むずむずする**、痙攣性の；夜ごとの；肺結核患者の；短い、心臓性の乾いた咳；＜横たわる。血の混じった、または血の点が散在する、ゼリー状の喀出物。新生児仮死。吸気時の胸の灼熱感。低い声。

心臓：**心臓の上に手をかざす、まるで何かそこに問題があるかのように**、＜あらゆる運動によって。動悸。僧帽弁閉鎖不全（症）。心臓周辺の痛み。弱い脈、変わりやすい脈、遅い脈、不整脈。

四肢：ばち指。足指と手指の爪が節くれだつ。手の静脈の膨張。舞踏病と心臓疾患における、膝まで冷たくじっとりした足。脚を組むとしびれる。

皮膚：冷たい；土気色。

睡眠：恐ろしい不安と落ち着きのなさ；眠りに落ちることができない。覚醒昏睡。

関連レメディー：Am-c., Gels., Hyd-ac., Prun.

Lecithin　レシチン

総体的症状：卵黄と動物の脳からつくられた、リンを含有する複合有機体である。栄養、特に血液の栄養を高める作用があり、貧血、病後の回復期、神経衰弱症、不眠症に非常に有効。優れた催乳薬、乳の栄養価を高める働きをする。疲労、衰弱、息切れ；やせ；総体的な衰弱の症状。性的な衰え。卵巣機能不全症。

Ledum palustre　ワイルドローズマリー

総体的症状：このレメディーは、**関節**、特に小関節、**足首**、**腱**、踵の線維組織、**皮膚**の線維組織に影響を与える；そのため、リウマチが**足から始まり、上方に推移する**場合の、リウマチのレメディーとも呼ばれる。患部は**紫色**になり、**むくむ**、そしてやつれる。**患者は常に寒く、患部は冷たい、しかし外部の暖かさを嫌悪する**。生命に必要な**熱**の**総体的な不足**。痛む、冷たい、浮腫状の関節。遊走性の引き裂かれるような痛み。患部が弱くなり、しびれる。不活発な外皮、特に目、耳、鼻からの分泌を抑制した後。鮮やかで泡状の**出血**。水腫。点状出血。創傷周辺の筋肉痙攣を伴う破傷風。アルコール、散髪；分泌物の抑制、刺創、最近または慢性の傷、咬傷、虫刺され、打撲傷の悪影響。大酒家。血の急増。膿瘍と敗血症。＞冷たさ。刺創に、すぐにLedumを与えた場合、破傷風を防ぐ。破傷風になった場合にはHypericum。血色のよい、多血症の、頑強な、または青白い、虚弱な患者に適合する。

悪化：暖かさ；寝具の、ストーブの、空気の。損傷。動作（関節）。夜。卵。ワイン。唾を吐く。

好転：冷水浴、冷たい空気。休息。
精神：怒り、不機嫌。不満、仲間を憎み、一緒にいることを避ける。
頭部：激しい、ずきずきする頭痛、＜少しでも覆うこと。ぬれた後の疾患。つまずいて、脳振とうを起こす。シラミのかゆみ。額の血瘤腫。
目：**目の充血または打撲**。涙は刺激性があり、下まぶたとほおがひりひりする。虹彩切除術後の前房への出血。損傷による目（右）の下垂症。
耳：難聴；まるで、耳に綿が詰められているかのように感じる、＜散髪、頭をぬらす。
鼻：しつこい鼻出血；激しい灼熱感を伴う鼻のひりひりする痛み。
顔：斑。ほおと額の赤い吹き出物、触るとひりひり痛む。顎下腺の腫脹。口と鼻の周辺の痂皮のある発疹。
口：口の中が苦い；咳をするとかび臭い。水っぽい唾液の急激な流出、疝痛時。
胃：つばを吐くときの吐き気。
腹部：肛門の亀裂。ひりひりする内痔核。
泌尿器：多量の尿酸と尿中の砂。尿は途中でよく止まる。多量の澄んだ、色のない尿、塩分に欠ける。
男性：血の混じった、または希薄な精液。
女性：出血性子宮筋腫。月経中の強烈な冷え、しかし外気を欲求。
呼吸器：咳；苦しい；喉頭のむずむず感からの、鼻出血を伴う；その後むせび泣くような呼吸、＜発疹の後退。重複する吸気。喀血、リウマチまたは腰痛と交互に現れる。黄色い、膿状の痰。触れると胸が痛む。
首・背中：背中の硬直；**背中のひきつり**、＜座っていて立ち上がる。腰痛。
四肢：股関節のひきつり。腫脹した、しみだらけの、斑状出血のある脚

と足。踵の痛み、ほとんど足をつくことができない。手を動かすとき、または何かをつかむときの震え。**足首を捻挫しやすい**。足の甲の夜間のかゆみと午前中の硬直。母指球のはれ。動こうとすると、まるで地面に足が磁力で張りついているよう。腕を上げるときの肩の痛み。

皮膚：**傷─刺創**、ぴくぴく動く；爪床が痛む、虫刺され、など。臭い膿。覆われた部位のみの発疹。浮腫性の腫脹。赤い斑点と蕁麻疹。

熱　：局所の**冷たさ**、＜四肢；痛みに伴う冷たさ、発熱時、まるで冷水の中にいるような。臭い汗；多量の寝汗。

関連レメディー：Arn., Bry., Rhus-t., Sec.

Leptandra　アメリカクガイソウ

総体的症状：右側と**肝臓**に作用して、出血を引き起こす。**肝臓周辺の灼熱感**。胆汁性の状態。衰弱、ほとんど立つことも歩くこともできない。黄疸。

悪化：冷水。動作。周期的。湿気の多い天候。

好転：**うつぶせに寝る**、横向きに寝る。

精神：絶望；落胆、無気力；肝臓疾患を伴う。

頭部：鈍い前頭部の頭痛、へその痛みを伴う。

目　：うずく、痛む。

口　：舌は黄色い、または中央の奥が黒い。

胃　：冷たい飲み物を欲求、それにより＜胃の灼熱感と痛み。胆汁性嘔吐。みぞおちの衰弱感。肉と野菜に不耐。

腹部：痛む、または鈍い；肝臓または胆嚢周辺の焼けるような痛み、腸からへそにかけて、または、左の肩甲骨にかけて、または背骨に沿って広がる、背骨は冷たく感じる。肝臓が横方向にはれる。急性の

肝臓疾患。胆石。恒常的なへそ周辺の鈍痛。泥のような、水っぽい便、＜朝、**タール状または黒い；臭い**。糸を引く、ろうのような、午前中；へその痛みを伴う。赤痢、下痢の後。脱肛、**出血を伴う**。黄疸、粘度色の便を伴う。何かが直腸から出ていったような感覚。

泌尿器：赤、またはオレンジ色の尿、腰のだるいような痛み。

女性：月経の抑圧または遅れ、肝臓疾患を伴う。帯下；温かい、水っぽい；脚を伝う；子宮口の潰瘍形成による。

心臓：うずき。遅い脈、充実脈。

四肢：坐骨神経の痛み（左）、＜座っているとき。**非常に薄い、軟らかくて、裂ける爪**。

熱　：脊骨に沿った寒け、腕伝いに下降する寒け。

補完レメディー：Phos.

関連レメディー：Bapt., Card-m., Chion.

Lilium tigrinum　オニユリ

総体的症状：心臓と**女性器官**—**卵巣と子宮**—の**静脈循環**に対して主要な作用を示し、これらの器官の病態による反射的な状態にも効果がある。**直腸と膀胱**、そして左側にも影響を与える。未婚女性に指示されることが多い。子宮、卵巣、心臓などの**充満**感、**重たい感覚**、**押し出されるような感覚**。**子宮、卵巣の弛み**。遊走性の、一過性の、撃ち抜かれるような痛み、または開閉痛；卵巣から心臓にかけて、左胸にかけて、脚伝いに下降するなど、放射状に広がる。目の周辺の、後頭部にかけての、乳頭から胸を通じる、心臓から左の肩甲骨にかけての、**後方に向かう痛み**。小領域の痛み。**脈動、沸騰、腹鳴、灼熱感**。**神経性の震え**、下腹部、脊椎、膝などの。静脈性うっ血。刺激性のある分泌物。神経質、ヒステリー。暖かい部屋で、ま

たは長時間の立ち姿勢の後に失神する。過度の性行為により疲れ果てた女性。性的興奮からの症状。リウマチ。精神症状と、子宮の症状または心臓の症状が交互に現れる。

悪化：部屋の**暖かさ**。動作。**流産**。歩行。立つこと。慰め。布団による圧迫。振動。

好転：**冷たい、新鮮な空気**。**忙しいとき**。左側を下にして横たわる。日没。圧迫。支える。脚を組む。さする。

精神：**性急**。**神経質**。**がみがみ言う**。**落ち込み**。**官能的**。無益な行動。落胆。悪態をつく傾向、殴る傾向。気が狂うことへの、不治の病にかかることへの**恐怖**。華美なものを欲求。荒々しい、狂気じみた感覚。めそめそする傾向、よくすすり泣く；非常に臆病、自分にしてもらったことに対して無関心。自分自身のことに関して不満、他者をうらやむ。仕事上の心配と過度の性交による認知症；髪をむしり取る。せきたてられているように感じる、速く歩く、なぜかわからない。話したい、しかし何かを言うことを恐れる、間違ったことを言うといけないから。性欲を抑えるために非常に忙しくしている必要がある。慰め＜。独りで座って、架空のトラブルについて思い悩む。性的な興奮と宗教的な不安が交互に生じる。社交を好む。

頭部：頭の中が乱れた感覚、まるで気が狂いそう。灼熱感を伴う頭痛、＜月経の前後；＞日没時。左目の上から後頭部にかけての、めまいと視覚障害を伴う。

目：筋が違ったような感じ；刺し傷とやけど、＜読書。野生的目つき。近視性単乱視、はっきり見るために、頭を横に動かさなければならない。目の痛みが頭の後ろにまで至る。毛様筋が弱い。

耳：寝床に入った後の、急な耳鳴り。

鼻：くしゃみ、＞頭痛と目の痛み。

口：舌：黄色っぽい苔で覆われている、白い斑。口の奥のほうの甘い味覚；臭い味＞食べる。

喉 ：咳払いで粘液を出す、絶え間ない吐き気。

胃 ：肉を欲求、または、酸っぱいか、甘い珍味を欲求。コーヒー、パンを嫌悪。空腹、まるで背骨からくるような。喉の渇き、重篤な症状の前に。日中だけ、何か硬いものが転がっているような感覚がある。子宮位置異常による嘔吐。

腹部：腹の皮膚が伸びたように、そして硬く感じる。痛む、膨張する；月経後、布団の重さに耐えられない。衰弱、肛門に伝わる振動。腹の中身をすべて**引きずり下ろされるような**、**重たい感覚**、胸部にまで広がる、腹を支えなければならない；排尿困難を伴う。直腸の圧迫感、絶え間ない便意を伴う、＞排尿、＜立っていること。鋭い痛み、＞やさしくさする、温かい手で。早朝の下痢、起きた後、緊急の、ほんの少しも待てない；小さい便、頻繁、しぶりを伴う。赤痢、＜多血症の女性の人生の変化。鋭い痛み、＞二つ折れになる。直腸と膀胱のしぶり。痔核；産後。

泌尿器：膀胱の絶え間ない圧迫感、絶え間ない尿意を伴う；直腸にボールがあるような感覚。尿は、乳白色で、少量、熱い。欲求が満たされないと、胸のうっ血感が生じる。

女性：**骨盤内臓器の重く引っ張られるような感覚、または、外方向への圧迫感**、排尿困難を伴う、すべての臓器が、腟を通って脱出しそうな、押さえなければならない。月経は、早い、量が少ない、黒っぽい、凝血塊の、臭い。うろうろ動き回っているときにだけ流出。（左の）卵巣痛は、大腿を伝って下に、または、上方向に行き、左胸の下に達する。帯下は、さらっとした、茶色い、刺激性；茶色いしみになる、＜月経後。子宮の神経痛、衣類による圧迫に耐えられない。子宮脱、または前傾。復古不全。性欲亢進；節度を欠いた；抑制するためには、自分を忙しく保たなければならない。乳房（左）の下にびょうかボールがあるような感覚；硬いものが、直腸と卵巣を圧迫している感覚、＞歩行。

呼吸器：胸部の重圧感；空気飢餓感；長い深呼吸をする。胸の真ん中に、何か塊が上下するような感覚、空嚥下時。暖かい部屋、混雑した部屋、映画館、教会での窒息感。

心臓：わしづかみにされるような、**充満し破裂しそうな；冷たく、衰弱した**；糸でつるされているかのような感覚。狭心症、右腕の痛みを伴う、＜かがむ、右側を下にして横たわる、＞さすることと圧迫。**動悸**。不整脈、非常に速い脈。全身の拍動。

首・背中：首の痛み、疲労時。肩甲骨間の衰弱感。尾骨の先端から上に引っ張られるような感覚。

四肢：片方の臀部から他方の臀部にかけての痛み。でこぼこの地面を歩くことができない。脚が痛む、じっとさせておくことができない。脚に冷風が吹き付けるような感覚。手のひらと足の裏の灼熱感。膝の震え。手指の突き刺されるような痛み。手指の麻痺性のこわばり。よろめき歩行；まっすぐに歩くことができない。関節が乾いたように感じられる。

皮膚：ちくちくする、蟻走感、さまざまな部位の灼熱感。

睡眠：頭が興奮して、眠ることができない。

熱：寒けがする、＞涼しい戸外。

関連レメディー：Aloe., Plat., Puls., Spig.

Lithium carbonicum 炭酸リチウム

総体的症状：このレメディーは、頭、目、**心臓**、**小関節**、そして泌尿器に著しく作用する。心臓、または目の障害にかかわるリウマチ。全身が**痛み**、**重たい**。落下や殴打によるあざ。真っ赤に焼けた針で刺されるかのような、激しい痛み。頭、深鼠径輪、会陰、胸部の内側から外に向かう圧迫感。尿酸体質。全身の麻痺性硬直。疲労。**胃酸過**

多。体積と体重の増加。痛風。
悪化：夜間。月経の抑圧後。
好転：**食事**。排尿。動作。
精神：わびしさに、すすり泣く傾向がある。名前の記憶が困難。
頭部：頭痛、＞食事、しかし再発し、再び何かを食べるまで続く。耳鳴りを伴うめまい。急に月経を抑圧したことによる頭痛。頭が大きすぎるように感じる。
目　：乾燥して痛い、＜読書。垂直性半盲、物体の右半分が見えない、＜月経時。日光で目がくらむ。
鼻　：はれて、**赤い**、特に右側。コリーザ、戸外でのはな垂れ。
耳　：耳（左）耳の後ろの痛み、首にまで広がる。
顔　：両ほおが、乾いた糠のようなうろこ状の皮膚に覆われている。
喉　：粘液の塊が喉に落ちる。痛みは耳にまで広がる。
胃　：胃のかじられるような痛み、左のこめかみの痛みを伴う、＞食事。胃酸過多。みぞおちの充満感から、ほんのわずかな衣類の圧迫にも耐えられない。
腹部：深鼠径輪（左側）の内側から外側に圧迫されるような痛み。果物、またはチョコレートを食べた後の下痢。
泌尿器：排尿後、膀胱周辺の痛みが精索に伝わる。わずかな尿量、喉の渇きを伴う、赤茶色の沈殿物を伴う。水分をとっても、尿量は少ない。
男性：多量に排尿した後の勃起。
女性：乳腺の痛みが、腕や手指にまで広がる。
呼吸器：吸気時に、空気が冷たく感じられる、肺の中でも。胸部の狭窄。
心臓：**ひりひりするような痛み**、目の症状を伴う、頭部に伝わる、膀胱の痛みを伴う、＜かがむ、月経前、＞排尿。心臓の震えと粗動、＜いら立ち。
四肢：手指の痛み、＞つかむ。歩行時に足関節が痛む。非常に熱いお湯で、関節の痛みが和らぐ。

皮膚：かみそりまけ。乾燥した、粗い肌。発疹。
関連レメディー：Lyc., Nat-p., Sul-ac.

Lobelia inflata　ロベリアソウ

総体的症状：**血管運動神経**を刺激し、**分泌物を増加**させ、**弛緩**させ、**衰弱**させる、発汗を伴う、いたるところの命にかかわるほどの疾患を伴う、圧迫されて**ガラガラいう呼吸**を伴う。膝に肘をついて座る。あらゆるところがちくちく刺されるように痛む。喫煙するが、たばこのにおいには耐えられない。ほとんどすべての呼吸器疾患や、胃の障害に伴う、めまいと嘔吐。

悪化：冷水浴。抑圧。睡眠後。たばこ。茶。異物。わずかな動作。

好転：速足で歩く。少量の食事。

精神：落胆。子どものようにすすり泣く。

頭部：鈍く重い痛み。死への恐怖からのめまい。

耳　：分泌物（耳漏）、または発疹の抑圧による難聴。

顔　：冷や汗にまみれている。顔面神経痛（左）、月経遅延に伴う。

口　：**多量の唾液分泌**、むかつき、しゃっくり、呼吸困難、旺盛な食欲を伴う。

喉　：**喉に塊がある感覚**；切迫嚥下。

胃　：塊がある感覚。**死ぬほどの吐き気**、めまいを伴う、＞わずかな飲み物、食べ物、＜夜間と早朝。**吐き気と嘔吐**、多量の顔の（冷）汗を伴う、呼吸器系の症状を伴う。**みぞおちの脱力と衰弱**。酸っぱい、ぴりぴりする味。

泌尿器：深紅の尿；赤い沈殿物を伴う。尿の抑圧、またはときたまの排尿。

女性：つわり、突然消える、＞少量の食べ物と飲み物。陣痛には息切れを

伴う。仙骨の痛みと、生殖器の重い感覚。
呼吸器：呼吸困難、神経性、陣痛に伴う；喉頭にくさびを打ち込まれるかのような、全身のちくちくする感覚を伴う；＞速足。喘息。痙攣性の咳、くしゃみ、おくび、または胃痛を伴う。**胸のガラガラいう音、しかし粘液を喀出することはできない。胸部の狭窄感、または重苦しい充満感**。老人性気腫。
心臓：心臓が停止しそうな気がする。弱脈または軟脈、流れるような脈。
背中：仙骨の痛み、わずかな接触にも耐えられない；前かがみになって座る。
皮膚：浮腫の斑、斑状出血に伴う。ちくちくする感覚とかゆみ、吐き気を伴う。
関連レメディー：Ant-t., Ip., Tab.

Lolium temulentum　ドクムギ

総体的症状：このレメディーは、麻痺状態に有効。震えと痙攣；振戦麻痺。疲労と情動不安。
悪化：湿気；雨期。
精神：不安と落ち込み。
頭部：めまい、目を閉じなければならない。頭が重い。
口　：舌が震える。発語困難、単語をすべて発音することができない。
胃　：吐き気、嘔吐。ひどい下痢。
四肢：ふらついた足どり。四肢の震え、書くことができない、水の入ったグラスを持てない。腕と脚の痙攣。ふくらはぎの激しい痛み、ひもで縛られているかのような。
熱　：全身の悪寒、特に四肢。
関連レメディー：Lathy., Sec.

Lycopersicum　トマト

総体的症状：トマトは、三角筋と胸筋に顕著に作用する；痛みは＞腕を上に、外側に上げること。インフルエンザ後、痛みが残る。
頭部：後頭部から始まる痛み、頭全体に広がり、こめかみに激しい痛みをもたらす、＜たばこの煙。
関連レメディー：Sang.

Lycopodium　ヒカゲノカズラ

総体的症状：植物界のSulphurと呼ばれる。**消化能力の弱さから、栄養**に影響を及ぼす。**泌尿器**に作用する。ほとんどの症状は**右側**に現れ、**左に移る**；**喉**、**胸部**、卵巣。病気は徐々に進行し、機能力を弱める；肝機能に著しい障害が出る。根の深い、進行性の慢性病。**繰り返す症状**、**または交互に現れる症状**―悪寒後の悪寒、紅潮後に青ざめる；湾曲、その後拡張；自動的な動作。**再発性の疾患**。精神と身体の衰弱。高齢者、または若くして老け込み皮膚に黄色っぽいしみがある人、あるいは、早熟で病弱な子どもに適合する。Lyc.の患者は、**知的に鋭い**が、筋力が弱く、生命に必要な体温がない；循環が悪い、停滞しているように思える、冷たく無感覚な四肢、または、無感覚が部分的に現れる。突然の症状、痛みは急に始まり急に終わる；または怒り、びくっとする痙動を引き起こす。患者は**やせて、ひからびて、ガスでいっぱい**である。**胃酸過多；酸っぱい味**、おくび、など。下降する症状、かぜ、るいそうなど。**結石**；胆石、尿砂。水腫；肝臓疾患の腹水症。**冷たさ**、部分的な；頭、喉など。**乾燥**；手のひら、足の裏、腟、皮膚など。ひだ、肛門、乳首などの

ひりひりする感覚。患肢の蟻走感。麻痺。上皮性悪性腫瘍。骨の炎症、ほとんど末期；骨の軟化とカリエス。痙攣に伴う叫び声、口の周りの泡、腕を振り回す。**痛みに過敏**、患者はわれを忘れる。内部の麻痺感。結石体質。恐れ、恐怖、悔しさ、怒り、不安、発熱、重いものを持ち上げること、マスターベーション、乗り物に乗ること、かみたばこ、ワインの悪影響。女性の、人生の変化に伴う、身体の片側の肥大。子どもの萎縮症。出血、黒ずんだ血。勃起性腫瘍（海綿状血管腫）。周期的に再発するせつ。体液喪失によるるいそうと衰弱。

悪化：<u>衣服による圧迫</u>。**暖かさ**。**目覚める**。**風**。**食べ物**、少し食べただけで満腹感を感じる；カキ。**消化不良**。午後4〜8時。湿気の多い天候、嵐のような天候。圧迫。月経前、月経の抑圧。乳。野菜―キャベツ、豆；パン、ペストリー。

好転：<u>温かい飲み物</u>、食べ物。冷たいものをあてがう。**動作**。**おくび**。**排尿**。深夜過ぎ。

精神：<u>日々の雑事に関する混乱</u>。精神面は活発だが、**弱く育つ**。うつ；恐れる、独りになることを、人を、自分の影を。**敏感**、感謝されると；または友人に会うと、泣く。**怖がる**；人を；初対面の人の存在を、すべてを、玄関のベルさえも。自信の喪失、予期不安のため；新しいことに取り組むのを嫌う、しかし一度始めると、簡単に、気楽にこなす。**目覚めたときの<u>怒り</u>**、悲しみ、不安。熱心；頑固。**傲慢**、（人に対して）**厳しい**、打ち解けない、または絶望。単語のつづりを間違えて書く。新しいものを見ることに耐えられない。自分の書いたものを読めない。食べるとき、性急。脳の初期麻痺。一日中めそめそする。遠くから聞こえる音楽を聞くと悲しくなる、または陽気で楽しくなる。憎しみに満ちた。不機嫌。けち。インフルエンザ後の脳神経衰弱。まるで今にも死ぬかのような不安。優柔不断。臆病。あきらめ。人嫌い、自分の子どもさえ避ける。**好色**。信

用しない；あら探しをする；疑い深い。

頭部：原因もなく、または不随意に頭を振る、初めはゆっくり、そして速く。回転するものを見るとめまいがする。頭が冷たい。こめかみの痛み、まるでねじで締めつけられるかのような、＜月経。痛みは片側で始まり、もう片側でさらに悪化する。頭痛、＜規則正しく食べない場合、横たわる、かがむ、＞覆わない。後頭部の脈打つような痛み、夜間、＜暑いとき。脱毛、若白髪。早期のはげ、腹部の疾患後、産後。腹部、肺、脳の疾患に伴う、そして守銭奴の**深い額の皺**。ふけ。水頭症。髄膜炎、結核。カタル性の頭痛、＜鼻からの分泌の減少。咳の発作のたびの拍動；排便時に痛む。

目 ：半眼。半盲。昼盲症。眼前のちらつき、暗がりで。まぶたの麦粒腫。外眼角のポリープ。月経抑圧に伴う、白内障。冷たく、または熱く感じる；大きすぎるように思える。

耳 ：ハミングやうなり声、難聴；すべての音が耳の中で特異な反響を起こす。難聴に伴う、濃い、黄色い、臭い分泌物。耳周辺と後ろ側の発疹。耳に熱い血が流れるような感覚。

鼻 ：鼻づまり；鼻声；口呼吸；びっくりして跳び起き鼻をこする子ども。**扇のような動きをする鼻翼**；脳、肺、腹の疾患に伴う。後方が乾いたような感覚。臭鼻症、刺激性。慢性コリーザ；頻繁に鼻をかむ。小児期からの鼻疾患。強烈なにおい。

顔 ：**黄色っぽい**、青白い、灰色、目の周囲のくま。ひからびたような、皺が寄った、やつれた顔。一過性の熱感。痙攣。**口がだらりと開く**。唇が痛む。顔と口を歪める。間抜けな表情。

口 ：歯痛、ほおのはれ、＞温かいものをあてがう。舌：乾燥、黒い、ひび割れ、硬い、重い、**はれ**、前後に動く、素早く突き出す；震える。舌先あるいは下側の痛みを伴う潰瘍。発語が不明瞭；最後の単語がどもる。口蓋と唇の乾燥。喉の渇きを伴わない乾燥。発熱時の下顎下垂。黄色い歯。よだれが出る。歯に触れると、または歯磨き

で歯茎から出血する。味；味覚が鋭すぎる；酸っぱい；苦い；かび臭い；口内のあらゆる部位に小さな腫瘍。

喉　：食道に硬いものがある感覚。喉にボールがこみ上げてきて、張りつく。**咽頭痛**、＜冷たい飲み物。扁桃のはれと化膿。慢性的な扁桃の肥大。ジフテリア—沈着物は右から左に広がる。嚥下時に、食べ物や飲み物が鼻に入る。喉のかぜ。収縮感から、常に嚥下しようとする。

胃　：消化が弱い。食欲不振。**空腹を感じても、すぐに満腹感を感じる。ほんのわずかに食べただけでも満腹になる**。しゃっくり。**不完全な焼けるようなおくび**、咽頭までしかこみ上げず、数時間、灼熱感が続く。デンプン質の鼓腸性の食べ物、キャベツ、豆、カキに不耐。食後に断食しているような感覚がある、しかし空腹感は伴わない。甘いものを欲求。スープとパンを嫌悪。イヌのような空腹感、食べれば食べるほど、欲求が高まる。夜、空腹で目が覚める。飲食後に、食べたものと、胃液、凝血、深い緑色の塊を嘔吐。癌；穿孔性の潰瘍。かき回されるような感覚。胃のかじられるような痛み、＞熱いお湯を飲む。甘いもの、珍味、ペストリーなどを欲求。食べ物が酸っぱく感じられる。温かい食べ物や飲み物を好む。胃が冷たい。タマネギの悪影響。

腹部：みぞおちに感じる不安、圧迫。腰をベルトで締めつけられる感覚。**極度の、うるさい、押し出すような、腸下方の鼓腸**。過敏で充血した肝臓。慢性肝炎；萎縮症；うっ血肝。何かが上下する感覚、硬いものが転がるような、右側を向いたとき。肝臓疾患からの腹水症。痛み、＜下腹部、症状の現れる側が交代する。茶色い点。乳児の疝痛、＜夕方。小児の便秘、括約筋の収縮による排便に至らない便意、排便後に、まだ多量に残っているように感じる。砂を含んだ便；小さい、困難；出はじめは硬く、出すのが難しい、終わりの部分は軟らかい、または細く、勢いよく噴出する；脱力と衰弱が後に

続く。痛みのある痔、触れると痛む、＞温浴。下痢と便秘が交互に起こる。肛門がひりひりする。家を離れているとき、旅行中の便秘。排便前の直腸の冷え。妊娠中の便秘または下痢。恐怖からの胃腸炎。冷たい飲み物からの下痢。直腸の持続的な灼熱感。

泌尿器：頻繁な尿意、＞車に乗る。尿管（右）の腎疝痛が、膀胱に達する。尿、少量、**排尿前に叫ぶ**、特に子どもは痛みで目が覚める、悲鳴を上げる、そして四肢を激しく動かす、**尿中に赤い砂**；なかなか出ない、力まなければならない；抑圧された、保持された。乳のように混濁した尿。多尿症、夜間の。血尿。不随意の排尿、特に発熱時、あるいは性交中の恐怖からの。血の混じった尿、対麻痺、時には便秘を伴う。焼けるように熱い尿。

男性：**性的な疲労**；インポテンス；弱い勃起力；性交中に眠りに落ちる。亀頭冠の黄色い腫瘍。消耗させる遺精。前立腺肥大。早すぎる射精。

女性：血塊や血清の月経；排便時に生殖器から出血。腟がひりひりする＜性交中、性交後。**刺激性の帯下；周期的**；乳白色；＜満月の前。子宮鼓脹症。右から左の卵巣にかけての切られるような痛み；卵巣腫瘍；水腫。子宮水腫。乳房の硬くて灼熱感のある結節、縫われるような、うずくような痛みを伴う。乳頭がひりひり痛む、ただれて、ひび割れ、出血しやすい。胎児は、回転しやすいようである。激しい月経困難症、失神を伴う。月経の抑圧、数か月にわたる。思春期の初潮の遅れ、乳房の未発達を伴う。妊娠を伴わない母乳。乳児は出血する乳頭による哺乳後に、血を吐く。

呼吸器：空気を渇望、しかしそれによって冷える。息切れ、ガラガラいう呼吸、＜あおむけに横たわる。咳：乾いた、むずむずする、しつこい；るいそうを伴う弱々しい少年の；昼夜；深くこもった；まるで硫黄ガスによるような、＜下降時；るいそうを伴う；＜空嚥下、喉を伸ばす；深呼吸。塩辛い黄緑色の、塊のある、臭い喀出物。完治

していない肺炎。胸部の黄土色の斑。肺の膿瘍、結核。水胸症、または心膜水腫による呼吸困難、鼻のはためきを伴う。胸部の灼熱感を伴う締めつけられるような感覚。

心臓：動脈瘤。大動脈疾患。動悸：夜間の鼻翼のはためきを伴う、＜右側を下にして横たわる；顔と足は冷たい。速い脈、＜食後、夕方。循環が止まったかのように感じる。肥大。

首・背中：首の片側の硬い腫脹。肩甲骨の間に熱い石炭があるかのような灼熱感。肝臓のうっ血による、背中と右側の痛み。腰のくびれの痛み＜まっすぐ座る、＞排尿。硬直した背中。首の衰弱。泡立つような感覚。腰痛、＜わずかな動作（Bry. の後に）。

四肢：腋窩の膿瘍（右）。手足のしびれ；手足の疼痛性痙攣。睡眠中の手指の痙攣。手指のべとべとする汗。痛みで脚がびくっと上に動く。ふくらはぎの疼痛性痙攣（こむらがえり）、歩行中、夜間。片足が熱い、もう一方は冷たい、または汗ばんだ足。常に手が熱い。右側の坐骨神経痛；痛みのある側を下にしては眠れない、＜圧迫、＞熱いものをあてがう、歩くこと。足指の疼痛性痙攣、夜間。小石を踏んでいるかのような踵の痛み。踵のしびれ。手のひらの乾燥。脚の静脈瘤。足の浮腫、腹水がたまるまで出る。夜間の骨の痛み。骨の湾曲とカリエス。片手、または片脚のるいそう。手足が重たくなる、弛緩する、震える、＞動作で。足の裏の痛いうおのめ。足指と手指の収縮。歩行時に、足指が曲がる。多量の臭い足の発汗。

皮膚：乾燥；ひだがひりひりする。皮膚下の膿瘍。蕁麻疹、慢性、＜暖かさ。勃起腫瘍（海綿状血管腫）、＜月経前。血瘤腫。大きくはならず、青いままのせつ。古いせつや膿疱が出た部位が、硬くなり、小結節を形成し、長く残る。水疱性の腫脹。泌尿器、胃、肝臓疾患にまつわる湿疹。乾癬。潰瘍。瘻孔性。かさぶたがとれない。粘着性の不快な汗。

睡眠：日中眠い；起床時、子どもはびっくりして跳び起きる；不機嫌に

なる、ける、小言を言う、または母親から離れない。怖がって起きる。致命的な事故などの、不安な夢。子どもは日中眠り続け、夜間は泣き続ける。

熱 ：冷たさ、氷のよう；頭の一部分、腹、胃、喉、など、＜咳。咳をしている間に身体が冷たくなる。悪寒後に、また別の悪寒がくる、その後に嘔吐、最初の眠りの後に。臭い、ねばねばする汗―腋窩の、足の；タマネギのにおい。

熱 ：稽留熱、弛張熱、間欠熱。

補完レメディー：Calc., Iod., Kali-c., Lach., **Puls.**, Sulph.
関連レメディー：Carb-v., Sil.

Lycopus virginicus シロネ

総体的症状：心臓のレメディー；血圧を下げる、心拍数を減らす、収縮期間を増加。ほかに多数の症状のある心臓疾患、あるいは、**速くて荒々しい鼓動**を伴う心臓疾患。心臓弁膜疾患による出血；または、鼻、痔、肺などの受動性出血。痛みが心臓から目、頭から心臓、心臓から手首などに移る。甲状腺機能亢進症。痔出血の抑圧による悪影響。

悪化：**興奮**。**激しい活動**。**熱**。**睡眠後**。右側を下にして横たわる。心臓治療薬の乱用。抑圧。それについて考えること。

精神：神経質、性急で臆病。理解が遅い。

目 ：**飛び出す**（眼球突出性甲状腺腫）、心臓の荒々しい鼓動を伴う。眼窩上の痛み（右側）、精巣の痛みを伴う（左側）。

顔 ：黄土色；無表情；膨張。

胃 ：茶の味のするおくび。心臓の脆弱さによる黄疸と下痢。

泌尿器：多量の水を飲む、多量の排尿、心臓の過敏症を伴う。膀胱は、空

の状態であるのに膨張感がある。
男性：精巣の神経痛、眼窩上の痛みを伴う。
呼吸器：横になると息が詰まる。喀血を伴う咳、弱々しい心臓。**心臓性咳**。夕方の深く激しい咳、夜間の目覚めない睡眠中の咳。喀出物は甘い。
心臓：**荒々しい、激しい、速すぎる**、嵐のような鼓動。夜間、苦しい。動悸と心臓の苦痛、＜そのことについて考える。**心臓の圧迫感**。ひりひりする、うずく、締めつけられるような**痛み**。大脈、充実脈、軟脈、遅い脈、弱い不整脈、間欠脈、心臓と同調しない脈。
背中：熱い、肩甲骨下（右）の痛み。
熱 ：冷たさ。
関連レメディー：Cact., Coll., Crat.

Lyssin 狂犬病

総体的症状：このノゾーズは、狂犬病にかかったイヌの唾液からつくられた。神経系、喉、生殖器に作用する。**感覚が過剰に鋭くなる**。まぶしい光や流水を見ると、痙攣（Convulsion）や痙縮（spasm）を起こす。骨の痛み。異常な性欲に起因する疾患。イヌにかまれたことによる悪影響。傷が青みを帯びる。全身が震えるような感覚。
悪化：水が流れる音、または水の流れを見ること。太陽熱。きらきら光るもの。風、すき間風。流れについて考えること。かがむ。悪い知らせ。感情。乗り物に乗る。
好転：背中を反らせる。やさしくさする。蒸し風呂、または温浴。
精神：気が狂うことへの恐怖。怒り。早口。短気。**激しい気性**、無謀なことをせずにはいられない、例えば、子どもを窓から放り投げる。徘徊。妊娠中の奇妙な考えと不安。無礼、口汚い、かみつく、たた

く。もう自分は恐怖に耐えられないと感じる。
頭部：イヌにかまれたことによる頭痛、狂犬病であるなしにかかわらず、＜流水の音、明るい光。くしゃみをするとき、頭をぐいっと後ろに反らす。乾燥した髪が脂っぽくなる。
口　：途切れない、糸を引く、粘着性の、泡状の唾液；**常時唾を吐く**。喉の痙攣による発語障害。
喉　：痛み；常時、嚥下したい欲求があるが、嚥下困難；食道の痙攣による、水を飲み込むときの吐き気。
泌尿器：流水を見ると、排尿または排便欲求が起こる、あるいは、流水音を聞かないと排尿できない。
男性：異常な性的欲求。痛みを伴う勃起、頻繁な射精。性交時の射精が遅すぎる、または射精しない。
女性：子宮を意識する。腟が敏感なため、性交に痛みを伴う。子宮偏位。多量の帯下、脚を伝わる。妊娠中の奇妙な考え、欲求、または渇望。
呼吸器：ほえるような咳。
心臓：教会の鐘の音を聞くと刺されるように傷む。針を差し込まれるかのような痛み。
首　：首の痛み、＞頭を後ろに反らす。
睡眠：眠気を伴わない、頻繁なあくび、特に人の話を聞くとき。
関連レメディー：Lac-c., Lach.

Magnesia carbonica 炭酸マグネシウム

総体的症状：このレメディーは、**胃と腸にカタル性の疾患**を起こす、非常に**酸性度が高い**。**酸っぱい－体臭**（特に子ども）、嘔吐物、逆流、**便**、など。（顔と歯の）神経に影響を与え、**それらに鋭い、撃ち抜かれるような痛みを起こす；歩き回らずにはいられない**。さまざまな部位のしびれと膨張。ほお骨の疾患。全身の疲労と痛み、特に脚と足。病んでいる、疲れ果てた、**神経質な、鼓腸を起こした、たるんだ人**、特に女性、子ども、乳幼児に適合。わずかな影響にも敏感。**るいそう**。消耗症、子どもは食物を与えても薬を与えても成長しない。手を覆うことに耐えられない、露出していて冷たくても。痙攣。てんかん発作、歩行時または立っているとき；突然倒れることが多い、意識はある。衝撃、強打、精神的な苦痛、いら立ち、感情の激発、妊娠、心配しすぎること、生歯、無分別に与えること；乳、の悪影響。粘膜と皮膚の乾燥。子どもはせつができやすい。腺の肥大。

悪化：寒さ；風、すき間風、**天候の変化**。夜。デンプン質の食べ物、乳。休息。ささいな原因、接触など。露出。1日おきに、3週間ごとに。
好転：動作。**歩き回ること**；戸外を。暖かい空気。
精神：おののく；苦悶と、まるで何かが起こるかのような恐怖、＞寝床に着く。ほんのわずかに触れただけで驚く。悲しみ、口数が少ない。ぼーっとした意識、衣服を詰めたり出したりする、そうしていることの意識がない。
頭部：めまい、＜ひざまずくとき。頭痛、髪を引っ張られているかのような、＜頭脳労働、かがむ。頭皮のかゆみ、＜じめじめした天候。脳が重い。消耗症の子どもの後頭骨陥没。
目：目の前の黒い点。眼球が大きくなったように感じる、圧迫に対して

敏感。角膜混濁。水晶体白内障。
- 耳 :**難聴、突然始まり**、変化する。中耳の膨張感。耳の無感覚。かぜを ひいたときの難聴、親知らずを抜いたことによる難聴。
- 鼻 :月経前のコリーザと鼻づまり。乾燥したコリーザ；口呼吸。鼻の慢性疾患。
- 顔 :片側の、引き裂かれるような、掘られるような痛み、動き回らずにはいられない。ほお骨の痛みとはれ、＜冷風。ほお骨の腫瘍。ろうのような青白さ。だらしない表情。卵白が乾燥して、突っ張るような顔。
- 口 :引き裂かれるような、掘られるような、焼けるような歯痛、＜妊娠中、乗り物の動き、寒さ、静かなとき。親知らずを抜いたことによる疾患。歯が長すぎるように感じる。夜間の口の乾燥。苦い味、酸っぱい味。よく突然どもる話し方。
- 喉 :咽頭痛、＜月経前。チーズ状のものを喉から咳払いで出す。喉の刺されるような痛み、＜話すこと、嚥下。
- 胃 :肉、果物、酸っぱいもの、野菜を欲求。わずかな食欲。酸っぱいおくび。胸やけ。未消化の乳や硫苦水の嘔吐。激しい喉の渇き。青物を嫌悪。キャベツ、イモに不耐。乳の拒絶、胃痛を起こす。
- 腹部:**切られるような**；つかまれるような；圧迫されるような疝痛、その後に水っぽい緑色の便が出る、それにより＜。**泡状の便、緑色がかった、水のような、カエルの集まる池の浮きかすのような**。哺乳中の幼児の場合、乳は未消化で排出される。酸っぱい便。精神的ショックや神経緊張後の便秘。未消化物を含む便、ゼリー状の脂肪を伴う；草色、あるいは乾燥した、硬い、ぼろぼろ砕ける；白土、パテ状。疝痛後の帯下。へそ周辺の切られるような痛み、＞放屁。
- 泌尿器:歩行中、または、いすから立ち上がるときの不随意の排尿。
- 男性 :放屁に伴う前立腺液の分泌。
- 女性 :月経、濃い黒っぽい糖みつのような、**タール状**、粘着性；遅すぎ

る、または微量；睡眠時のみ、**夜間**のみ、起き上がるとき、横たわるときに流出、歩行時、または腹部を圧迫すると、そしてかがむと止まる。色が落ちないしみになる。白い帯下、刺激性、疝痛が先行する、月経後定期的に。月経期間中は、決まって死んだように失神を起こす。

呼吸器：外気を切望。痙攣性の咳、困難な、薄い、塩辛い、血の混じった喀出物を伴う。胸の痛み、収縮。夜間、喉頭がむずむずすることによる咳。

四肢：重たい、疲れきった足。右肩が痛む、持ち上げることができない。手を覆うことに耐えられない、覆わないと冷たいにもかかわらず。歩行時に、左足を地面につけることができない。膝窩の腫脹。

睡眠：爽快ではない、寝る前よりも、朝のほうが疲れている。午前2時か3時に目が覚めて、再び眠ることができない。日中の眠気、夜間の不眠。

皮膚：ひりひり痛む、乾燥、寒さに敏感。皮膚下の結節。髪と爪が不健康。

熱：月経前に寒けがする、かぜをひく。夜間の発熱。酸っぱい、脂っぽい、洗っても落ちない汗。

関連レメディー：Rheum.

Magnesia muriatica　塩化マグネシウム

総体的症状：このレメディーの効果は、肝臓、神経、子宮と直腸に集中し、そのため、子宮・肝臓疾患がある、または心臓疾患がある**神経質な女性**、または長期にわたって消化不良や胆汁症を患う人；肝臓疾患と性的疾患のある男性；小さいくる病の子どもの生歯時に適合する。痙攣性、**ヒステリー性の疾患**。ヒステリー球。夕食後のレメ

ディー、失神、呼吸困難、吐き気、震え、などの症状が、夕食後に出る、＞おくび。痛みは、穴を開けられるよう、痙攣性、収縮性、**ひきつるよう**、突き刺さされるよう。**灼熱感**。慢性化。海水浴による悪影響、特に衰弱。身体を駆け抜ける衝撃、電気のような、すっかり目覚めているとき。味覚および嗅覚異常。全身のうずきと、雑音に対する過敏さ。

悪化：右側を下にして横たわる。雑音。夜。食事。塩辛い食べ物。乳。接触。海水浴。頭脳労働。

好転：<u>強い圧迫</u>。腰を曲げて横たわる。**患部をだらりと下げる**。穏やかな**動作。冷たい外気。**

精神：不安；神経興奮、めそめそする傾向。後ろから誰かが乗り物で追いかけてくるため、どんどん速く進まなければならないかのように感じる。話をしたがらない。

頭部：破裂しそうな頭痛；＜動作；戸外；＞強い圧迫、暖かく覆う。頭の多量の発汗。下になっている側に、まるで煮えたぎるお湯が流れるかのよう。髪が引っ張られるかのよう。

目　：明るい光の中で何かを見ると、流涙と目の灼熱感。黄色い強膜。まつ毛の白癬。

耳　：音に敏感。耳の中の拍動。

鼻　：赤い、はれた。刺激性の、痂皮を形成するの臭鼻症。嗅覚と味覚の喪失、コリーザ後、またはコリーザに伴って。夜間の鼻閉塞、口呼吸しなければならない。

顔　：青白い、黄色い。顔の吹き出物と額のかゆみ、＜夜、暖かい部屋、月経前。唇の水疱。

口　：歯痛、＜食べ物が歯に触れると。舌が焼けるような感覚、口がやけどするような感覚。白い泡が口に上がってくる。**味覚の喪失。幅広く黄色い波形の舌。**

喉　：喉にボールが上がってくるような感覚、＞おくび。

胃　：甘いもの、珍味を欲求。空腹感があるが、何を欲しているのかわからない。歩行中の逆流。乳、塩味の食物、＜。腐った卵のような、タマネギのようなおくび。食事中、食後のしゃっくり、嘔吐を引き起こす。

腹部：**ひりひりする、肥大した肝臓**、腹部膨満を伴う、＜右側を下にして横たわる、左側を下にすると引っ張られるような感覚がある。胆嚢の痙攣性の痛み、＞食事による。鼓腸。**便は乾燥、瘤がある**、小さな球状、ヒツジの糞のよう、灰色、肛門で粉々に砕ける。便意がない。黄疸。サナダムシ。疝痛、ヒステリー、帯下が後に続く。肝臓から脊椎、または、みぞおちにかけての痛み。

泌尿器：腹筋を圧迫することによってしか、排尿できない。尿道の無感覚；暗がりでは、排尿しているのか、いないのか、わからない。拡張後の狭窄。尿は滴状で出る、常にある残尿感。

男性：精巣と精索の痛み、＜性交後、または報われない性的興奮の後。性交後の背中の灼熱感。

女性：月経：**多量、黒っぽい、塊がある**、ひきつり、背中の痛み、大腿の痛みを伴う；座っているときより、歩行時のほうが多量。月経困難症、＞背中の圧迫、あるいは硬い枕で横たわる。**帯下の噴出**、腹部の疝痛、子宮痙攣に<u>続く</u>、子宮痙攣、排便のたびに、ヒステリー性。年老いた家政婦の不正子宮出血、血の塊。

呼吸器：痙攣性の乾いた咳、＜夜間。血の混じった痰、または胸部のうっ血、うずき、海水浴後に。呼吸の圧迫、ヒステリー球。

心臓：座っている間の鼓動と心臓の痛み、＞動き回る、または左側を下にして横たわる。心臓の機能障害、肝臓の肥大を伴う。

首・背中：左肩甲骨下の拍動。臀部；または背中の性交後（男性）の打撲したような感覚、または灼熱感。背中のひきつり、＜歩くこと。

四肢：大腿のひきつり、＜座ること。大腿とふくらはぎの緊張；四肢を動かさずにはいられない。手の指先のしびれ。足首の冷たさ、または

緊張、＜夜。踵の切られるような痛み。汗ばんだ足。
皮膚：全身の蟻走感。膿瘍、黄色い、希薄な臭い膿。黄疸。頭と足の汗。
睡眠：目を閉じたとたんの不安と落ち着きのなさ、身体の温かさから、またはショックから。爽快感のない睡眠、朝疲れている。
熱：ストーブのそばにいても寒い、＞外気。
関連レメディー：Nat-m., Puls., Sep.

Magnesia phosphorica　リン酸マグネシウム

総体的症状：シュスラー博士のレメディーで、**疼痛性痙攣、痙攣、神経痛、痙攣性の症状に効果があり、神経**と筋肉に作用する。背の高い、細い、色黒の、神経症の人、または疲労した、無気力な、疲れ果てた人に適合する。**神経質、緊張、神経痛の突発的な激しい痛みに襲われやすい、鋭い、稲妻に打たれるかのよう、突然部位が変わる**、放射状に広がる、穴を開けられるよう、収縮する、うめく、落ち着きのなさと疲はいを引き起こす。**痙攣性のぴくぴくする動き・攣縮**。チック。痙攣性の症状―しゃっくり、あくび、舞踏病、書痙、ピアノまたはバイオリン奏者の疼痛性痙攣。強い痛み。冷水の中に立っていること、冷水浴、冷たい土の中で働くこと、カテーテル法、生歯、勉強の悪影響。舞踏病、＞睡眠中、＜排便時と感情で。麻痺、振戦麻痺。

悪化：冷たい空気・すき間風・水。右側を下にして横たわる。接触。周期性。夜。乳。極度の疲労。
好転：暖かさ。温浴。圧迫。身体を折り曲げる。さする
精神：常に自分の痛みについて話す。勉強や頭脳労働を嫌う。勉強しようとすると眠くなる。常に独り言を言う、またはふさぎこんで座り込む、物をある場所から移動させ、また元に戻す。

頭部：頭脳労働後の頭痛、＞暖かさ。頭の中が液体であるかのような、脳の一部が位置を変えるような、頭にふたがあるかのような、電気ショックが頭から全身に広がるかのような感覚。

目：眼窩上の痛み＞暖かさ。まぶたの痙攣。目が熱い、痛い、疲れる。眼振、斜視、下垂症。羞明。

耳：ひどい神経痛、＜冷気にさらされる、顔と首を冷水で洗う；右耳の後ろがより悪い。

顔：神経痛、＜身体が冷えると、洗浄、または冷水の中に立つことから、食べたり飲んだりするために口を開けるとき。

口：口角の亀裂。歯痛、＞熱と熱い液体。きれいな舌、疝痛を伴う。後方への急激な痙動を伴う、顎関節の痛み。バナナの味。食べ物の味が不正確。痙攣性のどもり。

喉：硬直、痛い；部分的にむくんだ（右側）、全身の冷えと痛みを伴う。神経性口狭炎。

胃：昼夜を問わないしゃっくり。焼けるような痛み、嘔吐としゃっくり＞温かい飲み物；胃癌。非常に冷たい飲み物を欲求。

腹部：腸痛、鼓腸性疝痛、＞二つ折れになる、さする、暖かさ、圧迫；おくびを伴う、おくびによって緩和されることも、されないこともある。腹部の膨満感、衣服を緩めずにはいられない、歩き回る、絶え間ない放屁。大腿の切られるような痛み。腹部の萎縮。下痢がやむと、痙攣や脳疾患が始まる。

泌尿器：神経過敏に起因する夜尿症。カテーテル使用後の膀胱神経痛。

女性：月経痛、＞流出。膜様月経困難症。早すぎる月経、黒い、糸を引くタール状、夜に流れる、落ちないしみを残す。卵巣神経痛。腟痙。

呼吸器：痙攣性の、ゼーゼーいう咳、＞冷気。痙攣性の神経性喘息。

心臓：狭心症。過敏な脈。神経性動悸。

首・背中：首と背中のこわばり。ひきつり。1つの脊椎欠損。

四肢：手指の皮膚の緊張。下肢の痛み、痛みの出る側が変わる。振戦麻

痺。手の震え。書痙。長期間にわたる激しい活動、長期間にわたる道具の使用による疼痛性痙攣。手指の痙攣性収縮。足の圧痛を伴う坐骨神経痛。

皮膚：かみそりまけ。ヘルペス性発疹、白い鱗屑を伴う。

睡眠：勉強しようとすると眠くなる。まるで顎が外れるかのような発作的なあくび、涙を伴う。

熱　：悪寒が背中を上下する、身震いを伴う、その後、息が詰まる。

関連レメディー：Coloc., Dios.

Magnesia sulphurica　硫酸マグネシウム

総体的症状：皮膚、泌尿器系、女性生殖器の症状が際立つ。利尿に伴う下痢。赤い沈殿物のある緑色がかった尿。多量の、黒っぽい、間欠性の月経。月経のように多量の、濃い帯下。両肩間のごつごつした感覚。背中が骨折したかのように感じられる。左腕と左足のしびれ。手指先のむずむずする感覚。全身の小さな吹き出物、激しいかゆみを伴う。大きくて軟らかいいぼ。

悪化：朝、寝覚め。

好転：さする。歩行。

関連レメディー：Nat-s.

Magnetis polus australias　磁石のS極

総体的症状：磁石のS極は、肉に食い込む足指の爪に効果がある。足の親指の内側のひりひりする痛みを伴い、これは、＜歩くこと、またはわずかな接触。

Malandrinum　ウマの水疱病

総体的症状：このノゾーズは、ウマの疾患の一つである腫炎のウイルスからつくられた。天然痘の予防と、予防接種による悪影響に絶大な効果がある。癌性の沈積物の残がいを除去する。

Mancinella　マンキネラ

総体的症状：このレメディーは、著しい皮膚、喉、および精神症状、特に、性衝動の高まりを伴う、思春期と閉経期のうつ状態を起こす。刺激性。さまざまな部位の灼熱感、ひりひりする感覚。傷口を早く癒すのを助ける。
悪化：**冷たい飲み物、冷たい足**。怒り。湿気。食事。接触。思春期、閉経期。
精神：突然思考が消える、次にしようとしていたこと、用事を忘れる。**気が狂うこと、悪霊を恐れる**。性的過敏を伴う落ち込み。恥ずかしがり。憂うつ。ホームシック。
頭部：頭が空っぽのように感じる、めまいを伴う、歩行中。急性疾患後の脱毛。頭頂の痛み、＜横たわる。
目：**まぶたが重い**、痛む。目を**閉じる**ときに苦痛または**灼熱感**。目の奥の鈍痛。激しい炎症；(数日間の) 失明を伴う。羞明。
鼻：においの錯覚—火薬、麻薬などの。
顔：むくんだ、しみがある。口唇ヘルペス。
口：多量の悪臭のする黄色い唾液。口の灼熱感とちくちく刺されるような痛み、冷水で好転しない。
喉：切られるような痛み、＜冷たい飲み物。話すとき、**息が詰まるよう**

な感覚が喉にこみ上げる、喉が渇いても飲むことを阻む。ジフテリア。扁桃の肥大。
胃：冷水を欲求。みぞおちの膨張。食べたものの嘔吐後、ひどい疝痛と下痢を起こす。肉、パン、ワインを嫌悪。胃から炎がこみ上げてくるような感覚。たびたびの緑色の嘔吐。
腹部：腸の痛みと灼熱感。疝痛、＜冷たい飲み物。
呼吸器：咳、＜冷たい飲み物。胸骨の後ろの痛み。
心臓：弱い脈、大脈、軟脈。心臓の針で刺されるような痛み。
四肢：足の裏のひりひりする小水疱；足の裏の落屑と乾燥。手の親指の痛み。刺激性、粘着性の足の汗。
皮膚：小水疱。熱傷によるような、大きな水疱。茶色い痂皮。天疱瘡。皮膚炎；広範囲に及ぶ小水疱形成、粘着性のある血清の滲出と、痂皮の形成を伴う。
関連レメディー：Arum-t., Canth., Rhus-t.

Manganum　マンガン

総体的症状：マンガンは、鉄と密接な関係があり、鉄と同様に赤血球の破壊を伴う貧血を引き起こす。さらには、**内耳**、**喉頭**、**気管**、**脛骨・関節・足首の骨膜**と**下肢**に特に親和性がある。運動麻痺が上行する。振戦麻痺、対麻痺は、このレメディーの影響に属する。**骨が非常に敏感**。―全身の痛み、ひどいうずき、身体のどの部分も触れると痛い―耳、関節、皮膚。痛みは、ほかの部位から耳に達する。**すべてが耳に影響する**。**対角線上に生じる痛み**。黄緑色の、塊の多い、または血の混じった分泌物。慢性関節炎；浸潤して光る関節。関節が弱い。**加速歩行、後ろ向きに歩く**。成長痛と弱い足首。進行性筋萎縮。蜂巣炎、亜急性期。関節周辺の皮膚の化膿。羽根枕では

寝られない喘息患者。脂肪変性。寝床に横たわりたい＞すべてのトラブル。腸チフス、不当な治療を受けた、回復が長引く。

悪化：天候の変化。**接触**。**寒さ**。**湿気**、**夜**。**話すこと**。**羽根布団**。笑うこと。動作。背中を反らす。

好転：**横たわる**。外気。**悲しい音楽**。食事。嚥下。天候の変化。

精神：常に不平を言う、ぶつぶつ言う。衰弱と神経質。不安と恐怖。不随意の笑いと嘆き。部屋の中で動くときの不安と恐怖＞横たわる。不安、何か悪いことが起こりそうな。悲嘆、すすり泣く、静かに。すべての精神症状は＞横たわる。楽しげな音楽を楽しめないが、悲しい音楽にはすぐに心を動かされる。

頭部：重たい、大きく感じる。痛みは、上から下方に向かう、＜排便でいきむ、振動、歩む。

目：視界が狭まる。目の痛み、裁縫、細かい文字を読んだことから。

耳：**すべてが耳に影響する**；ほかの部位から痛みが耳に伝わる。耳が詰まった感覚。湿った天気での難聴。耳鳴り。耳下腺の腫脹、発熱時。鼻をかむ＞難聴。耳の縫われるような痛み、話すこと、笑うこと、嚥下による。鋭い音がする、＜鼻をかむ、嚥下。

鼻：鼻をかむのが痛い。鼻の付け根の痙攣性の痛み。乾燥したコリーザ、完全な閉塞を伴う。鼻閉塞と、おびただしいコリーザが交互に現れる。

顔：青白い、病的；ぼんやりした、面のような。下顎からこめかみにかけての、痙攣性のぴくぴくする、びくっとする痛み、＜笑うこと。

口：口蓋や舌の結節。歯痛、＜あらゆる冷たいもの、または口で吸うこと；耳にまで伝わる。唾液の分泌、話している間、疝痛、麻痺などに伴う。脂っこい味。

喉：常に軽い咳払いをする、痰を咳払いで出すので、周囲を不快にさせる。

腹部：慢性肝臓肥大。黄疸。歩行時には、腸が緩んで、揺れているように

感じる。へその痛みと狭窄。便に伴う多量の放屁。腸の機能は不規則で、便秘、または下痢になる。座っているときに肛門のひきつり、＞横たわる。臍部の切られるような痛み、＜深呼吸をする。

泌尿器：放屁時の、尿道の突き刺されるような痛み。

女性：初潮の遅れ。貧血患者の、早い、微量の、色の薄い月経。**閉経期の紅潮**。月経間期の出血。

呼吸器：慢性の嗄声、荒々しい声、＜午前中、＞黄色っぽい、または黄色い粘液の塊を吐き出す、または喫煙。咳、＞横たわる、＜読書、笑うこと；失声を伴う。かぜをひくと常に気管支炎を起こす。喉頭結核による失声。喉頭が乾燥して痛む。

四肢：衰弱した不確かな脚。転ばずに、後ろ向きに歩くことができない。かがんで歩く。無造作な足どり。中足指節関節で歩く；後ろ向きに歩く。前に転ぶ傾向。骨と関節の炎症、夜間の掘り起こされるような痛みを伴う；脛骨の痛み。足首の炎症。足首の疾患による子どもの歩行困難。麻痺、歩こうとすると、前に走り出す傾向を伴う。膝の痛みとかゆみ。手、握っているとき、伸ばしているとき、はれたように感じる。

皮膚：荒れた、ひび割れた（屈曲部）、青みがかった。関節周辺の皮膚の化膿。赤く隆起する発疹。慢性の発疹、無月経に伴う、＜月経または閉経。乾燥した硬い潰瘍。糖尿病のかゆみ。慢性発疹、根深い、乾癬のような。

睡眠：数々の色鮮やかな夢、よく覚えている。あくびが多い。

熱：突然の一過性の熱感、顔、胸と背中にかけて。

関連レメディー：Chin., Psor.

Marum verum (Teucrium) キャットタイム

総体的症状：**鼻**と**直腸**の症状が顕著。**興奮**しやすく、**過敏**、薬物の乱用から、また、それらがうまく作用しなかった場合。虚弱な高齢者や子ども。内部の振戦、＜興奮。伸びをしたい衝動。線虫。ポリープ—鼻、腟、耳の中など。線維腫。

悪化：天候の変化；湿った冷たさ。寝床の中。接触。かがむ。座る。体重がかかっている側。やさしくさする。

好転：外気。発汗。

精神：歌いたい衝動。精神的高揚と多弁。非常に怠惰、頭脳労働も肉体労働も何もしたがらない。

頭部：前頭部の痛み、＜かがむ。

目：眼角のうずき。まぶたは赤く、はれている。瞼板の腫瘍。

耳：手を耳の辺りにかざすと、話すとき、無理に鼻から空気を吸おうとすると、シーッという音が聞こえる。かゆみ。ポリープ。

鼻：**むずむずする、ほじらずにはいられない**、流涙とくしゃみを伴う。鼻づまり、＜体重がかかっている側、音読。慢性カタル；萎縮性；大きな、塊のある、でこぼこした鼻くそになる分泌物。嗅覚の喪失。粘液ポリープ。後鼻孔からの固形の塊。

口：口蓋のかゆみ。

喉：喉のかび臭い味、咳や咳払いのとき。濾胞性咽頭炎。

胃：絶え間ないしゃっくり、痙動、衰弱した子どもの哺乳後の、胃から背中にかけての差し込みを伴う。多量の深緑色の塊を嘔吐する。

腹部：**肛門のかゆみ；睡眠を妨げる**。線虫。

呼吸器：乾性の咳、＜咳。

四肢：足の爪が肉に食い込む、潰瘍形成を伴う、＞動かす。手指先の灼熱感。よろめき歩行、片足をもう一方の上に出す。

睡眠：興奮した後の不眠、一晩中続く肛門や皮膚のかゆみによる不眠。
補完レメディー：Calc.
関連レメディー：Cina., Sil.

Medorrhinum　淋菌

総体的症状：淋菌からつくられたこのノゾーズは、淋病抑圧による慢性疾患に指示され、深く強力に作用する。**精神、神経、粘膜**に影響を与える；女性の慢性的な骨盤内疾患；小人症と発育停止、**酸っぱいに**おいのする子ども。**多量の刺激性の分泌物、かゆみを起こす**。分泌物の魚臭いにおい。不快な体臭、特に子どもと女性。**淋病の病毒（sycotic taint）**により反応が乏しい。**さまざまな種類の痛み―こわばり、疼痛、ひりひりする痛み；四肢の浮腫**；漿膜嚢の水腫。るいそう。(自覚的な) あらゆる部位の震え；ひどい神経質と極度の疲労。**しびれ**；内部の蟻走感。**関節炎**、リウマチ性の痛み。脊椎の疾患、最終的には麻痺に至る器質性機能障害。全身のリンパ腺肥大、熱感とひりひりする痛みを伴う。関節に力が入らない；関節が緩んでいるように感じる。**灼熱感**。小さな、ひどい痛みのあるアフタ；水疱。虚脱状態、常にあおがれたい。腫瘍、癌、硬性癌など、淋病の病歴を伴う。ひどい体臭、洗い落とせない。

悪化：湿った；寒さ。**日中**；日の出から日没まで；午前3～4時。排尿後。接触、わずかな接触でも。閉め切った部屋。嵐の前。

好転：うつぶせに寝る。背中を反らせる；伸びをする。**新鮮な空気**；あおがれる。**強くさする**。海辺。湿気。日没。多湿な天候。

精神：記憶力の弱さ。集中できない。名前を忘れる、用事を忘れる。文章を言い終えることができない。会話の糸口を失う。激しい感情。**物事が奇妙に感じられる**。めそめそせずに話すことができない；何度

443

も繰り返して話す。**性急**、そして不安；怒りっぽい。時間がゆっくり過ぎる。暗闇に対する恐怖、まるで誰かが背後にいるかのような、ささやきかけているかのような感覚。**敏感、神経質**、衝動的、無愛想、不作法、意地悪、残酷。危惧する、事件を予期する。**はるかなたに感じる**、今日のことが、先週起こったことであるかのように。多くのアイデアが浮かぶが、遂行は不確実。**悲しげで憂うつな外観**。＞めそめそする。しつこくつきまとう考え；混乱状態と交互に現れる。日中不機嫌で、夜は機嫌がよい。間違ったことを言うのを恐れる。すべてに驚く。明言を避ける。希死念慮。気が狂うことを恐れる。人生が**非現実的**に感じられる、すべてが非現実的に感じられる。絶望的。**悲しい**。涙もろい。恐怖感が多い。

頭部：めまい、＜頭頂、かがむと。頭痛、締めつけ感を伴う、＜振動；自分の髪を引っ張る。後頭部の灼熱感；後頭部の痛みは目の奥に達する。**もつれた髪**。脳の深部の灼熱感。頭が重く、後ろに引っ張られる。かゆみ；ふけ。

目：一度何かを見ると、それがまぶたに焼きつくので、ずっと見つめているかのように感じる。下垂症。まつ毛が抜ける、物が二重に見える、または小さく見える。目の下のはれ。想像上の物が見える。上まぶたが、まるで軟骨があるかのように硬い。

耳：部分的難聴、または完全な難聴。外耳孔の痛みと化膿。耳の中の拍動。素早い突き刺されるような痛み。声が聞こえる。

鼻：コリーザ、嗅覚と味覚喪失。子どもの鼻声、ほかのレメディーでは緩和されない。鼻出血。後鼻漏、濃い黄色。**熱い呼気**。花粉症。汚い鼻（子ども）。鼻先が冷たい。鼻先のひどいかゆみ。コリーザ、＞海水浴。鼻カタルが喉に落ちる。

顔：灰色がかった、脂っぽい、緑色がかった；**髪の生え際が黄色い**。顔の**赤いクモの巣**。顔のにきび、＜月経後。月経中、小さなせつが壊れる。口呼吸により分厚くなった唇。

口　：小さくて、非常に痛いアフタ。唇とほおの内側表面の水疱。水が香水のような味がする。鋸歯状の、軟らかい、崩れかけの、黄色い歯。舌の茶色く、分厚い舌苔。

胃　：欲求；かつては嫌悪していたアルコール、塩、甘いもの、オレンジ、氷、酸っぱいもの、熟していない果実、心身を爽快にするもの。**つわり、悪性嘔吐**。朝の吐き気。過剰な喉の渇き、水を飲む夢を見る。がつがつした食欲、食後の空腹感。

腹部：下腹部が重たい。砕かれるような疝痛、＞足を踏んばる、うつぶせに横たわる。後ろにかなりのけぞらないと排便できない、その後の震え。みぞおちの灼熱感。無感覚を伴う鼓腸。黒っぽい、悪臭のする肛門からの滲出、魚の塩漬けのにおい。**火のように赤い、湿った、激しいかゆみのある**肛門。小児コレラ、後弓反張を伴う。太陽神経叢の苦痛、右手を胃や左の腰部に当てる。

泌尿器：夜尿症。やけどするほど熱いアンモニア性の尿。腎臓周辺の痛み＞多量の排尿による、氷への欲求を伴う。腎臓周辺の泡立つような感覚。緩慢な尿の流れ。

男性：前立腺が重たい、痛む、肥大、頻回で痛みを伴う排尿を伴う。インポテンス。射精後の衰弱。会陰の重さ。しつこい淋病からくる慢性尿道炎の黄色い膿。

女性：激しい月経痛、＞足で支えを押す。経血は多量で、塊がある、臭い；洗い落とせないしみを残す；頻回の排尿を伴う。乳房；冷たい、ひりひりする。月経中のひりひりする、滲出する、または、氷のように冷たい乳頭。水疱を生じさせる帯下、薄い、魚臭い。敏感な、潰瘍が形成された子宮口。月経間期の乳房の痛み。腟のかゆみ、＞さする、生ぬるいお湯を浴びる。卵巣の引っ張られるような痛み、＞圧迫。淋病による不妊症。乳房が冷たい、氷のよう、身体のほかの部分は温かい。

呼吸器：空気飢餓感。咳、＞胃を下にして横たわる、＜甘いものから。呼

吸困難、息を吐くことができない。喘息、淋病の（sycotic）、幼児の。肺に綿が詰まっているかのように感じる。胸に空洞があるように感じる。胸の冷たさ。

心臓：心臓があるべき場所が空洞になっているかのような感覚。

背中：背骨がうずく、圧痛がある。背骨の焼けるような熱さ。左肩甲骨の上の切られるような痛み、灼熱感、むずむずする感覚。左の肩甲骨から右肩にかけての痛み。重いものを持ち上げたことによる腰痛。

四肢：毛深い腕。爪をかむ。手足の灼熱感。脚が重たい、一晩中痛む、じっとさせておくことができない。脚のひきつり、＞伸ばす。**踵、母指球、足の裏は、圧痛があり、かゆい**、歩きづらい、膝で歩かなければならない。手の指先のひび割れと灼熱感。歩行中、足首を捻挫しやすい。四肢の浮腫。落ちくぼんだ爪、曲がったような。足の浮腫の後に下痢が起こり、＞下痢。

皮膚：かゆい、ひりひりする。淋病の（sycotic）赤い結節。深紅の斑点。コンジローム。黄色い。持続的なかゆみ＜そのことについて考える。皮膚は冷たいが、血は熱く感じる。赤銅色の斑点、発疹の後に残る。

睡眠：短時間の睡眠が長く感じられ、それにより＞。**膝胸囲で眠る**。何かを飲む夢を見る。

熱：発汗を伴う焼けるような熱さ；露出したいが、そうすると冷える。汗をかきやすい、朝方にかけて。花粉症。四肢が冷たくなる。

関連レメディー：Bar-c., Nat-m., Psor., Thuj.

Melilotus スイートクローバー

総体的症状：このレメディーは、特に**頭部のうっ血**と、多量の鮮血の出血を引き起こし、それにより楽になる。幼児の痙攣。頭の殴打によるてんかん。衰弱を伴う痛み。ひりひりする感覚。

悪化：**閉経期**。歩行。天候の**変化**、**嵐の天候、雨天**。

好転：出血。多量の排尿。酢（塗る）。

精神：逃げ出して隠れたい。危険、逮捕されること、大声で話すことへの恐れ—そのため小声でささやく。当てにならない記憶。みんなが自分を見つめているように思う。自殺したい、あるいは、近づいてくる人を殺すと脅す。宗教的メランコリー。めそめそする。

頭部：頭に血が上る。<u>激しい拍動</u>。うっ血性、神経性、周期的な頭痛、理性を脅かす、＞鼻出血、月経の流れ、酢を塗布する。頭全体の充満感。頭痛と背中の痛みが交互に現れる。

目：熱い、重い、緩和するために、しっかりと目をつぶりたい、まるで大きすぎるように感じる。

鼻：乾燥、口呼吸しなければならない。多量で頻回の鼻出血、それにより総体的に＞。

顔：**極度に赤い**；頸動脈の拍動に伴い紅潮する。鼻、肺、子宮から出血する前に赤くなる。

泌尿器：頻繁で多量の排尿（それにより頭痛が和らぐ）。

女性：腟と外陰部で、鋭く突き刺されるような痛みが繰り返す、月経の終わりに。

呼吸器：息が詰まりそうな感覚、＜速足で歩く、胸の辺りで衣服が窮屈に感じる。

皮膚：乾燥。

関連レメディー：Bell., Calc., Glon.

Menyanthes ミツガシワ

総体的症状：突出した一部位、あるいは鼻、耳、手指、膝、腹などの患部の、氷のような冷たさを生じる。緊張性の圧縮されるような痛み。痙攣性のぐいっとする動き、目に見えるぴくぴくする動き、神経痛に伴う。いら立った、そわそわした女性、泌尿器系の疾患を伴う。

悪化：歩行、ほんの少しでも。上昇。休息。光。雑音。振動。

好転：強い圧迫。たそがれどき。手を下にして横たわる。かがむ。

頭部：破裂しそうな頭痛、首筋から上がってくる痛み、＞かがむ、身体を折り曲げて座る。頭頂の重い圧迫感、＞手による強い圧迫。うなじに重みを感じる。頭が冷たい、まるで冷風が吹き付けてくるかのような。

目：霧がかかったような視界。

耳：耳鳴り、そしゃくするとき。

鼻：冷たい。腐った卵のような、吐き気を催させるにおいがする。

顔：顔の筋肉の目に見えるぴくぴくする動き、＜休息。

胃：食道にまで冷えが伝わる。肉を欲求。パンとバターを嫌悪。

腹部：冷たい、＜強く圧迫する。

泌尿器：頻繁に尿意を催すが、わずかにしか出ない。

心臓：不安、まるで何か悪いことが起きるかのような。ほんの少し激しく動いただけで、不規則になる。

背中：肩甲骨（左）の掘られるような感覚。仙骨の痛み、＜かがむ、歩く。

四肢：大腿後部のひきつり、＜座ること。足首からふくらはぎにかけてのひきつり（右）。氷のように冷たい手足。脚の痙攣性のぐいっとする動きとぴくぴくする動き、＜横たわる。

皮膚：突っ張ったように感じる。

睡眠：鮮明な夢、興奮させられる睡眠。

熱　：あくびを伴う身震い。四日熱マラリア。
関連レメディー：Verat.

Mephitis　スカンクの分泌物

総体的症状：このレメディーは、スカンクの肛門腺に含まれる液体からつくられた。**痙攣性の症状**を起こし、ゼーゼーいう咳に作用する素晴らしいレメディーの一つである。低ポーテンシーで与えるとよい。神経疲労。重病後の衰弱。氷のように冷たい水で沐浴したい。震えと窒息、眼球突出症を伴う。かすかな振動で非常に不安になる。

悪化：横たわる。夜。月経後。
好転：**冷水浴**または**寒い天候、氷のような水**。
精神：興奮しやすい、想像力豊か。おしゃべり。働く意欲がない、伸びをしたい。
頭部：激しいめまい、＜座る、かがむ、寝返りを打つ。後頭部に指を押し付けられている感覚。乗り物の動きによる頭痛。
目　：熱い、赤い、痛い。薄い印刷を読むことができない。
顔　：膨張。
口　：臭い息。
喉　：食べ物が違うほうに行く。飲んだり話したりしているとき、**むせやすい**。
胃　：食べて何時間もたってから吐く。塩味の食べ物を欲求。
呼吸器：呼吸困難；息を吐き出せない。喘息、＜氷水。痙攣性の、またはゼーゼーいう咳；日中の発作は少ないが、夜間に多い。激しい、窒息しそうな、痙攣性、神経性の咳、＜話すこと、飲むこと。臭い喀出物。肺病患者、または大酒家の喘息。
睡眠：短い、疲れをすっきりさせるよう。血が脚に集中して流れる感覚

で、夜目が覚める。
関連レメディー：Cor-r., Mosch

Mercurius　水銀

総体的症状：（もともと、ハーネマンによる）最初のポーテンシーは、溶けやすい水銀の黒色酸化物、または純粋な金属水銀からつくられた。これら2つの症状には、何ら違いがないが、Merc. sol. が指示されるものの作用しない場合に、Merc. vivusが効くようである。Merc. は、ほぼすべての臓器と組織に作用する。血液の腐敗から、ひどい貧血症になる。**リンパ腺**肥大、腺、特に**唾液腺**と**粘液腺**の活動が増大。**分泌物は多量**、**希薄**、**ねばねばして**、**刺激性**；**焼けるよう**、**臭い**、**濃厚で黄緑色**。粘膜の**潰瘍形成**、特に口と喉。遺伝的な梅毒の発現；水疱；膿瘍、消耗症。鼻性呼吸、骨、**細胞組織**、関節の破壊的な炎症もこのレメディーのカバーする範囲に入る。患者は、多くの症状に苦しむ；患者は、精神行動、身体行動が定まらない、**震える**、衰弱し、そして**汗をかきやすい**。浮腫性の**腫脹**；絶え間ない滲出。赤み。鉛色のうっ血。一点に固執する痛み。**化膿**；血の混じった、薄い、緑色がかった膿。臭い分泌物、息、身体。**黄色い目**、歯、鼻の分泌物；胆汁症；黄疸。患部の著しい腫脹、ひりひりする感覚、うずきを伴う。熱さと寒さに敏感―人間寒暖計。すべてが不足に感じられる。**衰弱し**、**疲れ果て今にも倒れそう**、＜排便後。リウマチ。るいそう。唇、味覚、喀出物などが塩辛い。脂っぽい汗。梅毒、淋病（sycosis）、腺病。痙攣。カタレプシー性の身体の硬さ。振戦麻痺；対麻痺。関節の収縮。恐怖、淋病（gonorrhea）の抑圧、足の発汗の抑圧の悪影響。身体が汗でできているように感じる。焼けるような、刺されるような痛み。震え；麻痺した患部の

乱雑な動き。炎症後の狭窄。硬化。漿液滲出、痛い。骨の軟化。

悪化：<u>夜</u>の空気。**発汗**。**右側を下にして横たわる**。**寝床**で、または火によって**暖まる**。頭部への<u>すき間風</u>。天候一変化、曇りの、湿った寒い。かぜをひく。熱と寒冷。足がぬれる。火の光。排便前。排尿中・後。冷たいものに触れる。

好転：穏やかな気温。性交。休息。

精神：**性急な**、話し方。どもる、神経質、振戦を伴う。激しい、性急な衝動－殺人の、自殺の。落ち着きがない、汗ばむ。常に場所を変える。逃げ出したい願望を伴う恐怖。遠くに行きたいという、どうしようもない欲求。すべてに対して無関心、食べることさえ気にかけない。通りがかりの見知らぬ人の鼻をつかむ傾向。心や身なりが不潔；ばかげたこと、いたずら、むかつくようなことをする。質問に答えるのが遅い。人生に疲れきっている。月経時の自殺願望、＞めそめそする。自分の理性がなくなっていくと感じる。記憶力が弱い；すべてを忘れる。意志力の欠如。悪いことが差し迫っている感じ。ぶつぶつ言う・不平を言う。疑い深い。時間がたつのが遅い。

頭部：めまい、＜あおむけに横たわる；ブランコに乗っているかのような感覚。頭部をベルトで締められているような感覚。頭痛、耳痛と歯痛を伴う。ひりひりする感覚を伴う外骨腫症。頭皮の緊張、頭の脂っぽい汗。髄膜炎。水頭症。子どもは左右に頭を振り、うめく。頭の外側に触れると痛む。頭血腫。頭の横とこめかみからの脱毛。

目：まぶた；赤い、分厚い、はれた；ふけ状の、はれた瞼板。少量の、または多量の、焼けるような刺激性の分泌物。両目が引き寄せられる。眼前の黒い点、炎、火花。羞明、＜熱と炎のまぶしい輝き；鋳物工場の労働者の。老人環。虹彩炎；前房蓄膿を伴う。角膜炎。多量の、焼けるような、刺激性の流涙。かぜをひいたことからの結膜炎。痙攣的に閉じるまぶた。周期的な視覚喪失。鋳物工場の労働者の視神経と目の疾患。霧がかかったような視界。

耳 ：痛みは、**歯、喉**などから耳まで広がる。耳漏の濃厚な黄色い分泌物、臭く、血が混じっている。熱くなることによる難聴；>嚥下と鼻をかむこと。外耳道のせつ。耳から冷水が流れ出るかのような感覚、耳の中の冷たい感覚、妊娠中。

鼻 ：くしゃみを多くする。日光に当たることによるくしゃみ。鼻孔がひりひりする、潰瘍形成。**かぜは、上方に移動する**、または目に影響する。刺激性の、化膿性の、ねっとりしていて流出しないコリーザ。重たい鼻。子どもの赤い、ひりひりする、汚い鼻。鼻出血、咳をするとき、睡眠時、血が凝固して、黒い筋のようになる。頻繁にくしゃみをする、コリーザを伴わない。副鼻腔炎。

顔 ：青白い、黄色い、汚い外観；目の下が膨らんでいる。**はれた**、赤い、熱いほお。顎の痛み。流行性耳下腺炎。唇が塩辛い、乾燥、(右の) 口角のひび割れ、触れると焼けるよう。そしゃく筋の収縮。かぜによる顔面麻痺。

口 ：臭い、膿のような口臭。痛む、ぼろぼろの、はれた、**出血する歯茎**。歯槽膿漏。歯が空洞になる、黒い；痛み、<熱さと寒さ、夜；軟らかく、長くなったように感じる。アフタ。**唾液の増量、睡眠中に流出する；黄色い、血の混じった、まずい、臭い唾液**。幅の広い、締まりがない、黄色い、**歯跡のついた舌**；先端の、針で刺したような痛み。舌の上側を横切る深い溝、ちくちくする痛みを伴う。甘い味、**金属味**がする。舌が震えて話すのが難しい。発語不能、手話や顔を歪めることで応える。どもる。ガマ腫、唾液分泌と歯茎の痛みを伴う。かゆみのある口蓋。舌の裏側の潰瘍。扁桃肥大。何かが喉を上がってくるように感じる、それをのみ下したい欲求。甘い味、パンが甘く感じられる。チューインガムによる口内炎。

喉 ：ひりひり痛む、刺されるよう、灼熱感。熱い蒸気が上がってくるかのような感覚、リンゴのしん、ナシがつかえる、または何かがぶら下がっているような感覚。扁桃、咽頭の潰瘍。膿の形成後に、嚥下

困難を伴う化膿性扁桃炎。嚥下時の、耳の刺されるような痛み。喉から大きな塊を咳払いで出す。常に嚥下したい衝動。飲んだものが鼻から出る。

胃 ：冷たい飲み物とビールへの強烈な渇き。弱い消化力、持続的な飢餓感。充満して締めつけられるように感じる。肉、コーヒー、バターと脂っこいものを嫌悪。甘いものと乳不耐、しかしそれらを欲求する。悪臭のするおくび。頻繁なしゃっくり。胸やけ。

腹部：肝臓肥大、**ひりひりする**、硬化。**黄疸**。内臓が弱いように感じる、支える。右側を下にして横たわると、腸が打撲したように感じられる、または、下になっている側に飛び出しそうな感じがする。鼠径腺の腫脹、または化膿。痛みを伴う、少量の、血が混じる、**緑色がかった、ねばねばした便**；灰白色、刺激性；その後のしぶり腹、または悪寒；どうしても全部出きらないような感覚。直腸のしぶり、膀胱のしぶりを伴う。虫垂炎、＞あおむけに横たわる。排便後の脱肛。かぜをひいたときの鼠径腺の腫脹。赤痢。腹の外側は触れると冷たい。

泌尿器：昼夜を問わない頻繁な尿意、尿は多量、または少量。尿がかゆみを起こす。飲んだ量よりも多く排尿する。蛋白尿、黒っぽい、血が混じった尿。排尿後の灼熱感。尿の流れがごくわずか。排尿困難。血尿、無痛。

男性：陰茎亀頭と包皮の炎症とはれ；包茎。はれた精巣、硬い、赤く光沢のある陰嚢。ある種のかゆみのために、性器を引っ張ったり、かいたりする。血の混じった射精。淋病。赤い尿道口。水疱、潰瘍、軟性下疳。包皮のヘルペス。陰茎のリンパ管の腫脹。

女性：月経開始時の虚脱と失神。月経；多量、腹痛を伴う。生殖器がひりひり痛む。濃厚な白い帯下、白い、排尿時、＞性交。かゆみ、＜排尿、＞冷水による洗浄。子宮脱と腟脱、＞性交。痛みを伴う乳房、月経時に乳がたまる。多量すぎる月経による不妊。簡単に性交、確

実に妊娠。卵巣の刺されるような痛み。(右) 乳房下から肩甲骨にかけての痛み。全くの脆弱さから流産しやすい。月経時に、身体のどこにでも膿瘍が出る、月経後に消失。少女の帯下、疲労する。乳房の腫脹、硬くなる、月経中、潰瘍性の痛みを伴って。乳癌と子宮癌。外陰部のかゆみ。腐った乳。少年の胸の乳；少女の場合、月経の代わりに。

呼吸器：枯れた、がらがら声。発作的な咳、夜間は乾性、日中は黄緑色の痰を吐く。呼吸困難、＜左側を下にして横たわる、しかし咳は＜右側を下にして横たわる。胸の右下から背中にかけての刺されるような痛み、＜くしゃみ、または咳。胸部の泡立つような、または熱蒸気のような感覚。ゼーゼーいう咳の間の鼻出血。咳＜喫煙。黄疸：肺炎。上がるとき、または速足で歩くときの息切れ。喘息、＞たばこの煙と冷たい空気。

心臓：ほんのわずかの激しい活動による動悸。心臓の振戦で目覚める。不整脈、速い脈、強い間欠脈、または軟脈、震える脈。

首・背中：首のこわばり；頸部の腺の肥大。背中の焼けるような痛み、＜射精。尾骨の引き裂かれるような痛み、＜腹部の圧迫。右肩甲骨から前に向かう痛み。

四肢：四肢の弱さと震え、特に手。手指のしびれ。午前中、寝床での、足の冷や汗。有痛性白股腫。浮腫性の足の腫脹。射精後の氷のように冷たい手。骨の深部、または表面近くの痛み、＜夜；起き出して歩き回らずにはいられない。踵が冷たい。まるで膝が大きいように感じる。

皮膚：一般的に多量に発汗しやすいが、患者はそれにより好転しない、皮膚は常に潤っている。皮膚は黄色い、軟らかい、表皮剥離を起こす、まるで生肉のよう。湿った痂皮のできる発疹。**潰瘍**；でこぼこ、拡散する、浅い、出血する、切られるような痛みと肉芽を伴う。主要な発疹周辺の吹き出物。月経時のせつと膿瘍。腹部のかゆ

みを伴う黄疸。夜、寝床の中でのかゆみ。湿疹。無感覚。
- **睡眠**：血液の沸騰（胸部と頭部に向かう）、神経性の興奮、痛みやその他のトラブルによる、夜間の不眠。
- **熱**　：冷えたり**過熱したりし**やすい。悪寒と熱が交互に現れる。ぞくぞくする悪寒。膿瘍に伴う冷え。カタル熱、胃熱、胆汁熱。はしか。抑圧後の熱。**多量の汗をかきやすいが**、それによる**緩和はない**、睡眠時、痛みを伴う；脂っぽい、臭い、酸っぱい、または強い甘い突き刺すようなにおいを伴う；頭、胸；消えない黄色いしみになる。

補完レメディー：Bell., Sil.
関連レメディー：Kali-i.

Mercurius corrosivus　塩化第二水銀

- **総体的症状**：Merc. cor. は、強力な殺菌薬で、その作用は非常に早く、**激しい症状**を引き起こす。膀胱のしぶりとともに、**直腸**のしぶりを引き起こす。腫脹と収縮感を伴う炎症。**内部の**、喉、胃、**直腸、膀胱頸**、腎臓などの**灼熱感**。喉、直腸、膀胱などの**収縮**。刺激性の分泌物—涙、鼻からの分泌物など。手のひら、踵、口角のひび割れ。侵食性潰瘍。梅毒。妊娠初期の蛋白尿（妊娠後期と満期はPhos.）。淋病。あおむけに膝を立てて横たわる。
- **悪化**：<u>排尿後、排便後</u>。嚥下。夜。寒さ。秋。暑い日中と涼しい夜。酸。
- **好転**：休息。
- **精神**：不安で落ち着きがない；**極端に身体を揺する**。話しかけてくる人をじっと見つめる、そして何も理解しない。思考困難。発語障害。愚か。
- **頭部**：こめかみの痛み、＜流し目。かがんだときの、難聴を伴うめまい。
- **目**　：過度の羞明と、刺激性の流涙。灼熱感。目のうずき。虹彩炎。角膜

炎。網膜炎―蛋白尿性、出血性。新生児眼炎。浮腫状の、赤い、表皮剥離を起こしたまぶた。物が小さく見える、または二重に見える。

耳 ：耳の激しい鼓動。臭い膿。

鼻 ：多量の刺激性のコリーザ。鼻臭症、鼻中隔の穴を伴う。粘着性の鼻からの分泌物。赤くはれた鼻。

顔 ：口の周辺が青ざめている。口角のひび割れ。顔の浮腫性腫脹。黒い、赤黒い、はれた唇。上唇がはれて、めくれ上がる。顎が硬直している。

口 ：まだらな、はれて炎症を起こした舌。突き出すことができない。唾液分泌過多、塩辛い味。膿漏、紫色の、はれた歯茎、歯痛を伴う；海綿状。アフタ、潰瘍。口内の灼熱感、やけどしたかのような感覚。歯が緩む、夜ごとの歯痛。**味；渋い、塩辛い、苦い。下顎の壊死。**

喉 ：赤い、はれた、引き伸ばされたような口蓋垂。ひりひりする、赤い、痛む腫脹、＜熱；鋭い痛みが耳にまで達する、＜圧迫。焼けるような痛みと、ひどい腫脹、＜ほんのわずかな圧迫。喉の周辺のすべての腺の腫脹。腫脹し、潰瘍で覆われている扁桃。**嚥下困難**；痙攣性の狭窄、液体を一滴飲み下そうとしたとき。

胃 ：ひどい渇き、冷たい飲み物を欲求。みぞおちの膨張と痛み、＜わずかな接触。粘液と血の嘔吐。胃炎。逆流、渋い。冷たい食べ物への多大な欲求。

腹部：膨張、わずかな接触にも痛む。切られるような疝痛、へその下。痛みのある鼓腸。虫垂炎。**ひっきりなしの尿意と便意。一度もうまく出ない感覚**。

便 ：**血が混じった、細かく砕けた、粘液性；苦しいしぶり伴う熱い**。鮮血、または血の混じった水を排出。赤痢。性交中の直腸の痙攣。排便前後の発汗。

泌尿器：尿道の強烈な灼熱感。**熱い、焼けるような、一滴ずつ出る、少量の、抑圧された、血の混じった、頻繁な、滴下する尿**、＜座るこ

と。排尿後の尿道出血。**膀胱のしぶり、直腸のしぶりを伴う**。腎炎。腎出血。排尿後の発汗。
男性：陰茎と精巣の異常な膨張。性病索、＜睡眠。硬性下疳。淋病、濃厚な緑色がかった分泌物。
女性：帯下、薄い黄色、甘く不快なにおい。乳頭周辺の腺の腫脹。乳頭のひび割れと出血；痛み、＜授乳。早すぎる、多すぎる月経。
呼吸器：金属の管を通じてなされるかのような呼吸。胸部の狭窄感。胸筋による呼吸。喉頭の鋭い痛み。頻繁な刺されるような痛みが胸部を走る。
心臓：睡眠中の動悸。
背中：脊椎カリエス、あおむけに膝を立てて寝る。
四肢：三角筋が弛緩したように感じられる。足が眠ってしまったかのような感覚。ふくらはぎの疼痛性痙攣（こむらがえり）、赤痢での。四肢の麻痺；震え。氷のように冷たい足。むこうずね、胸骨、肋骨の外骨腫症。
皮膚：冷たい。潰瘍—穿孔性；拡散性；蛇行性。灰色の爪。
睡眠：睡眠中の激しいしゃっくり。
熱：排便後の悪寒。**あらゆる動きからの発汗**；部分的、＜額と下部；臭い；夜間。かがんだときの熱感、起き上がるときの冷え。
関連レメディー：Ars., Canth.

Mercurius cyanatus　シアン化水銀

総体的症状：急性感染症の毒血症、特にジフテリアで、早期の、**急激で極度の疲はいがあり、チアノーゼ、悪寒、振戦**を伴う場合。特に、口、喉、喉頭に影響を与える。急速な局所の破壊。**腐敗**。どす黒く流体の血。筋肉の痙攣性のぴくぴくする動きやぐいっとする動き。

効果的なジフテリアの予防。
悪化：嚥下。話すこと。食べること。
精神：かなりの興奮；感情の激発。激怒。おしゃべり。
頭部：ひどい頭痛、＜夜。
目　：落ちくぼんだ；不変の。
鼻　：1日に数回の多量の鼻出血。
口　：潰瘍で覆われている、灰色の粘膜。唾液の流出。臭い口臭。
喉　：**切られるような痛み**、嚥下時。喉の厚い灰色の粘膜。特に演説家の場合、所々ひりひりするように見える。扁桃肥大。口蓋と口峡の軟らかい部分の壊死による破壊。感染性ジフテリア。
胃　：食欲不振の初期。ひっきりなしのしゃっくり。食べ物のことを考えると吐き気を催す。乳＞。
腹部：ひどい疝痛が後に続く、頻繁な下痢。便；臭い、緑色、べとべとする、血の混じった、黒い。
泌尿器：蛋白尿、琥珀色、少量、抑制される。
呼吸器：喉頭の切られるような痛み。嗄声、話すと痛む。クループ性の咳、息が詰まる。
心臓：衰弱。
四肢：静脈瘤、脚（左）のひどい圧痛を伴う。冷たい四肢。
皮膚：湿って冷たい。**汗ばんでいる**。
関連レメディー：Lach.

Mercurius dulcis　　塩化水銀

総体的症状：塩化第一水銀は、耳のカタル性炎症を起こし、**耳管カタル**や難聴にも効果がある。可朔性の滲出物を伴う炎症；腹膜炎；胸膜炎。再吸収作用がある。色の薄い粘膜。**胆汁異常、胆汁性の弛張**

熱。青白さ；**締まりなく膨れる**。青白い腺病質の子どもで、頸部の腺や、その他の腺の腫脹がある。腎臓疾患と心臓疾患が重なったことによる浮腫、特に黄疸を伴う。胆汁うっ滞。

悪化：酸。
好転：冷たい飲み物。
頭部：頭皮が痛む。
目：素早いまばたき。涙小管の閉塞。目：赤い、乾燥、粘着性。
耳：耳管の閉塞。鼓膜の陥没、肥厚。難聴；かぜによる；高齢者の。突然のパタパタいう音。
鼻：鼻から粘液の塊が出る。
顔：青白い。
口：舌；歯跡のついた；硬化した；黒い。黒っぽい悪臭を放つ唾液の分泌。口臭。
喉：**炎症を起こした扁桃**（右）、＞冷たい飲み物。嚥下障害。顆粒性咽頭炎。
胃：子どもの周期性嘔吐症。
腹部：膨張、熱い、痛い。刺激性のある、子どもの**草色**の下痢。ひりひりして灼熱感のある肛門。肥大性肝硬変（1Xを使用）。
男性：前立腺の急性炎症、淋病抑圧後の。
呼吸器：ねばねばした膿性の痰。胸膜炎。
皮膚：たるんだ、栄養の行きわたっていない。赤銅色の発疹。
熱：胆汁性の弛張熱。汗が出る。
関連レメディー：Kali-m.

Mercurius iodatus flavus　第一ヨウ化水銀
（Mercurius protoiodatus）

総体的症状：このレメディーは、**喉の腺**、リンパ腺、乳腺と強い親和性がある。右側に症状が出て、Lyc. と同様、症状は右側から左側に移行する。梅毒。乳房の腫瘍。特に夜間の深部骨の痛み。

悪化：におい。起き上がる。温かい飲み物。左側を下にして横たわる。寒く湿った天候。接触。

好転：外気。

精神：活発、楽しい、話好き。

頭部：**いすから立ち上がるとき、または読書中に失神する、または目が回る**。鈍い前頭部の頭痛、鼻の付け根の痛みを伴う、＞精神と身体が活動的なとき。心臓の痛みの後に続く頭痛。

目：角膜炎；爪で引っかいたり、傷つけたように見える角膜。羞明。目の周囲の黒いくま。右目の下の腫脹。

耳：耳の突然の鋭い痛み、＜接触。

鼻：後鼻孔から喉に粘液が落ちる、咳払いを引き起こす。

口：歯を食いしばりたい；睡眠中、顎は硬直し、歯ぎしりで疲弊し、歯が痛む。過敏な歯、＜熱、冷たさ、甘いもの。歯が長すぎるように感じる、食べることができない。膿漏。**湿った、薄い舌苔で覆われた、または舌根が厚い黄色の舌苔で覆われた舌**；舌先と端が赤い。詰め物の後の歯痛。

喉：**ひりひりする**（右側、後に左側）。常に嚥下したい傾向。扁桃肥大、＞冷たい飲み物。陰窩性扁桃炎。窒息を伴う甲状腺腫。頸部の腺の腫脹。腺炎。

胃：胃の衰弱感、胃の空っぽな感覚。食べ物を見ること、においをかぐことによる吐き気。酸っぱい飲み物を欲求。

腹部：腹痛、心臓の痛みを伴う。排便前の下腹部のなえ、むかつくような感覚。便を伴う、または伴わない黒い分泌物。
泌尿器：多量、暗赤色、少量。
男性：硬性下疳、無痛、鼠径腺の肥大を伴う、化膿傾向はない。排尿の夢に続く、自覚のない射精。
女性：黄色い帯下、若い女性の。乳房の腫瘍、腋窩の結節、患部の青み、温かい発汗、胃の不調を伴う。
心臓：頭痛に先行する心臓の痛み。呼吸困難を伴う動悸、＜あおむけに横たわる。まるで心臓が定位置から飛び出したかのような感覚。
四肢：膝のしびれ。右腕の殴られたような痛み、＜書くこと。右上腕の痛み、左臀部の痛みを伴う。
皮膚：平たいいぼ。
関連レメディー：Lyc., Merc.

Mercurius iodatus rubber　重ヨウ化水銀

(Mercurius bi iodatus)

総体的症状：Merc-i-fl. と同様に、この塩は、**リンパ腺、喉**、ただし左側に影響を及ぼす。細胞組織にも作用し、疲労を伴う、遊走性のリウマチの痛みがみられる。特に、子どもの、かぜの初期段階。２Ｘまたは３Ｘで投与した場合、喘息の発作を短縮して終わらせる、または就寝時に与えると、夜間に発作が起きるのを防ぐ。**非常に硬い腺の腫脹。**慢性的な化膿。横痃。
悪化：空嚥下、または食べ物を嚥下する。睡眠後。天候の変化。床を洗う。ぬれる。接触と圧迫。夕食後。
精神：不機嫌。泣きたい。
頭部：痛いほど重い後頭部。前頭部が、まるでひもで縛られているような

感覚。
目：濾胞性結膜炎。トラコーマ。
耳：耳管閉塞、ポンと音を立てて開通する。難聴、＞歩いて温かくなった後。
鼻：鼻の右側が熱くはれたコリーザ。
顔：**痛み、ひりひりするほお骨**。ねばねばした、粘着性の唇、目覚めたとき。顎の湿疹。
口：皺の寄った舌、舌根が硬直、動かすと痛む。
喉：**口峡が赤黒い**。喉の痛み（左側から右側へ）。**扁桃と腺のはなはだしい腫脹**。喉に塊がある感覚からの咳払いしたい傾向。喉と首の筋肉のこわばり。多量の粘液を後鼻孔から咳払いで出す。口蓋垂の伸長。ジフテリア；顎下腺。
胃：より塩辛い食事を欲求。
泌尿器：尿道の硬化。
男性：硬性下疳。横痃のしつこい化膿。左精巣の肉様増殖。
女性：多量の刺激性の緑色の帯下。石のように硬い子宮筋腫。
呼吸器：喘息。少しぬれることによる嗄声。右胸下の切られるような痛み、呼吸を圧迫する。伸びた口蓋垂が起こす咳。
首：硬直。頸部リンパ節炎。
四肢：遊走性のリウマチ痛、特に筋肉の。上腕中部のまるで骨折しそうな感覚。ふくらはぎから仙骨にかけての痛み。
皮膚：小さな亀裂と割れ目。手のひらの湿った割れ目。
熱：ひどい身震いの後の発熱。寝汗、熱い。
関連レメディー：Lach.

Mezereum　セイヨウオニバシリ

総体的症状：**皮膚**、**骨**、神経と口と胃の粘膜に影響を与える。筋肉の、炎のような**激しい灼熱感**、射られるような感覚を生じる。皮膚の**過敏症**、**焼けるようなかゆみ**、または焼けるような、ひりひりする痛み；骨、特に長骨の焼けるような、穴を開けられるような痛み、顔と歯の神経痛および帯状疱疹後の神経痛。**さまざまな種類の突然の痛み**、寒け、しびれ、ひりひりする痛みが後に続く。痛みに伴う流涙。**患部が冷たくなる**、またはやつれる。**片側の症状**；全体または部分的。抑圧された頭部湿疹；予防接種と水銀の悪影響。痛風性リウマチ、梅毒の悪液質。空気・微風に過敏、扇などの風にさえも。患部に冷風が吹き付けているような感覚。内部の**灼熱感**に伴う、外部の激しいかゆみ、小領域、または一部の。骨のカリエス、外骨腫症。骨膜炎。骨が肥大したような感覚。刺激性の分泌物、膿、帯下など。潰瘍。まぶた、顔の右側などの痙攣性のぴくぴくする動き。痙攣、＞きつく握り締める。嚢胞性骨腫瘍。線維性の部位または腱の膿瘍。身体が軽く感じられる。

悪化：**夜間**。抑圧。寝床、炎などの**暖かさ**。**冷たい**、**空気**、すき間風；湿気。動作。接触。水銀。予防接種。

好転：覆うこと。ストーブの暖かさ（顔面痛）。食事。外気。

精神：あらゆる物事、あらゆる人に対して無関心、周囲のものに意識を向けることもなく、何時間も窓の外を眺めている。何かとても不快な情報や痛み、ショックを予期すると、みぞおちに不安を感じる。忘れっぽい。宗教的、経済的憂うつ。話したがらない、発言することは、本人にとって、大変なことのように思える。他者を非難する、またはけんかする。

頭部：目、ほお骨、首などに広がる痛み、流涙を伴う、＞かがむ、＜話す

こと、怒り。頭皮の片側または頭頂の無感覚。乳痂。痛む頭皮。痂皮ができる。一握りの脱毛；ふけ、白い、乾燥。

目 ：眉に沿った、外に向かう痛み。目の乾燥；大きすぎるように感じる。目の手術後、眼球摘出後の毛様体神経痛。まばたきする傾向、まぶたのびくっとする動き。冷たい感覚、眼球の痛みを伴う。

耳 ：開放されすぎているように感じる、鼓膜が冷気にさらされて、空気が吹き込んでくるかのような感覚。頭部の発疹の抑圧後の難聴。指で耳をほじりたい欲求。鼓膜の肥厚。

鼻 ：鼻の付け根の目に見える痙攣。頻繁なくしゃみ、胸の痛みを伴う。後鼻部のアデノイド。

顔 ：急速に始まり、終わる顔面神経痛、部分的なしびれを残す、＜食事、＞暖かいストーブの近く。口周辺の発疹、コリーザを伴う。口角のひび割れ。筋肉（右側）の痙攣。

口 ：舌の灼熱感、胃にまで達する。腐ったチーズのような口臭。歯根の腐食。歯痛が、放射線状にこめかみにまで広がる、＞口を開けること、空気を吸うこと。歯が鈍く、伸びたように感じられる。乾燥した、赤黒い口。舌の中央の亀裂。よだれが垂れる。片側だけの苔舌。ガマ腫、＜話すこととそしゃく、水っぽい液体の排出。

喉 ：赤黒い、灼熱感、ひりひり痛む、＜冬。喉で感じる吐き気、＞食事。

胃 ：常に食べ物を欲求。苦い味、酸っぱい味；ビールが苦い、吐く。ハム、脂肪、コーヒー、ワインを欲求。胃痛、焼けるような、むしばまれるような、＞乳、食事。胃潰瘍。チョコレート色のものを吐く、吐き気を伴う。呑酸。慢性胃炎。胃の硬化。

腹部 ：産後の便秘。直腸脱と直腸近くの肛門の狭窄、元に戻るのが困難。下痢；便には、きらきら光るものが含まれる。硬い、大きい、肛門が裂けそうな便。横隔膜の収縮。子どもの大きな腹に伴う腺の腫脹。

泌尿器：血尿、熱い、膀胱の痙攣が先行する。排尿後に、数滴の血が流れる。尿に赤い皮膜。

男性：痛みを伴わない陰茎と陰嚢の腫脹。精巣の肥大。淋病、血尿を伴う。陰茎亀頭のかゆみ。

女性：しつこい、アルブミン性の、漿液性の、腐食性の帯下。腟と子宮頸管の執拗な潰瘍形成。月経は、少量、頻繁、多量、長く続きすぎる；顔面神経痛を伴う。

呼吸器：乾いた、くすぐったい咳、嘔吐を催す、＜熱いもの。かがむと、胸が締めつけられるよう感じる。子どものいびき。

背中：尾骨の痛み、落下後。

四肢：膝窩の痛み、かゆみ。脛骨と長骨の痛みと灼熱感。片手が熱い。四肢が冷たい、短くなったように感じる。手指の屈筋の麻痺、何もつかめない。

皮膚：**耐えがたいかゆみ**、＜温かい風呂；かく部位を変える、その後の冷たい感覚。老人性瘙痒症。発疹、刺激性の分泌物、粘着性の微量の液体、**分厚い痂皮を形成、下に膿を伴う**；チョークのように白い。深い、硬い、痛みを伴う**潰瘍**、＜接触と暖かさ。

熱：水を浴びせかけられたかのような、一部位の冷え。

補完レメディー：Merc.

関連レメディー：Ars., Guai., Kali-i., Merc.

Millefolium　セイヨウノコギリソウ

総体的症状：肺、鼻、子宮の**毛細血管**に影響を与える。**打撲したようなひりひりする痛み**、うっ血を引き起こし、そして、**多量の、痛みを伴わない、鮮血の流体の出血**―鼻出血、喀血、閉じた傷口の端から染み出る血、過剰な激しい活動などによる、に非常に有益なレメ

ディーである。多量の粘液分泌。痙縮または痙攣、特に出血―月経、悪露、乳などの抑圧後。胆石、腎結石などの手術；高い所からの落下；捻挫の悪影響。妊娠中の静脈瘤。貫き突き刺されるような痛み。

悪化：損傷。激しい活動。かがむ。コーヒー。
好転：出血。分泌物。ワイン。
精神：何かを忘れたかのように感じる；何をしていたかわからない、何をしたいかがわからない。ぶつぶつ言う子ども。悲しい。働くことを嫌悪。
頭部：突き刺されるような痛み、頭を壁に打ちつける。頭痛、＜かがむ。
目：内側に向かって突き刺されるような、圧迫されるような痛みが鼻の付け根にまで伝わる。不明瞭な視界、顔面の筋肉のねじれ。
耳：冷気が耳を通り抜けるような感覚。
鼻：出血、頭と胸のうっ血を伴う。
胃：吐血。胃痙攣、腸から肛門に液体が流れるような感覚を伴う。
腹部：鼓腸疝痛。激しい活動後の腸からの出血。
泌尿器：血の混じった尿。膀胱の結石、尿閉を伴う。結石摘出後の膿のような分泌物。
男性：性交時に精液の分泌がない。陰茎の傷と損傷。
女性：子宮出血、鮮血が流れる。妊娠中の痛む静脈瘤。困難な出産により、長引く出血に効果がある。産後の出血を癒す。月経過多による不妊。
呼吸器：胸部の圧迫感、血の混じった痰、または動悸を伴う。月経の抑圧または出血抑止における、血痰を伴う咳。
心臓：動悸、血の混じった痰を伴う。
熱：高熱が続く。
関連レメディー：Arn., Led.

Moschus　ジャコウ

総体的症状：香水で有名なジャコウは、その香りをかいだだけで、人を失神させることがある、そのため、どのような疾患であっても、失神しやすいという症状があれば、このレメディーが第一に指示される。本質的に敏感で、**ヒステリックな女性**、そして男性。冷たい感覚を伴う、**痙攣性、神経性の症状**。食事中、月経時、心臓疾患などにより、**失神**しやすい。**ぴくぴく動く、息が詰まる**、ヒステリー球、最終的には無意識に陥る。ある部位に、冷風が吹き付けているように感じる。筋肉、皮膚、精神の**緊張**。神経性の震え、笑い、しゃっくり、など。ブンブンという耳鳴り、圧搾感、栓をされたような感覚。**反応が乏しい**；疾患が通常の経過をたどらない。何を患っているのかわからない症状。てんかん、まるで、悪寒や寒さからのような震えを伴う。カタレプシー。想像上の病気。自分勝手で頑固、強情、そして非常に甘やかされた少女；自分の気まぐれな思い付きを満足させるために、あらゆるたぐいの悪知恵を働かせる。**冷たさ**、全身の、または一部分の。下になっている部位が脱臼したり、捻挫したかのように感じる。

悪化：寒さ。**興奮**。月経などの**抑圧**。横になるとき、下になっている側。食事中、または食後。圧迫。動作。

好転：戸外。さすること。ジャコウのにおい。

精神：性急、震える、そして、**ぎこちない**；いきなり行動する、虚弱さを伴う、そのため、すべてが手からこぼれ落ちる。激しい怒り、興奮して話す、どなり散らす、がみがみしかる、口が乾燥し、唇が青ざめ、凝視し、そして意識を失うまで。**物音**、死ぬこと、死を危惧して横になることを恐れる。**想像上の苦しみ**。抑制の利かない笑い。性的な心気症。すぐに好転するように感じる。独り言を言う、ジェス

チャーを交える。突然記憶を失くす。

頭部：めまい、気を失う、高い所から落ちるかのような、＜かがむ、＞上がる。頭痛、冷え、失神、不随意の便、多尿症を伴う。頭皮の震え。

目：上方にひっくり返る、凝視する、ぎらぎら光る。

鼻：出血、筋肉の痙攣性のぐいっとする動きを伴う。

顔：一方のほおは赤いが冷たく、もう一方は青白くて熱い。唇が青い。下顎のそしゃくする動き。

胃：ブラックコーヒー、ビール、ブランデーを欲求。すべての味に変化がない。激しいおくび。痙攣性の神経的なしゃっくり。食べ物を嫌悪。食事中に気を失う。食べ物を見たとたんに吐き気を催す。

腹部：まるで衣類がきつすぎるような、腹部の緊張。腸内ガスの幽閉。甘いにおいの便。睡眠中の不随意の排便。

泌尿器：多量の水っぽい尿。糖尿病。日中は正常な尿、しかし夜間は暗赤色、不快。

男性：性欲亢進、耐えがたいくすぐったい感覚、緊張を生じる陰茎の痛み。糖尿病からのインポテンス。性交後の吐き気と嘔吐。勃起を伴わない射精。尿意に伴う勃起。

女性：性欲亢進、（高齢女性の）耐えがたいほどの興奮。月経困難症、失神を伴う。

呼吸器：突然の神経性の窒息、深呼吸をしたがる、＜寒くなる、＞おくび。胸部の圧迫；胸のヒステリー性の痙攣。咳の中断；粘液を喀出できない。左胸下部の痛みを伴う咳。喘息。

心臓：**不安な動悸**、死への恐怖を伴う、もう死ぬだろうと言う。ヒステリー性の動悸。心臓周辺の震え。

首・背中：背中の緊張、月経前の。

四肢：片手が熱くて青白い、もう一方は冷たくて赤い。四肢の緊張、短すぎるように感じる。脛骨の冷たさ。痛み；落ち着きのなさ。

睡眠：日中は眠く、夜寝られない、頻繁に目が覚める。

熱　：冷気に敏感、身震いする。**冷たい皮膚**。落ち着きのなさを伴う、焼けるような熱。ジャコウの香りのする汗。
関連レメディー：Carb-v., Castor., Ign., Nux-v., Valer.

Murex　アクキガイ

総体的症状：Purple fishの分泌物は、Sepiaと同じように、**女性の生殖器**に際立った作用がある。過敏、神経質、陽気で、やさしい女性が、とても疲れ、衰弱し、力なく、横たわらなければならないが、それにより悪化する場合に適合する。対角線上の痛み、卵巣から、反対側の胸にかけて。閉経期の不調。
悪化：**接触**。日光。座る。横たわる。睡眠後。
好転：月経前。食事。圧迫と補助。頭を後ろに投げ出す。
精神：精神の多大な落ち込み、ひどい心気症のような状態。不安、心配、＞帯下。記憶力が弱い、思っていることを表現するのに的確な言葉が見つからない。
頭部：後頭部を絞られるような感覚、＞手を当てる、または頭を後ろに投げ出す。
鼻　：一日中、鼻が、苦痛に感じるほど冷たい。
胃　：激しい空腹感、食後すらも。**沈むような、すべてがなくなったような感覚**。
腹部：腰の痛いような疲労感。下腹部が重たい。
泌尿器：頻繁な尿意。カノコソウのようなにおいの尿。排尿時のわずかな出血。
女性：性器の痛み、縫われるような感覚；腹部から胸にかけて上がっていく。**痛み、ひりひりする子宮**；子宮を意識する。骨盤内の痛む部位を何かが圧迫しているかのように感じる、＞座ること。**激しい神経**

性の性欲、女子色情症、ほんのわずかにその部位に触れるだけで。下方に圧迫されるような痛み、**脚をぴったり閉じていなければならない**。大きな塊のある多量の経血。濃厚な、黄色い、血の混じった帯下；精神症状と交互に現れる。月経時の乳房の痛み。歩行困難、妊娠中のすべての関節の衰弱。子宮脱、子宮肥大。排便時の腟からの出血または血の混じった帯下。骨盤の骨が緩んでいるかのような感覚。

背中：腰の痛み、歩かずにいられない、それにより＜。
皮膚：乾燥、ひび割れしそう。蕁麻疹。
関連レメディー：Lit-t., Plat., Sep.

Muriaticum acidum 塩酸

総体的症状：塩酸には、血液との選択的親和性がある。高熱と**非常な疲は**いを伴う低熱（訳注：心理的な抑うつ状態および精神活動の鈍磨を伴う熱）にみられるのと同様な敗血症の状態を生じる。特に、**心臓**、膀胱、肛門、舌などの**筋肉**が影響を受け、不全麻痺を起こす。**口**や**消化管の粘膜**は乾燥する、出血する、ひび割れる、そして**深い潰瘍を形成する**。身体の**痛み**のために、**じっとしていられない**、頻繁に姿勢を変えるがすぐに**疲れて非常に衰弱する**；横になりたい；寝床にもぐりこみたい；目を開いていられない、下顎が落ちる。**青みがかった**；舌、痔、潰瘍。**灼熱感**。引き裂かれるような痛み。激しい出血。壊血病の状態。一部位の脈動。患部の乾燥、**深い潰瘍形成**、出血またはひび割れ。血性の粘膜。**筋肉疲労**。浮腫性の腫脹。

悪化：接触。湿った天候。歩行。冷たい飲み物、水浴。座ること。人の声。太陽。
好転：動作。暖かさ。左側を下にして横たわる。

精神：内向的。**悲しみと無口**。黙って苦しむ。短気。**不平を言う**。ひっきりなしに、**大声でうめく**。

頭部：めまい、＜わずかに目を動かす、右側を下にして横たわる、またはあおむけに横たわる。後頭部の痛み、**鉛のような重さ**、＜何か一心に見つめる。脳の打撲したような感覚；頭痛を伴う、声音に耐えられない。左目上の周期的な痛み、右腕下方のしびれと失語症を伴う。髪の毛が逆立っているかのような感覚。

目：垂直性半盲。座るとき目を閉じる；疲労から。

耳：難聴。遠くの声（話し声）が頭痛を起こす。乳様突起からうなじにかけての切られるような痛み。ちくちくするような、ぞくぞくするような、冷たい痛みが頭頂まで駆け上がる。

鼻：出血；くしゃみが多い。

顔：**黒い、または、真っ赤な顔**、手は冷たく、喉は渇かない。**唇がひりひりする、ひび割れて痂皮がある**。下顎が落ちる。日光に当たったことによるそばかす。

口：**乾燥**。舌；青みがかった、重い、硬直した、話すことを妨げる；縮んだ、または、やけどしたようにみえる。アフタ。歯の障害、＜酸っぱいものや甘いもの。歯の煤色苔。歯茎の腫脹、出血、潰瘍形成。舌の硬い腫瘤。焼けるような重い、膨張した唇。あらゆるものが甘く感じられる。ビールがハチミツのような味がする。舌癌。

喉：乾燥、胸の灼熱感を伴う。嚥下しようとすると、痙攣を起こし、むせる。不随意の嚥下。

胃：肉を嫌悪。塩酸欠乏症。胃は食べ物を許容もしなければ消化もしない。

腹部：ほんのわずかな食べ物による胃の充満感と膨張。胃が空っぽの感覚、排便後や午前中に腹部にも空っぽの感覚。**排尿時あるいは放屁時の不随意の便または直腸の脱出。非常に痛む痔**、＞熱、＜妊娠中、まるでブドウの房のように突き出る。月経時の肛門の痛み。肝

臓の肥大、ひりひりした痛み。肝硬変による腹水症。
泌尿器：膀胱の弛緩、尿が出るまでに長時間待たなければならない、または、肛門が飛び出すほど強く圧迫しなければならない。排便を伴わずに排尿することができない。尿；赤い、激しく出る、乳白色、多量、昼夜を問わず；放屁によって漏れる。
女性：帯下、背中の痛みを伴う。腟のちくちくする痛み。生殖器が非常に敏感、ほんのわずかな接触にも耐えられない。
心臓：大脈、充実脈、軟脈。3拍ごとに脈が飛ぶ。弱々しい脈、速い脈、小さい脈。顔で脈動が感じられる。
四肢：赤くはれた、灼熱感のある手指と足指。大腿の衰弱。歩行時によろめく、膝と大腿の弱さから。手の甲の湿疹。手の母指球（右）のひきつれ、書くとき、指を動かすと消える。アキレス腱の痛み。上腕の重み。
皮膚：歩行時に潰瘍がずきずきする。猩紅熱、点状出血を伴う鉛色の皮膚。
熱：寝床の中で寒い、早朝。**激しく焼けるような熱、覆うことを嫌悪す**る。無力熱－腸チフス、敗血症など。
関連レメディー：Bapt., Bry.

Mygale lasiodora　キューバ黒クモ

総体的症状：このクモの毒の主要な臨床例は、舞踏病など、上半身におけるものである。顔面筋や頭部の、右側へのびくっとした動きを示す、痙攣や攣縮。口や目が素早く連続的に開く。話そうとすると、言葉が飛び出す。吐き気、動悸とぼんやりした視界を伴う。激しい勃起、性病索。不安定歩行、歩行時に脚を引きずる。痙攣性の、制御できない腕や脚の動き。全身が常に動き続ける。リンパ管に沿っ

た強烈に赤い筋。
悪化：食事。座ること。朝。
好転：睡眠中。
関連レメディー：Agar., Tarent.

Myrica cerifera　シロコヤマモモ

総体的症状：肝臓と心臓に際立った作用がある。不快な、粘り強い、取り除くのが難しいような粘液分泌。**肝臓疾患と心臓疾患の合併**。
悪化：寝床の温かさ。睡眠後。朝。動作。
好転：外気。食事。朝食。
精神：落胆、意気消沈した。怒りっぽい。
頭部：朝の起床時の、額とこめかみの重く鈍い痛み
目：黄色い強膜。**非常に赤いまぶた**。
顔：黄色い、黄疸。
口：乾燥；水では部分的にしか緩和しない。分厚く黄色みがかった、暗色の舌苔。口と喉の、粘り強い、濃い、吐き気を催させる粘液。苦い味。臭い息。
胃：自分は食べられないと想像する；味があまりにもひどい。食欲不振；食べ物を嫌悪。酸っぱいものを渇望。みぞおちの衰弱、＜食べること、＞速足で歩く。
腹部：肝臓の鈍痛、肩甲骨下の痛み。**心臓の症状、蕁麻疹、黄疸を伴う肝臓の疾患**。小児の黄疸、肝臓癌による、黄土色の皮膚を伴う。胆嚢の充満感と灼熱感。便中の粘着性の粘液。歩行中、ひっきりなしの放屁。便意を催すが、多量の腸内ガスが出るだけ。臭い、ねばねばした、灰色の便。
泌尿器：ビールの色の尿、黄色っぽい泡。

女性：刺激性の、臭い、濃い、黄色い、長い間続く帯下。
心臓：遅い脈、弱々しい脈、不整脈。
背中：肩甲骨下の痛み、肝臓疾患に伴う。
皮膚：黄疸のかゆみ。
睡眠：嗜眠状態。ひどい夢。
補完レメディー：Dig., Kali-bi.
関連レメディー：Chel.

Naja　コブラ

総体的症状：コブラの毒の作用は、**心臓**の周辺に現れる－心肥大と心臓弁膜症。骨髄と小脳、**呼吸、喉、卵巣**に影響を与える。症状は左側に出る。**心臓疾患を伴い、神経質、興奮、震える**、思案することが多い。酔ったような感覚；四肢、括約筋に対する支配力の喪失；話すことができない。卒倒。消耗感。ある部位が引き合うように感じる。胸部、喉などの**収縮**。熱い鉄によるような灼熱感。多くの痛み。ねじれたような感覚。虚脱。敗血症。悲嘆の悪影響。右側の無感覚。症状があまりみられない心臓疾患。

悪化：**左側を下にして横たわる**。睡眠後。月経後。**冷気**、すき間風。衣類の圧迫。アルコール。接触。

好転：**歩行、またはオープンカーに乗ること**。くしゃみ。喫煙。

精神：常に問題を想像して、それについてくよくよ考え、自分を惨めにする。自殺傾向、陰気な精神障害。抑うつ、生殖器についての悩みを伴う。＞夕方。話すことを嫌悪。独りになりたがる。雨を怖がる。すべてがうまくいかず、取り返しがつかないという考え。

頭部：左のこめかみと眼窩の痛み、後頭部まで広がり、吐き気と嘔吐を催す、＞喫煙。頭全体の空洞感。後頭部を殴られたような感覚。頭頂

が冷たさに敏感。閉経後の頭痛。前頭部とこめかみの痛み、心臓の症状を伴う。

- **目**　：凝視。両まぶたの下垂。眼球背部の熱い痛み。
- **耳**　：耳の中の雑音、吐き気を催すような口の中の味を伴う。黒い分泌物、ニシンの塩漬けのようなにおい。枯草喘息。
- **口**　：大きく開けた；唾液の流れ。冷たい舌。発語不能。
- **喉**　：喉に塊がある感覚。窒息しそうにむせる、喉をつかむ。食道の狭窄、嚥下困難、または嚥下不能。
- **胃**　：刺激物を欲求、それにより＜。大麦湯のような味のおくび；または熱い、臭い。
- **女性**：**左の卵巣から心臓にかけての痛み**、＜月経の1週間前。左の鼠径部のはっきりしない痛み、術後の。
- **呼吸器**：あえぐような。心臓性喘息；または咳。左の肺が乾いた、または空っぽの感覚。肋骨が折れたような感覚。胸の圧迫感；まるで熱い鉄を流し込まれたかのような。コリーザが先行する喘息、＜横たわる；＞起き上がる。
- **心臓**：**衰弱**。激しい痛み、左の肩甲骨、肩または首にかけての撃ち抜かれるような、手を心臓にかざす、＜乗り物に乗った後。目に見える拍動；肥大。心内膜炎、敗血症性。感染症後の心臓の損傷。遅い脈（45まで）、不整脈、弱い脈、振戦脈；勢いが変化する。慢性の神経性の動悸、＜説教後。息が詰まる。低血圧。
- **四肢**：肩、うなじ、または大腿骨の激しい痛み。左腕のしびれ。大腿の骨髄の激しい苦痛。むくんだ、または汗ばんだ手足、咳を伴う。左手の親指の爪の下の鋭い痛みが腕を駆け上がる。力の喪失。
- **皮膚**：かゆい瘢痕。
- **睡眠**：深い昏睡状態、いびき呼吸を伴う。
- **熱**　：腰の背部と足首の発汗。
- **関連レメディー**：Cimic., Lach., Laur., Spig.

Naphthalinum　ナフタリン

総体的症状：コールタールの生成物で、目に特別な親和性がある。網膜剥離を引き起こし、滲出物を網膜に沈着させる。角膜の混濁；白内障；視力減退。

Natrum arsenicosum　ヒ酸ナトリウム

総体的症状：Nat-ars. は、炭鉱労働者の；炭じんによる喘息に効果のあるレメディーである；極端に苦しい咳、多量の緑色がかった喀痰を伴う。胸と心臓周辺の圧迫感。肺は、まるで煙を吸ったかのよう。全身の疲労感；まるで甲状腺を親指やほかの指で圧迫しているかのような感覚。

Natrum carbonicum　炭酸ナトリウム

総体的症状：炭酸ナトリウムは、**消化と神経**に影響を与える。患者は外気、音楽、雑音、食事の誤りに**過敏**。**ひどい衰弱**、あらゆる労作や、夏の暑さから。**腫脹**。弛緩；脱臼しやすい。**痛みが振戦、冷や汗、不安などを引き起こす**。筋肉や四肢の痙攣。筋肉、腱の収縮。るいそう。貧血。日射病（慢性）；過度の勉強、緊張の悪影響。乳は不耐だが、穀物ですくすくと成長する子ども。睡眠中に、跳び上がる、泣く、母親につかみかかる；びっくりする、神経質な子ども。腺の腫脹と硬化。

悪化：熱（暑さ）―太陽の、天候の（身体）。午前5時。音楽。**頭脳**また

は肉体**労働**。自慰。乳。食事の誤り。**すき間風**。雷雨。1日おき。満月。菜食；デンプン質の食べ物。熱くなりすぎたときの冷たい飲み物。

好転：食べる。さする。動作。圧迫。手でこする。指で鼻や耳をほじる。発汗。

精神：不機嫌、**怒りっぽい**。社会を嫌悪、自分の家族、夫さえも。**憂うつ**。生き生きして、話好き。不安で恐怖心が強い、＜雷、大気圏の電位変化。ピアノを演奏すると、不安になり震える。ある特定の人の存在に敏感。理解が困難、遅い。音楽によって、自殺傾向、悲しみ、宗教的な狂気が引き起こされる。悲観的な考えに心をとらえられる。無関心。

頭部：ワイン、頭脳労働；日光に当たったことからめまい。太陽にさらされたこと、ほんのわずかの頭脳労働、ガス灯で作業したことによる頭痛。目を通って外に向かう頭痛；頭を反らす。大きすぎるように感じる。髪が抜ける。

目：まぶしい閃光、または星が見える、目覚めたときに。目がかすむ、常にこすらなければならない。細かい文字が読めない。

耳：難聴；再発性の耳痛を伴う、無月経を伴う。水疱が内側に向かって突然開くような感覚、嚥下時に、まるで何かが耳に入り込むかのような感覚。

鼻：はれ、または皮がむける。赤い鼻、白い吹き出物を伴う。カタル。臭い、濃い、黄色い、または緑色の分泌物。コリーザ、＜ほんのわずかなすき間風、1日おき。夜間の鼻閉。激しいくしゃみ。<u>後鼻漏</u>。

顔：青白い、しなびた、むくんだ。そばかす、黄色い斑点、吹き出物。唇のはれ。

口：乾燥。口の苦い味、灼熱感を伴う；開いた口。歯痛、＜砂糖菓子と果物。異常な味覚；敏感すぎる。舌の下面の疾患。重たい、扱いにくい舌。患者は話すのが困難。

喉 ：喉から多量の粘液を咳払いで出す。固形物を嚥下するためには、飲み物を飲まなければならない、食道と喉が荒れて、乾燥しているため。あくびをするとき、嚥下時に、喉が痛む。

胃 ：**消化力が弱い**、＜食事のわずかな誤りによる。**酸性**。乳を嫌悪、下痢を起こす。高酸性消化不良、リウマチとげっぷを伴う、＞ソーダ、ビスケット。食い意地がはっていて、いつも何かを食べている。胃痛、＞食事。午前5時の空腹。常にげっぷをする。熱くなりすぎたときに冷たいものを飲んだことによる悪影響。呑酸。脂肪による胸やけ。

腹部：腸内ガス、部位が変わる、腹部のあちこちが膨れる。みぞおちの痛み：接触、会話時。デンプン、乳による下痢。便；オレンジの果肉のような；女性の人生の転換期に。突然催す便意、しかし出ない、または、急に音を立てて飛び出す。

便 ：黒い、硬い、滑らかな表面、ぼろぼろ崩れる。へそが収縮して、皮膚が硬くなるような疝痛。

泌尿器：明るい黄色、または黒っぽい黄色の尿。馬の尿、野菜や乳製品のようなにおいの尿。排尿中と排尿後の尿道痛。

男性：持続勃起症と有痛性の遺精を伴う性欲亢進。不完全な性交。陰茎亀頭がすぐに痛む。夢精。性交後の発汗。排便・排尿時の前立腺液の分泌；前立腺の疾患。

女性：子宮頸部の硬化。精液保留ができないことによる不妊。不快な、刺激性の、濃厚な、黄色い、糸を引く帯下の分泌；疝痛が先行する。遅れる、少量の、肉汁のような月経。子宮に胎児がいるような動き。受精を促進する。

呼吸器：乾性の、むずむずする咳＜暖かい部屋に入るとき、午前9〜11時。痰のからんだ、力のない咳、塩辛い、膿状の、緑色がかった痰を伴う。胸の左側の冷たさを伴う咳。

心臓：動悸；雑音、紙がカサカサいう音などからの、上階に上がるとき、

何かに注意が向いたとき、左側を下にして横たわるとき。
- **首・背中**：首を動かすと、頸椎がパキパキ音をたてる。左肩甲骨先端がえぐられるよう。肩甲骨間の冷え。硬い甲状腺腫、圧痛を伴う。背中がちくちくする。
- **四肢**：脚と足が重たい、緊張感を伴う、座っているとき、または歩行時。**足首が弱い**。不安定な歩き方。足首の脱臼と捻挫。舗道のわずかな障害物で転倒する、または原因もないのに転倒する。手首と足首の灼熱感。脊髄癆、電光のような痛み、＞食事。足の裏の痛み、針で刺したような、歩行時の灼熱感。眠るときに手がびくっと動く。足首から足指にかけてのひきつり。手指の収縮。動作時に膝窩が痛む。手指と足指の屈曲部の痛み。
- **皮膚**：乾燥、粗い、乳白色、湿った。小関節、足指または手指の水疱。膿疱疹。**発汗しやすい**。蟻走感。
- **睡眠**：日中、食後の眠気。朝、早く目覚めすぎる。なまめかしい夢。口を開けて寝る。
- **熱**：発汗しやすい。

補完レメディー：Sep.

関連レメディー：Lyc., Nat-m.

Natrum muriaticum 　塩化ナトリウム

総体的症状：塩化ナトリウムは、栄養に深く作用する。過剰に摂取すると、水腫、浮腫などの塩分貯留の症状を生じるが、**血液**にも影響し、貧血、白血球増加を起こす。**精神**、**心臓**、肝臓、そして脾臓が影響を受ける。患者はやせていて、**喉が渇き**、**消化障害**のために**栄養状態が悪い**、そして**精神的習性**と身体症状は、本質的に**絶望的**で、扱いにくい。首や腹部のるいそう、首や腹部が下に下がる。**粘**

膜と皮膚の**乾燥**、または、濃厚な、**白か透明の、水っぽい、刺激性の分泌物**を生じる。口、**喉**、直腸、腟などの乾燥。片側の、下になっている側の、しびれ麻痺を伴う；手指、**部分が短かすぎるように感じる**。疲れやすい。筋肉、腱の収縮。裂傷に伴う神経痛。**震え**。疲はい。ヒステリー性衰弱。裕福な暮らしをしているにもかかわらず、やせる。ひどい衰弱と疲労。かぜをひきやすい傾向。**冷たさ**。幼児の発語の遅れ；不機嫌、怒りっぽい、ほんのささいなことで泣く。マラリア性悪液質。あらゆる種類の影響に対して過敏。甲状腺腫、甲状腺機能亢進症。アジソン病。糖尿病。筋肉痙攣。上半身の発作が頻繁に起きる。舞踏病、跳躍、恐怖の後。落胆、恐怖、悲嘆、感情の激発、体液の喪失、マスターベーション、頭の損傷；銀塩；塩の悪影響。若い女性が失恋して、妻帯者と恋に落ちる。感情、過剰な性行為による麻痺。覆いたいが、それによって好転はしない。喫煙による全身の震え。

悪化：**厳密な周期性**。午前9～11時；**太陽とともに**。1日おき。月経後。**太陽の熱**、夏；湿気。**激しい活動**―目、精神、会話、読書、書くこと。激しい感情。**同情**。**思春期**。キニーネ。パン、脂肪、酸っぱい食べ物。性交。海岸。慢性の捻挫。雑音；音楽。接触。圧迫。満月。

好転：**外気**。冷水浴。**発汗**。休息。食事をとらないこと。窮屈な衣服。深呼吸。朝食前。さする。右側を下にして横たわる。長々と話す。

精神：自分を傷つけた人を憎む。慰めや大騒ぎを嫌う。**月経中**は悲しい；理由のない悲しみ。**控えめ**。腹を立てやすい、＜慰められると。人といることが悩みになる。心気症患者。激しく泣く、または、独りで泣きたい。理由なしに、思わず泣く、または泣けない。陽気。笑う、歌う、踊る、悲しみと交互に。騒々しい悲嘆。過去の苦い思い出に浸る。心配。予期不安。**泥棒を怖がる、または泥棒の夢を見る**。ぎこちない話し方；性急；神経衰弱から、物を取り落とす。心ここにあらず。散漫な思考。執念深い。自分の不運を哀れんで泣

く。涙が出るほどの過度の笑い。ぶっきらぼう。1つの考えが頭から離れない、眠りを妨げる、復讐心を鼓舞する。精神状態が交互に現れる。非常に忘れっぽい。男性（女性）嫌い。

頭部：めまい；落下しそうな、＜窓のそばに立つ、目を閉じる、＞頭を高くして横たわる。破裂しそうな**頭痛**、咳をするとき、気が狂いそうな、**ハンマーで打たれるような；目の上**が重たい、頭頂が重たい、部分的なしびれや、視覚障害を伴う、＜**寝覚め**、日の出から日没まで、月経、動作；目の動きでさえも、しかめっ面、読書、＞睡眠、目の上を圧迫する、頭を高くして横たわる、じっと座る。うなずくような頭の動き。学生の頭痛。片頭痛。髪が抜ける。損傷部位が接触に敏感。子ども、または授乳中の母親の抜け毛。

目：うつむくときに痛む。本を読むと行が重なって見える。涙小管の狭窄、液囊を押すと、粘液が出る。赤さを伴った**流涙**；焼けるよう、刺激性；疾患のある側からの；くしゃみ；咳；笑いなどからの。両目が引き寄せられるよう。かゆみと灼熱感、こすらずにはいられない。横たわったときの眼瞼下垂。視野が不鮮明、揺れる。半盲、その後の頭痛。頭痛で、まぶたが発作的に閉じる。人工光では読めない。眼前の火花、黒点、火花のようなジグザグ。初期の白内障。甲状腺腫による眼球突出。網膜像が、長く残像しすぎる。読み書きによる目の疲れ。

耳：雑音、耳鳴り、ブンブンうなる音、鳴り響く音。そしゃく時に、耳の中で鋭い音がして、痛みを伴う。耳の後ろ側のかゆみ。

鼻：激しく流れ出るコリーザ、1～3日続く、そして鼻閉で呼吸が困難になる。早朝のくしゃみ。多量のコリーザと乾燥が交互に現れる；かぜは、くしゃみで始まり、鼻水が噴出する。鼻の小さな潰瘍。片側が無感覚。味覚と嗅覚の喪失。鼻出血；かがんだとき、または咳で、夜に。

顔：青白い、土気色、または脂ぎってテカテカしている。口唇、または

髪の生え際の**ヘルペス**；真珠色の。下唇中央の亀裂。唇がちくちくし、しびれる。下顎の拍動、<そしゃく；熱と冷え。上唇のはれ。顔面痛。ひげ、またはあごひげが抜ける。

口　：**地図状舌、舌の端が数珠状または縞模様になる**。アフタ。味覚と嗅覚の喪失、舌の片側の無感覚と硬直。舌がひりひりする。舌が重く、話しづらい。子どもの発語が遅い。歯瘻。歯肉の腫瘤または小さな腫瘍。舌に髪の毛があるような感覚。舌が乾燥しているように感じられる。口内、舌の水疱や潰瘍が、食べ物に触れると痛んで、ぴりぴりする。歯は、空気と接触に敏感；痛み<そしゃく。涙または唾液分泌を伴う歯痛。

喉　：多量の粘液を咳で出す、苦い、塩辛い。口蓋垂が、片側に寄っている。喉の、乾燥した痛む部位、むずむずして咳を引き起こす。食べ物が違うところに入る；ジフテリア後の麻痺。液体しか嚥下できない。固形物は、あるところまでは到達するが、そこで激しく押し出される。喉がきらきら光る。眼球突出性甲状腺腫。咽頭痛；まるで塊をのみ込まなければならないかのような、まるで栓をされているかのような感覚。喫煙者の喉。

胃　：**塩を欲求**、苦いもの、酸っぱいもの、デンプン質の食べ物、カキ、魚、乳を欲求。**喉が渇く、多量の水を飲む**。ひどい空腹感があるにもかかわらず、やつれる；精神の落ち込みを伴う。パン、肉、コーヒー、たばこを**嫌悪**。おいしく食べることのない飢餓感。しゃっくり。焼けるようなおくび、食後。月経時に、胃から甘いものが上ってくる。胃で感じる不安が頭に伝わる。胸やけ。食事中の発汗；顔に。白いねばねばした粘液を吐くと緩和。動悸を伴う胸やけ。胃が空のほうが調子がよい。

腹部：みぞおちの脈動。みぞおちがはれて痛む。突然の膨張。強く張った腹、<鼠径部。咳をすると深鼠径輪が痛む。左側のこわばり。吐き気を伴う疝痛、>放屁。**便は乾燥している、硬い、ぼろぼろする**；

肛門が裂ける、または灼熱感を引き起こす。便は油っぽい粘液で覆われている。直腸の不活発さによる1日おきの便秘；痛みのない水のような下痢、慢性；朝、動き回ると；アヘンの乱用による。直腸の収縮。肛門周辺のヘルペス。腹部内臓のたるみ、まるで引っ張られているかのよう、歩行時。みぞおちの赤い斑点。肛門のヘルペス。

泌尿器：不随意の排尿；咳、笑い、くしゃみ、歩行時、座っているとき。多量の水を飲む、多尿症。誰かがいると、排尿するのに長時間待たなければならない。尿は澄んでおり、赤い沈殿物がある。排尿が始まるまで、待たなければならない。排尿直後の痛み。

男性：性交後の、落ち込みを伴う背中の痛みと脚の衰弱。性交後すぐの遺精。性欲、身体的な衰弱を伴う。淋病の抑圧。衰弱、麻痺、過剰な性交後。陰毛が抜ける。

女性：腟の乾燥による痛みのために、性交を嫌悪。性交時の、焼けるような、ひりひりする腟の痛み。初潮が遅い。痙攣を伴う月経困難症。早すぎる、多すぎる月経による不妊。消耗性の帯下、白い、濃厚、月経の代わりに。腰周辺の痛み、または尿道の切られるような痛みを伴う子宮脱、＜午前中、＞あおむけに横たわる。白い帯下が徐々に緑色に変化する。乳頭の下の刺されるような痛み。

呼吸器：みぞおちがむずむずすることによる咳、喘息または動悸を伴う、＜冬。呼吸器のカタル、発汗の抑圧後。咳をすると肝臓に突き刺されるような痛み。上るときの呼吸困難。ゼーゼーいう咳；流涙を伴う。息；熱い、臭い。呼吸、＞腕の激しい動き

心臓：**動悸**で身体が震える、または頭の鼓動と交互に現れる。心臓の粗動、衰弱し、失神しそうな感覚を伴う、＜横たわる。動悸；不安な、＜激しい活動、感情、左側を下にして横たわる。充実脈、遅い脈、弱い脈、速い脈、3拍ごとの間欠脈、＜横たわる。心臓の冷たさと痛み。

首・背中：痛みを伴う首のこわばり。打撲したような背中の痛み、早朝、

＜咳、性交、＞あおむけに横たわる、何か硬いものの上に；または圧迫。容易にかがむことができるが、まっすぐにすると痛む。小児の臀部のるいそう。
四肢：書くときの手の震え。手指先のひび割れ。さかむけ。熱く汗ばんだ手のひら。膝窩腱が短く感じられる、痛む、縮んだような感じがする。手指と下肢のしびれとうずき。膝のつかえ。女中膝（膝蓋滑液嚢炎）。動くと関節が鳴る。足首が弱くねじりやすい。脚が冷たい。眠りに落ちるとき、四肢が痙攣的にびくっとする。腋窩の鱗屑。手指の関節を曲げるのが困難。歩き出さない子ども。足指または足指の間の痛み。
皮膚：脂っぽい、乾燥、ざらざらした、不健康な、または黄色い。ひびやあかぎれ、または**ヘルペス性の発疹**、＜屈曲部、または中手指節関節。髪の生え際の乾いた発疹。手のひらと手のいぼ。蕁麻疹、白っぽい、＜激しい活動。うおのめ。痛む傷跡、古傷の赤み。
睡眠：睡眠中にすすり泣く。**寝起きの衰弱感**。泥棒の夢。夢遊病、起きて部屋に座る。睡眠中に、びっくりして跳び起きてしゃべる。
熱　：さまざまな部位の冷たさ―手、足、心臓。喉の渇きを伴う朝の悪寒。寒いが＜日光。発汗は少ない。食事中に、髪の生え際、鼻、顔に発汗。
補完レメディー：Ign., Sep.
関連レメディー：Puls.

Natrum phosphoricum　　リン酸ナトリウム

総体的症状：このレメディーは、糖分過多による乳酸過剰から起こる症状に効果がある。十二指腸、胆管、腸間膜腺、そして生殖器に作用する。**酸っぱさ**―おくび、嘔吐、胃、便、帯下、喀出物、汗など。**酸**

性過多による病気。**乳と糖分を過剰に与えられた子ども。濃い黄色の、クリーム状の分泌物。衰弱**。ちくちくする感覚。筋肉と腱の緊張感。黄疸（1×粉末）。シュウ酸塩尿。寄生虫。リンパ腺の腫脹。頭脳労働または性的不品行、またはその両方による悪影響。人工栄養児の消耗症。雷雨による震えと動悸。関節が鳴る。神経質；疲労感。白血球増加症。

悪化：**砂糖**。乳。頭脳労働。雷雨。ガス灯。性交。苦い食べ物。脂っこい食事。

好転：寒さ。

精神：精神衰弱。何かが起こりそうで夜が怖い。家具を人間だと思い込む；隣の部屋で足音がするのが聞こえる。神経質；忘れっぽい。音楽を聞くと悲しくなる。すべてに無関心、家族にも。長時間じっと座っている。すぐにびっくりする。

頭部：朝、鈍い感じがする。こめかみ（右）の切られるような痛み、勉強中。頭頂の圧迫感と熱感、まるでそこが開きそうな感覚。

目　：目から黄金色のクリーム状のものが出る。白目が、薄汚い黄色。目が弱い、＜ガス灯。寄生虫による斜視。片方の瞳孔散大。

耳　：片耳が赤い、熱い、かゆい、出血するまでかく、胃の疾患と胃酸過多を伴う。高い所から水が落ちているような感覚。

鼻　：**かゆみ**。臭いにおいが鼻につく。黄色い濃厚な臭い粘液。**鼻をほじる子ども**。ちくちく痛み涙が出る。

顔　：口の周辺のかゆみ。左右が交互に**青白くなったり赤くなったり**する。血色がよい。

口　：舌先の水疱。扁桃または軟口蓋に接する**舌の付け根の黄色いクリーム状の舌苔**。薄い、湿った舌苔。舌の上に髪の毛がある感覚。子どもの歯ぎしり。口全体のちくちくする痛み、しびれ。

喉　：塊があって話せないような感覚。嚥下困難。扁桃の黄色い被膜。

胃　：酸っぱいおくび。酸っぱいチーズ状のものを嘔吐。味の濃いもの、卵、

485

揚げた魚、ビールを欲求、ビールにより＞。パンとバターを嫌悪。
腹部：排便時に、まるでビー玉が大腸まで落ちてくるかのような感覚。騒々しい鼓腸。腹部の充満、＜立つこと、または少量食べること。胃・十二指腸カタル。黄疸。（男性の）性交後の尿意と便意。切れ切れの便。緑色がかった下痢。肛門のかゆみ。残りの便が噴出するといけないので、放屁するのをちゅうちょする。肝臓の硬化と肝炎型の糖尿病、特にせつが続いてできる場合。回虫あるいは線虫。
泌尿器：性交後の、尿意と灼熱感、尿道の灼熱感とかゆみ。尿が出るまで待たなければならない。
男性：薄い、水っぽい、古い尿のにおいのする精液。射精後、背中の衰弱と膝の震えがある。陰のうと包皮のかゆみ。
女性：膣からの酸性の分泌物による不妊。酸性の、クリーム状の、ハチミツ色の、または刺激性の水っぽい帯下。つわり、酸っぱい嘔吐。月経時、足が日中は氷のように冷たく、夜は寝床で焼けるように熱い。
呼吸器：呼吸困難。咳、＜座る。食後の胸の空っぽの感覚。胸の痛み、＜深呼吸と圧迫。
心臓：心臓の震え、＜上階に上がる、月経後。まるで心臓からの泡が動脈を無理に通ってくるような感覚。心臓の痛み＞足の親指が痛むとき。心臓の痛みとリウマチの痛みが交互に現れる。雷雨の後の不安な動悸。
首・背中：性交後の衰弱。ひどい疲労で動きが鈍い。首の腺の腫脹が、胸にまでひびく。圧迫感のある甲状腺腫。
四肢：手首と手指の関節痛。性交後の四肢の震え。リウマチ。日中は氷のように冷たく、夜間は焼けるような足。滑膜がパチパチ音を立てる。書くときの手のひきつり。歩行時に脚が崩れる。
皮膚：さまざまな部位のかゆみ、特に足首；湿疹性発疹。蕁麻疹。滑らかな、赤い、てかてかした皮膚。
睡眠：午前中の眠気、深夜前の不眠。不安な夢、なまめかしい夢、死んだ

人の夢。非常に眠い、座っていると寝る。
熱 ：日中、足は氷のように冷たい、夜間は焼けるよう。
関連レメディー：Cina., Kali-s., Kreos.

Natrum salicylicum　サリチル酸ナトリウム

総体的症状：めまい、難聴、骨伝導喪失に伴う耳の中の雑音を伴い、内耳に顕著な作用を及ぼす。そのため、メニエール病にも有効。物が右に動くように見えるめまい、＜横たわっていて起き上がるとき。平熱が低く、脈は遅い。インフルエンザ後の衰弱。

Natrum sulphuricum　硫酸ナトリウム

総体的症状：硫酸ナトリウム、またはグラウバー塩は、水素体質で、湿気の多い家、地下室、天井裏に住んでいることからの疾患；水辺で育つ植物でさえ食べられない、魚も食べられない場合の症状に効果のあるレメディーである。特に、**後頭部**、**肝臓**、そして膵臓に作用する。病人に、急で激しい効果。短肋骨（左）、臀部（左）の**突き刺されるような痛み**、＜起き上がる、または座る。**黄色い水っぽい分泌物**、便、皮膚、水疱、など。粘着性の黄緑色の膿。**充満感**。酸っぱい、胆汁性、尿酸性。淋病（sycosis）。痛み＜そのことを考える。てんかん、または頭部損傷後の小発作。淋病（gonorrhea）の抑圧。水腫。瘻孔性膿瘍。落下その他の頭部の損傷に起因する精神の問題。震え。

悪化：**湿った天候；夜風**。地下室。**左側を下にして横たわる**。**頭部の損傷**。持ち上げること。接触。圧迫。風。光。音楽。ほのかな明か

り。夕方遅く。野菜、果物。冷たい食べ物と飲み物。同じ姿勢で長く横たわる。
好転：外気；暖かく乾燥した空気。姿勢を変える。朝食。あおむけに横たわる。
精神：敏感で疑い深い。悲しみ、＜音楽または落ち着いた明かり、ステンドグラスのそばに座る。群集恐怖、悪への恐怖。自殺衝動。拳銃自殺しないために、自己統制しなければならない。うつ。排便後、明るくなる。精神疾患は、頭部の損傷や転倒後に現れる。躁病の間欠的な発作。話したがらない、そして誰も自分に話しかけてはならないと感じる。
頭部：後頭部の押しつぶされるような、かじられるような痛み。頭痛、＜雑音、かがむ、月経時、明かり、食事、＞暗い部屋、嘔吐。頭痛に伴う唾液分泌過多。めまい、＞頭部の発汗。髄膜炎、脊髄の。敏感な頭皮、髪をとかすと痛い。頭頂が熱い。かがむと、脳が固定されていないように感じられる。頭が右側にびくっと動く。
目：顆粒状眼瞼。朝、目覚めたときの**羞明**。まぶたが重い。黄色い結膜。むずむずする。目が熱く感じられる。
耳：突き刺されるような耳の痛み、＜湿った天候。
鼻：夜、鼻水が出る。月経前と月経時の鼻出血、頻繁に止まったり再発したりする。多量のコリーザを伴うくしゃみ。濃厚な黄色い分泌物。
顔：黄色い、青白い、病気のような。顔のかゆみ。
口：ねばねばした、濃厚な、粘着性の白い粘液。苦味。**薄汚い茶色の；または緑色がかった黄色の、濃厚な、ねばねばした舌、特に根元**。舌先がやけどしたような感覚。歯痛、＞口に冷水を含む。歯茎の炎のような灼熱感。頭痛時の唾液分泌過多。口蓋の水疱。トウガラシで口の中がひりひりするような感覚。
喉：濃厚な黄色い粘液が、後鼻孔から垂れる。嚥下障害。月経時に咽頭

の灼熱感。

胃：氷と冷水を欲求。発熱時にだけ喉が渇く。肉とパンを嫌悪。消化が遅い。吐き気の随伴症状。緑色の**胆汁性**の嘔吐物。胸やけと鼓腸を伴う高酸性消化不良。デンプン質の食物、乳、イモ不耐。

腹部：肝臓周辺の痛み、圧痛、＜深呼吸、歩く、振動；重さ、＜**左側を下にして横たわる**。肝炎；十二指腸カタル。肝臓の下に塊があるかのような感覚。胆嚢の爪でひっかかれるような痛み。疝痛、＞腹をさする、もむ、痛い側を下にして横たわる。へその差し込み痛。**鼓腸**；ガスが閉じ込められる、痛む、右の腹のあちこちが押されるような。腸が**ゴロゴロ、ゴボゴボ鳴る、そして突然の噴出するような便**、朝目覚めたとき、あるいは、そのために寝床から飛び出す。泡だらけの、黄色い下痢；緑色の粘液が混じる。放屁などに伴う不随意の排便。朝の軟便。巨大な糞塊。黄疸、怒りの後。

泌尿器：頻繁な排尿。糖尿病、粉末レンガ、または白い砂のような沈殿物、多尿症。

男性：淋病、慢性；濃厚な、緑色がかった分泌物；痛みはわずか。コンジローム。陰茎亀頭、陰嚢のかゆみ。

女性：ヘルペス性外陰炎。黄緑色の帯下、淋病後、嗄声を伴う。陥没乳頭。

呼吸器：呼吸困難。喘息、淋病の（sycotic）；子どもの；根本体質レメディーとして、＜早朝。痰のからんだ、激しい咳、＞座る、胸か脇を押さえずにはいられない。左胸下部の突き刺されるような痛み。かぜのたびに、または、いつになく激しい活動をしたことによる喘息の発作。歩行中の息切れ；深くて長い息をしたいという、恒常的な欲求。喘息、早朝の下痢を伴う。緑色がかった、多量の喀出物。

背中：肩甲骨間の突き刺されるような痛み。背中の、鋭い切られるような痛みが、扇状に上方に広がる。首の後ろと脳底の激しい痛み。尿を我慢しようとすると腰痛が起こる。

四肢：爪根の辺りの炎症。さかむけ。股関節の痛み、＜立ち上がったり座ったりする。患者はその激しさのため常に動かざるをえない。立ち上がるとき、寝返りを打つときの坐骨神経痛、どんな姿勢でも緩和しない。足の裏の水疱。膝から下の灼熱感。足の浮腫。寝起きと、書くときの手の震え。

皮膚：脱衣の際のかゆみ。水分の多い、黄色い水疱、いぼのような全身の赤い腫瘤。

睡眠：けんかの夢、流水の夢。目覚める；痛みで、鼓腸で。

熱 ：悪寒、寝床の中でも温まらない。身体を覆うことへの嫌悪を伴う熱。臭い腋窩の汗。

補完レメディー：Ars., Thuj.

関連レメディー：Coloc., Glon., Med., Puls.

Niccolum　ニッケル

総体的症状：ニッケルは、周期的な神経性の頭痛、眼精疲労、消化不振、便秘を伴う、衰弱した文筆家に適合するレメディーである。咳をする場合は、姿勢を正して座り、手で頭を支えるか、腕を大腿にのせなければならない、＜夜。激しいしゃっくり；喉の渇きを伴う。子どもは、咳が出る間、しっかり支えられなければならない、さもないと痙攣を起こす。

悪化：周期的；2週間ごと、毎年。

Nitricum acidum 硝酸

総体的症状：この酸は、特に、喉、肛門、そして口など<u>開口部の周縁</u>に際立った親和性がある；また、**肝臓**、前立腺、唾液腺などの腺に作用する。<u>出血</u>を起こす－容易に、鮮紅色の血、または血の混じった水。患者は、非常に衰弱して、震え、敏感で、痛がる。<u>とげが突き刺さったかのような</u>、または、**潰瘍が侵食するような**痛み。わずかな痛みに激しく影響される。分泌物は、**刺激性**で、薄く、汚い、または茶色い、赤みを生じる、または毛を傷める。<u>悪臭がする</u>－臭鼻症、足、または寝汗。粘膜は黒っぽい、滑らか。開口部の、赤み、はれ、ひび割れ。**ベルトで締めつけられているかのような**、または、その部位に重りがぶら下がっているかのような感覚。ひりひり痛む、痛みの間こわばる。硬質の、ざらざらする滲出物。関節が鳴る。痛みは、急速に現れ、急速に消える。肌の黄色い、**黒っぽい髪**の、つましい人、または慢性病を患う人、かぜをひきやすい人、下痢しやすい人に適合する。悪液質。掻爬後の出血。悪性腫瘍。侵食性潰瘍。瘻孔。梅毒。淋病（sycosis）。癌。しつこい化膿。**骨が痛む**。痙攣、てんかん、夜に、就寝時に。日中の、頻繁なめまい、＞乗り物に乗る。病人介護のための睡眠不足による悪影響。肉が骨から引きちぎられるかのような痛み。骨のカリエスと外骨腫症。高ポーテンシーのレメディーに敏感。左側を、ネズミが駆け上がったり、駆け下りたりしているような感覚。

悪化：ささいな原因－<u>接触</u>、**振動**、雑音、ガタガタいう音。**動作**。乳。脂っこい食べ物。食後。<u>冷たい</u>**空気**。**湿気**。**夜**。夕方。天候の変化。寝床の温かさ。頭脳労働またはショック。**水銀**。睡眠不足。

好転：滑るような動き。乗り物に乗る。穏やかな天候。強い圧迫。

精神：怒りっぽい、憎しみに満ちた、復讐心のある。怒りから震える。冒

瀆的、低俗な言葉を使ってののしる。けんかっ早い。幻覚症状；霊魂と語る。混乱。思考の消失、激しい頭脳労働の後。悲しみ。落胆。寡黙。自分の不幸について慰められることを嫌う。病気についての不安、コレラを恐れる；死への恐怖。過去のトラブルを常に思い起こす。働く意欲、まじめに仕事をする意欲がない。絶望。自分に対する不満で嘆き悲しむ。すぐにびっくりする。

頭部：割れそうな頭痛；＜帽子による圧迫、街頭の雑音。頭の回りをベルトで締めつけられているような感覚。頭蓋骨の痛み。頭皮のむくみ。髪が抜ける、頭頂から。

目　：目の上にお湯が流れているような感覚、＞冷水、または目から水が流れ出るような感覚。結膜が所々膨れる。複視。まつ毛；硬い、すべてが鼻（右）のほうを向いている。上まぶたの麻痺。涙管瘻。

耳　：難聴、＞雑音、電車の中、乗り物に乗る、扁桃肥大と扁桃硬化による難聴；はしかの後。そしゃく時に、耳の中で音がする。自分の声が耳の中でこだまする。乳様突起のカリエス。耳たぶの囊胞性腫瘍。

鼻　：出血、黒い、凝血、胸の疾患に伴う、＜めそめそする。ジフテリアにみられるはな垂れ。コリーザを伴わない、頻繁なくしゃみ、睡眠中。息切れを伴うコリーザ。赤い、ふけ状の鼻先。鼻の切られるような痛み；骨のカリエス。臭い黄色い分泌物。臭鼻症。毎朝出る緑色の鼻くそ。

顔　：黄色い。病人のよう。唇の皮がめくれる。口角がひりひりする、割れる、かさぶたができる。そしゃく時に顎が鳴る。

口　：歯がぐらぐらする。歯茎のはれ、痛み、たるみ、出血、内部の。湿った、亀裂の入った、または地図状の舌。きれいな、赤い、中央に深い皺のある舌。口蓋が痛む。軟口蓋の潰瘍、とげが刺さったような鋭い痛みを伴う。唾液分泌過多、血が混じった、緑色の苔舌。口臭。ガマ腫。舌やほおをかむ。黄色い歯；虫歯。歯が軟らかく海綿のように感じられる。

喉　：とげが刺さったかのような痛み、耳にまでひびく、＜嚥下。赤い、不均一な、小さい潰瘍を伴う扁桃。茶さじ一杯ですら飲み込めない。後鼻孔からの粘液を咳で出す。

胃　：脂肪、塩、消化できないもの、チョーク、土などを欲求。空腹感、甘い味を伴う。乳不耐。吐き気；時折の嘔吐を伴う、＞乗り物に乗る。肉、砂糖で味付けしたもの、パンを嫌悪。おくびを伴う吐き気、食べ物を受け付けない。

腹部：肛門を引き裂く便、軟らかいにもかかわらず。排便後に長く続く痛み；歩くと苦痛。直腸が裂けるよう；直腸の亀裂。痛む、出血しやすい痔。疝痛、＞きつい服。肛門；かゆみ、湿疹性、または水分がにじみ出す。不適切な治療を受けた赤痢後の潰瘍形成。乾燥した、熱い布が腹にあるような感覚。鼠径ヘルニア；子どもの。直腸の灼熱感、排尿後。直腸出血；痔の除去後。

泌尿器：馬の尿のように強烈な、**または不快な尿**；排尿時、冷たい；多くなったり、少なくなったり変化する。尿には、シュウ酸、尿酸、リン酸が含まれる。血尿、脊椎に沿った震えを伴う。尿道に**熱い針金**があるような感覚。腎臓から膀胱にかけてのひきつり。感染性腎炎。流れはか細い、狭窄のため。包皮または亀頭冠の赤い、ふけ状になる斑点。痛みを伴わない尿閉、または尿失禁。萎縮腎。

男性：かゆみ、焼けるような包皮。下疳；侵食性。浮腫状の包皮。包茎。淋病または梅毒による狭窄症。

女性：性交後の腟の官能的なかゆみ。腟から、血の混じった水が出る、または激しい活動による出血。不定期な、早い、多量の、泥水のような月経。産後、掻爬後の不正子宮出血。茶色い、肉の色の、水っぽい、糸を引く帯下；黄色いしみを残す、または縁の黒いしみになる。乳房の硬い結節または萎縮。月経時の背中、臀部、大腿の痛み。

呼吸器：**打ち砕くような咳**。喉頭の乾燥した部位から；腰部の縫われるような痛みを伴う、＜寒さ、冬。上階に行く場合の息切れ。睡眠中の

咳、目覚めない。化膿した粘液状の、黄色い、苦い、臭い、べたつく喀出物、発汗を伴う。気腫。喀血。空洞性結核症。子宮偏位に起因する息切れ。胸のうっ血、動悸と恐怖感を伴う。喉頭の切られるような痛み。読書中、または、かがんだ場合の息切れ。

心臓：上階に行く場合の動悸と苦痛。4拍目に休止がみられる間欠脈；不整脈。神経性の動悸、ほんのわずかな頭脳労働に起因。

背中：咳をすると、背中と腰に縫われるような痛み。肩甲骨とその間の刺されるような痛み；首のこわばり。夜間の背中の痛み、＞うつぶせに横たわる。

四肢：手指の関節のはれ。手の甲の**いぼ**。手指の間のヘルペス。悪臭のする足の発汗により、足指が痛む。爪の白い斑点。脛骨がひりひり痛む。膝蓋の痛み、歩行困難になる。足指のしもやけ。手のひらと手の発汗、冷たい。爪が青い。足首が弱い；歩くと音を立てる。潰瘍形成と、とげがあるような感覚を伴って、爪が肉に食い込む、＜接触。歪んだ、退色した、黄色い、湾曲した爪。

皮膚：乾燥、びらん、あらゆる角度のひび割れ。脛骨に銅色の斑点。衣服を脱ぐと皮膚がかゆい。痂皮の形成と落屑。**潰瘍**は、急速に進展する、皮のむけた、ぎざぎざしている、肉芽を伴う、または膿で埋まる。執拗に化膿する。穿孔性の膿。大きな、ぎざぎざの、接触や洗浄で出血するいぼ。コンジローム。寒い気候になると古傷が痛む。

睡眠：入眠時の衝激。睡眠中に痛む。不安で、爽快にならない睡眠、怖い夢を見る。

熱 ：氷のように**冷たい**足の裏。継続する悪寒。**発汗しやすい**、そしてかぜをひく。朝に、消耗性の（尿のような）多量の発汗―腋窩、足、手（脊椎損傷時）。寝汗、下になっている側の。

補完レメディー：Calc., Thuj.

関連レメディー：Ars., Kali-c., Kreos., Merc.

Nitro-muriatic acid　王水

総体的症状：このレメディーは、硝酸18と塩酸82を混ぜ合わせることによって生成される。シュウ酸塩尿に対する特効薬といってよい。

Nux moschata　ナツメグ

総体的症状：ナツメグは、一般的な家庭薬として、月経を遅らせる、または始まらせる、そして下痢に使用されている。**感覚中枢**、**精神**と**神経**に非常に深く作用して、感覚や神経感度の高まりを引き起こす。**消化障害**。**女性生殖器**が影響を受ける。何か症状がある場合には、**眠気**を起こす、または眠気を伴う；また、**悪寒**、**寒け**、**喉の渇きのなさ**を伴う場合；Nux mos. を考慮すべきである。乾燥しているように感じる、または、実際の乾燥は、口、舌、目などにみられる、もう一つの特徴ある症状だが、**喉の渇きは伴わない**。目が重い、舌が重いなど。失神発作の顕著な傾向、心臓疾患を伴う、＜排便時、な痛みを伴う月経、血を見ることから、立っているとき（身支度をしているとき）。**どす黒い出血**。つかの間の痛み。やせた、繊細な、ヒステリーな女性で、胸が小さく、**交互に泣いたり笑ったりする人**に適合する。胃、肝臓、喉に硬い塊があるような感覚。ヒステリー。躁病。自動症。体重がかけられている側が痛む。酔っ払ったような感覚、歩こうとするとよろめく。カタレプシー。子どもの痙攣、下痢を伴う。てんかんでは意識がある。痛みは少ない。膨れ。透視力。舌、まぶた、みぞおちの痙攣と震えを伴う麻痺。悲しみからの精神的な落ち込み。恐怖、頭脳労働、発疹の抑圧の悪影響。身体の、ブンブンいう、うなるような、奇妙な感覚。幼い子どもの消

耗症。硬い部位が軟らかく感じられる。

悪化：**冷水浴、湿気、風**、すき間風。霧。冷たい足。**妊娠**。季節の変化。**感情**。興奮。激しい活動。**月経**。振動。打撲。わずかな原因。頭脳労働または**ショック**。夏、暑い天候。動作。痛い部位を下にして横たわる。熱くなりすぎる。乳。頭を振る。

好転：湿気の多い暑さ。暖かい部屋。乾燥した天候。

精神：夢見がち。透視能力者。移り気、笑いと涙。当惑；物が変わったように見える、または大きくなったように見える。思考が突然消える、会話中、読書中、書き物中に。(頭痛時に)間違った言葉を使う。観念化が遅い。大声で独り言を言う。二重性の感覚—頭が2つあるように思う；2人の人物であるように思う。やりかけの事柄から気が変わる、心が揺れる。過去の人生の完全なる記憶喪失。死滅が差し迫っているような感覚。奇妙な話し方や、おかしなしぐさを伴う躁病。あざける。笑う。冗談を言う。周辺環境が変化したように感じる、よく知っているはずの道がわからない。ものうげな；無関心。見当違いの返事をする。短い時間が長く感じられる。空中浮遊の感覚。家事を自動的にこなし、何をしたかは記憶にない。

頭部：頭痛；こめかみが破裂しそうな、＞強い圧迫。酔っ払ったようなめまい、外を歩くときにふらつく。頭の充満感、膨張した感じ。脳のうっ血。脳が緩んだような感覚；動くと横に当たるような感覚。痛みのない頭の拍動、小領域の。頭の痙攣性の動き、話したり嚥下したりできない。枕から頭を持ち上げるだけで、死ぬほどの吐き気を催す。座っているとき、頭が前に垂れる。

目：物：大きく見える、または、あまりに小さく見える、非常に遠くに見える、傾いて見える、互いに接近しすぎて見える；突然消える、赤い。視覚喪失、その後に気を失う。目が乾燥しているように感じられる、そのため、まぶたを動かさなければならない。角膜の翼状片。

耳：聴覚が敏感すぎる；遠くの音が大きく聞こえる。

鼻　：嗅覚が敏感すぎる。どす黒い鼻出血。乾燥；詰まる、口呼吸を余儀なくされる。

顔　：青白い。退縮した唇。愚かな、子どもじみた表情、悪魔的な微笑。顎が麻痺したような感覚、閉じることができない。唇のはれ、互いにくっつく。

口　：歯が引っ張られるような感覚。口の**乾燥**、家に入るとともに消失、**喉の渇きを伴わない**、＜睡眠。舌が口蓋にくっついている。濃厚な、綿のような唾液。舌の無感覚、麻痺、発語困難。チョークのような味。妊婦の歯痛、＞暖かさ、＜接触、または授乳。歯がぐらついているように感じる。唾液の減少、口内に綿があるように感じる。

喉　：**乾燥**。嚥下困難；筋肉麻痺による。

胃　：味の濃い食べ物を欲求、それしか消化しない。食べること、食べ物のことを考えることを嫌悪。消化力が弱い；食べたものはすべてガスになる。子宮ペッサリーの刺激による吐き気と嘔吐。鼓腸性消化不良。ほんのわずかに食べすぎただけで頭痛を起こす。しゃっくり。

腹部：過剰に膨張。**鼓腸性疝痛**。下腹部に板が渡されているような感覚。へその痛み、潰瘍形成、化膿。**便；軟らかい、しかし排便できない**；悪臭を放つ；明るい黄色で、未消化物を含む、＜夜。排便中、または排便後の失神。夏季下痢、冷たい飲み物、沸かした乳に起因する。不活発な直腸。

泌尿器：排尿困難、ビール、ワイン、ヒステリーに起因する、月経困難症に伴う、食後の、子宮疾患による。尿はスミレのにおい。

女性：**不規則な月経、時期と量；濃厚な、どす黒い**。泥状の、血の混じった帯下；月経の代償。小さすぎる乳房。陥没乳頭。腟からの放屁。ペッサリーによる子宮の痛み。月経の抑制。微弱陣痛。絶え間なく執拗な大量出血。

呼吸器：嗄声、風に逆らって歩くとき、ヒステリー性。咳、＜寝床で温

まる。呼吸困難、胸に重りがある感覚；ヒステリー性喘息、吸息困難。水中に立っているときの息切れ。

心臓：震動、粗動、恐怖から、恐れまたは悲しみから。動悸、＞散歩、お湯を飲む。真空で呼吸しているかのような感覚、何かが心臓をつかんでいるかのような感覚。長い間のある間欠脈；死への恐怖を引き起こす。弱い脈、不整脈。

首・背中：首が弱い、頭が胸の上にうなだれる。背中の痛み、仙骨、腰部の痛み。脊椎に沿った痛み。背中の痛みと仙骨と尾骨の神経痛＜乗り物に乗る。一片の板が仙骨を横切っているかのように感じる、＜月経前。

四肢：わずかな労働で疲れる。四肢が空中に浮かんでいるような感覚。リウマチ；引っ張られるような痛み、遊走性の痛み、＜冷たく湿った空気、冷たく湿った衣服、＞暖かさ。乾燥した手のひら。足の裏は常に湿っている。歩行時に、硬い豆を踏んだかのような感覚。月経開始時の足の冷たさ。

皮膚：乾燥、冷たい。青い斑点。

睡眠：睡魔が襲う、突然、めまいを伴う。すべての症状に伴う、ひどい眠気。夢；高い所から落ちる、追いかけられる。

熱：悪寒と熱が交互に現れる。知覚麻痺を伴う悪寒。汗；赤い、または血の混じった、または汗をかかない。

補完レメディー：Calc., Lyc.

関連レメディー：Cann-i., Croc., Gels., Mosch., Op., Rhus-t.

Nux vomica　マチンシ

総体的症状：Nux-v. は、日常よく使うレメディーである。現代の多くの疾病状況に適合する。**座りきりの生活**を送っている人、頭脳労働の盛んな人、長時間のオフィスワークで緊張を強いられている人、仕事上の心配や不安がある人。このような人は、自分の不安を忘れるために、ワイン、女性、刺激の強い食べ物、鎮静薬にふける傾向がある；そしてそのために苦しむ。典型的なNux-v.の患者は、どちらかというとやせぎすで、ぜい肉がなく、素早く、行動的、神経質で過敏。神経に作用し、精神面、身体面ともに過剰に敏感で、感受性が高くなりすぎる。**消化障害**、部分的なうっ血、心気症の状態を引き起こす。常に自分の食べるものを選び、少しでも消化できるものを試そうとする、消化不良の人。痙攣、ひきつけ、失神を起こしやすい。いつも調和がとれていないように感じている。**活動は激しく**、不規則で変わりやすい、または非能率的。**ねじれ、急激な痙動（ぐいっとする動き）**。痙攣、強縮性痙攣、意識がある、＜わずかな接触、しかし＞力を入れてつかむ、または肘を伸ばす。緊張で萎縮した感覚。稲妻が走るような痛み。神経痛、前駆症状の。内部がざらついた感覚。重い感覚と軽い感覚が交互に生じる。**腹部**、脳などの**打撲したような痛み**。喉、喉頭の内側がこすられるような感覚、または**ひりひりする痛み**。**かぜをひく**。**失神**、排便後、嘔吐後、陣痛後など。胆汁症。**出血**。放蕩；麻薬を多用する患者。**震え**。排便時のてんかん。美食家の脳卒中による麻痺；部分的、めまいと吐き気を伴う；刺されるような痛みを伴う。反射作用の増加。引き締まった線維質で、黒っぽい髪の人。逆ぜん動。マスターベーション、過剰な性行為の悪影響。静脈瘤、ねじれを伴わない、黒く硬いうね、立っていることが多いことから、または座っている姿勢が多

いことから。

悪化：**早朝**。**冷たさ—外気**（乾燥した）、**すき間風**、座席、風。**露出**。**ぜいたくな暮らし**。コーヒー、香辛料、**アルコール**、**薬**、**下剤**、食べすぎ。座った姿勢が多い習慣。放蕩。頭脳労働、倦怠感、いら立ち。睡眠障害。**ささいな原因—怒り**、**雑音**、**におい**、**接触**、腰周辺の衣服の**圧迫**。あくび。たばこ。音楽。野心が破れたこと。傷ついた誇り。精神的ショック。

好転：**多量の分泌物**。昼寝。**頭を覆う**。休息。熱い飲み物。乳。脂肪。湿った空気。横向きに横たわる。

精神：活動的。**怒りと忍耐のなさ**；痛みに耐えられない、非常に取り乱して、泣き叫ぶ。**熱狂的**；**激しい気性**。**神経質で興奮しやすい**。働くことを嫌悪。貧困を恐怖。不機嫌。悪意ある。口やかましい。**激しい**。醜悪な衝動、自殺衝動、殺人衝動。刃物が怖い、自分や他人を刺すといけないので。あら探し。他人を非難する。（少女は）結婚に対して、恐ろしいほど危惧している。時間がたつのが遅すぎる。自分の状況を話す。ほんのささいな病気でさえも、非常に影響を受ける。心気症。うつ。途方もない幻覚症状。雑音、光、におい、接触、音楽、会話、または読書に耐えられない。慰められると怒る。頑固、強情。

頭部：めまい；脳と物体がぐるぐる回る、一時的な意識の喪失を伴う、黒魔術で、胃が空のとき。脳が打撲したような感覚。人込み、または明かりが多くちらつく場所で目がくらみ、気絶する。日光による頭痛。敏感な頭皮。額のはれ。頭が身体より大きく感じられる。かぜをひく、＞頭部を温かく覆う。片頭痛。前頭部の頭痛、前頭部を何かにもたれさせたい衝動を伴う。

目：目の充血。疾患のある側の流涙。視神経の萎縮。羞明。眼筋の不全麻痺。眼球の下方が黄色い。アルコールとたばこが原因の視覚喪失。目からの血液滲出。春季カタル。

耳 ： 耳管全体にわたる耳のかゆみ。外耳道の乾燥と敏感さ。痛み、縫われるような、嚥下時。大きな音に痛みを感じる。

鼻 ： 強いにおいに過敏、失神することさえある。鼻づまり、しかし鼻水は出る、片側。新生児の鼻声。睡眠中の鼻出血、痔の抑圧や、咳の抑圧に起因。鼻孔（左）の激しいむずむず感による**激しいくしゃみ、頓挫性のくしゃみ**。コリーザ、日中、戸外では大量に出る、夜間は乾燥。古いチーズのにおい、硫黄の焼けるにおいが鼻につく。鋭い嗅覚。鼻が鋭くとがっているように見える。

顔 ： **赤くはれた**、または黄色っぽい＜鼻と口周辺。左の口角が下がっている。眼窩下の神経痛、ほおのはれを伴う、間欠的、＞寝床に横たわっているとき。顎が、パチンと閉まる、硬直。チーズを食べたことによるにきび。アルコールを飲みすぎたことによる吹き出物。自分の顔の前で常に手を動かす子ども（脳疾患）。

口 ： 歯がガチガチいう。歯痛、＞温かい飲み物。口臭；酸っぱい。口内の小さいアフタ性潰瘍。午前中の<u>苦い味</u>、酸っぱい味、ひどい味、喉の奥で。口蓋、耳管のかゆみ。はれた、白い、出血する歯茎。舌縁の針で刺されるような痛み、＜食後、冷水で顔を洗う。

喉 ： **荒れて、ひりひりする**、まるで、こすり取られるかのよう。咳をすると腐敗した味。喉の小さな潰瘍；痛み＜空嚥下。刺されるような痛みが耳まで広がる。

胃 ： ぴりっと辛い食べ物―ビール、脂っこい食べ物、チョーク、刺激物を欲求。食べすぎ、冷たい、または熱い飲み物による<u>しゃっくり</u>。激しいむかつき、＜咳払い。酸っぱいおくび。胸やけ。**呑酸**。吐き気、＞もし**嘔吐**できれば。<u>**激しい嘔吐**</u>、胆汁性、酸っぱい、吐きたいが吐けない。**胃の中で食べたものが重たい塊のよう**。胃痛；痛みは背中と胸に広がる、＞嘔吐と熱い飲み物、＜食べ物。消化不良。空腹、しかし食べ物を嫌悪。おくびをするのが困難、酸っぱい、苦いおくび。損傷による胃のひどい痛み、＜わずかな食べ物。

腹部：腰をベルトで締めつけられているかのような感覚、**衣服による圧迫感**。**腹壁の打撲したような痛み**。肝臓の痛み、肥大；刺されるような痛み。胆石疝痛。怒りによる黄疸。腸のあちこちが激しく痛む。**腸の痛み、＜咳と足踏み**。ヘルニア；小児；便秘または泣くことから；臍ヘルニア。鼓腸性疝痛。**不安定な、発作的な、効果のない、腸の活動への衝動、＞排便**。便秘。不活発なぜん動。排便時には、強くきばる；まるで、排出できずに残っている部分があるかのように；便意のたびに、少量だけ出る。直腸；鼓腸性痙攣が残る、常に不快。かゆい、隠れた、出血する痔、＞冷水浴。赤痢様の便により一時的に痛みが好転。黄疸を伴う下痢、発熱時の暴飲暴食後。哺乳中の子どもの、母親が刺激物を食べたことによる疝痛。痔の出血を抑圧したことによる疝痛。便は、最初軟らかく、終わりが硬い。下痢に起因する直腸脱。排便時以外の、肛門が引っ張られる感覚。鼠径部の衰えた感覚。

泌尿器：腎疝痛（右）、性器と脚に伝わる、尿の滴下を伴う；＞あおむけに横たわる。痛みを伴う効果のない尿意。痙攣性の有痛性排尿困難。痔や月経の抑圧による血尿。痙攣性の尿管狭窄。膀胱の麻痺、尿の滴下、高齢男性の場合、前立腺肥大や淋病を伴う。不随意の排尿、笑ったとき、咳、くしゃみで。

男性：性的に興奮しやすい。性交中に陰茎が弛緩する。自慰、過剰な性交の悪影響。早漏。射精せずに女性と一緒にいることができない。恥垢の増加。

女性：強すぎる性欲、腟の灼熱感を伴う。**月経は多量、早い、長く続く**；間欠性；黒っぽい、凝血塊；不順；失神を伴う。月経困難症；激しい腹痛が全身に広がる、常に便意を感じる。臭い帯下；黄色いしみになる。効果のない陣痛；陣痛のたびに気を失う。流産後の多量出血。力んだこと、または重いものを持ち上げたことによる子宮脱。前にあったすべての症状＜月経後。悪露は少なく、臭い。乳頭の痛

み；中央に白い斑点。授乳中に張った感じのする痛み。授乳中ではないのに、痛みもなく、乳房に乳がたまる。

呼吸器：**激しい咳**、本人も面食らう、発作性、ゼーゼーいう、頭が割れそうな頭痛を伴う、頭を押さえずにはいられない。浅い呼吸。呼吸の圧迫。胃の疾患からの喘息、胃の充満感を伴う。嗄声、喉頭と胸が荒れて痛い。胸が引き裂かれるような感覚を伴う咳。肋間神経痛、＜痛みのある側を下にして横たわる。衣類が窮屈すぎる感覚を伴う喘息、＞げっぷ。咳が出るときの食欲。

心臓：横になると動悸がする。心臓の倦怠感。狭心症、患者はひざまづき、体を反らす。

首・背中：頸腕神経痛；痛み、こわばる首；肩（右）下方の痛み、＜接触。かぜ、または神経的なショックによる斜頸。腰痛、まるで折れそうな、**寝返りを打つためには、一度座らなければならない**。脊椎を何かがはうような感覚。急性の腰痛。産後、仙骨部が不自由に感じる。

四肢：腕の無感覚；しびれ、こわばった感覚。ふくらはぎと足の裏のひきつれ、足を伸ばさなければならない、あるいは歩行中に、じっと立ち止まらなければならない。足がこん棒のようで、ひりひりする。つま先から大腿にかけての撃ち抜かれるような痛み、＜排便後。歩行時に足を引きずる、（舞踏病）、脚の震え、不安定な歩行。膝関節が乾いた感覚、動かすと音がする。下肢の麻痺、過剰な運動、またはびしょぬれになったことによる。手（右）が自動的に、口のほうへ動く（卒中）。脚のこわばり。

皮膚：鳥肌。赤くてしみが多い。胃の乱れに伴う蕁麻疹。青みがかった斑点。

睡眠：あくび。夕方の眠気、または頭に考えが浮かびすぎることによる不眠。**早朝に目覚め、再び眠れない**、ついに眠る、起こされるまで。悪夢。夢；不安な、イヌ、ネコなど動物に追いかけられる夢；みだ

らな夢。睡眠中に泣く、話す。
熱　：悪寒と喉の渇き、熱には喉の渇きを伴わない。**すぐに冷えやすい、露出することができない、**<**動作**と、飲むこと、発熱時でも。身体は焼けるように熱い、特に顔、しかし寒さを感じずに、動いたり、脱いだりすることができない。爪が青くなるほどの激しい悪寒。汗は酸っぱい；片側だけの；最上部は温かい、横たわると。
補完レメディー：Kali-c., Phos., Sulph.
関連レメディー：Ign., Lyc.

Ocimum canum　ヒメボウキ

総体的症状：このレメディーは、腎臓、子宮、膀胱、尿道疾患に効果を発揮する。特に右の腎疝痛にめざましい効力がある。**子宮のひりひりする痛み。**血尿と激しい嘔吐を伴う腎疝痛、手が汗でびっしょりぬれる、常にうめき、泣く。尿中に赤い砂、尿はサフラン色で、ジャコウの香り。鼠径腺と乳腺の肥大。わずかな接触で痛む乳頭。腟脱。少量の尿；それにより<。

Oenanthe crocata　ウォータードロップウォート

総体的症状：さまざまな痙攣のレメディー；てんかん様の、産後の、尿毒症性の痙攣に効果がある。**てんかん**；持続勃起症を伴う、<月経時または月経の代わりに；妊娠中。後ろに倒れる、倒れる前に大声で泣き叫ぶ。てんかん重積症。腰回りの皮膚下を虫がはっているかのような感覚；<衣類の接触。精神障害；幻覚。顔のむくみ；顔面筋の発作的な痙攣；口の泡、開口障害。わずかなことで泣き叫ぶ傾向。

顔、胸、腕、腹部のバラのように赤い斑点。焼けるような熱、＜頭と喉。多量の臭い発汗。数日間の執拗な嘔吐、何も受けつけない。
悪化：**損傷**。性的な障害、精神障害。水。
関連レメディー：Bell., Cic.

Oleander　セイヨウキョウチクトウ

総体的症状：神経系、心臓、皮膚と**消化管**に際立った作用がある。**麻痺状態**、上肢の痙攣のような収縮を伴う。小児麻痺後の不全麻痺。全身の疼痛性痙攣。**しびれ**。授乳中の女性の震えを伴う**衰弱**。振動感。食後の胃と胸の空っぽな感覚、＞ブランデー。片麻痺。麻痺性硬直。昏眠。発語不能、または発語困難。不随意の排出。

悪化：こする。露出する。授乳後。衣服による摩擦。
好転：横目で見る。ブランデー。
精神：悲しみ、自信のなさと無力感を伴う。不機嫌、怒りっぽい。注意力散漫。理解が遅い。
頭　：めまい；＜1つの対象をじっと見つめる、または見下ろす、寝床でどちらかの側を向く；複視を伴う。頭痛、＞目を交差させて見る、横目で見る、または斜めに見る。麻痺の前の長時間のめまい。頭皮がひりひりする、かゆい。湿った乳垢、＜後頭部。額と髪の生え際の腐食性のかゆみ、＜熱。
目　：落ちくぼんだように感じる。横目で見るときだけ物が見える。複視。読書に伴う流涙。
顔　：青白い。落ちくぼんだ。上唇のしびれ。あくびをすると、下顎が震える。
口　：かむときだけの歯痛。舌がしびれる。話すことができない。
喉　：冷たい風が喉（左側）に吹きつけるような感覚。

胃　：食後でさえも空っぽな感覚、＞ブランデー；授乳から。イヌのような飢餓感で、素早く食べる。くぼんだ部分の拍動。冷水を渇望。チーズを嫌悪。消化力の極度の衰弱。

腹部：午前中、前日食べて、まだ未消化の食べ物を排出。便は細く、未消化物を含み、不随意；腸内ガスもともに出る；子どもの場合。

泌尿器：不随意の排尿。

女性：授乳後の身震い；あまりにも衰弱しているため、部屋を横切るほども歩けない。

心臓：動悸、衰弱と、胸の空っぽな感覚を伴う、＞ブランデー。かがむと痛む。

四肢：麻痺時の、上肢の痙攣性収縮。四肢の**しびれ**。下肢の衰弱。痛みを伴わない麻痺。手の静脈の膨張。書くときの手の震え。立っているときの膝の震え。足が常に冷たい。手指が硬直して、親指は手のひら側に曲がる。四肢の硬直と冷たさ。

皮膚：敏感、**すりむける**、滲出または出血。かゆみを伴う発疹、シラミのような虫刺され。皮膚の無感覚。

睡眠：下顎の震えを伴う昏眠、あくび。

熱　：**頭脳労働による熱**。

関連レメディー：Anac., Chin.

Oleum animale　ディッペルの獣油

総体的症状：この揮発性の油は、最初にディッペルがオジカの角を蒸留して生成した。**神経**、特に迷走神経；消化器に作用する。症状は、あちこちに現れたり、1か所に現れたりする。患部は**ひりひりする**。手、膝、足などが衰弱して震える。所々の痛み。刺されるような痛み；熱く焼けた針によるような焼けるような痛み。ほお骨、精

巣、乳房などの、**上方に引っ張られる**、また、**後方から前方に引っ張られる**痛み。歯の先端から喉、胃などにかけての氷のような**冷たさ**。引きずり歩行。尿のような；おくび、帯下など。肉が骨から引きはがされるような感覚。抑圧、特に足の汗の抑圧の悪影響。神経衰弱症。

悪化：寒さ。**食事**。抑圧。月経。熱い飲み物。雑音。午後2〜9時。
好転：さする。圧迫。体を伸ばす。外気。姿勢を変える。おくび。
精神：怠惰、座りたがる傾向。神経性の興奮。悲しい、内向的、自分自身に没頭している、ささやき声で話す。思考が突然消える。失神；胃が原因で。
頭部：部分的に痛む。多尿症を伴う片頭痛。胃が原因のめまい、＞頭を反らす。
目：きらきら光る物体が眼前にある。食事をすると流涙。皮膚が目に垂れかかっているように感じる。まぶたの痙攣。
顔：ほお骨が引き上げられるような感覚。唇の痙攣。卵白が唇の上で乾燥しているような感覚。顎の右下奥の腫脹。
口：歯痛、＞歯をかみ合わせて圧迫する。歯の先端から冷気が出てくる感覚。口の脂ぎった感触。雪のように白い綿のような唾液。やけどしたようにひりひり痛む舌。食事中にほおをかむ。
喉：ひりひり痛む、乾燥、収縮；空嚥下は困難だが、食べ物や飲み物は簡単にのみ下す。冷気が喉に突き刺さるような感覚。粘着性の茶色い塊を咳払いで出す。喉の刺激性のガス、または喉にひりひり痛む筋ができる、＜咳。
胃：**呑酸**、＞かみたばこ。拍動、または胃の中に水がある感覚。（氷の塊のような）冷たさの感覚、灼熱感、狭窄感、＞おくび。尿のようなおくび。
腹部：鼓腸と腹鳴。
泌尿器：多量の、色味のない尿、魚の塩漬けのにおい、＜ヒステリー、片

頭痛。頻繁な微量の尿、その後の頭痛。緑色がかった尿。尿の細い流れ。
男性：精液喪失；排便でいきむとき。**精巣が交互に肥大；力強く上方に引っ張られ、つかまれるような感覚**。精索の神経痛。会陰の圧迫感。前立腺肥大。
女性：月経が早く来る、微量；黒っぽい経血。月経前に乳房が痛む；硬性癌では、乳頭が外側に向けて刺されるように痛む。乳房の背後から前に向けての刺されるような痛み。尿のような帯下。
呼吸器：足の汗の抑圧による喘息。鎖骨の刺されるような痛み。
心臓：不安による動悸。遅い脈。
背中：肩甲骨（右）の痛み、＞圧迫。仙骨のくじいたような感覚。不安定な足どり。頭を上げると頸椎が音を立てる。
皮膚：関節の屈曲部の表皮剥離。
熱：悪寒と熱が交互に現れる。冷たく臭い足の汗、魚臭い踵。
関連レメディー：Sulph., Tell.

Oleum jecoris　タラの肝油

総体的症状：タラの肝油は、栄養素であり、肺、肝臓、膵臓、そして腱に作用する。結核体質や腺病質。ひりひりする痛み。局所の灼熱感。栄養不全。**萎縮症の乳児**；乳を消化できない子ども。るいそう；手と頭が熱い。倦怠感。黄色い分泌物。常にかぜをひいている。
悪化：乳。**冷たく湿った空気または場所**。動作。
顔：女性の顎と鼻の下に短くて太い毛が生える。
口：黄色い舌。口臭。
腹部：肝臓付近のうずきと重たさ、＜運動。
女性：定期的な月経。黄色い帯下、背中の衰弱を伴う。

呼吸器：嗄声。乾性の、むずむずする、しきりに出る咳、＞発熱。早期の肺結核。**胸のひりひりする、または刺されるような痛み**。喀血。黄色い痰。動悸を伴う咳。

背中：悪寒、または、仙骨から上がって後頭部に戻る粗動（動様、震え；fluttering）。

四肢：筋肉と腱の硬直を伴う慢性リウマチ。夕方にかけて、手のひらが熱くなる。

皮膚：黄色い。乳垢。白癬（局所塗布）。冷膿瘍。

熱　：消耗熱。寝汗。

関連レメディー：Phos.

Onosmodium　偽のブグロッソイデス

総体的症状：このレメディーは、**神経**と**筋肉**に作用する。集中力と協調力を喪失させ、平衡感覚の障害を起こす。**筋肉の痛みとひりひりする感覚、こわばり、痛みの後**。衰弱、倦怠、**疲労**；まるで、生まれながらにして疲れているかのように。綿の上を歩いているような感じ。よろめく。神経痛。神経衰弱症、性的、性欲の喪失から、両性ともに。

悪化：捻挫。<u>眼精疲労</u>。**過剰な性交**。暗闇。窮屈な衣服。暖かさ。湿った空気。振動。

好転：休息。睡眠。食事。冷たい飲み物。衣服を脱ぐ。

精神：**優柔不断**。混乱。忘れっぽい。思考が遅い。失語症。階段を上り下りするときに、落ちるのではないかという恐怖。

頭部：片頭痛。眼精疲労と性的衰弱からの頭痛、＜暗闇。めまい、頭痛を伴う、＜左側を下にして横たわる、頭上に手をかざす。まるでねじで締めつけられるかのような、**後頭部の頭痛**、＜眼精疲労と横たわ

ること。後頭部（左）から肩にかけて、痛みが上下する、＜激しい活動。鈍い、重たい、上方への後頭部の圧迫感。

目：**痛む、重たい、疲労、硬直**。目の疾患と卵巣の症状が結合する。**誤った距離の判断**。不鮮明な視野。赤と緑の色盲。

喉：乾燥して硬直する；すべての症状は＞冷たい飲み物と食事。

腹部：膨張感、＞衣服を緩める。便は、黄色い、軟らかい；朝、便意で寝床から跳び起きる。氷水や冷たい飲み物を欲求。

泌尿器：頻繁な尿意と少量の排尿。香りのよい尿。

男性：**性欲喪失**。身体的インポテンス。早漏、勃起不全。性的興奮。恒常的な激しい勃起。

女性：性欲が完全にない。卵巣が交互に痛む。子宮の痛み、＞衣服を脱ぐ、あおむけに横たわる。**直腸のうずきを伴う卵巣のうずき**。まるで月経が始まるかのように感じる。**帯下；表皮剥離を起こす**、黄色っぽい、臭い、多量、脚を伝わる。乳房のはれと痛み。乳頭のかゆみ。

呼吸器：しきりに出る咳、ねばねばした白い痰を伴う、＞冷水を飲む。

背中：背中の下部の疲労感。

四肢：脚と膝窩の**疲労**感としびれ感。

関連レメディー：Cimic., Hyper., Lit-t., Rhus-t.

Opium　アヘン

総体的症状：アヘンには、アポモルヒネ、モルヒネ、コカインなどのよく知られたものをはじめ、約18のアルカロイドが含まれている。**神経、精神**、そして、**感覚**に作用し、神経の無感覚さ、**無痛**、抑うつ；**眠気、昏迷；不活発さ**、そして総体的な機能の鈍さと生命反応の不足を生む。皮膚以外からの**排出**が抑制される。随意運動の

減少。力の喪失；集中力、自己統制力、判断力。**麻痺**、無痛、脳、舌、**腸**などの。睡眠中の、振戦、ぴくぴくした動き、びくっとした動き。痙攣、＜部屋の熱気、温欲。**寝床が熱く感じられる**、冷たい場所を探す。熱い汗、手。すべての症状に伴う**昏眠**—痙攣時、激しい悪寒時など。睡眠中のてんかん、見知らぬ人の接近から（子どもの場合）、恐怖から、＜ぎらぎら光る明かり、怒り、侮辱。四肢を投げ出したり、身体に対して直角に腕を伸ばしたりする；発作間の昏迷。指示されるレメディーへの感受性不足。15分ごとに気を失う。身体的な健康感と大きな幸福感。無痛性潰瘍。全身の浮腫性の腫脹。**内部の乾燥**。恐れ、恐怖、怒り、羞恥、突然の喜び；炭の煙、太陽の悪影響。マスターベーションに起因する完全なる知的障害。

悪化：**感情**、**恐れ**、**恐怖**、羞恥、喜び。におい。<u>アルコール</u>。**睡眠**。**分泌物の抑圧**。**発疹の消退**。熱くなる。日射病。

好転：寒冷。覆いを取る。歩き続ける。

精神：完全なる意識の喪失。卒中の状態。**穏やか**。何もほしがらない、自分を苦しめるものなど何もないと言う。精神的高揚、鮮明な想像。**陽気さ**。話好き。性急。大胆；勇気の増大。**夢見がち**。不活発。鈍い。愚か。意志力がない。うそをつく傾向。恐怖の後に恐怖心が残る。振戦せん妄、非常な恐ろしさを伴う。家に帰りたい、家にいないように感じる。撮空模床。痛みや喜びに無関心。恐ろしい光景、ネズミ、サソリなどが見える。錯覚させる；視覚、味覚、触覚；全感覚の倒錯。身体の一部分が非常に大きいように思う。神経質、怒りっぽい；急にびくっとする傾向。

頭部：恐怖後のめまい；高齢者の、頭が軽い感覚を伴う；頭部損傷に起因する。後頭部が重たい。脳性麻痺。頭が熱い、熱い汗を伴う。

目：どんよりした；じっと見つめる、動かない。縮瞳、散瞳、光に無感覚。半眼。上目づかい。下垂症。視覚的な幻覚。赤い、膨れた。網膜の中心動脈の塞栓症。

耳 ：聴覚が鋭い。かなり遠くの時計の音で目が覚める。
鼻 ：嗅覚喪失。
顔 ：黒ずんだ、はれた、**汗ばんだ**、赤くて熱い、または、交互に青ざめたり赤くなったりする。のぼせ上がったように見える。口角のひきつり。顔面筋の震えや痙攣。小児麻痺後に**年老いて見える**、生後3〜4週間の乳児。下顎が垂れ下がる。開口障害。唇のはれ、突出。
口 ：舌の麻痺；右側に突き出す；黒い、乾燥した。話すのが困難。血の混じった泡。
喉 ：乾燥。嚥下困難；のみ下すと、食べたものは、違うところに入るか、鼻から出てくる。
胃 ：空腹感；しかし、食欲はない。腹膜炎による嘔吐；糞便物質の、尿の。非常に喉が渇く。感情によって吐き気を催す。
腹部：硬い、鼓張性。腹に重みがかかっている感覚。腸が完全に詰まっている感覚。**腸の麻痺性アトニー**、腹壁切開後の。鉛疝痛。嵌頓臍ヘルニアまたは鼠径ヘルニア。頑固な便秘。**硬い黒いボールのような便**。開いた肛門から、血の混じった粘液の滲出。腸閉塞による便貯留。恐怖後の不随意の排便。ばらばらになりそうなほど圧迫されたかのような、激しい直腸の痛み。放屁困難。腸痙攣、子どもは昼夜泣き続ける。
泌尿器：膀胱の麻痺性アトニー、腹壁切開術後。尿閉—子どもの、怒った看護婦に授乳されたことによる、膀胱頸の痙攣による、恐怖から。ゆっくりと流れ出る尿、弱々しい流れ。恐怖からの不随意の排尿。腎疝痛、痛みは膀胱と精巣に放射状に広がる。
男性：発酵不十分なアルコールを飲んだことや、大酒家の痙性狭窄症。
女性：月経困難症、二つ折れにならざるをえない、便意を伴う。恐怖に起因する無月経。子宮が軟らかい。胎児の動きが活発、または激しい。産褥痙攣。恐怖に起因する、流産の恐れと悪露の抑圧。陣痛が止まることによる痙攣。恐怖による脱出症。妊娠中のしゃっくり。

呼吸器：ガラガラいう、**不均一な呼吸**。ため息、いびき、継続的な荒い呼吸。咳；むずむずする、呼吸困難と青い顔、または全身の多量の発汗を伴う、＞水を飲む。胸が熱い。眠りに落ちるとき、呼吸が止まり、患者が動くまで戻らない。喀血。恐怖からの失声症。咳の後のあくび。

心臓：心臓周辺の灼熱感。衰弱。**充実性の遅い脈**。驚くような出来事、恐怖、悲しみ、悲嘆などの後の動悸。

背中：後弓反張。首の動脈の拍動と、静脈の膨張。

四肢：恐怖後の四肢の震え。痛みを伴わない麻痺。四肢の痙攣と発作的な動き。手の静脈の膨張。下肢は切断されて、まるでほかの人のものであるかのような感覚。無感覚；衰弱。引きずり歩行、震える歩行。一方の腕が発作的に前後に動く。

皮膚：あちこちの虫などがはうような感覚。**全身のかゆみ**。荒れ、汚い。乾燥。痛みがない、無痛性潰瘍。全身が赤く見える。青い斑点。

睡眠：**傾眠**。高齢者の深いぼんやりした眠り。大酒家の疲労と不眠。聴覚が鋭いことに起因する不眠。覚醒昏睡。眠たいが眠れない。ネコ、イヌ、黒い姿の夢。

熱 ：昏迷傾向を伴う低体温。**熱い、汗ばんで、うとうとしている**、四肢は冷たい。下肢を除く全身の熱い汗。発汗；緩和を伴わない。

補完レメディー：Alum., Bar-c., Phos., Plb.
関連レメディー：Arn., Nux-v.

Origanum　マジョラム

総体的症状：スイート・マジョラムは、女性生殖器に強く作用する。性欲亢進。色情狂、自殺傾向を伴う。非常に強い性的興奮からマスターベーションに走る。みだらな想念、衝動、夢。乳頭のはれとかゆみ、乳房の痛み。結婚を考え、悲しみを払拭する。運動したい衝動から、走らずにはいられない。

関連レメディー：Canth., Hyos., Plat.

Osmium　オスミウム

総体的症状：この金属は、白金と関連があるとされている。気道、特に気管に作用する。分泌物は臭いが、尿はスミレのようなにおいがする、おくびはダイコンのようで、腋窩の汗はニンニクのようである。背中と肩の虫などがはうような感覚。痛みは上下する。甘皮の癒着を起こす。

悪化：咳。話すこと。

精神：泣き出しそうな気分、咳をしながら叫ぶ。

目：光の周辺が緑色または虹色に見える。緑内障、虹輪を伴う。緑内障、視野が虹色になる。

鼻：コリーザ、多量、鼻が詰まる感覚を伴う。フンフン鼻を鳴らす。

胃：石や塊が詰まっているように感じる。ダイコンのにおいのするおくび。

泌尿器：尿；蛋白尿；スミレのにおい。

男性：陰茎亀頭の規則的な痛み。精巣と精索の痛み。

呼吸器：痙攣性の咳；空の管の中で咳をしているように聞こえる；引きは

がされるような感覚と、粘着性の痰。話すと喉頭が痛む。敏感な気道。
背中：背中と肩の虫などがはうような感覚。
四肢：ニンニクのようなにおいの腋窩の汗。痙攣性の咳に伴う手指の痙攣。甘皮が、爪が伸びても離れない。
皮膚：湿疹。かゆみのある吹き出物。
関連レメディー：Ars., Iod., Phos.

Oxalicum acidum　シュウ酸

総体的症状：シュウ酸は、酸味のある野菜に含まれているものの、それ自身、非常に強い毒で、**胃腸炎**を起こすだけでなく、**神経**や**脊髄**にも影響を与え、運動麻痺を引き起こす。患者は衰弱し、寒く、鉛色で、全身がしびれる、＜下肢。**苦しい痛み**、まるで稲妻のよう、筋状の、局所の、焼けるよう、など。症状は＜動作と症状について考えること。考えることにより、実際にはそこに存在しない状況がもたらされる。左側のリウマチ。神経衰弱症。神経痛。麻痺；左側の、脊髄膜の。周期性のある疾患。
悪化：**症状について考えること**。**寒冷**。**接触**。**ひげそり**。頭脳労働。動作。イチゴ、酸っぱい果物、ブドウ。
好転：排便後。
精神：神経質で不眠。非常に活気がある。素早い思考と行動。自分のことについて考えると、すべての状況が悪化する。
頭部：めまい；横たわると泳いでいるような感覚、窓から外を見るとき。頭にベルトを締めているような感覚；それぞれの耳の後ろのねじで締められるかのような感覚、＞排便後。後頭部の、しびれ、ちくちくする感覚。頭皮に部分的に圧痛を感じる。

目　：小さい、特に線状の物体が大きく、実際よりも遠くにあるかのように見える。鼻出血で視界が消える。網膜の知覚過敏。
顔　：青白い、冷たい、鉛色。熱感。
口　：**酸っぱい味**、おくび、嚥下困難を伴う。
胃　：かじられるような痛みを伴う空っぽな感覚から、食べずにはいられない。焼けるような痛みが上方に向かう、＜わずかな接触、砂糖、イチゴを食べることができない。砂糖、コーヒー、ワイン不耐。
腹部：へそ周辺の疝痛、または泥のように茶色い不随意の便、＞横たわる。放屁が困難。肝臓の縫われるような痛み、＞深呼吸。排便中の失神と嘔吐。コーヒーによる下痢。腸の慢性炎症。
泌尿器：排尿のことを考えると尿意を催す。陰茎亀頭の痛み、排尿時の。シュウ酸塩尿。
男性：精索の神経痛、＜わずかな動きによって。精巣の拍動、または押しつぶされたような感覚。
呼吸器：低い声。嗄声、心臓障害に伴う。声帯麻痺に起因する失声症。夜間の呼吸困難。短い、びくっとするような吸気、突然の強制的な呼息。下胸部（左）から、みぞおちにかけての痛み。固定された胸。左胸の痛み。声が変化する。
心臓：心臓と左肺の鋭く突き刺されるような痛み、みぞおちに広がり、呼吸を阻害する；腕を胸の前で組んでまっすぐに座る。動悸、＜横たわる。狭心症。心臓の症状と失声症が交互に現れる。心臓の鼓動が、そのことについて考えると、一時中断する。心臓の粗動。
背中：背中のしびれ、ちくちくする感覚。**背中が、身体を支えるのには弱すぎるように感じられる。**寒けが背筋をはい上がる。
四肢：衰弱し震える手足。引っ張られるような、刺されるような痛み、四肢を駆け下りる。下肢、青い、冷たい、無感覚、動かない。しびれは肩から手の指先にまで広がる。まるで死んだように冷たい手首。（右）が常に痛む、まるで捻挫したかのように；伸ばしたい、何も

つかむことができない。手の親指（右）の肉付きのよい部分の痛み。
皮膚：敏感、ひりひりする、刺されるような痛み、＜ひげそり。すぐに汗ばむ。円形の斑でまだら。
関連レメディー：Ars., Pic-ac.

Oxytropis　ロコウソウ

総体的症状：一般に、ロコウソウとして知られており、神経系に際立った作用があり、不安定で、よろめく、または逆行する足どりになる。かなりの精神的落ち込み。排尿について考えると尿意を催す。震えと、空っぽの感覚。
悪化：そのことについて考えること。1日おき。
好転：睡眠後。

Paeonia　オランダシャクヤク

総体的症状：肛門と皮膚の症状が際立っている。皮膚が非常に敏感；小さい靴による靴ずれ、とこずれなどによる潰瘍形成。撃ち抜かれるような、または、とげが刺さったような痛み。静脈瘤。痛みで床を転げ回る。
悪化：接触または圧迫。夜。動作。排便。
精神：悪い知らせで、かなり影響を受ける。
直腸：肛門の耐えがたいほどの痛み、排便後も長く続く；夜に起きて歩き回らなければならない。肛門の亀裂または瘻孔。痔―大きい、潰瘍形成。痛みのある潰瘍の滲出、臭く潤った会陰。痂皮で覆われた肛門。

睡眠：恐ろしい悪夢。
皮膚：敏感。圧迫による潰瘍形成、とこずれ。腱膜瘤。
関連レメディー：Rat.

Palladium パラジウム

総体的症状：この金属は、白金と金に非常に関連している。特に右の**卵巣、子宮、精神**に影響を与える。**つかの間の痛み、一過性の痛み**。衰弱、運動を嫌悪。打撲したような痛み。悪い知らせからの疾患。
悪化：**感情、強烈な**；悔しさ。**社交的な会合**。立つこと。激しい活動。
好転：接触。圧迫。気晴らし。さすること。睡眠後。排便後。
精神：称賛を愛する、他者のよい意見を求め、それを重大視する。簡単にだまされやすい、実際に、または想像上；傷ついたプライド、無視されていることを想像する、時に、激しく表現することにはけ口を見いだす。落ち込むような知らせによって、すべての症状が悪化。時間が過ぎるのが遅すぎる。人とは明るく過ごし、後で非常に消耗する。
頭部：前後に揺れるような感覚。耳から耳へと頭頂を横切る頭痛、＞それに注意を向ける。
顔：青い、血色の悪い。
喉：パン屑が詰まったかのような、舌骨の付近に何かがぶら下がっているかのような。喉の卵白状の粘液。
腹部：へその撃ち抜かれるような痛みが、胸または骨盤に波及する、＞排便後。鼠径部の空洞感。まるで腸が食いちぎられたかのような感覚。咳、くしゃみによって腹痛が悪化。白い便；便秘。
泌尿器：膀胱の切られるような痛み、＞排便。膀胱の充満感にかかわらず、わずかな排尿。

女性：子宮脱または子宮後傾。亜急性骨盤腹膜炎。下方に押されるような痛み、＞さする。子宮の切られるような痛み、＞排便後。授乳中の月経様の分泌物。卵白状の、黄色い帯下、月経の前後。骨盤が鉛のように重い、＜立っていること。卵巣痛、＞圧迫。月経後の腹痛と何かひどいことが起こるのではないかという不安。

背中：腰のくびれの疲労感。

四肢：身体のあらゆる部位の、つかの間の神経痛。つま先から臀部への牽引痛。

皮膚：衣服を脱いだ後の全身のかゆみ。

関連レメディー：Asaf., Plat.

Pareira brava　　ベルベット・リーフ

総体的症状：このレメディーは、尿生殖器と左側に影響を与える。常に感じる尿意；陰茎亀頭から大腿に伝わる排尿中の激しい痛み；**ひざまずいて、手で頭を床に強く押し付け**なければ排尿できない。尿管と膀胱の粘膜の軟骨性硬化。腎疝痛；前立腺肥大；尿閉と膀胱カタルを伴う。排尿困難。尿には、濃厚な、糸を引くような、白い粘液、または赤い砂が含まれる。下肢の浮腫。

関連レメディー：Berb., Med.

Paris quadrifolia　　ツクバネソウ

総体的症状：頭部、脊椎、目と片側に影響を与える。**重たい感覚；しびれ；ある部分が大きすぎるように感じられる、または引っ張られるように感じられる**。触覚の乱れ、物がざらざらに感じられる。身体

の右側が冷たい、一方、左側は熱い。全身の痛み、特に触れると。粘液性分泌物は緑色で、粘り強い。においに敏感。関節の骨折したような感覚。損傷、抑圧の悪影響。

悪化：考えること。眼精疲労。接触。
好転：圧迫。おくび。
精神：**多弁**。愚かな行為。多弁な躁病。他者に対して無礼で侮辱的にふるまう傾向。
頭：音読するとめまい。頭痛、＜考えること。頭が大きく膨張しているように感じられる。重い感覚を伴う後頭部の頭痛。目から後頭部にかけて、糸で引っ張られるかのような頭痛。敏感な頭皮、髪をとかすことができない。左側のしびれ。慢性的な頭痛。
目：**眼球が後方に引っ張られるような感覚、または大きすぎるように、そして重たく感じられる。**
耳：耳が外側に押し出されるような痛み、または、くさびで引き離されるかのような痛み、＜嚥下。
鼻：臭いにおいがする気がする。パン、魚、乳が腐敗したようににおう。
顔：鼻の付け根が引っ込んだような感覚。神経痛；ほお骨の熱い、刺されるような痛み。
口：覚醒時の乾燥。舌の乾燥、大きすぎるように感じられる。
喉：**粘着性のある緑色の粘液**を咳払いで出す。喉にボールがある感覚。飲食時の灼熱感。
胃：石があるかのように重たい、＞おくび。消化が弱い。へそ周辺の赤く湾曲した筋。
呼吸器：周期的な痛みのない嗄声。
首：首の付け根の重い感覚と疲労感。座るときの尾骨の刺されるような痛み。首の両側の激しい痛みは手指に伝わる、＜頭脳労働。
四肢：手指のしびれ。すべてがざらざらしているように感じられる。関節が、動くたびに、骨折し、はれているように、または脱臼したよう

に感じられる。
皮膚：痛いほど敏感。
熱 ：片側だけ熱い、または冷たい。熱が首から背中に下りる。
関連レメディー：Bell., Nux-v.

Passiflora incarnata　トケイソウ

総体的症状：神経系を鎮静させる効果があるので、優れた抗痙攣性のレメディーである。生歯期の小児の痙攣。モルヒネ中毒を絶つ。小児と高齢者、精神的不安で働きすぎの人の不眠症。破傷風。ヒステリー。産褥痙攣。喘息（10〜30滴）。総体的な弛緩状態（30〜60滴を数回リピートする）。

Petroleum　原油

総体的症状：石油は、主に**皮膚**、特にひだ、頭皮、顔、そして生殖器の皮膚に作用する。カタル性の状態を生じ、長引く、根深い、消耗性疾患；恐怖、いら立ちなどの精神状態の後の病訴に適合する。長引く胃腸疾患。振戦性の衰弱。内部が病んでいるように感じられる。**内部のかゆみ**。外気への恐怖；さらされると震える。耳、鼻などの**乾燥**。分泌物は、濃厚、膿状、黄緑色。出血；鮮血、＜持ち上げる、または乗り物に乗る。灼熱感。痙攣性のぴくぴくする動き・攣縮。カタレプシー。浮腫。車、電車、船などの乗り物酔いの主要レメディーの一つ。捻挫、発疹の抑圧の悪影響。無感覚。るいそう、特に胸部。部分的な冷たさ；腹部の、心臓の、かいた後の。打撲したような痛み、＜関節。腺肥大。ひび割れ。ひどいやけど後の不健康

な肉芽形成。**恐怖、長く続く。**

悪化：**動き**；**車の、乗り物の、船の**。天候－寒い、冬、変化；雷雨。**食べること**。いら立ち。キャベツ。性交。接触、衣服でさえも。

好転：暖かい空気。乾燥した天候。頭を高くして横たわる。

精神：興奮、怒りっぽい、性交後；怒りやすい傾向、そして小言を言う。優柔不断。二重性の感覚、自分は二重人格であると思う、または誰かが横に横たわっているように感じる、または1つの腕や脚が2本あるように思う。死が近づいているので、早く事をすまさなければと思う。なぜかわからない心配。道に迷う；記憶喪失。怖がり。

頭部：めまい、揺れから生じる、**後頭部に感じられる。後頭部；痛い、重たい**。頭痛、＜振る、咳、緩和させるためには、こめかみを押さえなければならない。髪が抜ける。頭皮の湿疹、＜後頭部と耳。頭が、まるで木でできているかのように感覚がない。まるで冷風が頭に吹きつけるかのよう。

目：瞼板の炎症。まつ毛が抜ける。涙管瘻（最近できたもの）。眼角の亀裂。

耳：難聴；高齢者の場合、耳の中の雑音を伴う。何人かの人が話している声が耐えられない。耳の中の乾燥。耳からの、膿と血の排出。耳の後ろの湿った部位。耳の奥深くのかゆみ、耳管のかゆみ。外側が痛い。

鼻：乾燥。鼻孔の潰瘍、ひび割れ、灼熱感。臭鼻症、膿状の分泌物。鼻の先がかゆい。

顔：乾燥、まるでアルブミンで覆われているかのよう。青白い、または黄色い、食後に熱くなる。顎が外れやすい。

口：乾燥。臭い、ニンニクのような。ほおの内側の潰瘍、歯をかみ合わせると痛む。そしゃく時の痛み。舌の中央が白い、端に黒い筋。

喉：喉の臭い粘液。朝、咳払いで出す。乾燥。

胃：空腹感、吐き気を催す、夜間に目が覚める、排便後。鼻につんとく

る刺激性のおくび。ビールを渇望。珍味を渇望。肉、脂肪、調理されたもの、熱い食事を嫌悪。苦い緑色のものを嘔吐。**吐き気；列車酔いと船酔い**；妊娠中の吐き気、かがまなければならない。

腹部：膨張；内部が冷たい。**下痢**または赤痢、**日中のみ**、＜キャベツ、ひどい空っぽの感覚。肛門のかゆみ、排便後。つねられるような疝痛、＞二つ折れになる。小児のへその潰瘍。激しいかゆみを伴う痔と肛門の裂傷。会陰のヘルペス。

泌尿器：起き上がるときの不随意の排尿。**慢性**尿道炎による**狭窄症**。夜間の遺尿。突然の尿意、すぐに排尿できない場合は、極端に痛む。膀胱炎、尿道炎。尿の滴下。

男性：陰嚢、陰嚢と大腿の間、会陰のかゆみ。汗ばんだ生殖器（両性）。

女性：性交を嫌悪。月経によるかゆみ。激しいかゆみを伴う、生殖器の痛みと湿り気。帯下－アルブミン性の、多量の、なまめかしい夢に伴う。乳頭のかゆみと粉状の被覆。乾性のしつこい発疹。絶え間ない下痢による子宮脱。

呼吸器：咳、胸の奥深くからくる、夜、患者の目を覚まさせる（若い少年・少女）。夜間のみの、または夜間に悪化する咳、頭が割れるように痛む、＞圧迫。冷気による胸の圧迫感。

心臓：心臓周辺の冷たい感覚。失神、感情の激発、熱感、動悸を伴う。

首・背中：首のこわばり、動かすと音がする。坐骨神経痛に伴う、脊椎と全身の痛み。座ると尾骨が痛む。仙骨の痛み、＜まっすぐに立つ。鋭い痛みが脊柱から後頭部に駆け上がる。

四肢：関節が鳴る。関節の硬直。四肢が無感覚になる。ざらざらした、荒れた、手と手指、出血、家政婦の。手のひらの乾癬。踵の刺されるような痛みと水疱。

皮膚：**汚い**、**硬い**、**荒れた**、**分厚い**、羊皮紙のような；**ひりひり痛む**、**化膿**する、または**治癒しない**、＜ひだ。角、乳頭、手指先の**深い亀裂**。茶色い斑点。硬く分厚い、湿った、または黄緑色の痂皮のある

発疹；後頭部の；生殖器の、＜寒さ。湿疹。ヘルペス。小水疱。**かゆい**開口部、灼熱感がある。部分的に冷たい。発疹はすべて激しいかゆみを伴う、出血するまでかきむしらなければならない、かいた後、患部は冷たくなる。かゆい、灼熱感があり、紫色になるしもやけ。

睡眠：落ち着きがない、怖い夢を伴う。
熱　：口の乾燥を伴う悪寒。手のひらと足の裏が熱い。部分的な発汗；足と腋窩は臭い。日中、頻繁にあちこちが一過性の熱感に襲われる。
補完レメディー：Sep.
関連レメディー：Graph., Sep.

Petroselinum　パセリ

総体的症状：このレメディーは、泌尿生殖器の領域に影響を与える。突然の抑えきれない尿意、会陰から尿管全体にわたる引っ張られるような痛み、うずき、虫などがはうような感覚、かゆみ。淋病、乳白色または黄色い分泌物。前立腺肥大に伴う排尿困難。乳児の排尿困難。排尿のひどい痛みで震える、苦痛で部屋中を跳ね回る。

Phellandrium　ウォーターフェンネル

総体的症状：気道の**カタル性の病態**を生じる。肺結核。**乳房**と神経に作用する。歩行中に疲労感を感じる。すべての血管が振動しているように感じる。
悪化：冷たい、外気。目を使うこと。
好転：授乳中。

精神：不機嫌で尊大。
頭部：カーンと鳴る音、金属をたたくような、脳の、目覚めさせられるような。頭頂の重さ；こめかみと両目の上の痛みと灼熱感。
目：毛様体神経痛、＜目を使おうとする。光に耐えられない。半分だけ開く、まるで1週間泣きはらしたかのように見える。
顔：夕方に赤黒くなる。
胃：ナンキンムシのにおいのするおくび。すべてが甘く感じられる。酸味のあるものを欲求；乳またはビール。水を嫌悪。
女性：授乳時の乳頭の痛み、腹にひびく。
呼吸器：恐ろしく臭い（ナンキンムシのような）緩い、多量の、ねばねばした**喀出物**、呼吸困難の原因となる。咳のために座っていなければならない。右胸の左端から両肩間にかけての刺されるような痛み。痛みは胸を通過して背部へ向かう。
睡眠：あまりに眠いので、仕事中に立ったまま眠る。
関連レメディー：Asaf.

Phosphoricum acidum   リン酸

総体的症状：Phos-ac.は、**精神**、特に**感情面**に影響する；それに加えて、感覚神経、生殖器、**骨**にも作用する。すべての酸にも共通の**弱さ**と**衰弱**が、このレメディーでは非常に際立つ、**多量の分泌物**—多量の排尿、体液喪失、発汗など、ただし下痢は除く—による。まず精神が衰弱し、そして身体的に衰弱する。精神および特殊感覚の**緩慢**さ。横にわたったとき下になる部位の痛み。光、音、においに敏感で、このために息ができなくなる。圧迫感、額、胸骨、頭頂、目、へそ、胸などが重たい。毛根、**脊柱沿い**、四肢の蟻走感。成長が早く、頭も身体も酷使している青少年に効果がある。急性病、過剰な

性交、悲嘆、生命に必要な体液の損失などによって身体が破壊された場合、この酸が必要となる。打撲したような痛み、しつこく続く痛み。出血、黒っぽい血。骨の疾患－骨炎、骨膜炎、カリエス。くる病。糖尿病。切断後の断端の神経症、＞深呼吸により。癌の痛みを緩和。患部が冷たい。悪い知らせ、失恋、悲嘆、悔しさ、損傷、ショックの悪影響。ピンで刺されるような感覚、るいそうを伴う。神経衰弱症。発熱後の膿瘍形成。しつこく続く骨の痛み。関節が緩い。外部が黒くなる。老年性壊疽。

悪化：**体液喪失**。**過剰な性交**。**倦怠感**。発熱後の回復期。**感情**、悲嘆、悔しさ。精神的ショック。ホームシック。不幸な恋愛。**すき間風；寒さ**。音楽。話すこと。座ること。立つこと。重いものを持ち上げること。手術。恐怖（慢性）。

好転：**暖かさ**。うたた寝。排便。

精神：寡黙、話したがらない、または早口。**すべてに対して無関心**。逆境との勝ち目のない闘いによる**無感動**、精神的、身体的；鈍感、または不活発、下痢や汗をかきやすい傾向を伴う。**理解に時間がかかる**。自分の考えをまとめられない；言葉を探す。記憶力が乏しい。定着した絶望感。話すことを嫌悪。嫌々、ゆっくり、手短に、不正確に返事をする。人生の変化時におけるヒステリー。ホームシックでめそめそする傾向。軽いせん妄、簡単に元に戻る。脳神経衰弱。希望がない。先行きの不安；自分の状況をくよくよ考える。

頭　：頭頂の押しつぶされるような重さ；頭頂の押しつぶされるような痛み；＜振動や雑音。空中を漂っているかのようなめまい、寝床に横たわっている間、耳の中で鳴り響くような音とどんよりした目を伴う、＜立つ、歩く。髪がまばらになる、早く白髪になる。髪が抜ける。目の使いすぎによる女学生の頭痛。性交後の頭痛。

目　：輝きがない；どんよりした；凝視する；落ちくぼんだ；**目の周囲の青いくま**。眼球が圧迫されて頭の中に押し込まれるかのような痛

み。眼球が大きく感じられる。結膜に黄色い斑点。マスターベーションに起因する視力低下。虹が見える。羞明。

耳　：雑音、特に音楽に耐えられない、それにより、刺されるような痛みが生じる、自分が歌っているときでさえ。腸チフス様の発熱後の神経性難聴。すべての音が耳の中で大きく反響する。鼻をかむとき、耳に鋭い音が響く。幻聴、ベルが鳴るのが聞こえる。鼻をかむと耳が痛む。

鼻　：鼻出血。かゆみ、鼻をほじる。鼻がはれる、鼻の先端の赤い斑または吹き出物を伴う。

顔　：病人のように青白い。まるで卵白が乾いたかのような突っ張る感覚。片側だけ冷たい。自慰に起因するにきび。ひげが抜け落ちる。

口　：歯茎の出血、はれ、歯からの後退。歯が黄色くなる、鈍感になる。舌触りが悪い。舌の中央に赤い筋。舌の横を不随意にかむ、睡眠中。口の乾燥。唇の乾燥、ひび割れ。歯茎に痛い結節。腐った卵の味。

喉　：粘り気の強い粘液を咳払いで出す。口蓋の乾燥。

胃　：爽快感をもたらす水分の多いもの、冷たい乳を欲求。酸性。酸味のある飲食物は不耐。重りによるような圧迫感。食欲不振。

腹部：へそ周辺の痛み。膨張と発酵。大きなゴロゴロいう音。冷たい。**多量の**、**痛みのない**、**薄汚く白い**、**水っぽい**、または**未消化物を含む便**、しかし、**わずかな衰弱**。不随意の排便、放屁とともに出る、子どもの場合、動きとともに。無臭の便。肝臓；重すぎるように感じる、痛い、月経中。臭い、ニンニク臭の放屁。

泌尿器：頻繁な、多量の、水っぽい、**乳白色**の尿。糖尿病。リン酸塩尿。腎臓周辺の灼熱感。最初の眠りでの遺尿。月経直前の乳汁様の尿。

男性：性交中、突然の生殖器の衰弱、弛緩、射精できない。性交後の衰弱と遺精。みだらな夢に伴う夢精。軟らかく、はれた精巣。軟便の排出時の前立腺漏。包皮ヘルペス。陰嚢の湿疹。淋病性の（sycotic）

527

増殖物。

女性：子宮の膨張、空気がたまっているかのように。早すぎる、多量すぎる月経、肝臓の痛みを伴う。月経後に、黄色いかゆみのある帯下。授乳による健康状態の悪化。左の乳房の鋭い痛み。乳児は常に乳を吐く。妊娠中の排尿困難。

呼吸器：胸の衰弱感、＜話すこと、咳または座ること、＞歩行。かぜをひく、＞胸に当たる微風。痙攣性のむずむずする咳。胸骨背部の圧迫感やねじれによる呼吸困難。塩辛い喀痰。

心臓：動悸；成長が早すぎる小児、青年の；悲嘆の後；自虐の後。不整脈。間欠脈。

首・背中：脊椎に沿った麻痺性の**衰弱**。脊椎に沿った蟻走感。頸椎の脊椎炎。腰部が重たい、脚の痛みを増強する。脊椎に沿った灼熱感。尾骨と胸骨の繊細な刺されるような痛み。臀部のせつ。

四肢：上腕が重い。中手骨間の手の皮脂嚢腫。四肢の蟻走感。まるで骨をこすり取られるような夜間の痛み。よろめきやすく、そのために踏み外す。腰の下の灼熱感。腕、手、手指の痙攣性の圧迫感。橈骨神経のしびれ。

皮膚：べたべたした、皺が寄った。吹き出物、にきび、血瘤腫。発熱後に膿瘍をつくる傾向。悪臭を放つ膿を伴う痛みのない潰瘍。さまざまな部位の蟻走感。

睡眠：<u>日中の眠気</u>、熱くて、夜間に目が覚めやすい。眠りは深いが、起こされたときには完全に意識がある。発熱時、うたた寝により衰弱が好転。

熱：冷たい部位―顔の片側、腹など、発汗を伴う熱。**多量の発汗**、＜夜間、結果として。**熱に痛みは伴わず、高くならない。**

補完レメディー：Chin.

関連レメディー：Gels.

Phosphorus　リン

総体的症状：Phos. は、**胃と腸の粘膜**の炎症と変性を起こす；脊髄と**神経**の炎症；麻痺を起こす；**血液**を乱し、**血管**をはじめ、すべての細胞や組織の脂肪変性を起こす。つまり、**破壊的な代謝**という像が、ここにできあがる。成長が早く、猫背になりがちな青少年に適合する。成長が早すぎる小児の舞踏病。**背の高い**、**細い**、多血質の人；**神経質で、弱く、繊細な人**で、磁気療法を好む。潜行性の発現。徐々に**衰弱が増す**、最終的には、重篤で急速な疾患になる。再発性代償性の**出血**；小さな傷から多量に出血する。血の筋が付着した分泌物。出血性紫斑病。再発性のかぜ、クループなど。光、音、におい、触覚、電位変化など、外的な影響に非常に影響を受けやすい。症状の急性；衰弱；気を失うような軽いひとしきりの発作、発汗、撃ち抜かれるような痛み。不確かな、不随意の動作。胸、胃などの空虚感。胸部の**締めつけられるような感覚**、咳などによる。**局所**の痛みまたはひりひりする感覚。麻痺；偽肥大性筋肉；精神異常者の；内部の麻痺—喉、直腸。内部のあちこちの、かゆみ、むずむずする感覚、拍動。しびれ。灼熱感。部分的な痙攣；振戦。関節；硬直、わずかに痛む。捻挫；脱臼しやすい；関節の軽い発作、＜激しい活動。心臓疾患、肺疾患による症状。骨、脊柱、上顎のカリエス。あちこちの硬い腫脹。骨髄炎。外骨腫。骨の脆弱さ。ポリープ、すぐに出血する。黄疸、付随症状として、血液性。血友病。真性赤血球増加症。勃起性腫瘍（海綿状血管腫）。膿血症。アシドーシス。肺結核の傾向。るいそう。麻痺している側の痙攣。意識のあるてんかん。（てんかんの）小発作。歩行中のよろめき。**人間寒暖計**。締りのない筋肉。怒り、恐怖、悲嘆、心配；雨でびしょぬれになる、洗濯：たばこ；散髪；ヨード、塩の使いすぎの悪影響。治癒

した傷が再び口を開け出血する。脂肪腫。癌。

悪化：痛みのある側、**左側**、**背中**を下にして**横たわる**。**ささいな原因**；**感情**；会話；接触；におい；光。**寒さ**；外気。**手**を冷水に浸す。**温かい飲食物**。思春期。塩。**過剰な性行為**。体液の喪失。**急激な天候の変化**—強風、寒さ；雷雨、稲妻。**朝と夕方**。**精神疲労**。たそがれどき。ひげそり。

好転：**食事**。**睡眠**。冷たい食物と水、冷水による洗顔。さする（磁気療法）。座ること。暗がり。

精神：好色、裸になって、性器を露出する。興奮しやすい、怒りやすい、むきになる、そして後でそのことで苦しむ。不安。恐怖—独りになること、たそがれどき、幽霊、将来、雷雨、どの角からも何かがはい出してきそうな。嫌な印象ですぐに衰弱する。臆病で優柔不断。うつ；働きたくない、勉強したくない、話したくない。人生に疲れきっている。涙を流す、または不随意に笑う。すべてを打ち壊す；看護人につばを吐きかける、接近してくる人にキスをする。冷淡、無関心、自分の子どもにさえも。自分自身の重要性：崇高さについての誇大妄想を伴う精神異常。**強烈な感動の後**は、まるでお湯に浸ったかのように、**熱くなる**。透視能力者。まじめなときに笑う。心配で落ち着かない、患者は、少しもじっと立っていられない、座ってもいられない、特に、暗がりで、または、たそがれどきに。

頭部：多くの症状がめまいを伴う—高齢者の場合；浮遊する；目覚めに；ぐるぐる回る、＞排便。頭が重い；**片目の上が痛む**；空腹を伴う、＜子ども、右側を下にして横たわる、＞冷水で顔を洗う。後頭部の冷たさを伴う脳神経衰弱。こめかみの灼熱感。後頭部；拍動、熱い、悲嘆の後。脳の軟化、四肢の蟻走感、しびれを伴う、足を引きずる。頭のうっ血。多量のふけ。頭皮のかゆみ。束になって髪の毛が抜ける、部分的に。後頭部が冷たい；ショック；てんかん。髪を引っ張られているように感じる。

目 ：風の中で流涙。羞明。**閃光**、光輪、赤、緑、黒、＞手をかざす。視野が狭い。眼球が大きく、硬直しているように感じる。色のついた映像、その後に片頭痛。緑内障。網膜細胞の退行性変化。蛋白尿症の網膜炎。たばこの乱用、過剰な性交、稲光による部分的な視野欠損。視神経萎縮。脈絡膜炎。長くカールしたまつ毛。黄色い。白内障。目は落ちくぼみ、周りに青いくま。硝子体混濁。読むとき、字が赤く見える。すべてが霧、ほこり、またはベールに包まれているかのような感覚、または、何かが目のすぐ近くにかぶせられているような感覚。目が外側を向く。

耳 ：人間の声が聞き取りにくい。音、特に音楽の反響。耳の中のポリープ。中耳炎。乳様突起炎。腸チフス後の鈍い聴覚。何か異物が耳に詰まっているかのような感覚。常に何かが耳の前にあるような感覚。

鼻 ：鼻翼の、**神経質で扇のような動き**。交互に、多量に出たり乾燥したりするコリーザ、出る側も交代する。鼻出血—月経の代わりに；若い人の、その後の肺炎；咳を伴う、排便時。鼻のはれ。カリエス。鼻の潰瘍。鼻のポリープ、出血しやすい。慢性カタル、鼻出血を起こす。**くしゃみ、＜におい、煙、など**；呼吸困難を伴う、喉の痛みを引き起こす。**鼻のかぜが下降する**。においに過敏。手を水に浸すと、くしゃみをしてコリーザが出る。はれて赤く光っている。悪臭。

顔 ：**鼻と口の周辺が青白い**；病人のよう；色が変わる。下顎の壊死。ほおの燃えるほどの熱さと赤み。唇は青い、乾燥、ひび割れ、すすけた、痂皮がある。皮膚が突っ張る感覚。

口 ：歯の無感覚。洗濯することからの、手を冷水またはお湯に浸すことからの歯痛。歯茎の出血；中切歯の後ろが痛む。乾燥した、滑らかな、赤い舌。抜歯後に出血が止まらない。口蓋のかゆみ。硬口蓋の膿瘍。乳の後の酸っぱい味；苦い味；咳をすると甘い味がする。口が左側に引っ張られている。話すのが困難、どもる。塩辛い、または甘い唾液分泌過多。口も乳房も痛む授乳。

喉 ：乾燥；てかてか光る。まるで綿、または綿のようなものが喉にぶら下がっているかのような感覚。食道の灼熱感。食道の狭窄症。扁桃と口蓋垂の肥大、細長く伸びた口蓋垂。

胃 ：**冷たい飲み物を欲求**、それにより＞しかし、**しばらくして、胃の中でそれが温まると吐き出される**。クロロホルムの後の術後の嘔吐。**飲食物の逆流**、口いっぱいの。胃痛、＞冷たい飲み物。**空腹−貪欲な**；毎夜の；病気の発作前に。呑酸。辛うじてのみ込んだ食べ物がまた上がってくる；食道の噴門部の痙攣。胆汁、血、コーヒーの搾りかす状のものの嘔吐。胃潰瘍。胃の灼熱感、＜食事。塩、酸っぱいもの、刺激物を欲求；提供されると拒絶。**胃の空洞感**；まるでぶら下がっているかのような感覚、＜感情。振戦、動揺、または何かが胃の中を転がっているような感覚。水を飲むことができない、妊娠中、水を見ただけで吐く、入浴するときは目をつぶらなければならない。お湯に手を浸すときに吐き気。胃は、まるで凍っているかのように冷たい。

腹部：みぞおちの圧迫感。みぞおちに痛む部位がある。冷たく感じる。腹をさすると緩和する。便は料理されたサゴのようで、顆粒状、細い、硬い。便と放屁が非常に臭い。痛みのない、多量の、灰色の、青みがかった、**水っぽい便が**、**どっと出る**；神経性の、不随意の下痢、恐怖の後；**消耗性**の下痢。交互に下痢と便秘になる高齢者。赤痢。肛門が開いている、脱肛。直腸狭窄；便は平たくなっている。直腸の灼熱感。黄疸；肺炎または脳の疾患に伴う；妊娠中；神経興奮に起因する；悪性；血液性。急性黄色肝萎縮。急性肝炎。腹部に大きな黄色い斑点。肛門裂傷、＞暖かい布。排便時の直腸出血。鼓腸性疝痛、＜熱い飲み物。左側を下にして横たわると便意を催す。

泌尿器：多量の色味のない、水っぽい尿、その後の衰弱。尿に薄膜。急性腎炎の血尿、黄疸を伴う。周期性の蛋白尿。膀胱はいっぱいでも尿意がない。

男性：**抑えがたい性欲**、しかしインポテンス。官能的；裸になる；性的マニア。ほとんど勃起しない、または勃起不全。尿道から常時、希薄な、ぬるぬるした無色の液体を分泌。

女性：月経は早すぎる、微量、長く続く。多量で、刺激性、腐食性の帯下；月経の代わりに。女子色情症。過剰に官能的なことからの不妊、または月経過多や、遅すぎる月経による不妊。月経期間の頻繁で多量、または短期間の子宮出血；授乳中の女性の。子宮癌。無月経に伴って、血を吐く、肛門出血、血尿、または乳汁分泌。乳房の化膿、瘻孔性潰瘍を伴う。乳房の癌。子宮のポリープ。左乳房下の痛み。性的興奮にかかわらず、性交中の腟の無感覚。妊娠中および授乳中の激しい性的欲求。乳頭が熱く、ひりひりする。

呼吸器：抑圧的な呼吸、＜わずかな動作。苦しい窒息しそうな呼吸、＜咳。喉頭がひりひりする、痛む、柔毛で覆われているよう；話すときに痛む。低い、**嗄れた声**、＜朝と夕；クループ性、その後の気管支炎。咳；つらい、ぜいぜいする、乾性、激しい、痛む、**むずむずする**、しきりに出る、消耗性；吐き気を伴う；腹痛を起こす、気道の灼熱感と震えを起こす、＜音読、天候の変化、見知らぬ人の前で、笑う、激しい活動、歌う。すぐに、泡状の、さびのような、青みがかった、塩辛い、酸っぱい、甘味のある、または冷たい痰を吐く。**左肺下方**の肺炎、二次的、昏眠を伴う。**胸部**の充満感、重たい；痛みは喉や右腕に伝わる、または症状の出る側が変わる；左胸上部の刺されるような痛み；ガラガラいう音、＜冷たい飲み物。胸が熱く乾いた感覚、咳を伴う、咳は最初は乾性で後に湿性になる。咳の後の喘息。繰り返す喀血。長身の、細い、成長の早い人の結核。肺のうっ血。喉頭が皮膚のように感じられる。

心臓：ささいなことを不安に感じることによる激しい鼓動；甲状腺腫の罹患中。脂肪変性、または、心内膜炎による心拡張。心臓の衰弱。速い脈、遅い脈、軟脈。心臓が温かく感じられる。胸の黄色い斑点。

首・背中：折れたかのような背中の痛み、あらゆる動作を妨げる。肩甲骨**間のひきつり、灼熱感**。脊椎過敏症、＜熱。痛みは、**左肩甲骨**から前方に動く。腰部の熱い部位、＞さする。産後の仙骨の痛み。尾骨から後頭部にかけて脊髄を上る縫われるような痛み、＜排便時。

四肢：手足の指先からの上昇性の感覚麻痺と運動麻痺。手でほとんど何もつかむことができない。夜間、左肩が引き裂かれそうな痛み。**腕、手、手指**、足指の**しびれ**。手のひらの灼熱感。下痢では、手と腕が冷たい。臀部のしびれるような刺痛、背中に上がる。脛骨の痛み；骨膜炎。足首が、今にも折れそうに感じる、脱臼しやすい。**よろめく**；すぐにつまずく。足指のひきつり。関節が突然くじける。周期的に手指がひきつれるように収縮する。激しい活動のたびに、四肢が衰弱し、震える。ジフテリア後の麻痺、手足の蟻走感を伴う。寝床の中で膝が冷たい。脚が重い、足が床にのり付けされたように感じられる。脚を開いて（よたよたと）歩く、歩幅を開けて立つ。

皮膚：小さな傷から多量に出血；治癒し、また口が開いて出血する。あちこちに、茶色または血の色の斑点。斑状出血。出血性紫斑病。血管腫性肉腫。ひげそりでひりひりする。脂肪性嚢胞。希薄な、臭い、血の混じった膿。月経中の潰瘍からの出血。

睡眠：嗜眠状態；覚醒昏睡。日中眠い、深夜前の不眠。不眠、目を閉じることができない、内部のほてりから。少し眠っては頻繁に目覚める。夢遊病。火、出血の夢；みだらな夢。朝、十分に眠っていないように感じる。

熱：暖かい部屋での寒け、背中を下りる。悪寒時、氷をほしがる。**灼熱感、部分的、背中を上がる**。消耗熱。早朝の発汗、ねばねばする；それによって緩和されない。痛みを伴わない熱。

補完レメディー：Lyc., Sang., Sep.
関連レメディー：Bry., Caust., Con., Puls., Rhus-t., Sil.

Physostigma　カラバルマメ

総体的症状：脊髄内の運動神経が、このレメディーの影響を受け、筋肉の粗動のような振戦を引き起こす。筋肉が意志のとおりに動かない、または、結節をつくる、腸さえも、ねじれて結び目のようになっている場合がみられる。脊椎過敏症；敏感な脊椎；臀部間の小領域から始まる下肢の衰弱。痛みに鈍感。**衰弱**、その後に完全なる麻痺が続く、筋肉の収縮性は失われていないにもかかわらず。筋肉の硬直。**冷水に対する恐怖**；飲むこと、または浸ること。入浴を嫌悪。身震い、＜すき間風。浮遊感。あちこちの突き刺されるような痛み。紅潮、＜手のひら。失調性歩行、撃ち抜かれるような痛みが四肢を下る。破傷風。開口障害。**振戦**。感情、悲嘆、損傷、殴打の悪影響。進行性の筋肉麻痺。精神異常者の全身的な麻痺。

悪化：気温の変化。**眼精疲労**。入浴。熱と寒さ。下降。動作。足踏み。**振動**、踏み外す。

好転：うつぶせに横たわる、または頭を低くして横たわる。意志を発揮する。目を閉じる。眠る。

精神：何も正しいものがない；部屋に物が多すぎる、いつまでもそれらを数えている。精神と身体の麻痺状態、悲嘆から。

頭部：下になっている側に、頭が落ちるような感覚；頭の中が揺れる。めまい、階段の上り下りでつまずく。額から鼻にかけての痛み。頭にベルトで締められるような感覚、きつい帽子をかぶっているような感覚。横たわると、頭に心臓の鼓動が伝わる。頭の震え。

目：**眼筋の痙攣**。眼窩上の痛み、まぶたを持ち上げることができない。調節機能の障害。乱視。緑内障、特に、損傷後の。縮瞳。ジフテリア後の目の麻痺。まぶたの緊張、開けられない、または閉じられない。目の充血、灼熱感を伴う。夜盲症。飛蚊症；閃光。近視の進

行。視界が揺れる。
- **耳**：喉から中耳にかけての突然の痛み、＜おくび。耳（右）の痛み、書いているとき。
- **鼻**：**鼻の筋肉の痙攣。**
- **顔**：唇のしびれ；なめる。開口障害。
- **口**：歯がざらざらしているように感じる。舞踏病の場合、舌が脂っぽい、やけど、はれる。口蓋の粘膜が垂れているような感覚。濃厚な粘り強い唾液。
- **喉**：喉からボールがこみ上げてくるような感覚。喉で、心臓の鼓動を強く感じる。まるで大きな食べ物の塊をのみ込んだかのような、みぞおちの感覚。
- **胃**：しゃっくり、息切れ、＞睡眠。
- **腹部**：へそのひりひりする痛み、はれ、赤み。下腹部のひりひりする痛み、膨張、＜立っていること。右下腹部のつかまれるような痛み。鼠径部が交互に痛む。疝痛、＜下痢、＞脚を伸ばす。
- **女性**：背中の痛みを伴う子宮のしびれ。帯下、＜運動中、日中に。ため息、＜帯下がひどいとき。月経不順；動悸を伴う。
- **心臓**：喉、または全身、または頭に感じられる心臓の粗動。
- **首・背中**：後頭部から脊椎を下降する、ぞくぞくするようなしびれ。**敏感な脊椎。**
- **四肢**：四肢の痙攣性のぐいっとする動き。手が臭い。三角筋（右）の痛み、＞激しい動作。右の膝窩の痛み。手のひらが熱くなる。
- **睡眠**：**圧倒的な睡魔に襲われる**；まるで意識を失いそうな感覚を伴う。
- **熱**：あらゆる動作や、すき間風で震える。興奮すると、発汗しやすい。
- **関連レメディー**：Agar., Gels., Nux-v.

Phytolacca　アメリカヤマゴボウ

総体的症状：このレメディーは、主に腺、特に**乳腺**、扁桃に深く長く作用する；それに加えて、**首**と**背中**の筋肉、**線維組織**、腱と関節、骨組織、骨膜、**喉**、**消化管**と**右側に対する強力な効果**を有する。**うずき**、**ひどい痛み**、落ち着きのなさ、疲はいなどが主要な症状。体中の痛み―眼球、**腎臓**、**首**、肩、**背中**、上腕、**膝下**。**青みがかった赤い部位**―喉、腺など。痛みが広がる。痛みは、突然始まり突然終わる、痛む部位が変わる；**リウマチ**；**扁桃炎後**。**少量の**、糸を引くような分泌物―便、月経など。硬く痛む皮膚の結節。梅毒による骨の痛み。破傷風；総体的な筋肉のこわばり；痙攣と筋肉の弛緩が交互に現れる。すぐに化膿する。水っぽい、臭い、血のような膿。肥満。生歯の遅れ。すべて乳房に影響する。
悪化：湿った寒い天候にさらされること、または天候の変化。**起き上がる**。**動作**。**熱い飲み物を飲み下す**；熱さ。寒い夜。月経時。雨。高い所から下りる。
好転：うつぶせに横たわる、または左側を下にして横たわる。休息。乾燥した天候。
精神：人としての繊細さに欠ける；全くの恥知らず、自分をさらすことに全く無関心。人生に無関心。起き上がるときに気が遠くなる。ずっと固執していたにもかかわらず、食べ物を固辞する。多大な恐怖、自分が死ぬことを確信している。仕事を嫌悪。
頭部：起き上がるときのめまい。前頭部から後部にかけての痛み。脳が痛い、頭をたたかれたような。雨が降るたびに痛む。吐き気と頭痛＞食事、しかし頭痛で悪化し、吐き気で好転する嘔吐とともにすぐに戻ってくる。
目：多量の熱い流涙。うずく。視野が緑色。涙管瘻。読書や書き物で眼

球が痛む。片目だけが動く、片方から独立して。眼窩蜂巣炎。まぶたがまるで燃えているように熱い。

耳 ：**両耳の痛み、＜嚥下。**

鼻 ：重い。片側が詰まると、もう片側から流れる、交互に。刺激性のコリーザ。

顔 ：黄色い、病的に。ほお骨の痛み。下顎角の腺の腫脹。流行性耳下腺炎のような顎の痛み。唇がめくれ上がり、硬い。顎は、胸骨のほうに引き寄せられている。流行性耳下腺炎

口 ：**歯を食いしばる傾向。**生歯困難、＞何か硬いものをかむ。**舌は、**先が火のように赤い、**舌の根が焼けたよう、または痛む**；舌を突き出す。糸を引くような唾液。ほおのわきに、非常に痛い小さな潰瘍、そちらの側では、そしゃくできない。咳に伴う乾いた感覚。

喉 ：暗い赤、または青みがかった赤。口峡に、白っぽい灰色の斑点。ひりひりする、**嚥下時に非常に痛い、黒っぽい、はれぼったい、**灼熱感。喉に棒、熱いボールまたは塊があるような感覚。扁桃の腫脹、まるで扁桃に黒っぽい柔らかな、なめし皮があるような。右の扁桃の拍動。化膿性扁桃炎。ジフテリア。熱いものは何ものみ下せない。濾胞性咽頭炎。ジフテリア後の嗄声と咽頭痛。

胃 ：むかつきを伴う激しい嘔吐、吐き気が治まるなら死にたい；毎分ごと。食べた直後の空腹感。吐き気がなくても、簡単に吐く。痛み、＜深呼吸。

腹部 ：下肋部のひどい痛み、＜患部を下側にして横たわる、＞帯下。慢性肝炎。睡眠中も常に便意を催す。赤痢—粘液と血液または腸の剥離物だけを排出。血の混じった分泌物、直腸の熱感を伴う。直腸癌。心臓の弱い高齢者の便秘。レモネードの後の下痢。

泌尿器 ：腎臓の強い痛み、微量の抑圧された排尿を伴う。赤黒い尿；白い沈殿物。ジフテリア、猩紅熱後の蛋白尿。尿は下着に黄色いしみをつける。

男性：精索の痛み。会陰から陰茎にかけての撃ち抜かれるような痛み。精巣の痛みを伴う硬化。

女性：唾液と流涙を伴う月経。**重い、石のような、硬い、はれた**、または**圧痛のある乳房**、授乳中の痛み、全身に広がる。**乳房の硬い結節**；腋窩腺の腫脹を伴う。乳頭；ひび割れ、非常に敏感；陥没。月経前、月経時の乳房の敏感さ。子宮頸のびらんを伴う、不妊症の女性の月経困難症；膜様。乳汁分泌。乳房からの血の混じった、水っぽい分泌物。乳房の古い瘢痕の疾患。

呼吸器：あえぐような呼吸。嗄声。気管の灼熱感を伴う咳。

心臓：心臓周辺の痛みによるショック。痛みは心臓から右腕に伝わる。まるで心臓が喉から飛び出しそうな感覚。脂肪心。

首・背中：首の硬直。腰仙部の痛み。痛みが脊椎を上下する。

四肢：**右腕**のしびれとぼんやりした感覚。肩（右）の痛みと硬直、腕を上げることができない。痛みはまるで電気ショックのように流れる。天候の変化で臀部と大腿が痛む。上腕（右）の痛みと衰弱、＜動作と伸展。脛骨の痛み。踵の痛み、＞足を上げる。足指の神経痛。臀部の鋭い、切られるような、引っ張られるような痛み；脚が引き上げられ、床につかない。手指の関節の痛い、硬い、光沢のある腫脹。

皮膚：乾いた、ざらざらの、皺が寄った。せつの傾向。性病性リンパ肉芽腫。いぼ。脂肪腫。うおのめ。ひげそりまけ。白癬。

補完レメディー：Sil.

関連レメディー：**Bry., Kali-bi., Kali-i., Merc.,** Rhus-t

Picricum acidum　ピクリン酸

総体的症状：この酸は、**脳**、**脊髄**、**腰部**、**後頭部**、**腎臓**、そして生殖器に作用する。**衰弱；疲れて重たい感覚**；身体と精神の。麻痺を伴う脊髄の変性。脊髄炎による痙攣。すぐに衰弱する。進行性の悪性貧血。針で刺されるようなちくちくする痛み。多数の部位の**灼熱感、脊椎に沿って**、脚の。悪液質。疲れ果てた人―精神的に、身体的に。しびれ。蟻走感。神経衰弱症。急性の上昇性麻痺。完全な尿閉を伴う尿毒症。タイプライターの麻痺。

悪化：激しい活動―精神的、身体的。精液の喪失。暑さ；夏の。疲労。勉強。精神的ショック。

好転：休息。寒さ。**包帯を巻く**。日光に当たる。

精神：何事もする気力がない。試験に失敗することを恐れる。すべては、長期にわたる精神緊張と不安の後に起こる。地面が階段状に見えたり、持ち上がってくるように見えたりする。女性がいると、みだらなことを考える。男性社会を満喫するが、結婚という概念には耐えられない。じっと座る、無気力、周囲のことに興味がない。

頭部：**後頭部が重たい**、脊椎の下部と**下肢**が重い。頭痛、＜頭脳労働、＞鼻出血、包帯を巻く；性的興奮と激しい勃起を伴う。ビジネスマンの頭痛、先生と学生；悲しみやその他の感情的な落ち込みから。

目：黄色い。慢性結膜炎、濃厚な黄色い分泌物を伴う。

耳：耳道の痛むせつ。

胃：喉が渇くと苦い味がする。食べ物を嫌悪。突然、予兆なく吐く；明るい黄色の苦い、吐しゃ物。

腹部：脂ぎった熱い便。激しい頭脳労働による下痢。排便時の直腸の灼熱感。細くて黄色い便。かゆみを伴う黄疸。

泌尿器：アンモニア性の尿。尿滴下。完全なる尿閉を伴う尿毒症。糖尿

　　　　病、蛋白尿。前立腺肥大。
- **男性**：女性が近くにいるとみだらな考えが浮かぶ。持続勃起症、陰茎の膨張。精索を上がる精巣の痛みを伴う硬い勃起。頻繁な射精による極度の衰弱。インポテンス、せつや癰の傾向を伴う。
- **女性**：月経時の極度の疲労。
- **首・背中**：首の付け根の、痛みを伴うせつ。脱力感を伴う背中の痛み、患者は背筋を正して座れない、脊椎に沿った灼熱感、＜勉強。脚を開いて立つ。痛む、疲れた脚。書痙、または文筆家の麻痺。背中と四肢が、まるで包帯を巻かれたよう。脚の知覚麻痺、まるでゴムのストッキングを履いているかのよう。脚が弱い、鉛のように重たい、持ち上げるのが困難。
- **皮膚**：黄疸。小さな、痛い、ひりひりするせつ、特に首にできる。
- **睡眠**：睡魔。熟睡、しかし元気を回復しない。日中眠たい、夜は眠れない。
- **関連レメディー**：Gels., Ox-ac., Phos., Phos-ac.

Pilocarpus 　（「Jaborandi」を参照）

Piper methysticum 　カワカワ

- **総体的症状**：カヴァカヴァは、活発にさせ、疲れることなくもっと働くことができるようにする、一種の興奮薬である。**すべての症状、特に痛みは、しばらくの間＞注意をそらすこと、姿勢または話題を変えること。**

Plantago major　オオバコ

総体的症状：神経に影響を与え、耳、歯、顔の神経痛、帯状疱疹の神経痛を引き起こす。痛みは鋭い、遊走性、耳と歯の間で移動する。うずき。かみたばこ愛好者と喫煙家に、たばこへの嫌悪感をもたらす。歯槽膿漏。打撲傷、やけど、切り傷、刺し傷、ヘビにかまれたことの悪影響。神経痛の患部にあてがうことができる。耳の中、鼠径部などに異物があるような感覚。

悪化：夜。暖かい部屋。

好転：睡眠、食事。

頭部：脳がひっくり返ったように感じる。歯痛に伴う頭痛。片耳から、もう一方にかけて、頭の中に何かが横たわっているような感覚。

目：虫歯の反射で目に鋭い痛み。目（左）の前に髪の毛があるような感覚。

耳：神経性耳痛、痛みは片耳からもう一方に頭内を伝わる。鋭い聴力；大きな音が片耳に聞こえる。両耳の間に物体があるような感覚。

鼻：突然、鼻から黄色い水を分泌。

顔：周期的な顔面痛、＜午前7〜午後2時、流涙、羞明を伴う。痛みは頭頂と下顎に向けて放射状に広がる。

口：**痛みに伴う唾液流出**。歯が長すぎるように感じられる。歯痛、＞食事。**嫌な味**。

腹部：腸が冷たく感じられる。疝痛＞食事。茶色い、泡の多い、水っぽい下痢。痛い痔、ほとんど立っていることもできない。

泌尿器：無色の尿を多量に何度も排出、＜夜、喉の渇きを伴う（糖尿病）。遺尿。

女性：乳頭の神経痛。

背中：肩甲骨間の拍動。仙骨の冷や汗。

四肢：しびれて震える脚。
皮膚：かゆみと灼熱感。敏感。
睡眠：憂うつな夢、涙が出る。
関連レメディー：Arn., Ferr-p., Puls.

Platinum　プラチナ

総体的症状：このプライドが高い金属は、**女性**、特にきちょうめんで高齢の家政婦のレメディー。卵巣、子宮、生殖器に関連するさまざまな症状。神経、迷走神経、知覚神経、三叉神経に影響し、**激しい、痙攣性の**、圧搾されるような、突き刺されるような、または、**しびれるような痛み**；その後に痙攣**を引き起こす**。痙攣と呼吸困難が交互に現れる。過敏な**精神**と神経。局部的な冷たさ－目、耳、など、または頭皮、顔、尾骨、ふくらはぎなどの**しびれ**。出血；黒い凝血塊と流体状の血。振戦、痛い。**不規則な痙攣**、うっ血。**精神症状**、身体症状または**生殖器の症状**が、**交互に現れる**。痛みは徐々に増し、徐々に低下する。**包帯などをきつく巻かれたような感覚**。粘着性の**分泌物**－涙、便、月経など。ヒステリー性の痙攣。月経時のカタレプシー。笑いを伴う、緊張性および間代性痙攣。恐怖、いら立ち、死別、感情の激発、過剰な性行為、長引く出血、マスターベーション（思春期前）の悪影響。ちくちくする感覚。痛みによる激しい衝撃。四肢のねじれ。てんかん；カタレプシー。倒錯した性的欲求。

悪化：性的**感情**、**性交**、悔しさ、**接触**。神経疲労。絶食。月経時。座ること。立つこと。背を反らすこと。

好転：**戸外を歩く**。日光。体を伸ばす。

精神：不適切なときに笑う。不親切；無愛想で、けんかっ早い。**バランス感覚の障害**－**物**が小さく、奇妙で、怖く見える。恐怖でぞっとす

る感覚；死が非常に近く感じられ、それを恐れる。助けを求めて叫ぶ。気分の変化、交互に泣いたり笑ったりする。**侮辱**。**横柄**；あらゆる人やあらゆる物事を蔑視する。背が高く、威厳があるように感じる。**高慢で好色**。（ナイフを見ると）自分の子ども、夫など、ひそかに嫌っている人、または情熱的に愛する人を殺したい衝動。口笛を吹く、歌う、踊る。傷ついたプライド、または性的な興奮から精神症状が現れる。痛みですすり泣く。自分は家族の一員ではないように感じる；すべてが変化したように感じる。孤独で、見捨てられた感覚。怒りっぽい、けれども、すすり泣く。夫はもう二度と戻ってこないと思う、夫に何かが起こると思う。欠点をあげつらう。猥談。精神症状＞たそがれどき、抑制された月経。深刻ではない事柄に対して深刻；ささいなことに敏感。隅に座って、じっと考え、何も言わない。

頭部：緊張した、圧迫されるような痛み。頭痛に伴うしびれ。鶏眼。頭皮の緊張。帯下を伴う頭痛。額に水があるような感覚。

目　：冷たい感覚。まぶたの痙攣。物が実際よりも小さく見える。

耳　：冷たい感覚；しびれた感じ；症状はほおと唇に広がる。

鼻　：鼻の付け根の痙攣性の痛み、顔の赤さを伴う。鼻のしびれ。

顔　：冷たさ、顔の右側全体に何かがはうような、しびれた感覚。しかめっ面。顎に穴が開けられるような痛み。顎の痙攣。開口障害。ほお骨のしびれ。

口　：歯のずきずきする痛み。舌のやけどしたような感覚。口が冷たく感じられる。舌尖が甘く感じられる。

胃　：食べ物に対する嫌悪感。貪欲な飢餓感。性急に食べる、周りにあるものをすべて食べる、または、すべてを嫌悪する。一口食べただけで食欲を失う。

腹部：塗装工疝痛。へその周辺の痛みが、背中にも広がる、曲げたり、ねじったり、できるかぎりの姿勢をとる。硬い、黒い便；少量ずつ排

出；非常に重圧を要する、軟らかい泥のように直腸にくっつく。旅行中の便秘；妊娠中の便秘。夕方の肛門のかゆみ、むずむずする感覚。官能的なむずむずする感覚。

男性：官能的なむずむずする、くすぐったい、性器の感覚、かゆみ、過剰な性欲を伴う。思春期前のマスターベーションの悪影響。倒錯した性的欲求。

女性：**痛いほど敏感な性器**、かゆみ、くすぐったさ、むずむずする感覚を伴う。過剰な性的欲望、特に処女の場合、マスターベーションにつながる。女子色情症、＜産後。月経は、黒く、濃厚で、多量、凝血塊がある、早すぎる、短かすぎる、疲労を伴う、流産後。焼けるような痛みの卵巣炎、不妊を伴う。月経困難症、悲鳴とびくっとする痙動を伴う。性器の過敏さによる腟痙、性交は不可能。官能的なうずきを伴う外陰瘙痒症。子宮脱。硬化；子宮癌。子宮筋腫。卵白のような帯下、日中のみ、＜排尿後；席から立ち上がるとき。過剰な性的興奮による不妊。異常性欲。月経が始まる感覚が頻繁にある。移住者の無月経。

背中：背中の打撲したような痛み、＜圧迫、背中を反らす。仙骨と尾骨の殴打によるしびれ。

四肢：ふくらはぎの疼痛性痙攣（こむらがえり）。大腿の、包帯を巻かれたような締めつけ感。曲がった手指。手の小指または手指のしびれ。四肢の疲労感、しびれ。麻痺性の衰弱。

皮膚：うずき、ちくちくする感覚、かゆみ。

睡眠：発作的なあくび。あおむけで膝を引き寄せて広げて眠る；何も覆いたくない。

関連レメディー：Cupr., Ign., Plb., Stann.

Plumbum metallicum 鉛

総体的症状：鉛は、全身の硬化症状を生む。**筋肉**、**神経**、**脊髄**、腹部、へそ、**腎臓**、血管そして血液に影響を与える。症状は、**ゆっくり**、**知らぬ間に**発現、**進行**し、非常に変わりやく、一貫性のない、一部位に発現する激しい副作用を伴うことが多い。麻痺—ヒステリー性の、小児の、一部位（手首—下垂）の麻痺、弛緩している、知覚過敏を伴う；＜接触。四肢の痙攣性の震えと、びくっとした痙動。るいそう；四肢の、身体はぽっちゃりしている；麻痺した部位の、一部位の；神経痛の後。伸びをしたい衝動、腹部の苦痛に伴う。**退縮**；腹部；肛門；精巣；へそ、など。知覚麻痺は、過度の知覚過敏と同様に著しい。**激しい収縮**。退縮；ひもで後ろから引っ張られているような感覚。自分の病態を誇張する。稲妻のような痛みで、うめく。**痙攣**；慢性のてんかん、顕著な前兆を伴う；出血を伴う。穴を開けられるような痛み；疼痛性痙攣。進行性の筋萎縮。多発性硬化症。脊髄硬化症。内臓の狭窄。貧血；黄疸；動脈硬化症；高血圧。全身の小さな動脈瘤。浮腫性の腫脹。痛風。発疹を消失させたことの悪影響。過剰な性行為。小児の消耗症で絶望的に見える場合、硬くて大きな腹部、極度の便秘。認知が遅い、理解困難。振戦、後に麻痺が続く。関節痛。

悪化：晴天。戸外。**激しい活動**。動作。人の大勢いる部屋。つるつるしたものをつかむ。接触。

好転：強い圧迫。さする。四肢を伸ばす。

精神：寡黙。臆病、落ち着きがない、不安。半狂乱—かむ、打つ。静かで抑うつ的。暗殺、毒を盛られることへの恐怖；自分のそばにいる人は皆、殺人者だと思う。愚か、低能。せん妄、夜間に起こる、疝痛や四肢の痛みと交互に生じる。健忘失語症。肉体労働で、精神が疲

労する。認知が遅い。記憶力の低下、または記憶喪失。緩慢さと無気力さの増大。不正や欺く傾向。仮病、または自分の状態を誇張する。人に見られている間のみヒステリー。時折、叫ぶ。原因のない恐怖感。音楽を耳にすることによるせん妄。

頭部：頭痛、まるで喉から頭にボールが上がってくるかのような。乾燥した髪、あごひげが抜ける。人の多い部屋で、または別の部屋に移動するときに失神する。

目　：黄色い、または青みがかった赤色の強膜。視神経炎；中心暗点。上まぶたの麻痺。湿疹後に突然の失明。縮瞳。脊髄疾患による緑内障。多量の熱い流涙。

耳　：耳鳴り。時折の突然の難聴。恐ろしい幻覚とともに音楽が聞こえる。

鼻　：嗅覚喪失、てんかんに伴う。鼻かぜ。

顔　：青白い悪液質。顔の側面（右）横の痙攣。落ちくぼんだほお。脂ぎって、光沢のある皮膚。顔の膨張、片側。

口　：口の中が黄色い。歯肉縁に、はっきりした青い筋。青白い、はれた歯茎。舌が震える；麻痺したように。歯茎の硬い結節。粘着性の唾液。甘い味。アフタ；臭い潰瘍。下顎の騒々しい動き、ひどい歯ぎしり。青い唾液。

喉　：嚥下障害、液体は飲み込める、固体は口に残る。痙攣による食道の狭窄。食道の麻痺、嚥下できない。ヒステリー球。

胃　：臭い、または糞便のようなおくび。糞便のような物質の嘔吐、疝痛と便秘に伴う。胃痛、＞強い圧迫、反る。周期的またはしつこい嘔吐。こげ茶色の液体または緑色の粘液の嘔吐。

腹部：**へそが陥没している感覚**。多くの症状に**疝痛**が伴う。腹痛は、あらゆる部位に放射状に広がる。掘られるような、細い場所を無理に通過しようとする感覚。臍ヘルニア。腹部の緊張、または萎縮。**肛門の引き上げられるような感覚、または痛みを伴う退縮感**。ヒツジの糞のような、黒く硬い球状の便、強い便意による肛門の痙攣ととも

に排出される。**小児のしつこい便秘、または疝痛**。腹部が引っ張られて、でこぼこした塊になる。腸重積症。直腸神経痛。肛門脱、麻痺を伴う。

泌尿器：多量のゆっくり流れる尿、一滴ずつ。慢性間質性腎炎。萎縮腎。膀胱の麻痺、排尿困難、または尿閉；抑圧。尿毒症。蛋白尿。真性糖尿病。

男性：引き上がった精巣、収縮感。精力喪失。頻繁な遺精。

女性：腟痙。乳腺の硬化。子宮の未発達による流産の傾向。子宮に胎児のスペースがない感覚。乳房が一時的に硬くなる、または小さくなる、疝痛を伴う。腹から背にかけてひもで引っ張られるかのような感覚を伴う、月経過多。卵巣痛＞脚を伸ばす。外陰部と腟の過敏さ。妊娠中の排尿困難、感覚の欠如または麻痺による。

心臓：衰弱。脈、細く強い；遅い、40にまで低下する。痛みを伴う末梢動脈の収縮。

四肢：下垂手。上腕と手の衰弱と、痛みを伴う不自由さ。なえた四肢の痛み、疝痛と交互に生じる。右手の親指の痛み。下肢の麻痺、産後。稲妻のような痛み、＞圧迫。筋肉萎縮を伴う坐骨神経痛。足が木のような感覚。腕を使おうとすると震える。

皮膚：青みがかった；赤い斑点。黄色い。乾燥。外気に過敏。とこずれ。乾燥して焼けるような潰瘍。壊疽。小さな傷が簡単に炎症を起こして化膿する。骨を覆う、皺の寄った、しなびた、縮んだ皮膚。水疱、腱膜瘤。

睡眠：睡眠中に奇妙な姿勢をとる。話の途中で眠る。

熱：激しい活動からの冷え。排便時の冷や汗。足は歩くときだけ冷たい。

補完レメディー：Rhus-t., Thall.

関連レメディー：Op.

Podophyllum　アメリカマンドレイク

総体的症状：植物界の水銀といわれ、**胆汁体質に適合するレメディー**である。主に、**十二指腸**、肝臓、腸、**直腸**；右側、卵巣、肩甲骨、喉に作用する。症状が交互に現れる―例えば、下痢と便秘、頭痛と下痢。妊娠中の多くの疾患。ひきつれるような痛みによる突然のショック。非常に眠たく、伸びをしたい。括約筋の弛緩。

悪化：**早朝**。**食事**。**暑い天候**。生歯。飲むこと。酸っぱい果物。乳。排便前後。動作。水銀。

好転：肝臓をなでさする。うつぶせに横たわる。

精神：すすり泣く。悪寒や発熱時に多弁になる、その後、何があったかを忘れる。自分が死ぬであろうこと、重病になることを想像する。落ち着きがなく、絶えず動き、じっと座っていられない。

頭部：うめきながら頭を左右に転がす、生歯時に、仕事の心配から。頭痛は下痢と交互に生じる、または＞下痢によって。額の突き刺されるような痛み、目を閉じずにはいられない。

目：まぶたは半開き。黄疸。

顔：熱い、ほおの紅潮、下痢の間。黄疸。

口：不快臭。焼けるような、荒れた、たるんだ、歯跡のついた舌。常に歯茎を圧迫したい衝動；夜間の歯ぎしり。苦い味。平らで、大きく、湿った舌；まるでカラシを塗り広げたような舌苔。味覚の喪失、甘い味と酸っぱい味の区別がつかない。すべてが酸っぱいか、膿の味。

喉：食道に塊があるかのような感覚。

胃：酸っぱいものを希求するが不耐。熱い唾液の泡、（乳児は）乳を吐く。熱く酸っぱいおくび；腐った卵のようなにおい。**常に吐き気を催す**。多量の冷水を欲求。小児の下痢に伴う吐き気。

腹部：肝臓と、全腹部臓器の痛み、＜嘔吐時。月経前、月経中の下痢。肝

臓の痛み、＞さすること。排便後の、衰弱、空っぽの感覚、沈む感覚またはむかつき。苦痛を和らげるためにさする。**腸がゴボゴボいう**、その後に多量の、腐敗臭のする便、汚い、**噴出する、痛みを伴わない**。便；**白い、水のような、泡立った、食べたもののような沈殿物を伴う**；おむつからすぐに漏れる；その後の衰弱。夏季下痢症。便；不随意、ほかの症状と交互に発現する。便秘―青白い、硬い、チョークのような。腎結石を伴う黄疸。ひりひりする、痛い、衰弱した**直腸**；**直腸脱**、排便前、産後、妊娠中、嘔吐時、くしゃみをするとき、精神的興奮による。湿った臭い痔。早朝下痢。下痢、＞うつぶせに横たわる、＜入浴中、または（子どもの場合）洗われる、缶詰食品を食べる、酸っぱい果物、乳。

泌尿器：妊娠中、夜間の頻繁な排尿。遺尿。糖尿病と尿崩症。
男性：前立腺の疾患、直腸の疾患を伴う。
女性：卵巣（右）周辺の痛み、下腿神経を下降する、＜脚を伸ばす。卵巣腫瘍の痛みが肩までひびく。身体への負担や、重いものを持ち上げたことによる子宮脱；産後。排便時に、生殖器が飛び出しそうな感覚。妊娠初期には、うつぶせにならないと、心地よく横たわれない。身体への負担による月経過多。妊娠中の陰唇のはれ。
心臓：鼓動に伴い、とくとくする感覚が喉元まで伝わる、感情の影響。
四肢：右鼠径部の痛み、大腿の内側を伝わって膝に達する。左側の麻痺性の衰弱。ふくらはぎの疼痛性痙攣（こむらがえり）、排便に伴う。両腕の尺骨神経に沿った痛み。
皮膚：湿った、温かい；黄疸。
睡眠：睡眠中にうめき、すすり泣く。マラリアの発作後の眠気。
熱　：午前7時の悪寒。発熱時に多弁になる。発汗；睡眠中に多量、臭い。
補完レメディー：Nat-m.
関連レメディー：Aloe., Chin., Merc.

Polygonum　ヤナギタデ

総体的症状：泌尿生殖器と腸に作用して、下方に圧迫されるような感覚を伴う、尿管、卵管に沿った、脊椎を上昇する、**切られるような痛み**を引き起こす。**拍動性**、一過性、遊走性の前立腺の痛み。同じ部位、または別の部位で、冷たさと熱感が交互に、または同時に感じられる、胸部の灼熱感と、みぞおちの冷感など。刺激性の分泌物。

悪化：寒さ；湿気。衣類による圧迫。

頭部：急性のずきずきするこめかみの痛み。

目　：目（右）の下のはれ。まぶたの痙攣、閉じたときと、横になったとき。

耳　：頭を前に倒したときの鋭い痛み、＞反る。

顔　：顔の左側の痛みが最も激しいときに、右側は冷たい。

口　：かゆみ、口蓋の灼熱感、かきたい。舌がはれているように感じる。

腹部：胃が冷たい、胸部の灼熱感を伴う。腹部に感じられる吐き気。まるで腸の内容物がすべて液体であるかのように激しくゴロゴロいう音を伴う切られるような痛み。肛門の内側のあちこちにかゆい隆起がある。かゆみを伴う痔。

泌尿器：腎疝痛；**粉砕されるような、つかまれるような、切られるような腹痛**を伴う。尿管に沿った、切られるような痛み。量の少ない、滴下する、色の濃い、または粘着性のある石灰質の沈渣のみられる尿。化膿性腎炎。膀胱炎。

男性：陰嚢の表皮剥離。排尿時、前立腺にずきずきする、焼けるような痛み。排尿時、精巣と精索に痛み。

女性：卵管に沿った切られるような痛み、下方に圧迫されるような感覚を伴う、臀部が一緒に引っ張られるような。不正子宮出血；若い女性の無月経。乳房に撃ち抜かれるような痛み。

四肢：下肢の痛み。踵がひりひり痛む。足が熱くなったり、冷たくなった

りする。
皮膚：蕁麻疹。閉経期における、下肢の表面的な潰瘍とびらん。
関連レメディー：Calc.

Pothos foetidus　ザゼンソウ

総体的症状：ほこりを吸うことで悪化し、排便で好転する、喘息様の疾患に合うレメディー。放心状態。小部位の頭痛、側頭動脈の拍動を伴う。鼻を横切るように赤くはれる。くしゃみをすると、喉が痛む。舌のしびれ。腹部の膨張。迷走性の、痙攣性の痛み。
好転：外気。

Prunus spinosa　リンボク

総体的症状：このレメディーは、特に神経—呼吸器系の、眼窩の—、そして泌尿器に作用する。痛みは、撃ち抜かれるような、外に向かって圧迫されような、稲妻のような、遊走性の痛みで、**息切れを起こさせる**。神経痛。疼痛性痙攣。浮腫。痛み、帯状疱疹後の。神経麻痺。代償性の症状。日光、捻挫、重いものを持ち上げたことによる悪影響。心疾患による浮腫。
悪化：接触；圧迫。動作。振動。かがむ。上る。
好転：二つ折れになる。
精神：落ち着きのなさ、常に歩き回る、同じ場所にじっとしていられない。
頭部：前頭骨（右）から、脳を突き抜けて後頭部に至る、撃ち抜かれるよ

うな痛み。太陽熱による頭痛。
- **目**：毛様体の神経痛；**破裂しそうな、または圧迫でばらばらになりそうな眼球**の痛み、＞流涙。
- **口**：歯が引き抜かれるような感覚。歯痛、＞歯をかみ合わせる。
- **泌尿器**：腸内ガスの圧迫による、膀胱の激しい痛み；排尿するには、身体を折り曲げなければならない。尿意促迫；尿が陰茎亀頭に達し、激しい痛みと痙攣を伴って元に戻る、直腸のしぶりを伴う。神経性排尿困難。排尿時の陰茎亀頭の痛み。尿が出るまで、長時間圧迫しなければならない。外陰部の拍動。糸のように細い、または分岐する尿。
- **男性**：歩く振動による、陰茎亀頭の拍動。
- **女性**：刺激性の、水っぽい、膿状の、黄色いしみになる帯下。希薄な、水っぽい、早すぎる、多量すぎる、仙骨の痛みを伴う月経。
- **呼吸器**：痛みによる**息切れ**。吸気が、みぞおちまでは届かないような感覚、あくびをして、深く息を吸い、みぞおちまで達するように努力しなければならない。空気飢餓感。
- **心臓**：肥大。苦しい呼吸に伴う心雑音、＜わずかな動き。心臓性浮腫。頸動脈の拍動。心筋梗塞。
- **背中**：左肩甲骨下に瘤があるような感覚。
- **四肢**：足の浮腫。手の指先のかゆみ、まるで凍っているかのよう。手の親指を捻挫したようで、書くことができない。
- **皮膚**：帯状疱疹。浮腫。
- **熱**：寝汗。
- **関連レメディー**：Laur.

Psorinum 疥癬

総体的症状：ハーネマン博士は、疥癬の小水疱の漿液膿性物質から、このノゾーズをつくった。治療上の作用領域は、いわゆる、疥癬の発現―**慢性病における反応の欠如**がある場合、非常に関係性の強いレメディーが症状を緩和しない場合、または、恒久的な改善に導かない場合；また、Sulphurが指示されるのに、緩和をもたらさない場合―において見いだされる。複雑な症例を解決する。主に、**皮膚のひだ**、**脂腺**、**耳**、**腸**、**呼吸**、右側に作用する。汚い、入浴後でさえ、不潔なにおいの漂う身体の人に適合する；青白い、病的、虚弱、不健康に見える小児、嫌なにおいを周辺に漂わせる；神経質；落ち着きがない人、ささいなことでびっくりする。疲はい。いたるところに不調を感じる。**再発性**。**臭い分泌物**、**体臭**、便、発疹、汗。頑固な足の汗。濃厚な分泌物。**衰弱**、**虚弱**、やせている。**すぐにかぜをひく**、**冷える**。衣服が大きすぎるように思う、または日光に当たって歩いていると、押し倒されるように感じる。**発作の前に、空腹になるか、いつになく気分がよい**。患部を洗浄したい。急性疾患後に残る、または、いかなる器質性疾患にも関係のない**衰弱**、体液喪失後の**衰弱**。気分がよくなったり、優れなかったりする。何年間も続く感染症、感情、重たすぎるものを持ち上げたこと、損傷、殴打、捻挫、脱臼の悪影響。弛緩；関節、歯など。夏場は発疹が消失し、冬に発現する。夏でも暖かい衣服を着る。常に手足を洗う。一日中、昼も夜も寝ずに心配し、いら立ち、泣く乳児；あるいは、一日中、機嫌よく遊び、夜になると問題が多くなり、叫ぶ乳児。戸外で立っていると呼吸が困難、家に帰って横になりたい。

悪化：**寒さ**。戸外；洗浄。天候の変化、嵐。寝床の、**ウール製品の**、激しい活動からの**熱**。**抑圧**。自分の四肢に接触すること。周期的、毎

年。満月。
好転：**頭を低くして横たわる**、または静かに横たわる。食事。洗浄。鼻出血。強い圧迫。多量の発汗。
精神：**不安**。虫の知らせ。**回復を絶望視**している、**非常な意気消沈；絶望**。喜びに満ちた。憂うつ、宗教的な；**陰気**。恐ろしい考え；自殺傾向。自分が哀れだと思う；順調であるにもかかわらず、自分の事業が失敗すると思う。火事、独りになること、気が狂うことなどに対する恐怖。働くことを嫌悪。子どもは昼夜を問わず気難しい。不機嫌な、怒りっぽい、うるさい；すぐにびっくりする。わずかな感情に起因する重篤な疾患。鈍い、混乱した精神。思考困難。嵐の前に、何日間も落ち着きがない。
頭部：強く殴られたように痛む、月経の抑圧に伴う。**視覚障害の後に起こる頭痛**、ほかの症状と交互に現れる、＞鼻出血。頭が身体から切り離されているように感じる。**頭部に風が当たることに敏感で、頭を覆いたい**、暑い天候でも。こめかみの痙攣。くすんだ、乾燥した、もつれた髪。頭皮の湿疹。片頭痛。皮膚の白い斑、白髪の束を伴う。
目：ねばねばした。外にまくれ上がったまぶた。まるで何かが動いているかのような、または目前で指で遊んでいるかのような感覚。再発性の眼炎。物体が震える、そして、暗くなる。目の前が暗くなる。
耳：ひりひりする、赤い、**滲出**；耳の周りのかさぶた。耳の後ろの湿り気のあるびらん。**化膿性耳漏**。赤い耳垢。耐えがたいかゆみ。耳漏、頭痛を伴う、臭い水のような下痢を伴う。幻聴；自分の耳で聞いていないかのような。
鼻：花粉症。鼻の頭に赤い小さな吹き出物。繰り返すかぜ。
顔：青白い、病人のような、汚い、ぼんやりした、むくんだ。赤い小さな吹き出物がある。酒さ性痤瘡。上唇のはれ。顔の産毛。
口：歯がぐらつく、そして痛む＜接触。舌先がひりひりする。**不快な味**。歯茎、出血、海綿状、歯から後退する。歯槽膿漏。口角がしつ

こくひび割れる。苦い味、＞飲食。

胃 ：疾患後の、極度の喉の渇きを伴う食欲不振。常時ひどい空腹感、頭痛時；夜中に、何か食べずにはいられない。酸っぱい、悪臭のする、腐った卵のような味とにおいがするおくび。むさぼるような食欲、にもかかわらずやせて育つ。ビール、酸っぱいものを欲求。豚肉を嫌悪。つわりがほかのレメディーで緩和されない場合。横たわると呑酸。

腹部 ：鼓腸、肝臓障害を伴う。疝痛、＞食事と臭い放屁。腐った卵のような放屁。肝臓の痛み、＜くしゃみ。**便；黒っぽい、茶色、恐ろしく臭い、噴出するような、鼻をつくようなにおいが部屋中に充満する**。小児コレラ。小児の便秘。便は軟らかいが排出しにくい。不随意の排便、睡眠中。高齢女性の直腸出血。通常の便を出すために何度も排便に行かなければならない。慢性下痢、早朝の、緊急性を要する。直腸の灼熱感。

泌尿器 ：夜尿症、＜満月；なかなか治らない場合。何度も排尿しなければならない；膀胱の脆弱性のため。

男性 ：生殖器の悪臭。精巣のつかまれるような痛み。慢性淋病、尿道からの痛みを伴わない分泌物で、黄色いしみになる。性交を嫌悪。快楽が得られない、性交時に射精を伴わない。

女性 ：噴出する、塊のある、臭い帯下、仙骨の激しい痛みと衰弱感を伴う。月経困難症、閉経期間近の。周期の早い多量の月経。妊娠中のしつこいつわり。胎児が激しく動きすぎる場合。流産後に、女性が立つとまた出血が始まる場合。乳房のはれ、乳頭は赤い。乳頭周辺の灼熱感のあるかゆい吹き出物。乳房の発疹で表皮剥離を生じる。

呼吸器 ：呼吸困難、＜起き上がる、＞腕を広げて横たわる。胸骨下に潰瘍があるような感覚。冬になると咳が出る。毎年繰り返す花粉症。血痰、胸が熱い。咳、＜横たわる、飲む。胸の痛みが肩まで広がる。＜冷たい飲み物。

心臓：心臓がドクドクいう、＜横たわる、心雑音、僧帽弁逆流。心膜炎。弱い脈、不整脈。
背中：腰痛、＜立つ、または歩く。
四肢：関節が弛緩した感覚、しっかり固定されていないかのような。爪周辺の発疹。足の裏が熱く、かゆい。臭い足の汗。関節周辺の発疹のために歩きづらい。
皮膚：**汚い、ざらざらした、かさぶたのある、脂っぽい；ひだに吹き出物が出る**。耐えがたいかゆみ、＜寝床の温かさ；ひりひりするまで、または出血するまでかきむしる。蕁麻疹、＜興奮。夏には消え、また冬に発現するできもの。何度も再発するヒトジラミ。皮膚の端のコンジローム。腺肥大。脂っぽい肌。
睡眠：鮮明な夢、目が覚めても続く。
熱：熱、湯気をたてるような発汗を伴う。**汗をかきやすい、多量に、＜夜間**；手のひらの冷や汗。
補完レメディー：Sep., Sulph., Tub.
関連レメディー：Graph., Mang., Phos., Sulph.

Ptelea　ポップの木

総体的症状：肝臓と胃の疾患に適合する、四肢の痛みを伴う。苦い味、苦いか、腐った卵のようなおくび。肝臓周辺の痛みと重さ、＜左側を下にして横たわる。酸っぱいものを食べると好転。熱い呼気、鼻梁が焼けるよう。足と脚の浮腫、肝臓疾患に伴う。
悪化：チーズ、肉、プリン。

Pulex　ノミ

総体的症状：いわゆるノミは、泌尿器と女性生殖器に際立った症状がある。尿の貯留ができない、尿意を感じるとすぐに排尿しなければならない。経血と帯下のしみは、なかなか落ちない。腟に綿のボールが詰まっているかのような感覚。
悪化：左側。動き回る。
好転：座る、または横たわる。
精神：非常に忍耐力がない、怒りっぽい。
目：目が大きくなったように感じる。
顔：年老いた人のような皺。
喉：喉に糸が垂れ下がっているかのような感覚。
胃：喉の渇き、特に頭痛時。
泌尿器：尿の流れが急に止まり、痛む。頻繁に尿意を催すが、尿は少量、膀胱の圧迫感と、尿道のしぶり。
女性：月経時の唾液分泌過多。月経の遅延。腟の激しい灼熱感。
熱：あらゆる部位のほてり、蒸されすぎたかのように。炎の横に座っていても寒い。

Pulsatilla　セイヨウオキナグサ

総体的症状：このレメディーは、**変化する**、**位置が変わる症状**のために、風見鶏のようなレメディーといわれている。**精神**、**静脈**、**粘膜**、**呼吸**、そして片側に作用する。**症状は、ある特定のピッチで発現し、急にやむ**。温厚で、やさしい、多血質、従順な気質、話しながらすぐに涙ぐみ、めそめそする女性に特に効果のあるレメディーであ

る。症状は片側、あるいは**体重がかかっている側に発現する**。消化器系の不調か、月経不順を伴い、**喉の渇きがない、寒け、息切れ**。痛みに伴う寒け。灼熱感、縫われるような痛み、しびれ。**多量で、無刺激性の、濃厚な、黄緑色の粘液性分泌物**。変化しやすい、相反する症状には、どちらが先で、どちらが後ということがない。症状が交互に現れる。**転移**。受動性、代償性出血；赤黒い、凝固しやすい血液。静脈性充血、静脈瘤。**重たさ**。こすり取られるような痛み。痙攣性の、引き裂かれるような、潰瘍の痛み；遊走性の痛み。部分的な**しびれ**—手、足、など；下になっている側の；患部の。耳漏、月経、悪露、母乳などの**抑圧の悪影響**；アイスクリーム、豚肉、脂肪、お菓子などを食べたことによる悪影響。身体は冷たいが、外気を欲求。青白い、冷たい、ブロンド。貧血。思春期以降、体調が優れない。無月経または月経困難症による舞踏病。朝、横になればなるほど、長く横になっていたい。**頭を低くして横になれない**。子どもは、ゆっくり抱え歩いてもらいたがる。離れた部位の症状が呼吸困難を引き起こす。拡大するような感覚、痛みのある間、一部位が、大きくなりすぎるかのような。包帯を巻かれたような感覚。ネルやウールの衣服を着ると、かゆみや発疹を起こす。はしかの予防薬。無月経や月経不順を伴うてんかん。患部のるいそう。全身の拍動。

悪化：暖かい空気、**部屋**、**衣服**、**寝床**。足がぬれること。**夕方**。**休息**。**動きはじめ**。片側（左）を下にして横たわる。**食べること**—食後長時間、**脂っこい食べ物**、脂肪、氷、卵。**思春期**。**妊娠**。月経前。アイロン。キニーネ。四肢をぶらぶらさせること。茶。嵐。太陽。たそがれどき。

好転：**冷たい新鮮な外気**；冷たい食べ物、飲み物。覆わないこと。**穏やかな動作**。**直立の姿勢**。継続的な動作。よく泣いた後。下にして横になる側の変更。圧迫。さすること。頭を高くして横たわる。

精神：**温厚**、**臆病**、**感情的**、そして**涙もろい**。すべてを嫌悪。落胆。感情を害しやすい。めそめそする。同情してほしい。大騒ぎするのが好きで、構ってほしい子ども。異性、結婚に対する病的な恐れ；性交は罪深い行為だと思う。極端な快楽と痛みにふける。食後、泣いたり笑ったりしやすい。宗教的憂うつ。夕方、独りになること、暗闇、幽霊への恐怖、そのため隠れたり逃げたりする。気まぐれ。けち。疑い深い。非常に過敏、神経質；ささいなことに敏感、またはささいなことに驚く。うなずいて、可否の返事をする。ある特定の食品は、人類によくないと考える。不愉快な知らせに悲しむ。月経の抑圧による躁病。

頭部：頭痛；過労、性的興奮の抑圧、消化不良による；頭頂から始まる。後頭部の痛み、＜咳。片方の側方の頭痛、拍動性の、破裂しそうな；症状の出ている側の熱い流涙。めまい、＜座っている、見上げる、吐き気を伴う、消化器疾患または月経不順を伴う。頭皮に多量の発汗。思春期の女学生の頭痛。頭痛、＞戸外を歩く。頭が重く感じられる。頭をまっすぐにして支えられない、頭を上げられない。

目：視界が薄暗い、何かに目を覆われているかのような感覚を伴い、患者はこすったり、ふき取ったりしたがる、＜風。濃厚な、黄色い、多量の、無刺激性の分泌物。眼炎—新生児の、淋病性、無月経に起因する。涙管瘻、圧迫すると膿が出る。刺激性の流涙。再発性の麦粒腫。眼瞼炎。かぜからの結膜炎。月経前の突然の視覚喪失。黒内障、視神経麻痺。目のかゆみ、灼熱感、こすりたくなる。涙目。

耳：耳痛、＜夜間。まるで耳が詰まったかのような難聴；車中か暖かい部屋の中では聞こえる。耳漏；分泌物—膿、血液、濃厚な黄色い体液、臭い；発疹後。内耳が赤くはれて、何かが耳の中から押し出されてくるように感じる。流行性耳下腺炎、特に、乳房や精巣に転移する場合。耳たぶの腫脹。

鼻：カタルを伴う嗅覚喪失。臭い分泌物、または臭気が鼻につく。コ

リーザ；鼻閉塞、＜横たわる、または室内、＞戸外に出る。緑色の、オレンジ色の、臭い、尿性の分泌物；慢性の無刺激で黄色い分泌物。月経前、月経時、月経の抑圧による鼻出血。

顔 ：青白い。多量の発汗を伴う顔面神経痛、＜そしゃく、話すこと、または口の中に冷たいものか熱いものを含むこと。唇がひび割れる、皮がむける、はれる。唇をなめる。**下唇中央のひび割れ**。若い女性のにきび。

口 ：口臭。**喉の渇きがなく、乾燥、または粘ついている**。引き抜かれるような歯痛。＞寒さ。**午前中、ひどい味がする**、味覚喪失；コリーザによる。脂っこい味、血のような味、甘い味、味覚が変わる。舌が黄色い、白い；やけどしたように感じる。非常に甘い唾液。後味が残る。苦い味、特にパン。すべての食物の味が減少。唾液、粘り強い、泡状の、綿のような。

喉 ：**食物が喉につかえる**。乾燥；嚥下障害の感覚を伴う痛み。虫がはい上がってくるような、咳をすると硫黄の気体が上がってくるかのような感覚。

胃 ：水、脂肪、豚肉、パン、乳、喫煙、温かい飲食物**を嫌悪**。酸っぱいものや、体に合わないもの、爽快感のあるもの、刺激物、ニシン、チーズを欲求。食事が過度に塩辛く感じられる。タマネギ不耐。食物に対する突然の嫌悪、＜食べること。食べものの味のおくびで、味が長時間残る。吐き気。胸やけ。ほとんどすべての症状に伴う**喉の渇きのなさ**。嘔吐、長時間前に食べたものを。みぞおちの、目に見える拍動。縫われるような痛み、＜歩行、または足を踏み外すこと。**まるで石のように重たい**。胃の乱れ；<u>重たく感じる</u>。喫煙時のしゃっくり。空腹感、しかし何がほしいのかわからない。

腹部：みぞおちの切られるような痛みと拍動。痛み、膨張；大きなゴロゴロいう音。石のような圧迫感。しびれた感じ。鼠径部にまで広がる痛み。**状態の変わる便**、似たような便は全く出ない；緑色、胆汁性

の。下痢＜真夜中過ぎ。毎日2〜3回、通常の排便。両側の鼠径部に硬い痛みのある腫瘤。疣痔、＜月経、横たわる。黄疸時の下痢、熱感を伴う。直腸からの出血、排便時以外でも。恐怖の後の下痢。

泌尿器：排尿；不随意の、横たわるとき、笑うとき、咳をするとき、くしゃみをするとき、突然の音で、うれしい驚きで、ショックで、放屁時、睡眠時、特に少女の。排尿後の血尿。排尿後の膀胱の強い圧迫感と激しい痛み。膀胱を石が転がっているかのような感覚。怒ったときの尿の滴下。あおむけに横たわると尿意を催す。尿道狭窄、尿は一滴ずつ出ては止まり、また出る。

男性：左の精索を下降する灼熱感。急性前立腺炎；前立腺肥大。精巣炎－淋病、または冷たい石の上に座っていたことから。精巣上体炎。精巣が垂れ下がる。血の混じった射精。濃厚な黄色い分泌物、淋病の末期。

女性：足がぬれたこと、神経衰弱、貧血に起因する**無月経**。まるで月経があるような感覚。黒っぽい、濃厚な、**遅すぎる**、入浴後は**少ない**；凝血がある、変わりやすい、間欠性、不順、代償性の月経。思春期では、**遅れがち**。月経困難症。乳白色の、クリームのように濃厚な、刺激性の帯下、背中の痛みと衰弱を伴う。微弱陣痛。嫡出陣痛＜横たわる。長すぎる、激しすぎる後陣痛。乳房がひりひりする、痛む；思春期前の少女の乳房のしこり。思春期前の処女の乳房からの、薄い乳状の液体の滲出。**抑圧された、少量の乳**。分娩後の遺残胎盤による二度目の出血。乳児を胸に抱くたびにめそめそする。離乳後の乳房の腫脹。乳汁漏出。月経時の乳汁分泌。胎児の位置異常。

呼吸器：**息切れ**、＜左側を下にして横たわる；横になると窒息しそうな感覚＜**温められると**、＞**外気**。咳；午前中は湿性、夕方と夜は乾性；和らげるためには、**寝床に座っていなければならない**。濃い、膿状の、ねばねばした**喀出物**；甘い、塩辛い、緩くなるとよくなる。乾性の、しきりに出る咳、食道がむずむずすることによる。重荷によ

るような、**胸部の圧迫感**。鎖骨の下のうずき、または刺されるような痛み。嗄声になったり、止まったりする。抑圧に起因する喘息。はしか後の咳。

心臓：動悸、＜左側を下にして横たわる。無月経に伴う、感情による、夕食後の、不安な動悸。息切れを伴う、痛む部位が変わる痛み、＞手による圧迫と歩くこと。

背中：まるで冷水が背筋に注がれたかのような感覚。長時間かがんでいたかのような背中と腰のくびれの痛み。脊椎上部の湾曲。うなじと背中の撃ち抜かれるような痛み。背中の痛み、＜あおむけに横たわる、＞横向きに横たわる、または姿勢を変える、特に妊娠中。背中に包帯を巻かれているような感覚。座るとき、仙骨の痛み。

四肢：四肢の素早く移動する痛み。腕の骨折したかのような、脱臼したかのような感覚。肘のしびれ。**関節がはれ**、赤い。足背の腫脹、浮腫性の。下肢を下降する痛み、左右交互の。脚が重い。脛骨に突き刺さるような痛み、＜横たわる、＞冷気と歩くこと。足の冷や汗。臭い足の汗。**静脈、充満した、静脈瘤の**、痛い。白股腫。骨膜炎。膝の白い腫脹。足を伸ばす傾向。長時間立っていた後の脚のしびれ。

皮膚：腺の腫脹。硬い、赤い、光る暈を伴う潰瘍。熱せられるとかゆい。蕁麻疹；脂っこい食事後の下痢を伴う、月経の遅れから、衣服を脱いだ後の。はしか。

睡眠：日中のひどい眠気、**混乱して目覚める**、気だるい、元気を回復しない。両腕を上に上げて横たわる、または腹の上に重ねる、足を引き上げる。夢；怖い、嫌な、なまめかしい、混乱した、猫の、など。寝言を言う。睡眠中に、話す、めそめそする、叫ぶ。

熱：**身体は冷たいが、熱を嫌悪；暖かい部屋で、痛みを伴うとき**、夜横になるとき。しびれを伴う片側の冷たさ。発汗時の痛み。片手が冷たい。部分的な発汗。熱っぽい、熱い；身体は平熱。発熱時に熱が変化しやすい。

関連レメディー：Ars., Kali-bi., Sep., Sil., Zinc.
補完レメディー：Apis., Cimic., Graph., Ham., Kali-bi., Kali-s., Nat-s.

Pyrogen　腐った肉の膿

総体的症状：このノゾーズは、2週間太陽にさらし腐乱した赤みの牛肉、または敗血症の膿からつくられた。そのため、このレメディーは、**血液**が乱れ、心臓が衰弱し、筋肉疲労がみられるような、あらゆるタイプの**敗血症状態**に適合する。痛み。**打撲したような、ひりひりする痛み**、疲れ果てている、しかし落ち着きがない。分泌物は、恐ろしく臭い（不快な）；味、体臭、月経、発汗、嘔吐など。**バラ色**の、**赤い筋**；リンパ管炎。**骨の痛み**。再発性の膿瘍、痛みと激しい灼熱感を伴う。敗血症の状態に端を発する慢性疾患；切開創、下水ガスの中毒、プトマイン中毒（食中毒）、産褥熱。流産の後遺症；腸チフス、ジフテリア、慢性マラリアの間接的影響、特に潜伏性、発熱性の経過で、選ばれた最適なレメディーが、緩和や恒久的な改善をもたらさない場合に。

悪化：寒さ、湿気。動作。座っていること。眼球を動かす。

好転：熱。**温浴、温かい飲み物**。圧迫。体を伸ばす。姿勢を変える。激しく揺する。歩行。

精神：活発な脳、夜にスピーチを考え、論文を書く。**多弁**；今まで以上に早く考え話す。まるで自分が、寝床全体を覆いつくしているような感覚。寝床の片側に誰かが寝ていて、寝返りを打つと、反対側にも誰かがいるように感じる。**敏感、不安、混乱**している。二重性の感覚；腕や脚がたくさんあるように感じられる。幻覚、自分がとても裕福であると言う。不安と正気でない考えでいっぱい。寝床が硬く感じられる。独り言を言う、ささやく；睡眠中の痛み。

頭部：痛みのない拍動。激しくずきずきする頭痛、＞包帯を巻く。頭を左右に転がす。頭に野球帽をかぶっているような感覚。額の冷や汗。

目：眼球がひりひりする（左）、＜見上げる、目を動かす。羞明。

耳：赤い；冷たい。ベルが鳴っているかのよう。

鼻：冷たい。扇のような鼻翼の動き。自分の体臭を嫌悪する。手が寝具からあらわになるたびに、においをかぐ。

顔：午後3〜4時の紅潮；深夜まで続く；その後、大粒の冷や汗に覆われる。

口：炎のように赤い、中央に茶色の筋のある、滑らかな、大きい、たるんだ舌。甘い味、非常に不快な味。恐ろしく臭い口臭。

喉：乾燥。きわめて強烈な悪臭を伴うジフテリア。

胃：しつこい、茶色っぽい、コーヒーの搾りかすのような、臭い嘔吐、糞便の、ぎっしり詰まった腸に伴う。水が胃で温められると、すぐ吐く。吐き気、＞非常に熱い飲み物、そして嘔吐。冷たいものをほんの少量飲みたい激しい欲求、しかし、ごくわずかな液体も、即座に拒絶する。

腹部：非常に臭い、こげ茶色の、痛みのない、不随意の排便。完全な不活発さによる便秘。便は大きい、黒い、小さな黒い球状、非常に臭い。

泌尿器：粘着性の、赤い、べとべとする沈渣。1日に2度の排尿、量は少ない。発熱前の尿意。水のように透明な尿。膀胱と直腸のしぶり。

男性：下垂し、弛緩した精巣；陰嚢が細く見える、細く感じられる。

女性：敗血性の産褥感染。月経ごとの発熱。恐ろしく臭い経血。骨盤蜂巣炎。子宮脱、＞頭を抱えて力む。悪露の抑圧、発熱、悪寒、多量の臭い汗が後に続く。左の乳首周辺の痛み。

呼吸器：肺（右）の痛み、＜咳、話すこと。放置された肺炎。咳、＞座る、＜横になる。

心臓：ゴロゴロいう、まるで疲弊したようにに、大きく、あるいは<u>充満し</u>ているように感じられる。心臓が意識される。頭と耳で感じる拍動、

そのせいで眠れない。**速い脈、全く体温との均衡がとれていない、あるいは、その逆**。敗血症や発酵症の状態における**心不全の恐れ**。

首・背中：首の血管の拍動。背中の衰弱感。

四肢：すべての四肢や骨が痛む。爪が抜け落ちそう、または、ぐらぐらしているように感じる。腕や脚（右）が**勝手に動く**。肩（右）の痛み、＜咳、話すこと。

皮膚：青白い。冷たい。執拗な静脈瘤症。高齢者の不快な潰瘍。敗血症が原因の急速なとこずれ。小さな傷や損傷がはれて炎症を起こす。

睡眠：睡眠中にささやく。脳の活発さによる不眠。

熱：悪寒、炎の熱を吸い込みたい。肩甲骨の間から始まる悪寒、骨に感じられる、発汗を伴う、夜間の。徐々にひどくなる、消耗性の発汗、症状は和らがない。寒い、または熱い。**素早く上下する体温**。

関連レメディー：Anthr., Ars., Bapt., Echin.

Radium　臭化ラジウム

総体的症状：臭化ラジウムは、皮膚疾患、リウマチ、そして痛風に効果がある；神経が影響を受け、**急に移動する**、電気ショックのような痛みを引き起こす；横にならずにはいられない。**鈍い、強い、うずくような、あらゆる部位の痛み、関節の深部の**；非常に落ち着きがない、常に動き回っていなくてはならない。**乾いた、焼けるような熱**さ、まるで火がついているかのような、全身の；冷気を欲求する。全身の電気のようなショック、睡眠中。衰弱、だるさ、疲労。症状はゆっくり発現する。胸部、心臓などの**狭窄感**、空気飢餓感を伴う。しびれ、＜その部位を伸ばす。壊死性変性。Ｘ線熱傷の影響。小さな母斑、ほくろ、潰瘍を除去する。癌。**リンパ組織**。

悪化：動作。ひげそり。洗浄。喫煙。起き上がる。

好転：外気、**温浴**。冷たい飲み物。継続的な動作。睡眠後。圧迫。食事。
精神：独りになること、暗闇への恐怖、誰かにそばにいてほしい。不機嫌。いら立ちやすい。
頭部：右目上の痛みが後頭部と頭頂に広がる、＞熱。めまい、後頭部の痛みを伴う。頭頂と後頭部の痛み、ひどい腰部の痛みを伴う。
目　：赤い、ひりひりする、＜ 読書。綿ぼこりが目に入ったかのような感覚、＞こする。
耳　：流水の音、＞うつぶせに横たわる。
鼻　：鼻腔のかゆみと乾燥。灼熱感。
顔　：紅潮。顎の右下方の痛み。激しい三叉神経痛。酒さ。
口　：乾燥。吐息が熱い。金属の味。舌先がちくちくする。
喉　：痛み、ひりひりする、耳痛を伴う。トウガラシを食べた後のような喉の感覚。
胃　：豚肉を欲求。甘いもの、アイスクリームなど、普段の好物を嫌悪。通常の食べ物の風味がわからない；酸っぱいものがおいしく感じられる。
腹部：腹部の症状は、胸、耳の症状と交互に現れる。吐き気、＞食事。疝痛、＞二つ折れになる、排便。直腸の痛み、脱出。正午の排便；軟らかい、黒っぽい、臭い、青灰色。
泌尿器：排尿困難、その後の勃起。リウマチウを伴う腎炎。
男性：陰茎と大腿内側の湿疹。かゆみ。
女性：月経時の陰毛部のうずき。右胸の痛み、＞強くこする。**生殖器のかゆみ**。月経は1日で終わる、その後の血の混じった帯下。子宮出血、Ipecacが効かなかった場合。悪臭を放つ、微量の、抑圧された悪露。帯下；白い、微量、凝乳状、チーズ状。
呼吸器：喉がむずむずすることによる、ひっきりなしの咳、＜横たわる、喫煙、＞食事と外気、起きて座る、運動。胸苦しさ、十分に空気を吸えないように感じる。胸の痛みと、消化不良および詰まったよう

な感覚とが交互に発現。
心臓：狭窄。動悸で目覚める。速い脈、不整脈、不安定な脈。低血圧。
首・背中：頸椎の痛みと跛行、＜頭を前にうなだれる、＞背中を伸ばして座る、直立する。肩甲骨間の衰弱。上昇性の腰痛、＞運動、歩行。腰椎と仙骨の痛み、＞温浴、＜上の階に行く。
四肢：関節深部の痛み―膝と足首。四肢が硬く、もろく感じられる、まるで折れそう。手のリウマチ。冷たい。しびれ。
皮膚：**過敏、分厚い、灼熱感、かゆみ**；かくと湿っぽい、＜顔と生殖器。ふすまのようなかさぶた。耳のかさぶた。湿疹。乾癬。強皮症。たこ。癌。皮膚炎。
睡眠：息切れして目覚める、動悸を伴う。鮮明な夢、炎の、現実のように思える。
熱：身体の中が冷たく感じられる、歯がガチガチいう。
関連レメディー：Phos., Puls., Rhus-r.

Ranunclus bulbosus　セイヨウキンポウゲ

総体的症状：痛いレメディーで、**神経**、筋肉、目、**漿膜**、**胸部**、皮膚、手指、足指、そして左側に影響を与える。**痛み**は、**縫われるよう**、突き刺されるよう、撃ち抜かれるよう、涙が出るよう。震えを伴う痛み；どんな姿勢でも休まらない。焼けるような、かまれるような、**打撲したような痛み、または深い潰瘍**によるような**痛み**。**痛い斑**。神経痛。突然の衰弱と失神。怒りからの震え。膨張したような感覚。空気と接触に敏感。座った姿勢の多い生活による小部位の灼熱感。全身を貫く衝撃。慢性坐骨神経痛。アルコール類による悪影響。大酒家のてんかん。特に胸部に、冷たいぬれた布があるような感覚、＜冷気の中に出ていく。

悪化：**空気**—湿った；**冷たい**、外気；すき間風。気温、姿勢の**変化**。アルコール。**腕の動き**。呼吸。接触。食事。恐怖、いら立ち、怒り。雨の多い、嵐のような天候。立っていること。

好転：立っていること。前に身体を倒して座る。

精神：夕方になると、幽霊が非常に怖い、独りになりたがらない。けんかっ早い。精神の落ち込み、死にたい。振戦せん妄、しゃっくりを伴う。

頭部：大きすぎるように、膨張しているように感じる。額と頭頂の痛み、ばらばらになるまで圧迫されるような、吐き気と眠気を伴う。頭皮を何かがはうような感覚。耳にかけてのチック（右側）。

目：煙が目にしみるようにひりひりする。眼球を動かすと痛む。昼盲症、夜盲症。極度の痛みを伴う角膜のヘルペス、羞明、流涙を伴う。妊娠中の半盲症。まぶたが焼けるよう。

鼻：鼻孔、後鼻孔がむずむず、ちくちくする；咳払いや鼻をかむことで、緩和させようとする。

口：口蓋がむずむずする；引っかきたい。唇の痙攣、痙縮。唾液の増加。バターが甘すぎるように感じられる。

喉：喉の下方のこすり取られるような感覚、灼熱感。

胃：大酒家の痙攣性のしゃっくり。

腹部：下肋部の打撲。圧迫に敏感。つねられるような疝痛、胸部の痛みと交互に生じる。黄疸。身体のかゆみ、特に手のひら。

呼吸器：不安な、圧迫された呼吸、深呼吸したい衝動を伴う。呼吸困難、怒りからの。胸の皮下潰瘍によるような、小部位の痛み。**鋭い、切られるような、縫われるような**胸の**痛み**、両側性の。戸外を歩いているとき；冷気を吸い込んだときの、胸の冷え。胸膜痛。胸膜炎；肋間神経痛後の癒着。

背中：針仕事、タイプライティング、ピアノの演奏など前かがみに座っていることによる、左肩甲骨内側の縁に沿った筋肉痛、左胸の下半分

にまで広がる。肩甲骨の癒着。首の筋肉は硬く収縮し、肩を上下させなければ話すことができない。
四肢：手指の虫がはうような、ちくちくする感覚。手のひらのかゆみ。書いている間の突然の腕（右）の痙攣性の、縫われるような痛み。踵の靴ずれによる痛み。
皮膚：**青みがかった小水疱**。灼熱感と強烈なかゆみ、＜接触。帯状疱疹。天疱瘡。角質のある疥癬。腐食性の膿漿。平らな、灼熱感のある、刺されるような、潰瘍。痛い、または焼けるようなうおのめ、＜接触。
熱 ：悪寒、＜外気。
関連レメディー：Canth., Rhus-t.

Ranunclus sceleratus　タガラシ

総体的症状：Ran-b. よりもさらに刺激性があり、赤むけになったようなひりひりする痛み、**焼けるようなひりひりする痛み、食われるような、かじられるような、穴を開けられるような痛みを**引き起こす。**胸、皮膚、**頭頂と右側が特に影響を受ける。痛みで失神する、呼吸困難を起こす。全身がひりひり痛い。周期的な疾患。痙攣性のぴくぴくする動き。栓をされたような感覚。
悪化：動作。**夕方**。深呼吸。接触。四肢をだらりとさせる。
好転：深夜過ぎ、**痛み**。
精神：頭脳労働を嫌悪、怠ける。
頭部：頭頂の小部位、または片方のこめかみのかじられるような痛み。頭皮のかまれるような痛み、かゆみ。
鼻 ：くしゃみや、焼けるような排尿を伴う流れるようなコリーザ。
顔 ：クモの巣に覆われているかのような感覚。

口 ：先がとがっていない歯、歯痛。地図状舌。舌の灼熱感とひりひりする痛み；まだらに剥離している。舌がひび割れて皮がむける。
喉 ：喉の灼熱感、こすり取られるような痛み。
胃 ：吐き気、＜深夜過ぎ。痛みに伴う失神。
腹部：へその後ろの栓をされたような感覚。肝臓周辺の痛み、まるで下痢をしそうな。
呼吸器：**胸筋の刺されるような痛み**；胸と胸骨は接触に敏感。**肋骨間に栓をねじ込まれるような感覚**、＜深呼吸。胸骨の後ろのひりひりする痛み、灼熱感。
心臓：心臓に栓をされたように感じる。
四肢：手指と足指の痛風。膝、左の手のひらのかじられるような痛み。焼けるようにひりひりするうおのめ、＜足をだらりとさせる。足の親指が突然刺されるように痛む、焼けるような感覚になる。
皮膚：**黄色い小水疱**。刺激性のある内容物を含む**水疱**。天疱瘡。
睡眠：死体、ヘビ、けんかなどの怖い夢。
関連レメディー：Ars., Arum-t

Raphanus　　クロダイコン

総体的症状：野ダイコンは、ヒステリー性の症状、精神症状、子宮の症状を発現する。しびれ、部位が変化する。ヒステリー球―まるで熱いボールが子宮から喉に上がってくるかのよう。排尿する以上に飲む。腸内ガス貯留、上からも、下からも出せない；術後のガスによる痛み。女子色情症、自分の性別と子どもを嫌悪、特に少女の場合。性的な不眠症。糞便様の物質を嘔吐。片足が冷たい。てんかん、付着した包皮を除去したことによる反応、激しい持続勃起症による治癒の遅れ。乳のように濃い尿。

Ratanhia クラメリア

総体的症状：**肛門**と**直腸**の症状が非常に顕著；**歯**と**乳頭**にも影響を及ぼす。あちらこちらの痛み。**収縮感**。**出血**、受動性。蟯虫。色黒で、やせ、骨ばった人。ひび割れ、**亀裂**。繊細で神経質な女性のための流産防止の強壮薬として、また、臨月に達したことのない人の強壮薬として作用する。

悪化：夜間。心配、精神不安。激しい活動。接触。排便でいきむ。

好転：冷水浴。温浴。戸外を歩く。運動。

精神：過敏、不機嫌、けんかっ早い。

頭部：まるで脳が飛び出しそうな額中央の痛み。排便でいきんでいるとき、または排便後の破裂しそうな頭痛。

目：まぶたが硬直しているように感じられる。非常に速いまぶたの痙攣。翼状片。

口：歯から冷たい風が出てくるような感覚。歯痛、＜夜間、動き回らずにはいられない。口の右側にクモの巣がかかっているような感覚。

胃：**切られるような**、握られるような痛み、＞おくび。激しく痛むしゃっくり。

腹部：**直腸の収縮**、または**鋭い、とげのような痛み**；排便には、かなりいきまなければならず、排便後、長時間にわたって**ひりひり痛む**、＞お湯。肛門の亀裂、激しい収縮と炎のような灼熱感を伴う。肛門の乾燥とかゆみ。蟯虫。回虫。排便に伴う、または伴わない直腸からの出血。

女性：不正子宮出血。乳頭のひび割れ、授乳中の女性の。妊娠中、歯痛のため、夜間に起き出して歩き回らずにはいられない。

胸部：歩行時の肋骨の痛み。

関連レメディー：Nit-ac., Paeon.

Rheum　トルコルバーブ

総体的症状：ルバーブは、乳児と、特に生歯時の小児のためのレメディーで、妊娠中、授乳中の女性にも適合する。肝臓、十二指腸、**胆管**と腸に作用する。**ひりひりする感覚**が非常に際立っている；子どもは酸っぱいにおいがする、洗ってもにおいはとれない。常に泣き**叫んでいる**疝痛を起こす子ども。味覚、嘔吐物、便、汗などが酸っぱい。生歯困難。睡眠も食べ物もあまり必要ではない。パチパチいう感覚。

悪化：**生歯**。プラムを食べる。夏。授乳中の女性。動作。排便前後、排便時。

好転：暖かさ。覆うこと。身体を曲げて横たわる。奇妙な姿勢。

精神：**短気**；子どもは、さまざまなものを激しく欲求して泣く、一番好きなものでさえ嫌がる。特定のものに対する激しい欲求。落ち着きがなく、めそめそする。

頭部：髪の多い頭皮の発汗；髪が**湿る、びしょぬれになる。**

目：何かをじっと見つめる力がない。まぶたの痙攣性のぴくぴくする動き。

顔：顔の冷や汗、特に口、鼻、上唇の周辺。皺の寄った額。痙攣。

口：寝起きの口内の臭い粘液。酸っぱい吐息。疝痛または下痢に伴う唾液分泌過多。食べ物が苦い、甘いものでも。歯が冷たく感じられる。

胃：さまざまなものを欲求、しかしそれらを食べることはできない。一口食べると嫌悪する。プラムとプルーン不耐。食事は少量でよい。

腹部：疝痛、叫ぶ、＞二つ折れになる、＜どの部分でも露出する、そして、パン粥状の、**酸っぱい、茶色い、緑色の、発酵した、ねばねばする**、または刺激性の便、＜未熟の果物を食べる、夕方。歩行時のみの下痢。未熟の果物による黄疸、白い下痢。

泌尿器：膀胱と腎臓の灼熱感、排尿前と排尿時。排便前に尿意を感じるが

出ない。
女性：流産後の排尿の問題。授乳中の女性の母乳が黄色くて苦い、乳児は、母乳を拒む。産後の下痢。
背中：仙骨と臀部のこわばり、まっすぐ歩くことができない。腰部の切られるような痛み、＜排便後。
四肢：横になるとき下になる側の四肢のしびれ。腕、手、手指の痙攣。肘関節の泡立つような感覚、膝の関節から踵にかけて。捻挫や脱臼後の、手首と膝の不自由さ、歩行困難。
睡眠：落ち着きがない、めそめそする、泣く。顔面と手指の痙攣。睡眠時間も食事も、わずかしか欲求しない。
熱 ：頭皮の、口周辺の、鼻の、上唇の汁。
補完レメディー：Mag-c.
関連レメディー：Cham.

Rhododendron　キバナシャクナゲ

総体的症状：シャクナゲは、**痛風性のリウマチのレメディー**で、**線維組織**、前腕、下肢、小関節、**骨**、**生殖器**、**神経**、単一部位に影響を与える。**風の強い**、**または嵐のような湿った天候に敏感**、家の中にいるときでも；雷が怖い神経質な人。**引き裂かれるような**、**ジグザグ**の、穴を開けられるような、素早く変わる、下降性の、**麻痺性の痛み**。わずかに激しい活動をしたことによる多大な衰弱。汗に伴う蟻走感。嵐の前の舞踏病。症状が交互に現れる。うねりのような感覚。
悪化：**嵐の前**。天候―荒れた、**風の強い**、冷たい、湿った、変わりやすい、曇りの。夜。真夏。ワイン。休息。果物を食べる。ぬれる。かぜをひく。
好転：嵐が去った後。暑さ、太陽の。動作（ただちに）。頭を覆うこと。

精神：混乱と愚かさ。話していることを忘れる；書いているとき、単語が抜け落ちる。神経質な人の雷への恐怖。自分の仕事を嫌悪。ワインに影響されやすい。

頭部：頭痛、＜早朝、＞食事。頭の右側がずきずきする。頭皮の下の引っ張られるような、引き裂かれるような痛み。寝床に横たわっているときのめまい、＞動き回るとき。電気ショックのように髪が逆立つ。

目：毛様体神経痛、眼窩、眼球、頭にも影響を及ぼす、＜嵐の前。目の熱感、使うとき。内から外へ赤く熱された針で突き刺されるような感覚。

耳：虫がはうような感覚。立ち上がった後しばらくの難聴（午前中のほうが聞こえやすい）。患者が起きて数時間後に雑音が聞こえはじめる。めまいを伴う耳鳴り。

鼻：鼻づまりとコリーザの流出が交互に現れる、＞戸外で。

顔：顔面痛；激しい、引き裂かれるような痙攣性の痛み、＞食事と暖かさ。

口：歯痛、＞食事と暖かさ。歯痛は突然やむ、＜2〜3時間後に再び痛み出す。

胃：冷たい飲み物による重苦しい圧迫。少量食べただけで満腹感を感じる。冷水を飲んだ後、緑色の苦い嘔吐。

腹部：へその疝痛。直腸から生殖器にかけての痛み。腸内ガスを背中で感じる。下痢＜果物；それにより衰弱しない。速足で歩くと、脾臓に刺痛。腹から上がってくるうねりのような感覚。

泌尿器：膀胱周辺が引っ張られるような痛みを伴う頻繁な尿意。皮下潰瘍形成による尿道の痛み。多量で、臭い、緑色がかった尿。

男性：**精索から腹と大腿にかけての引っ張られるような痛み**。精巣の腫脹、痛み、引き上げられるような、押しつぶされたような感覚。陰茎亀頭の押しつぶされたような感覚。精巣の硬化；痛みが交互に生じる。精巣炎。かゆい、**皺のある**、汗ばんだ陰嚢。精巣水瘤；少年

575

の生来の。
女性：抑圧された月経。月経のたびに頭痛を伴う発熱。腟の漿液性嚢胞。産後、子宮周辺の灼熱感と四肢の痛みが交互に現れる；手指が痙攣的にぴくぴく動く。
呼吸器：胸部の打撲したような、くじいたような感覚。前胸部を駆け下りる激しい胸膜痛により、息も、話すこともできない。
心臓：心臓の温かいうねり。強い鼓動。
首・背中：首と首の付け根のこわばり。仙骨の痛み、＜座る。
四肢：手首の打撲したような、くじいたような感覚。寒い日でも手は温かい。下肢は冷たく、皮膚には皺が寄っている、無感覚。足に重りがあるような感覚。全四肢のリウマチ性の引き裂かれるような痛み。長骨の引っ張られるような、引き裂かれるような痛み。暖かい室内、寝床の中でさえ、足が冷たい。足踏みするとアキレス腱が痛む。
睡眠：脚を交差させないと眠れない。呼ばれたかのように目を覚ます。
熱：発汗に伴う蟻走感とかゆみ。
関連レメディー：Rhus-t.

Rhus toxicodendron　アメリカツタウルシ

総体的症状：このレメディーは、特に、顔、頭皮、生殖器の**皮膚**に刺激性がある；**線維組織、靭帯**、そして関節に影響を与え、**リウマチ性の症状**を引き起こす；**腸チフスのような熱**を生じる感染物質である。**神経**と**脊髄**の疾患により、**麻痺症状**が生じる。腺は腫脹し、熱く痛む；硬化；化膿。症状は左側に発現する、または左から右へ移行する。**引き裂かれるような**、**撃ち抜かれるような**、**縫われるような痛み**、＜**夜間**、どんな姿勢をとっても**休まらない**。局部のひりひりする、**打撲したような**、**こわばった**ような感覚。まるで肉が骨から引

きはがされたかのような痛み。脱臼のような感覚。筋肉の痙攣。虫などがはうような感覚。しびれ；麻痺した部位の。震え。**灼熱感、腫脹、青藍色状態。刺激性のある、さびのように赤い、肉汁のような；かび臭い**；発疹を引き起こす粘液性の分泌物。感染、敗血症、癰の初期。蜂巣炎；長骨の炎症と腫脹；骨膜のこすり取られるような、かじられるような、引き裂かれるような痛み。寒い季節のリウマチ。術後の合併症。片麻痺、右側；眠ってしまったような感覚。冷たい湿気にさらされたことによる小児麻痺。インフルエンザ。天然痘。炎症後の狭窄。骨の突出部の痛み。望まない激しい活動後の麻痺、産後の麻痺。せつ、膿瘍。

悪化：湿った、冷たい空気、すき間風にさらされること。熱い、または汗ばんでいるときの冷え。覆われていない部分―頭など。**動きはじめ**。休息。嵐の前。捻挫。無理をする。真夜中過ぎ。骨折；振動。乗り物に乗る。氷。冷たい飲み物。片側を下にして横たわる。

好転：**継続的な動作**。熱。温浴；熱くなった場合。暖かく覆うこと。**さする**。鼻出血。患部、腹、頭などを抱える。四肢を伸ばす。姿勢を変える。暖かくて乾燥した天候。

精神：**不安、悲しい；絶望、深い依存心**。軽度のせん妄；支離滅裂な話、応答は正確だが時間がかかる、あるいは性急、または気が進まない。めそめそしやすい傾向、＜夕方、理由もわからずに、独りになりたい、毒を盛られることへの恐怖。人生に飽き飽きしている、自殺を考える、身投げしたい。忘れっぽい、最近の出来事を思い出せない。恐怖、＜夜、寝床に横になれない。**混乱**。自分の子どもについての不安。

頭部：めまい；高齢者の、ぐるぐる回る、その後に頭痛。打ち砕かれたような、または緩んだような脳の感覚＜振動。額に板をくくりつけられたような感覚。無感覚になるような頭痛。横にならずにはいられない、＜わずかな悔しさ。痛みを伴う硬直した頭皮＞その部分を下

にして横になる。頭が重い。

目：目の奥の痛み、＜動作。**こわばった、膠着した、乾燥した、しっかり閉じているまぶた。**まぶたを開けると、多量の熱い涙が噴出する。嚢状の結膜。羞明。虹彩炎。下垂症。眼球のいずれかの筋肉の麻痺。垂直複視。眼窩蜂巣炎。まぶたの内側表面の疾患。

耳：発熱を伴う耳下腺炎（左）。腫脹した耳垂。まるで中に何かがあるかのような耳の痛み。血膿の分泌。

鼻：赤い、鼻先が敏感；分泌液がしたたる。くしゃみ、流れるコリーザ。鼻出血、＜夜間、かがむ、排便時、発熱時；発熱により和らぐ。鼻骨の激しい痛み。熱い吐息、鼻孔が焼けるよう。

顔：そしゃく時に顎がカチカチいう。関節の痛み。冷えを伴う顔面神経痛。顎がはずれやすい。ほお骨の痛み。左ほおの赤い斑点。**こわばり、はれた顔。**乾燥した、茶色っぽい、口角に亀裂のある、痂皮状の唇。口唇ヘルペス。乳痂。酒さ。

口：歯の煤色苔。歯がぐらぐらして、長すぎるように感じられる。睡眠中に出る血の混じった唾液。舌の乾燥、中央が赤い、ひび割れ、硬直、ひりひりする、**先端が三角形に赤くなっている；対角線状の、**または片側だけの苔舌。舌が皮膚で覆われているかのような感覚。銅のような、草のような、または苦い味。パンが苦く感じられる。

喉：赤い、はれた、かゆい口峡。扁桃は黄色い粘膜で覆われている。咽頭痛、**腺の腫脹を伴う。**嚥下困難；固形物―収縮のため、唾液。腐食性のものをのみ込んだことに起因する食道炎。

胃：冷たい飲み物を欲求するが、それによって咳、冷えなどが悪化。冷たい乳、甘いもの、カキを欲求。咳、あおむけに横になることからの嘔吐；**糞便の嘔吐。**吐き気、＜アイスクリーム、食後。強烈な喉の渇き、＜夜。食後眠たい。喉の渇きは強いが、どんな食べ物にも食指が動かない。氷水を飲むと胃が痛む。

腹部：腹痛。水がパシャパシャはねるような感覚、あるいは塊の感覚。疝

痛、二つ折れになって歩かざるをえない、＞うつぶせになる。**回盲部症状**；虫垂炎。水っぽい便；泡状、または血が混じった、臭い、**肉汁のような**、ねばねばした、ゼリー状の、不随意の；夜間睡眠中の；またはしぶりを伴う；＜飲む。赤痢様の下痢。痔、＜物を持ち上げる。排便を伴わない痛いしぶり。砂時計のような収縮。粘液性大腸炎。

泌尿器：尿失禁、＜横になる、夜間、または座る；少年の。腎炎。黒ずんだ、混濁した、色の濃い、少量の。頻繁な、多量の、日中にわたる排尿。

男性：分厚い、**膨れた**、**浮腫状の陰嚢**。浮腫状の包皮。**生殖器の強烈なかゆみ**。重すぎるものを持ち上げたことによる精巣水瘤。急性耳下腺炎の精巣への転移。

女性：**外陰部の激しいかゆみを伴う腫脹**。月経周期が早すぎる、多量、だらだら続く。ぬれたことに起因する無月経；乳房に乳がたまる。子宮筋層炎；腐敗性。希薄な、だらだらと続く、不快な、減少した悪露、腟の上向性の撃ち抜かれるような痛みを伴う。重いものを持ち上げたことによる、または酷使による子宮脱。月経時の陰部の激しい痛み。ひりひり痛む腟。

呼吸器：胸の痛み、＜腕を使う。胸骨上部のくすぐったい感覚、乾性の、かすれた、引き裂かれるような、苦しい咳、血なまぐさい味、＜冷え、布団から手を出す、深夜過ぎから朝まで。声を酷使したことによる嗄声。肺の突然の血液沈滞、または水腫。胸膜痛、胸の痛みが肩まで突き抜ける。努力しすぎ、管楽器を吹くことによる喀血；鮮血。さび色の痰。呼吸時に、喉頭が冷たい。気管からの熱気。

心臓：激しい活動に起因する、合併症のない肥大。心臓の疲労感；痛みは左腕を下降する。動悸、＜じっと座っている、＞歩く。心臓の震え、＞歩く。速い脈、弱い脈、不整脈、間欠脈、左腕のしびれを伴う。心臓疾患に伴い、左腕が痛む。

首・背中：首のこわばり、動かすと突っ張って痛む。**肩甲骨間の痛み**、＜嚥下。収縮性の背中の痛み、または砕けるような背中の痛み、＞強い圧迫；何か硬いものの上に横たわる；歩き回る、背中を反らす。腰痛。尾骨から大腿にかけての痛み。

四肢：しびれ、四肢のちくちく刺されるような痛み。神経質で震える腕（左）。肘の麻痺性の痛み。手の甲の亀裂。手のひら；乾燥、熱い、ひび割れ、または痛み；洗うとひりひりする。**大腿の後ろ側を下降する痛み**＜排便；坐骨神経痛。脚の無感覚、木のよう。ふくらはぎの疼痛性痙攣（こむらがえり）。不随意の跛行。関節丘の骨の痛み。四肢の硬直、麻痺。関節が痛んで熱くはれる。つかむときの指先と、手のひらのちくちくする痛み。尺骨神経に沿った痛み。潰瘍；脚の；壊疽性の；血の混じった体液の流出；むくんだ脚。脚と足のかゆみ。長時間座った後の足首のはれ；夕方になると足がむくむ。対麻痺；産後、過剰な性行為の後；発熱後。針の上を歩いているかのよう。腋窩の膿瘍、産後。

皮膚：硬直、分厚い、乾燥、熱い、灼熱感；かゆみ、＜被毛部位。**冷気に敏感な皮膚**。**発疹**；**細かい**、**小水疱性**；**痂皮状になる**、湿疹様の；湿った、または**丹毒様**＜生殖器；赤痢と交互に発現。膿が毛髪を腐食する。膿瘍上の小水疱。乳垢。パン屋瘙痒症。蕁麻疹；ぬれたことに起因する；リウマチに伴う、または冷えと発熱時の。帯状疱疹。

睡眠：疲れて、または神経質なため目覚める。**夢**；**非常な尽力の**；血の；火事の。あくび；頻繁、激しい、痙攣性、眠りたくない；伸びをする。落ち着きがない、動き回る。

熱：**冷えやすい＜わずかな露出；四肢の痛みを伴う**。冷水を浴びたかのような、または、血管を冷水が流れているかのような悪寒；咳が先行する；熱感と交互に。一部位の冷え。熱感、せわしない幻覚症状を伴う。腸チフス。発汗；＜痛みの間；不眠に伴う。発熱時の蕁麻疹。悪寒の間、あくびと伸びをしたい。

補完レメディー：Bry., Calc., Mag-c., Med., Phyt.
関連レメディー：Arn., Bry., Dulc.

Robinia　ハリエンジュ

総体的症状：**刺激性**と**酸性**が、このレメディーの特徴である。そのため、胃酸過多症で、おくびや味覚が酸っぱい場合、**嘔吐物が非常に酸性なために**、**歯が浮いたり**、または鈍感になったりする場合に効果がある。体臭が酸っぱい、便が酸っぱい、酸っぱい乳を嘔吐する小児。高酸性消化不良。常時の前頭部の鈍痛、＜動作と読書。酸っぱい嘔吐を伴う片頭痛。呑酸。胃と肩甲骨間の灼熱感。鼓腸。胃の絞られるような感覚。胸やけと酸性、＜横たわる、特に夜。

悪化：**食事**。**夜**。脂肪。キャベツ。カブ。生の果物。アイスクリーム。

関連レメディー：Iris., Mag-c.

Rumex crispus　ナガバギシギシ

総体的症状：神経に影響を与え、多数のさまざまな痛みを引き起こす；痛みは、どこかに定着し、常時起こるものではない；**鋭い痛み**、神経痛。喉頭、気管、腸、<u>喉の陥凹</u>の粘膜が影響を受け、**乾燥し**、**過敏**になる。関節、特に**足首**、皮膚、胸部に作用する。左側。粘液分泌の減少により、**粘性**になり、**灼熱感**を帯びる。肥満。リンパ管の肥大、分泌異常。かぜをひくたびに、関節を病む。

悪化：<u>**吸気**</u>；<u>**冷気**</u>、外気；暖かさから寒さへ、寒さから暖かさへの変化。露出。夜。気管の圧迫。話すこと。深呼吸、または不規則な呼吸。動作。食事；食後。

好転：口を覆う。身を包む。
精神：元気がない、顔の表情が真剣。自分の周囲に無関心。
頭部：左側の突き刺されるような鋭い痛み。
目　：室内での灼熱感；午前中はれる。
鼻　：後鼻孔の乾燥。くしゃみの発作；流れるコリーザ。鼻の先から咽頭までかゆみが広がる。
顔　：びしょぬれ。青白い、立っている間。
口　：歯痛、完全に＞夕食後、冷水で口をすすぐ。
喉　：粘り強い粘液を咳払いで出す。喉の空洞感。塊は、咳払いで楽にならない、のみ下しても、また上がってくる。
胃　：貪欲な食欲。みぞおちに何か硬いものがあるかのような感覚。食後、左胸に痛み。胃の症状＜話すこと。胃痛、背中までひびく痛み、深く呼吸せざるをえない。締めつけられるような、窒息しそうな、上腹部のひどい痛み、背中にひびく；衣類が窮屈に感じられる。肉を食べるとおくび、かゆみが出る。吐き気、＞おくびによる。
腹部：へそ周辺のむずむずする感覚、＞臭い放屁。**突然の、多量の、臭い排便**；痛みは伴わない、茶色い、黒い、または薄く水っぽい便；朝（午前5～9時）寝床から跳び起きさせる。肺結核時の下痢、カタルの後。肛門のかゆみ、直腸に棒があるような感覚を伴う。女性のゴロゴロいう不快な鼓腸。
泌尿器：突然の尿意；咳に伴う不随意の排尿。
女性：右卵巣から背中にかけての痛み。
呼吸器：**冷気を吸うたびにくすぐったく感じる、喉の陥凹に羽根やほこりがあるためであるかのように、そして継続的な咳、＞口を閉じるか覆う、または頭を覆う**、＜喉に触れる、左側を下にして横たわる。乾性のしつこい咳のため眠れない。多量、泡状の、希薄な喀出物。口いっぱいに出てくる痰。就寝時の呼吸困難。息が詰まりそう。呼吸＜風の中。部屋を移ること、寒さから暖かさへ、暖かさから寒さ

への変化によって起こる咳。鎖骨下の痛み、ひりひり感、または灼熱感、まるで空気が通り抜けたかのような、＜咳払い。**胸骨下、右乳頭下の痛み**。焼けるような、突き刺されるすような痛み、心臓周辺の左胸の、＜深呼吸。ほえるような咳。小児の、午後11時、午前2時、5時の定期的な咳。日中のみの咳。鎖骨の痛み＜咳払い。

心臓：まるで突然止まったような感覚、胸にひびく激しい拍動が後に続く。
背中：右肩甲骨下の痛み。
四肢：咳をするとき、腕を上げるときの左肩の痛み。咳をするとき、手が冷たい。足首と足の疼痛性痙攣。
皮膚：激しいかゆみ、＜下肢、冷気にさらされる、または衣服を脱ぐ。尋常性痤瘡。
睡眠：突然の睡魔。
熱：心地よい眠りから覚めるときの発汗。
関連レメディー：Caust., Seneg.

Ruta graveolens　ヘンルーダ

総体的症状：このレメディーは、**線維組織、屈筋腱、関節—足首、手首；軟骨、骨膜；子宮と皮膚**に特別な親和性がある。損傷または打撲した骨の主要なレメディーであり、したがって痛みは、**打撲したような痛み、ひりひりする痛み、疼痛であり、落ち着きのなさを伴う**。非常に痛んで疲労した感覚。**重たさ**；額に重りがあるような、または足や下肢に重りがぶら下がっているような。頭、鼻などの**局部を鈍器で殴られたかのような感覚**。麻痺性の硬直。歪み。かじられるような、**焼けるような痛み**、神経痛。リウマチ。骨膜、腱、関節、特に手首の沈着物や結節の形成。打撲、骨折、重たいものを運ぶことの悪影響。捻挫後の跛行。骨がもろい。体重がかかっている部分

が痛む、寝床の中でさえも。ひどい倦怠感、衰弱感と絶望感。

悪化：**無理をする**、損傷、**捻挫**。**眼精疲労**。**冷**気、**湿気**、**風**、ぬれる。**横たわる**。**座る**。縁への圧迫。かがむ。月経時。未調理の、または消化できない食べ物。激しい活動、階段の上り下り。

好転：あおむけに横たわる。暖かさ。動作。こする。引っかく。

精神：**自分自身に不満**、他人にも不満、めそめそする傾向。疑い深い、いつも自分は欺かれていると思う。気難しい；けんかする、反対する。

頭部：くぎをねじ込まれるような痛み。刺されるような痛み、＜読書。

目：赤い、熱く痛む、薄い文字を読むことから、縫い物から。**視覚がぼやける**。流涙。内眼角のかゆみ。眼精疲労。下まぶたの痙攣、痙攣が止まると流涙が始まる。

耳：先のとがっていない木片によるような痛み。

鼻：鼻の発汗。鼻出血を伴う、鼻根の圧迫されるような痛み。

口：舌のひきつり、うまく話せず、困惑する。木のような味。

胃：食事中、突然の吐き気、食事を吐く。焼けるような、かじられるような痛み。重たいものを持ったことによる消化不良。冷たい氷水を激しく渇望。直腸で感じる吐き気。胃の緊張、＞乳を飲む。

腹部：便意、しかし**直腸が脱出する**のみ。直腸脱；かがんだとき、産後、排便時、軟便でも、硬い便でも。かがむと、頻繁に脱糞する。膵臓の痛みを伴う腫脹。腸の癌。直腸狭窄。

泌尿器：膀胱に常時感じる圧迫感、まるで満杯であるか、上下に動いているような感覚。常時尿意を感じる、尿の貯留がほとんどできない、もし無理に保持すると、後で排出することができない、ひどい痛みを伴う。

女性：腐食性の帯下、不順な、または抑圧した月経後。

呼吸器：息切れ、胸苦しさを伴う。濃厚な黄色い痰の後の衰弱感。胸骨に痛む部位。胸部の機械的な損傷の悪影響。

首・背中：腰のくびれ、臀部、下肢の、午前中の衰弱感、打撲したような

感覚。脊椎から下方に向かう冷感。背中の痛み、＞あおむけに横たわる、圧迫。

四肢：**大腿の骨折したような感覚**、＜脚を伸ばすとき。腱が痛む。よろめく；つまずきやすい。長骨の深部の痛み、歩き回らずにいられない。手のひらの結節。手首のガングリオン。包（嚢）。足の骨の痛み、体重をかけて歩けない。手指、足、足指の痙攣。膝窩腱が短くなったように感じられる。関節が鳴る、＜戸外を歩く。坐骨神経痛、＜横たわる、夜間、＞日中。いすから立ち上がろうとしても、脚に力が入らない、何度も試みなければならない。脚の麻痺性の衰弱、腰をねじった後。脚の衰弱感、いすから立ったり、いすに座ったりするときに、膝に力が入らない。足首のはれ。

皮膚：歩行、乗り物に乗ることで**すりむけやすい**；子どもの場合も。びらん性のかゆみ。手のひらの脂肪性の、滑らかで、痛いぼ。肉を食べた後にかゆい。

睡眠：頻繁に目が覚める。鮮明で混乱した夢。あくび、伸びをして、手を伸ばす。

熱：頻繁に一過性の熱感に襲われる。顔、皮膚などのほてり。

補完レメディー：Calc-p.

関連レメディー：Arn., Phyt., Ran-s., Symph.

Sabadilla　メランタケア

総体的症状：**鼻**、涙腺、**肛門**、消化管の粘膜が、このレメディーの影響を受ける。**神経**が侵され、衰弱、神経質を生じる；驚きやすい。寄生虫の影響による神経症状；痙攣、痙攣性の震え、またはカタレプシー。**蟻走感**。神経と身体の症状が交互に現れる。恐怖後のヒステリー。恐怖、頭脳労働、思考の悪影響。寄生虫；痙攣、女子色情症などを引き起こす。想像上の疾患。骨の切られるような痛み。

悪化：冷気、冷たい飲み物。**周期的に**—毎週、2週ごと、4週ごと、**同じ時間に**、午前、新月、満月。におい。未発現の発疹。頭脳労働。

好転：外気。熱。食事。嚥下。患部を素早く動かす。

精神：みじめな。臆病。驚きやすい。自分自身についての間違った（固定）観念—自分は非常に病んでいる、ある部位が落ちくぼんでいる、四肢が湾曲している、顎が長くなっている、一方が他方よりも長い、癌である、または妊娠していると想像する。質問に答えない、意識喪失、そして、跳び上がり、みさかいなく部屋を走り回る。激怒。躁病。＞冷水で頭を洗う。

頭部：めまい、すべてのものがぐるぐる回っているかのような感覚を伴う—夜目覚めると突然、または前かがみになって起き上がるとき、目の前が暗くなり意識が遠のく、＞卓上で頭を休める。片側だけの頭痛、または頭痛の現れる側が変わる、＜考える、＞食べる。灼熱感、かゆみ、被髪部の頭皮のむずむずする感覚、＞かく。女学生の頭痛。

目：まぶたが赤い、ひりひりする。**流涙**；＜痛むとき、くしゃみ、咳、あくび、戸外を歩くとき、冷えたとき。

耳：難聴、耳が手で覆われているかのような。

鼻：しつこい、**激しい**、または**頓挫性**のくしゃみ。**かゆみ**、むずむず

る、鼻をこする、ほじる。鼻の乾燥。鼻のむずむず感が全身に広がり、呼吸困難になる。花粉症。インフルエンザ。**においに敏感**。どちらか一方の鼻孔が詰まる。流れ出るコリーザ。花の香りで分泌が悪化、花のことを考えるだけで分泌が増加。ニンニクのにおいに耐えられない。しつこい、長引くコリーザ。鼻咽頭から鮮血を出す。

顔　：熱く感じる、火のように赤い。唇が赤い、やけどしたようにひりひりする。口を大きく開けると、顎関節が鳴る。

口　：口と舌の、やけどしたかのような感覚。軟口蓋のかゆみ。甘い味。口の中に熱いものも冷たいものも入れられない。

喉　：咽頭痛のあるときは、舌を突き出すことができない。喉に、塊、食べ物の一片、糸、または皮がぶら下がっているかのような感覚、常に嚥下したい衝動を伴う。咽頭痛、左から右へ、＜空嚥下、＞熱い飲み物。コリーザ後の扁桃炎。

胃　：熱いもの、甘いもの、乳を欲求。最初の一口を食べるまで、食べることを楽しまないが、食べると享受する；特に妊娠中。イヌのような飢え、甘いもの、デンプン質の食べ物に対する。喉の渇きがない。冷たい、または空っぽの感覚。すべての食べ物、肉、酸っぱいもの、コーヒー、ニンニクを嫌悪

腹部：腸に結び目があるような感覚；腹の中で、塊か、ひもが素早く動いているような感覚。焼けるような、泡状の、緩い、茶色い、浮かぶ便。**肛門がむずがゆい**、耳または鼻のかゆみと交互に。蟯虫。

女性：寄生虫による女子色情症。遅すぎる月経、突然始まり、途中で止まる、激しときもあれば、穏やかなときもある。

呼吸器：激しい咳の発作；口を覆って抑えつけたような、＜怒り、流涙を伴う。喘息性の呼吸、皮膚、鼻、肛門のかゆみを伴う。胸に赤い斑点。ひどい麻痺性の衰弱を伴う胸膜炎。

心臓：動悸、全身の脈動を伴う。

四肢：腕が上方に発作的に動く。足指の間と裏側のひび割れ。骨の切られ

るような痛み。分厚く、変形した、硬い爪。腕と手の赤い斑点。手指の黄色い斑点。脚のむくみ、足底の痛みを伴う。
皮膚：喘息性の呼吸に伴うかゆみ。羊皮紙のように乾燥した。
睡眠：思考中、瞑想中、読書中に眠くなる。
熱：随伴症状としての身震い。悪寒の後にのみ喉が渇く。下方から上方にかけての悪寒。悪寒に伴う流涙。
補完レメディー：Sep.
関連レメディー：Ars., Puls., Urt-u.

Sabal serrulata　ノコギリヤシ

総体的症状：泌尿生殖器、特に**前立腺**、**卵巣**、**乳房**、膀胱と尿道がこのレメディーの影響を受ける。粘膜の症状を和らげ、脳の過労の強壮薬、栄養薬、刺激薬として作用する（1Xを使用）。鋭い、刺されるような、遊走性の痛み。前立腺肥大による尿閉へのホメオパシー版カテーテル。神経質な女性と**高齢男性**。**衰弱**。神経過敏、両性ともに性欲喪失。性的神経症。
悪化：寒さ、湿気、曇りの天気。同情。月経前。
好転：睡眠後。
精神：過敏、落ち込み；同情されると怒る。自分の悩みや症状について、くよくよ考え込む。冷淡。無関心。何か起きるといけないので、眠りに落ちるのを怖がる。うたた寝をしているとき、恐怖から驚いて跳び起きる。
頭部：鋭い、突き刺されるような痛みが、突然あちこちに現れる。痛みは鼻を駆け上がり、額の中央に達する。衰弱した人の頭痛。
目：虹彩炎に、前立腺が関与している場合。

耳　：聴力の衰え；声が遠くに聞こえる。
胃　：通常は嫌いな乳を欲求。酸性。おくび。
腹部：痛みは大腿に伝わり、さまざまな方向に放射状に広がる、卵巣に達する。
泌尿器：夜間、常に尿意を感じる。笑いすぎ、重すぎるものを持ったなど、あらゆる激しい活動からの遺尿。排尿困難；突き刺されるような、尿道の灼熱感。粘着性のある尿の沈殿物。膀胱の激しい痛みと冷たい感覚が、外性器にまで伝わる。前立腺肥大による膀胱炎。
男性：引っ張り上げられた精巣、痛い。**性器が冷たい。前立腺肥大、または充血；老人の前立腺**。精巣の消耗と精力喪失。痛みを伴う勃起または性交中の射精。性的神経症。精巣上体炎。インポテンス。濃い精液、精索に沿った熱感を引き起こす。
女性：卵巣の圧痛と肥大；卵巣の痛みが大腿を駆け下りる。陰門が開いているように感じられる。女性の性的神経症、性の抑圧または倒錯の傾向。乳房のひりひりする痛み、圧痛、充満感、＜冷水浴；または小さな**未発達**の乳房。**性器が冷たい**。片方の乳房が、もう一方より小さい。激しい性衝動。
呼吸器：多量の喀出物、鼻からの分泌を伴う。慢性気管支炎。ゼーゼーいう咳、横たわると悪化、午前6時まで悪化。
背中：性交後に痛む。月経開始前に仙骨部が痛む。
睡眠：眠りに落ちるのが怖い、何かが起こるといけないから、居眠り中に、こうした恐れから驚いて跳び起きる。

関連レメディー：Sep., Sil.

Sabina　サビナビャクシン

総体的症状：**女性の骨盤内臓器**、特に子宮がこのレメディーの影響を受ける。それに加えて、**小関節の線維組織**、漿膜と踵に作用する。痛風・リウマチ体質で**出血傾向**—鼻出血、血尿など—のある熱血タイプの女性に適合する。流産の傾向、特に妊娠3か月。激しい拍動、窓を開け放したい。身体の重さと怠惰さ、横になりたい。患部の赤く光沢のある腫脹。関節の結節の急性炎症。充満感。いぼ－増殖のような。痛みは急に増強し、徐々に減少する。

悪化：夜。寝床、部屋の**熱**；激しい活動。妊娠。閉経期。霧。かがむ。手足をだらりとさせる。深呼吸をする。音楽。

好転：寒さ。冷たい外気。呼気。

精神：音楽に耐えられない、神経質になる。憂うつ。悲しみ。

頭部：**破裂しそうな頭痛**、突然始まる、徐々に消える、頻繁に再発する。月経の抑圧に伴うめまい。

口：歯痛、＜そしゃく時のみ。顎の筋肉の引っ張られるような痛み。食べ物が苦い、特に乳、またはコーヒー。

胃：レモネードを欲求。胸やけ、食道から背中にかけての痛み。

腹部：体液過剰。何かが生きているかのように震える、胎動のよう。鮮紅色の出血を伴う痔、仙骨から陰部にかけての痛みを引き起こす。痔と四肢の痛みが交互に現れる。

泌尿器：膀胱の過敏症、痛風体質を伴う。血尿、頻繁な尿意を伴う。腎臓周辺の拍動、灼熱感。

男性：性欲亢進、激しい持続性勃起を伴う。焼けるようなひりひりする痛みを伴う淋病性の病的増殖物。陰茎背の硬い腫脹。

女性：**性器のかゆみ**；飽くなき性欲。多量すぎる、早すぎる月経；**熱い、鮮やかな、水っぽい血を噴出**、黒っぽい凝血塊が混入、＜わずかな

動き、しかし、しばしば＞歩くこと。月経、関節の痛みを伴う、**仙骨から陰部にかけての**、またはその逆の**痛み**、または、**膣から急上昇する痛みを伴う**。性的興奮を伴う、月経間期の出血。臭い、刺激性の、濃厚な、黄色い帯下、月経の抑制または多量の月経による、外陰部のかゆみを伴う。妊娠中の帯下。妊娠中のかゆみ。胎盤遺残。ひどい後陣痛。奇胎の排出を促す。乳頭がむずむずする。流産後の出血。流産後の卵巣炎と子宮筋層炎；早産。月経困難症、＞あおむけに平らに横たわる、四肢を伸ばして。乳首の官能的なかゆみ。

心臓：全身の血管の激しい脈動。
背中：腰部から恥骨にかけての、またはその逆の痛み。
四肢：右足の親指のはれ、赤みと、刺されるような痛み。踵の撃ち抜かれるような痛み。静脈の結節、肥大、静脈瘤を減少させる。踵の太陽膀胱経の経穴の間欠性の痛み。
皮膚：臭い、かゆく、ひりひりする、湿ったイチジク状のいぼ。特に顔の黒い毛穴。
熱：全身の耐えがたい熱感、非常に落ち着きがなくなる。
補完レメディー：Thuj.
関連レメディー：Ars., Caul., Puls.

Salicylicum acidum　サリチル酸

総体的症状：通常の診療では、急性リウマチの薬として使用される。ホメオパシーでは、メニエール病に効果がある。耳のとどろくような音や鳴り響く音。めまいを伴う難聴。足の発汗の抑圧による影響。
悪化：動作。夜。冷気。

Salix nigra　アメリカポッキリヤナギ

総体的症状：両性ともに、生殖器の過敏さを減少させる。男子色情症と異常性欲。女性といるだけで、または女性と話すことで射精。みだらな想念と夢。現物質の残るチンキを使用—30滴。

Sambucus nigra　セイヨウニワトコ

総体的症状：呼吸器、腎臓、そして皮膚に作用する。多くの症状に随伴して、**多量の発汗、または息切れ**がみられる。身体のさまざまな部位の、浮腫性の腫脹、特に、脚、足の甲と足。子どもの鼻づまり、呼吸と授乳を妨げる。不安に伴う全身の震え。恐怖、悲しみ、不安、過剰な性行為の悪影響。以前は頑強で肉付きがよかった人が、突然衰弱した場合に適合する。
悪化：乾燥した冷たい空気。熱くなったときの冷たい飲み物。頭を低くする。果物を食べる。横たわる。

好転：鋭い角よる圧迫。動作。覆うこと。寝床で上体を起こす。
精神：常にいらいらする。おびえやすい。窒息しそうな発作後の恐怖。目を閉じたときに像が見える。
目：睡眠中の半眼。羞明。
鼻：子どもの鼻づまりに伴う、乾いたコリーザ。
口：睡眠中、半開き。
顔：血の気がない、青みがかった、むくんだ、＜咳。顔は熱く、足は氷のように冷たい。
泌尿器：急性腎炎。浮腫性の症状、食後の胆汁の嘔吐と胃の苦痛を伴う。身体の熱感を伴う多量の排尿。頻繁で少量の排尿。
男性：損傷に起因する精巣水瘤。
女性：産後の衰弱熱。
呼吸器：眠りに落ちるときの**突然の窒息**、または**締めつけられるような咳**、または**激しい発汗で夜中に目が覚める**、＜恐怖。声門の痙攣によるヒューヒューいう呼吸。キーキーいう甲高い声。クループ。発熱前の咳の発作。
四肢：氷のように冷たい足。手が青くなる。脚と足の浮腫。
熱：**睡眠中の乾燥した、焼けるような熱**、しかし、**目覚めると多量の発汗**。咳を伴う発汗。衰弱させる汗、＜夜間。
関連レメディー：Bell., Brom.

Sanguinaria canadensis　サンギナリア(アカネグサ)

総体的症状：アカネグサとも呼ばれている。**右側**に症状が出るレメディーで、頭、肝臓、胸、三角筋に影響を与える。**血管（神経）運動性障害**を起こし、ほお、腹、舌などの限局性の**赤み**；頭、胸、腹などの**うっ血**、一過性の熱感、全身の脈打つ感じなどの症状が出る。**灼熱感と沸騰**。粘膜の乾燥。喉、胸骨の下の灼熱感、胸、手のひら、または足の裏の斑点、または刺されるような痛み。舌のやけどしたような感覚。**上向性の症状、または胆汁性の嘔吐で終わる症状**。内側がひりひりする。刺激性のある、血の筋の入った分泌物、または臭い分泌物。頭を高くしてあおむけに横たわる。閉経期の不調。胆汁質。太陽に伴って痛みが増減する。気管のカタルが突然止まり、続いて下痢になる。鼻、子宮のポリープ。真菌性の増殖物。花のにおいで気分が悪くなり失神する。肉づきのわずかな骨の部分の痛み。

悪化：周期的—太陽につれて、毎週、毎夜。**閉経期**。におい。振動。光。甘いもの。動作。見上げること。接触。腕を上げること。

好転：**睡眠**。あおむけに横たわる。嘔吐。冷気。放屁。酸っぱいもの。左側を下にして横たわる。

精神：怒りっぽい、不機嫌。ぶつぶつ言う。取り越し苦労をする。倦怠感、どんな動作も、知的作業もしたくない。

頭部：右目の上が痛む、または**後頭部から右目上に上ってくる痛み**。片頭痛、太陽に伴って増減する。こめかみの血管膨張。電光のような後頭部の痛み。めまい、＜見上げる、頭を素早く動かす。食事なしに出かけると頭痛。頭痛＞睡眠、嘔吐、多量の排尿。

目：灼熱感。眼球を動かすと痛む。まゆ毛の上の硬い腫脹。コリーザに伴う流涙、熱い涙。

耳：灼熱感。頭痛に伴う耳痛。耳の中のブンブンいう音、とどろくよう

な音；閉経期に苦痛なほど音に敏感。
鼻　：**鼻の付け根の痛み**。コリーザ；止まる、すると下痢。鼻のポリープ。バラ熱、それに続く喘息。においに敏感。嗅覚喪失、または嗅覚異常、鼻の中がタマネギを焼いたようなにおい。
顔　：**ほおの赤みと灼熱感**。紅潮、赤いほお。上顎の神経痛、放射状に広がる、＞ひざまずいて床に強く頭を押し付ける。顎の後ろ側の充満感と圧痛。
口　：舌のやけどしたような感覚。舌の前面が生肉のように赤い。甘いものが苦く感じられる。口蓋がやけどしたような感じ。歯をつついたことによる歯痛。
喉　：ひりひりする、はれる（右）；痛みは耳と胸に及ぶ。灼熱感、＜甘いものを食べる。歌手の乾燥。
胃　：香辛料を欲求；何を欲しているかわからない。バターを嫌悪。唾液分泌過多を伴う吐き気、＜くしゃみまたは鼻をかむ、＞食事；吐き気の後に続いて蕁麻疹。胆汁を吐く；胃と十二指腸のカタル。胃痛が放射状に右肩に広がる。
腹部：みぞおちの緊張感。胸から腹にかけて熱いお湯を注がれているような感覚、引き続いて起こる下痢。胆汁性の、液状の、噴出する便。腟からの腸内ガス放出を伴う鼓腸性の膨張。黄疸。直腸癌。
泌尿器：黄疸に伴う黒ずんだ黄色の尿。多量、頻繁、澄んだ、＜夜間。
女性：閉経期の不調；特に、一過性の熱感と、悪臭のする刺激性の帯下。乳頭（右）の下がひりひりする。月経；臭い、多量。子宮ポリープ。乳房；ひりひりする、肥大；閉経期に。
呼吸器：喉頭、充満と乾燥；歌手の。咳をすると臭い息が上昇；乾性の咳；胸骨の裏のむずむずする感覚から；寝床で上体を起こさずにはいられない；放屁やおくびをするたびに、それにより＞。途切れにくい、さび色の、膿状の喀出物、それにより＜。胸部の灼熱感、熱い蒸気が腹にまで広がるような、咳を伴う。インフルエンザや百日

咳後の咳、かぜをひくたびに再発する。右胸部（胸郭の前表面）から肩にかけての痛み。肺炎。肺結核。喘息；消化障害に起因する、刺激性のおくびを伴う。

心臓：衰弱感；不規則な鼓動。

四肢：腋窩のかゆみ、＜月経前。右三角筋の切られるような痛み、または硬直、＜腕を上げたり回したりする。右肩と、左の股関節のリウマチ。肩の痛み、＜夜。表層に近い骨の痛み。神経炎、＞患部に触れる。手のひらと足の裏の灼熱感、＜覆う；閉経期の。手のひらの皺。手（右）の母指球の痛みとはれ。腕の痛み、＞前後に腕を振り動かす。

皮膚：乾燥、黄疸の。にきび、少量の月経に伴う。全身に広がるチクチク刺されるような熱感。

熱：顔や頭に向かって上る一過性の熱感；頭痛を伴う。発汗は、ひりひりして、少ない。

補完レメディー：Ant-t., Phos.

関連レメディー：Bell., Phos.

Sanicula aqua　サニキュラ鉱泉水

総体的症状：この天然の鉱泉水は、**栄養、女性生殖器、直腸、首と皮膚**に作用する。患者はやせており、老けて見える、特に子どもの場合。**消耗症**。古いチーズのような体臭。子どもは夜、布団を跳ね飛ばす；やせているのに、硬いものの上に寝ることを好む。衣類が冷たく、湿っているように感じられる。大きくなったような感覚；喉、膣など。濃厚で、刺激性のある膿。ある部位がほかの部位に触れるのに耐えられない；または、ほかの人のそばには横になれない。破

　　　　裂するような感覚；会陰、腸、膀胱、頭頂、胸部。車酔い、または
　　　　船酔い。遊走性の痛み。
悪化：酷使。**動作**；腕を上げる；手を背後に回す。下りる。後頭部か首に
　　　　当たる冷風。振動。
好転：外気。暖かさ。嘔吐。
精神：強情、頑固、怒りっぽい子ども。常に後ろを振り返りたがる。神経
　　　　質―ささいな言葉や行為に対して腹を立てる。すべてを誤解する。
　　　　子どもの場合、不機嫌さから、すぐに陽気に変わる。下りる動きを
　　　　怖がる。暗闇に対する恐怖。触れられたがらない。落ち着きがな
　　　　い；あちこち動きたがる。目的が定まらない。
頭部：首筋や後頭部に冷風が当たるのに耐えられない。後頭部と首の多量
　　　　の発汗、＜睡眠中。髪をとかすと静電気が起きる。多量のうろこ状
　　　　のふけ；髪からこぼれ落ちる。頭頂が破裂するような感覚。脳の周
　　　　りに冷たい布が巻かれているかのような感覚。頭の小さなせつは、
　　　　成熟しない。
目　：まぶたが眼球にくっつく。冷たい外気に当たると、または冷たいも
　　　　のをあてがうと流涙。まゆ毛のふけ。
鼻　：頻繁なコリーザ、＜食事。水が、古いかび臭い雨水のようなにおい
　　　　がする。
口　：舌；大きい、たるんだ、灼熱感、冷やすために突き出さずにはいら
　　　　れない；舌の白癬。口と口蓋は潰瘍に覆われている；白いアフタ。
　　　　舌の横はめくれ上がる。舌は上顎にへばりついている。
喉　：冷たい、氷のような感覚、ペパーミントのよう；大きすぎるように
　　　　感じられる。固形物のほうが液体よりものみ込みやすい。
胃　：子どもは常時、乳をほしがるが、それでもやせる。塩、ベーコン、
　　　　氷のように冷たい乳を欲求。喉は少し、頻繁に渇く；胃に水が入っ
　　　　たとたん、吐く。凝乳の嘔吐。嘔吐後、眠る。食べると便意を催
　　　　す、食卓を離れなければならない。

腹部：太鼓腹の子どもの、大きなゴロゴロいう音。便；**大きな重たい塊状**；腐ったチーズのようなにおい；乾燥、小さい球状、取り除かなければならない、便が肛門間際でぼろぼろに崩れる。排便中の会陰の破裂しそうな痛み。不格好な、変わりやすい、不随意の便。

泌尿器：子どもは、排尿前に叫ぶ、排便時に、排尿のためにいきむ。塩辛い尿。尿意促迫による膀胱の破裂しそうな感覚。頻繁な、多量の、突然の排尿；尿意を我慢すると、尿意がなくなる。おむつに赤いしみを残す尿。

男性：性交後数時間してからの、性器からの海のようなにおい。

女性：魚の塩漬けのようなにおいの強い帯下、＜排便。骨盤内のものが外に出そうな圧迫感、＜振動、歩行。外陰部に手をあてがって弛緩した部分を支える、＞休息。腟が大きくなったように感じられる。子宮口が開き広がったように感じられる。

首・背中：首が弱く、やつれている、子どもは頭を支えられない。**こわばった背中の痛み**、＜少し向きを変える、腕を上げる、または**背後に手を回す**；後ろを振り返るには、身体全体の向きを変えなければならない、痛みを和らげるために頭を前に倒して座る。腰椎が冷たい。腰痛、＞右側を下にして横たわる。腰椎が歪んだように、または、ずれているように感じられる。背中が二つに折れたように感じられる。仙骨に湿った布があるような感覚。

四肢：肩の痛み、＜腕を上げる、または背中の後ろに回す。冷たく湿った手足。手のひらと足の裏の灼熱感。足のひきつり。臭い足の汗で足の指がすりむける、靴が傷む、または靴下をこわばらせる。足が冷水に浸っているように感じられる。手を合わせると汗ばんだ感じがする。

皮膚：乾燥、褐色、たるんだ、＜首。手と手指の亀裂。首周辺の皮膚の皺と、屈曲部のたるみ。小さなせつが成熟しない傾向。

睡眠：目覚めると、子どもはこぶしで目と鼻をこする。強盗の夢。

熱：べとべとする汗。
関連レメディー：Lyc., Psor., Sulph.

Santoninum　サントニン

総体的症状：この好んで使用される駆虫薬は、色覚障害や黄色い視界を生じる。

Sarsaparilla　サルサパリラ

総体的症状：このレメディーは、消耗性の一連の水銀治療後の回復薬や血液浄化薬として使われた。梅毒、淋病、疥癬体質に適合する。主な作用域は、**泌尿生殖器**；皮膚、骨、右の下肢。**やせた、虚弱な、しなびた**、老けて見える人、特に、腹部の大きな子どもに適合する。消耗症、るいそう。ある部分が、ねじで締めつけられたように感じられる。夜間の骨の痛み。痛みはあらゆる方向に広がる、落ち込みと不安を伴う。傷口に塩を塗られたような痛み。結石体質。暑い天候の後や、予防接種の後の、かゆみのある発疹。**非常に痛む痛風性の結節**。リウマチ。顔色がよくなる。
悪化：**排尿終了時**。春。寒さ、湿気。水銀。夜。淋病の抑圧。あくび。動作。階段を上下する。
好転：首と胸を露出する。立つ。
精神：痛みに起因する落ち込みと不安。感情を害しやすい。寡黙。理由のない落胆、憂うつ。

頭部：後頭部から目、または鼻の付け根にかけての痛み。話をするときの、頭の中のボールがぶつかるような感覚；頭の周囲にきついベルトが巻かれているような感覚；無意識に帽子を脱ぐが、好転しない。
目　：視界のかすみ、＜射精。まぶたの疥癬のような発疹。
耳　：言葉が反響する。
鼻　：数年に及ぶ鼻閉。鼻の付け根のはれ。
顔　：顔と上唇の発疹、＜月経時。黄色い、皺がある、老けて見える。
口　：アフタ；唾液分泌過多。口臭。顎の痛み、＜頭を反らす。
胃　：食後に、絶食時のような胃が空の感覚、または吐き気、または食べたもののことを考えると嫌悪感。水を飲むと吐き気を催す。
腹部：疝痛と背中の痛みが同時に起こる、下痢を伴う。ゴロゴロ音が鳴る空っぽの感覚。便に砂が混じる。月経前の湿疹と鼠径部の痛み。小児コレラ。頻繁な尿意を伴う頑固な便秘。
泌尿器：**痛みを伴う排尿、思わず叫ぶ、＜排尿終了時**。日中は立位でしか排尿できない、しかし、夜間は寝床の中でも流出する。座っているときの尿の滴下。月経前に尿意を催す。排尿の終わりに血が出る、または刺激性のある白いものが出る。おむつに砂がつく。排尿時に膀胱から空気が漏れる。**痂皮状の尿沈渣**。尿道の痛みが腹に逆行する。尿道に沿った痙攣。腎疝痛（右）。尿中の膿。
男性：湿って臭い性器。血の混じった精液。射精後に精索が痛む、性的興奮から射精に至らなかった場合、精索が腫脹する。陰部ヘルペス。尿管に沿った痙攣。陰嚢と会陰のかゆみ。
女性：乳頭が陥没している、またはひび割れている、小さい、皺が寄っている。月経は遅れがちで少ない。陥没乳頭または乳房の痛みを特徴とする、月経困難症。
首・背中：首のるいそう。射精後の、腰のくびれから精索にかけての痛み。疝痛に伴う背中の痛み。
四肢：爪の下の切られるような痛み。手足の指の**深いひび割れ**、＜側面。

手指先の潰瘍形成。右下肢のさまざまな疾患。
皮膚：屈曲部のやつれ、皺；**しみだらけ**、硬い。かゆみのあるうろこ状の斑点。刺激性の膿。赤銅色の発疹。高齢者の斑状出血。浮腫。新しい皮膚のひび割れとひりひりする感覚。
睡眠：あくび；あくびを随伴する症状。
熱　：膀胱の周辺から悪寒が始まり、背中に移行する。
補完レメディー：Merc., Sep.
関連レメディー：Calc., Petr.

Scilla martima（Squilla）　カイソウ（海葱）

総体的症状：赤いカイソウ（海葱）は、呼吸器および消化管の**漿液**や**粘膜**に影響を与え、**腎臓**、**心臓**、脾臓にも作用する。ゆっくり作用するレメディーで、極限状態に達するのに数日かかるような状況によい。滲出と多量の分泌。**多量の排尿**を伴う浮腫。腹鳴。心泌尿器症状。作用はDigitalisと同様である；Digitalisが浮腫性の状態を緩和できなかった場合に使用する。
悪化：**早朝**。動作。露出。吸気。高齢者。咳。
好転：休息。上体を起こす。少量でも喀出する。
精神：ささいなことに怒る。頭脳労働も肉体労働も嫌悪。
目　：右目が左目よりかなり小さく見える。子どもは頻繁に顔や目をこする、かゆいかのように、脳疾患の場合、はしかの場合。冷水の中を泳いでいるような感覚。咳に伴う涙。じっと見つめているようなまなざし、目は見開いている。
鼻　：激しいくしゃみ、刺激性の鼻汁の流出。咳に伴うくしゃみ。多量の流出、＜午前中。
顔　：咳をしながら、子どもはこぶしで顔をこする。唇；痙攣、黄色い痂

皮に覆われている、黒い、ひび割れている。
口　：歯に黒い斑点。**甘い味がする**；食べ物が、特にスープと肉；パンは苦い。冷たい飲み物を欲求。呼吸困難時には、ちびちびすすり飲む。
胃　：石で圧迫されているような感覚。痛み＞左側を下にして横たわる。
腹部：恥骨の上が、発作的にゴロゴロ、ゴボゴボいう、＞食事。心気症における痛み。痛みを伴う脾臓の疾患。便；黒っぽい、茶色い、泡状、非常に臭い。腹水症で、尿は少量。
泌尿器：頻繁な、または突然の尿意、多量に排尿する。咳をするときの不随意の排尿。血尿。排尿中に便が出る。
男性：官能的な遺精。
呼吸器：しつこい、乾いた、**ガラガラいう咳**；睡眠を阻害する；**咳に伴うくしゃみ、鼻汁、流涙、尿の噴出**、または便の噴出、または熱感；最終的には吐き気、＜冷たい飲み物；吸気。子どもは、咳をしながら目と顔をこする。咳＜朝と夕方。乾いた咳、いつも咳の後に鼻をかまなければならない。喀出：容易、重い、困難、小さな丸い球、甘い味がする、白いまたは赤い、臭い。胸部の刺されるような痛みと、腹筋の疼痛性痙攣を伴う呼吸困難。喘息では、ちびちびすすり飲む；胸部（左）の刺されるような痛み。脾臓肥大、またはその部位の痛みを伴う咳。午前中の痰のからんだ咳のほうが、夕方の乾性の咳より激しい。胸膜炎。気管支肺炎。
心臓：強心薬。脈は小さく、遅い、わずかに硬い。
首・背中：肩甲骨下の泡立つ感覚。
四肢：爪がもろく割れやすくなる。立っていると足が痛む。店員の痛む足。手足が冷たく、身体は熱い。
皮膚：全身に小さな赤い斑点、ちくちくする痛みを伴う。
熱　：熱があっても、露出を嫌う。発汗がない。
補完レメディー：Ant-c.
関連レメディー：Ars., Bar-c., Nux-v., Rhus-t., Sil.

Scoparius   エニシダ

総体的症状：**心臓の強壮薬**である。**腎臓**；脊髄、筋肉と左側に影響を与える。心臓を強め、血圧を下げる。インフルエンザやほかの感染症による心臓の不規則な動き。**腎臓のうっ血**を緩和し、排出を促し、心臓の苦痛を除去する。重みのある痛み。
悪化：左側を向く。
好転：冷気。素早い動作。放屁。
腹部：胃や腸に、石や硬い塊が詰まっているかのような感覚。**鼓腸**、ひどい落ち込みを伴う。疝痛に引き続き、鮮やかな、刺激性のある泡だった便を排出、その後の肛門の灼熱感。
泌尿器：**非常に多量**で、明るく泡立った尿、その後の外陰部の灼熱感。
心臓：不安な圧迫感、左肩と首に放射状に広がる。頭のうっ血を伴う動悸。狭心症。タバコ**心**。
四肢：右腕と手指の無感覚。
皮膚：かみそりまけ。
関連レメディー：Phos.

Secale cornutum   麦角

総体的症状：この麦角と呼ばれる植物のノゾーズは、**血管**と**子宮**の筋肉を収縮させ、**血液**を分解し、希薄で、臭く、水っぽい、黒ずんだ、常に滲出する**出血**を生じる。**攣縮**；手指が開いてひきつる。こわばりを伴う一部位のかじられるような痛みや、**ひきつり**、または後陣痛。**しびれ**。顔、背中、四肢、手指先の耐えがたい**刺痛**、**むずむず**

する感覚、ぴくっとする動き、＞さする。全身の**灼熱感**、または、あちこちに火の粉が降りかかるような感覚。**分泌物は黒ずんで、希薄、臭い、それにより消耗する。**完全に意識のある強直性痙攣。急速なるいそう；麻痺した患部の、旺盛な食欲と過剰な喉の渇きを伴う。随意運動力の喪失。ビロードの上を歩いているような感覚。冷え、しかし身を覆いたくない。麻痺した四肢の痙攣や発作的なぴくっとする動き。膨張した血管の圧迫による神経痛。静脈怒張。血栓症。リンパ腫。あらゆる部位の無感覚。外傷性壊疽―ヒルやカラシをあてがったことによる、＞寒さ。怒りっぽく多血症の患者、または、やせて、貧相な、弱々しい悪液質に見える女性；よぼよぼの老人に適合する。点状出血。小さな傷から多量に出血する。すべてが緩んで、開いているように感じられる。細動脈萎縮。慢性の、鋭い、刺されるような神経痛、炎のような灼熱感がある、＞温める。麻痺―四肢の変形を伴う；下肢の、片側の、片腕または片脚の；うずき、しびれ、ちくちくする感覚を伴う。痙攣後の麻痺。落ち着きのなさ、極度の衰弱と疲労。虚脱。

悪化：**暖かさ**。月経の直前、または月経中。妊娠。体液の喪失。**覆うこと**。接触。食事。過剰な性行為。流産後。喫煙者。

好転：冷水浴、露出、扇ぐこと。揺すること。**力いっぱい伸ばす。**寝床で二つ折れになる。嘔吐後。

精神：痙攣後、性行為による消耗後の精神衰弱。狂気、かむ傾向、身投げする傾向。**躁狂状の恐怖**；性器を引き裂き、自分の指を膣に挿入し、出血するまで引っかく、慎みの観念の喪失。笑う、頭上で手をたたく、われを忘れたように。

頭部：頭が軽く、または重く感じられる、脚のうずきを伴う。頭を前後にくねらせる。抜け毛。

目：眼前の火花。老人性初期発白内障、特に女性の場合。落ちくぼんでいる；周囲のくま。上まぶたの麻痺；石炭ガスによる。涙の抑圧。

二重、三重に見える。失明。糖尿性網膜炎。

耳　：コレラ後の難聴。

鼻　：継続的な出血；黒ずんだ血；非常に衰弱する―高齢者、大酒家、若い女性。

顔　：歪んだ、またはくぼんだ、青白い、縮んだような。野性的な顔つき。顔の刺痛、または痙攣、それが全身に広がる。下顎の開口障害。

口　：乾いた、ひび割れた舌、インクのように黒い血がにじみ出る。舌はこわばり、先がちくちくする；麻痺したように感じられる；どもって、不明瞭な話し方。

喉　：痛い、ちくちくする、ひりひりする。ジフテリア後の麻痺。

胃　：**癒すことのできない喉の渇き**。不自然なまでに貪欲な食欲、酸っぱいものとレモネードを欲求。嘔吐；こげ茶色の、コーヒーの搾りかすのような液体。吐くもののないむかつき。灼熱感。吐き気、すぐに吐く。吐血。

腹部：過剰に膨らみ、張っている；**露出したい**。下腹部の空っぽの感覚、または**下方へと圧迫されるような感覚**、寝床で二つ折れにならなければいられない。噴出する、臭い、痛みのない、水っぽい、オリーブ色の、または血の混じった便、虚脱を伴う；氷のように冷たいが、覆われることに耐えられない。肛門が緩んだような、広く開口しているような感覚、不随意の排便。腹筋の痙攣。腹部に大きな塊や腫脹を形成。

泌尿器：高齢者の遺尿。血尿、白いチーズ状の沈渣。尿；抑圧された、色の薄い、水っぽい。尿閉、尿意を感じても出ない。

女性：月経；不規則、多量、黒ずんだ。水っぽい、臭い、血液が、次の月経まで絶えず滲出する。子宮の不活発、または冷たさを伴う**下方へと圧迫されるような感覚**。子宮収縮、砂時計のような収縮。茶色っぽい、臭い、継続的な帯下。3か月での流産の恐れ。黒ずんだ、臭い、緑色の帯下。胎盤の感染。子宮筋層炎。女性生殖器の壊疽。ひ

どい後陣痛。母乳の抑圧、乳房の刺されるような痛みを伴う。流産後の不調。腟が熱い、または冷たい。産褥熱。鉗子分娩後の子宮脱。
呼吸器：脊椎を押すと胸に痛みが広がる。肺の灼熱感。
心臓：男性の場合、過剰な性行為後の心臓の動悸。間欠脈。
首・背中：背中の刺痛が手足の指に広がる。患部を圧迫すると、その部位と胸に痛みが広がる。脊髄炎。
四肢：冷たい四肢。手足の指は青みがかっている。手、脚と足の**ひきつり**。**手指が開く**、反り返る、またはぎゅっと握り締める、水にぬれたように見える。喫煙者の、ぼんやりした感覚の手指。ふくらはぎのひきつり。震え、よろめき歩行、または引きずり歩行、まるで足が無理やり引きずられているような。つま先が上方に引っ張られる。脊髄癆。対麻痺。喫煙者の冷たく乾燥した手足。
皮膚：緑色の膿を伴うせつ、ゆっくり成熟する。血豆。皮膚は**冷たく、乾燥して**、皺が寄っている、または青みがかっている、<患部の辺り。レイノー病。新生児浮腫。臭い、無痛の潰瘍；静脈瘤。皮膚がぴくぴく動く、または震える。皮下の蟻走感。
睡眠：薬物やアルコールの常習者の不眠症。深い眠り、昏睡状態。
熱 ：<u>体内の灼熱感、外側の氷のような冷たさを伴う</u>、**<u>それでも覆われることを嫌悪</u>**、<腹部。火花のような熱さ。丹毒。足の冷や汗、または臭い汗で靴が傷む。
補完レメディー：Ars., Thuj.
関連レメディー：Chin., Merc., Nux-m., Puls., Ust.

Selenium　セレニウム

総体的症状：この元素は、硫黄とテルルに関連して発見され、骨と歯に常に必要な成分である。**泌尿生殖器の神経**と眼窩上神経（左）；**喉頭**、肝臓に対して顕著な効果を有する。患者は、暑さや暑い天候で**衰弱**しやすく、わずかな頭脳労働や肉体労働で眠くなる。消耗性疾患の後の衰弱、発熱後の衰弱。早く老ける。一部位一顔、手、大腿など一の**るいそう**。全身の拍動、特に腹部、＜食事。ひきつり、その後のこわばり。かむ、あちこちを。放蕩、茶、砂糖、塩、レモネード、体液の喪失、マスターベーション、過剰な性行為、過度の勉強の悪影響。一般的に、随伴症状として、特に排便でいきんでいるときの精液流出がある。

悪化：暑い日。睡眠不足；不眠、接触。**睡眠後**。歌うこと。**すき間風**、生暖かくても。排便後。性交。ワイン。

好転：日没後。冷気を吸う。冷水を飲む。

精神：どんな仕事に関しても、全く能力がない。仕事を忘れやすい；忘れたことを夢の中では覚えている。話好き。興奮すると、どもる、発音を間違える。悲しみ。理解が困難。起きているとき忘れっぽい、半分眠りかけているとき、それを夢に見る。みだらな想念、インポテンスを伴う。すき間風を想像する。聞いたり読んだりしたことが理解できない。生暖かくても、冷たくても、湿っていても、すき間風を嫌悪。社会に対する恐れ。

頭部：左目の上の痛み、＜日なたを歩く、ジャコウ、バラ、茶などの強いにおい、尿の分泌増加を伴う。神経性の頭痛。頭皮が寄せ集められているように感じられる。まゆ毛、ひげ、陰毛が抜ける。髪に触られたくない。髪が引っ張られているような頭皮の痛み。

耳：耳垢が固まったことによる難聴。

鼻　：コリーザから下痢になる。鼻をほじる傾向。慢性の鼻閉塞。多量の卵白状の粘液。
顔　：るいそう。にきび。脂っぽい、てかてかする。
口　：歯痛、茶を飲むことから、冷たい感覚を伴う、＞冷水か冷気を口に含む。
胃　：喉の渇きがない。刺激物、ブランデー、茶などを欲求する。塩辛い食べ物を嫌悪。全身の拍動、特に腹部、食後、それにより眠れない。甘い味。酔っ払いたいという、あらがいがたい欲求。
腹部：慢性の肝臓疾患。肝臓肥大、縫われるような痛みを伴う、＜吸気。肝臓周辺に細かい皮疹。便；非常に大きい、宿便、非常に硬いため出すのに苦労する。糞便にフィラメント（微細線維）のような毛。
泌尿器：尿；不随意。歩行中、排尿後、排便後に滴る。尿中にざらざらした砂。ひりひりする水滴が外に無理やり出ようとしているように感じられる。
男性：**好色**だがインポテンス。欲求は高まり、能力は減退する。睡眠中に精液が滴る。**射精しやすい**―性交中、弱々しい勃起だが、官能的な震えが長時間続く；排便中。水っぽい、においのない精液。慢性尿道炎。前立腺液の滲出、睡眠中、座っているとき、歩行中、排便中。精巣水瘤。
女性：黒ずんだ色の多量の経血。妊娠中に腹部が拍動する、＜食事。
呼吸器：歌う、話す、または読むとき、すぐに**声がかれる**；かぜのたびに影響を受ける。がらがら声。声帯の腫脹。午前中、透明の粘液を咳払いで出す。歌手は頻繁に咳払いしなければならない。深呼吸をする。結核性の喉頭炎。乾性の頻発する咳、＜午前中。血の混じった粘液の塊を喀出。胸部の衰弱感。
首・背中：一過性の疾患後、背中がほとんど麻痺したような状態になる。首の腺の肥大と硬化。腰のくびれの麻痺性の痛み、＞うつぶせに横たわる。

四肢：脚のるいそう。突発的な坐骨神経痛（左側）、うずきが後に残る。
皮膚：足首と屈曲部の皮膚のかゆみ。脂性。かいた後の湿り気。ひりひりする斑点。手のひらの痂皮のある発疹。手のひらの乾癬。にきび。
睡眠：早朝の同じ時間に目覚める。
熱：多量の黄色い、**発汗**、**塩気のある沈着物を残す**、それにより下着がこわばり、毛髪はごわごわする、＜生殖器。
関連レメディー：Calc., Merc., Nat-m., Nux-v., Sep., Sulph.

Senecio　セネキオオーレウス

総体的症状：幅広い臨床から、このレメディーには、月経機能の調整作用があると考えられている。そのため、**女性生殖器**と**泌尿器**、特に膀胱に際立った作用がある。**粘液腺**の疾患は、粘膜、特に腟、膀胱と気管の粘膜にカタル症状を起こす。泌尿生殖器の反応不足。**消耗性**または代償性の分泌物。鼻、喉などの締めつけ感。筋肉が結節になる。ヒステリー球。月経の抑圧や遅延、傷による悪影響。**神経質、青白い、ひ弱な、睡眠不足の、ヒステリー性の女性**。**出血傾向**、特に月経の抑圧や遅れに伴う。出血後の浮腫。
悪化：思春期。性的興奮。湿気。冷たい外気。座ること、動き回らなければならない（精神）。
好転：月経。
精神：非常に怒りっぽい、泣き言を言う。どんな事柄にも気持ちを固定できない。自己中心的。有頂天になったかと思うと、悲しくなる。
頭部：後頭部から前頭部にかけての波のようなめまい。左目の上から左のこめかみにかけての鋭い痛み。頭痛後の帯下と膀胱の炎症。
目：涙でかゆくなる。
耳：耳管のかゆみ。

鼻　：鼻孔の灼熱感。くしゃみ、鼻の灼熱感を伴う。鼻腔の締めつけ感。月経が何らかの原因で抑圧されると、その代償として、鼻出血または鼻カタルが起こる。鼻出血を伴うコリーザ。
顔　：口周辺の痙攣。
喉　：乾燥して、締めつけられる感覚、嚥下したい；しかし痛い。
胃　：あらゆる食べ物を嫌悪、特に、かつて大好きだった甘いものとコーヒー。腎性の吐き気と嘔吐。胃から喉にボールが上がってくる感覚。
腹部：へそ周辺の痛み、あらゆる方向に広がる＞排便、二つ折れになる。月経の抑圧による腹水。細い、水っぽい、硬い糞便の塊や、細く黒っぽい、血の混じった塊が入り混じった便、しぶりを伴う。
泌尿器：膀胱頸の熱感と、腎疝痛に伴う頻繁な尿意。血尿、非常に熱い尿、または多量の粘液性の沈渣を含む。腎疝痛（右）。腎炎。月経困難症または子宮偏位のある女性と、頭痛のある子どもの**排尿困難**。
男性：官能的な夢、夢精を伴う。前立腺肥大、触ると硬く、はれた感じ。
女性：若い女性の、腰痛を伴う**機能性無月経**。月経の遅延、抑圧、随伴症状として；むくみ、咳、背中の痛みなど。性的興奮に伴う、腟からの多量の粘液の流出。陰唇のかゆみ、灼熱感、腫脹を引き起こす性的過敏。卵巣から乳房にかけての痛み。濃厚な、黄色い、多量の、**大腿を伝わる帯下**。月経が始まったかのように感じる。左の乳頭の灼熱感。月経過多、貧血になるまで多量の流出が続く。流産後の月経困難症。
呼吸器：むずむずする咳、血の筋のある痰が出る、月経の抑圧に伴う。月経の抑圧に伴う喀血。痰のからんだ咳、多量の粘液の喀出と苦しい呼吸を伴う。
背中：腰部と背中の痛み、まるで今にも折れそうな、**無月経に伴う**。腎臓疾患。
四肢：遊走性のリウマチの痛み、周期的。寝床の中で足が冷たい。もろい爪。

皮膚：乾燥。
睡眠：夢が多い；官能的。子宮疾患と無月経のみられる女性の不眠。日中眠い。
熱：消耗熱、食欲不振を伴う。
関連レメディー：Puls., Sep.

Senega　ヒロハセネガ

総体的症状：スネークルートとも呼ばれ、**粘膜**に作用し、特に気管と膀胱の粘膜のカタル症状を引き起こす。**目、胸部**の漿膜、筋肉、左側も影響を受ける。多血症、または肥満傾向のある人；背の高い、細い、活発な女性；高齢者；**太った、丸々した子ども**に適合する。麻痺状態—特に眼筋の—と、独特な目の症状。炎症後に、左胸部に限局性の斑点が残る。衰弱は、胸部から始まるように思われる。戸外を歩いているときに、気を失う。気道の灼熱感。組織の弛緩。多量のアルブミン性の分泌物。毒性の咬傷の悪影響。捻挫。震える感覚、目には見えない。
悪化：**外気**、風、冷気を吸い込む。**接触**。圧迫。**休息**。じっと見つめる。戸外を歩く（呼吸困難、咳）。こする。
好転：頭を反らす（視覚）。発汗。戸外を歩く（痛み）。
精神：性急な呼吸に伴う不安。すぐに怒る。
頭部：破裂しそうな頭痛が目に向かう、＞冷たい外気。
目：眼球が膨張したような感じ、または氷の球のよう。目が震える、一点を見つめると、または読書中に潤む。物がよく見えない。流涙、下垂症、複視、＞頭を反らす。眼瞼炎、乾燥した、痂皮状のまぶた。動眼神経麻痺。術後、水晶体の破片を吸収する。ちらつくため、頻繁に目をこする。硝子体液の混濁。虹彩炎。角膜上の斑点。

目（右）の刺されるような痛み、＜咳。
耳：耳の中の痛み、そしゃく時。
鼻：あまりに頻繁に激しくくしゃみをするため、頭がくらくらして重たくなる。鼻孔がぴりぴりする。
顔：左側の麻痺。口角の吹き出物、灼熱感を伴う。
口：**口内の乾燥と、こすり取られるような痛み**、＜話す。金属味、尿のような味。
喉：乾燥と、こすり取られるような痛み、＜話す。小さい塊に分かれた、ねばねばする粘液を咳払いで出す。
胃：嘔吐傾向を伴う嫌悪感と吐き気。
泌尿器：泡立った、刺激性の尿；量の増減；粘液が少量混じる。排尿前後にひりひりする。
呼吸器：**胸部の乾燥と、こすり取られるような痛み**、＜話すこと。嗄声、安定しない声、＜話すことと精液の喪失、音読中に突然。ひっきりなしの、窒息しそうな、激しい、震える、息が詰まる、最後にくしゃみになる咳、＜右側を下にして横たわる、または夕方。**胸部のガラガラいう音**、しかし、透明の**多量の痰は、粘着性があり、切れにくく、なかなか出てこない**。アルブミン性の、または血の筋の入った痰。咳、圧迫、くしゃみ、腕を動かすことで**胸部が部分的に痛む**；打撲したかのように；かがむと、痛みが移動する。押しつぶされるような重圧感、または衰弱は胸部で始まる；胸部が狭すぎるように感じられる。胸膜の滲出。水胸症。咳の前後の胸部の灼熱感。高齢者の喘息性気管支炎、慢性腎炎または気腫を伴う。声帯の局所的な麻痺。胸膜肺炎。
関連レメディー：Calc., Caust., Hep., Lyc., Phos., Sulph.

Sepia　コウイカの墨

総体的症状：墨と呼ばれる、イカの真っ黒な汁は、女性に優れた効果のあるレメディーであるが、もともとは、ハーネマンが男性の芸術家の症例でたまたま症状を見いだしたものであった。特に、**女性の骨盤内臓器**、門脈系と消化管の**静脈循環**に作用する。静脈うっ血と、それによる内臓の下垂症が際立った特徴である。神経質で繊細な若い男女で、性的興奮を求める傾向、または過剰な性行為で疲れている人に適合する。子どもの場合、気候の変化でかぜをひきやすい。弛緩した、多血質の女性。肌の黄色い、弱い、太鼓腹の母親。妊娠中の女性の疾患。過労、体液の損失、過剰な性行為などから衰弱し、**子宮脱**など**子宮疾患**を患いがちな女性。**症状は**、背中、回盲部、卵巣などに**とどまり**、頭部に上昇する。骨盤周辺の下方へと圧迫されるような感覚。痛みで震える。**突然の疲はい**。みぞおち、胸筋、腰から背中、臀部、膝などの**衰弱感、空っぽの、空洞の感覚**、または充満感。**塊か何かが、中で転がっているような感覚**。全身の脈動を伴う激しい血液の沸騰。不安とヒステリー性痙攣の発作。間代性痙攣、緊張性痙攣、カタレプシー性の痙攣。短距離歩いただけで疲れる。筋肉のびくっとする動き。身体のあらゆる部位の焼けるような痛み。出血。乳白色の分泌物。失神の発作。落ち着きのなさ。5～7か月で流産する傾向。慢性の肝臓疾患と子宮弛緩のある結核患者。暖かい部屋の中でも寒い。怒り、いら立ち、殴打、損傷、重いものを持ち上げたこと、落下、振動、ぬれたこと、洗濯、温めた乳、脂肪、豚肉、たばこの悪影響。教会でひざまずいているときに失神する。疾患が長引く場合、だらだら続く場合。いぼ状増殖。子どもの萎縮症、年寄りのような顔、大きな腹、乾燥してたるんだ皮膚。リウマチー慢性症例、または急性症状がしつこく残る場合。

悪化：**冷気**、北風、雪交じりの空気、降雪、湿気、**過度の性行為**。月経前。**妊娠**。流産。朝と夕方。最初の眠りの後。入眠時。座っていること、立っていること。ひざまずく。振動。かがむ。性交。嵐の前。接触。上昇。こする。持ち上げる。引っかく。衣服を洗う。

好転：**激しい動作**。寝床の**温かさ**。圧迫。温かいものをあてがう。脚を組む、引き上げる。睡眠後。冷たい飲み物、冷水浴；外気。

精神：怒り、敏感、いら立ちやすい、怒りっぽい、みじめ。自殺願望。神経質、そのため、何かにすがりたい、叫びたい。奇妙なことを言ったり、したりする。誰も彼女が次に何をするのかわからない。**ささいなことに関する不安と恐怖**。家族を、最愛の人を、同情を、**誰かといること**を嫌悪するが、独りでいるのは怖い。日常の行為に対する反感；人生を嫌悪。感情の詰まり。**記憶力が乏しい**。読み書きで間違える。**悲しみ**。怒りっぽい、**無関心さ**、または不機嫌さと**交互に現れる**。自分の健康や家のことについて嘆く。自分の病気、または想像上の病気について、常に心配し、くよくよ思い悩む。性行為に熱心。自分の症状について話すとき、涙ぐむ。惨め。**愚か**、どこかに行ってしまいたい。**無関心**。ほかの人のことをからかって喜ぶ。理由なしに、不運だと思う。静かに座り、はい、いいえ、とだけ答える。女性の男性嫌い、男性の女性嫌い。わっとむせび泣く。

頭部：めまいの発作、＜戸外を歩く、腕をわずかに動かす；または頭の周りを何かが転がっている感覚。**頭痛**—撃ち抜かれるような、突き刺されるような痛み：中から外に向かう、または上方に向かう：左目の上：頭頂が重い、後頭部で症状の出る側が代わる、＜痛む側を下にして横たわる、室内；吐き気と激しい嘔吐を伴う。月経中のひどい衝撃による頭痛、月経の流出はわずか、性欲を伴う。頭が前後にびくっと動く、不随意、泉門が閉じていない子ども；ヒステリー性、または痛みで。慢性の頭痛で髪が抜ける；閉経期。髪をとかすことに敏感な毛根。髪の生え際に沿った額の吹き出物。頭頂が冷た

い、そして重たい。頭痛。片頭痛を伴う黄疸。痛みで叫ぶ。頭痛、＜買い物、頭脳労働、＞食事。

目 ：**まぶたが垂れ下がる**。眼前に、黒い斑点、膜、点、火花、閃光、ジグザグ、光の筋が見える、その後の虚脱。下まぶたが赤い、かゆい；癌。月経中、目が見えなくなる、＞横たわる。下まぶたの腫瘍。過剰な性行為、マスターベーション、子宮疾患により、視界がぼやける。反射光に耐えられない。女性の白内障の抑制。目が飛び出しそうな感覚。まぶたの上皮腫。麦粒腫で目が赤い。

耳 ：耳の後ろ側、耳たぶ、首筋のヘルペス。音に過敏、特に音楽。まるで耳に栓がされたかのような突然の難聴。濃厚な黄色い膿の分泌、臭い。外耳の腫脹と発疹。

鼻 ：不快な**におい**；調理中の食事のにおいに、非常に敏感。鼻の付け根の圧痛。**茶色い、黄色っぽい、横縞がある**。濃厚な、緑色がかった分泌物；分厚い、臭い耳垢と痂皮。ずっしりした塊状の後鼻漏；口から咳払いで出さなければならない。鼻出血；鼻に何か軽いものでもぶつかった場合；月経中、妊娠中、痔に伴う。臭鼻症。上行性の喉のかぜ。かぜの間、後頭部の痛みに、腕と脚の引っ張られるような痛みを伴う。

顔 ：顔色が変化する。目の下に黒いくま。肝斑。にきび＜月経前。ほお骨が無感覚。下唇の肥大、亀裂。口唇癌、上皮腫。年老いた、皺の寄った、しみがある。会話中の顔面筋の痙攣。いぼ。

口 ：口と舌がやけどしたような感覚。チーズのような、魚のような、苦い、酸っぱい、腐敗した、不快な味。朝、臭い、またはチーズのような粒子を咳払いで出す。すべてが塩辛すぎるように感じられる。妊娠中、月経中、かぜの間の歯痛、＜横たわる。汚い舌、月経時はきれいになる。

喉 ：栓をされたような感覚。ひりひりする痛み。上行性の喉のかぜ。喉の圧迫感、首周辺の衣服が窮屈に感じられる。臭い粘液や塊を朝、

咳払いで出す。

胃：食べ物のことを考えるか、**食べ物のにおいで吐き気**を催す；午前中；性交のことを考えると。妊娠中の、固形物だけ、または血のような液体の**嘔吐**、朝、口をゆすいでいるときに。酢、酸っぱいもの、ピクルス、甘いものを欲求。**みぞおちの、なえたような、沈み込むような感覚**：食べることで**好転しない**；または詰まる。みぞおちの灼熱感。沸かした乳は不耐。酸性。重たすぎるものを持ち上げたことに起因する；喫煙による、消化不良。むさぼるような食欲、または全く食欲がない；突然の欲求、突然飽き飽きする。胃の辺りで何かがねじれるような、何かが喉にこみ上げてくるような感覚。胃の膨張、または痛み、＜嘔吐。乳のような、酸っぱい、苦い、悪臭のするおくび；粘り強い、泡状の粘液を吐き出す。

腹部：肝臓や胆嚢の周辺の痛み、＜かがむ。肝臓のひりひりする痛み、＞右側を下にして横たわる。**下腹部の、落ちるような、重い下方へと圧迫されるような感覚**＞下腹部を押さえる、または脚を組む。腹の出た母親。しつこい便秘、何日も便意がない。大きな硬い便；**直腸にボールが詰まっているような感覚**。直腸の収縮と無力さ、ほぼ常時の肛門からの滲出。緑色がかった**下痢**、小児の、沸かした乳による、急速な衰弱を伴う。痔の脱出、＜歩行、歩行中の出血、刺されるような痛みを伴う；妊娠中の痔。便の後にゼリー状の粘液を排出。直腸の撃ち抜かれるような痛み。腹部の茶色い斑点。便は長時間いきんだ後に排出、後に、ゼリー状の、クリーム色の、非常に臭い粘液がコップ一杯ほども出る。喫煙後の直腸脱。肛門にボールが詰まったような感覚＞排便。

泌尿器：深い睡眠時の不随意の排尿、＜咳、くしゃみ、笑い、突然雑音が聞こえる、恐怖、または特に女性の場合は、油断など。恥骨の上の圧迫感を伴うゆっくりした排尿。**濃い、臭い尿**；白い砂のような、または**粘着性のある赤い砂状の沈渣**。尿は弱々しく、遅い。排尿前

の膀胱の切られるような痛み。血の混じった、乳状の尿。尿意があるのに排尿できないときは、震える。

男性：性欲亢進。性交後の疾患。陰嚢の臭い発汗。冷たい性器。亀頭周辺のコンジローム。インポテンス。

女性：**衰弱感、引っ張られるような、または下方へと圧迫されるような感覚**、まるで腟からすべてが飛び出すかのような、脚を組むか、患部を押さえるかして突出を防がなければならない。子宮のつかまれるような痛み、灼熱感、または刺されるような感覚。腟の乾燥により、性交が痛い、性交後の出血。月経後の腟の乾燥のため、歩行時に嫌な感覚がある。性交を嫌悪、または性交後の疾患。無月経；思春期の；離乳後。陰唇の腫脹、膿瘍。帯下；黄色い、緑色がかった、乳白色、大きな塊状；少女の；月経の代償性；臭い；淋病の；子宮からへそにかけての刺されるような痛みを伴う；日中。乳頭の先端の亀裂。流産後の胎盤遺残。復古不全。性交後の消耗。性交について考えると吐き気を催し、いらいらする。無月経。腰痛と頻尿を伴う子宮筋層炎。閉経期の不正子宮出血。閉経期の突然の一過性の熱感、衰弱と発汗を伴う。妊娠5～7か月での流産の傾向。子宮のひどいかゆみが流産を引き起こす。不妊。月経過多に起因する躁病。

呼吸器：乾性の、消耗性の咳、胃からくるような、＜気温の急速な変化；臭い痰を伴う咳。だらだらと長引くゼーゼーいう咳。呼吸困難、＜睡眠後、＞迅速な動作。胸部の空っぽの感覚。沈下性胸膜炎。胸の茶色い斑点。咳に伴う腐った卵の味。喘息。胸の症状＞手で圧迫する。放置された肺炎。

心臓：**不規則な循環**；停滞しているかのような。目に見える拍動、後頭部まで上昇する。時折、心臓の強い鼓動。全身の脈動。夜間の沸騰。あふれるほどの血管。心臓の激しい鼓動で目覚める。紅潮を伴う震える感覚。神経性の動悸、＞速足、左側を下にして横たわる。

首・背中：襟がきつく感じられる。肩甲骨間、または**腰部**の痛み、麻痺

性、圧迫されたい。背中の突然の痛み、まるでハンマーで打たれたように、＜かがむ、ひざまずく。背中の痛み、＞おくび、何か硬いものに背中を押し付ける。腰のくびれの衰弱、歩行時、子宮疾患に起因する。すべてが背中に影響を及ぼす。肩甲骨間の氷のような冷たさ。脚を伸ばすときの臀部のひきつり。

四肢：紫色の手。暖かい部屋での冷たい手。四肢の緊張、まるで短かすぎるよう。四肢の落ち着きのなさ、昼夜の攣縮や痙動。膝と踵の冷たさ。坐骨神経痛＞妊娠中；慢性、踵に限局する。下肢をネズミが走っているかのような感覚。熱い手と冷たい足、またはその逆。短距離歩いただけで疲れる、爪の損傷。汗ばんだ手。手のひらの皮膚がはがれ落ちる。

皮膚：**しみのある**、ひりひりする、荒れた、硬い、またはひび割れた、＜屈曲部。腋窩のせつ。肘の分厚い痂皮。小関節の潰瘍。上皮腫；まぶたの、唇の。ワイン色の皮膚。皮膚の斑点。白癬、＜毎春。かゆみのある小水疱。蕁麻疹、＜外気、＞暖かい部屋。関節上の分厚い痂皮。継続的な圧迫による硬化、紫色になる。

睡眠：睡眠中に大声で寝言を言う。夢、＜左側を下にして横たわる。頻繁に目が覚める、まるで呼ばれたかのように。

熱：冷えやすい。空気飢餓感を伴う冷え。**一部位、頭頂、肩甲骨の間、足が冷たい。寝床でも寒い。**突然の衰弱後の不安感と紅潮。**発汗し やすい**、オーガズムに伴う不快な；性器の、**腋窩**の、または月経間期に背中の汗。変則的な発熱。熱感の上昇、または、熱いお湯を注がれたかのような感覚。

補完レメディー：Nat-m., Nux-v., Phos., Psor., Puls., Sabad., Sulph.

関連レメディー：Calc., Caust., Con., Gels., Lit-t., Lyc., Murx., Nat-c., Nat-m., Puls.

Silicea　二酸化ケイ素

総体的症状：純粋な燧石を粉砕してつくられた。**特に小児の、吸収不良による栄養障害を生じる**。**神経**に作用し、**その羅病性（susceptability）を高め**、神経衰弱症状や、反応過多を引き起こす。骨と軟骨の疾患—カリエスと壊死、骨の軟化。外骨腫症。腺の肥大。頭が大きく、泉門が閉じていない、**腹が膨れて熱く硬い**、腺病質の、くる病の小児、歩き出すのが遅く、身体、特に**脚**がやせ衰えている。神経質にはい回る子ども、または母親の腕にすがりつく；走っている間に血色を失う。しつこい化膿；瘻孔；膿瘍。腺、細胞組織、**皮膚の遅々とした不完全な炎症、その後の硬化。雑音、痛み、寒さに鋭いほど敏感**—火を抱え込む、温かい服を何枚も重ねたがる、すき間風を嫌悪。悪液質で高齢の患者；色白で、皮膚の透けるような人。**激しく、刺されるような痛み**、耳、喉、潰瘍など限局性の痛み。すぐに疲れる傾向と、異常な発汗。運動中でも体熱が不足。痙攣、てんかん、発作前の寒け。出産間際の、消耗、過労に起因する、ヒステリー、麻痺、しつこい神経痛。栄養不良。発育遅滞。るいそう。勇気、道徳心、体力の不足。肉芽。硬化した、硬い、結節状の、光った、ガラスのような、圧痛のある、撃ち抜かれるような痛みを伴う瘢痕。ケロイド。午前中のむくみ。癌。括約筋の収縮。**上行性の症状**。精神と肉体の衰弱。脳軟化。落ち着きがない、そわそわした、ほんのささいな音でびっくりする。体重のかかっている部位がしびれる。異物の排出。進行性脊髄癆。身体を二つに分けられ、左側は自分ではないかのような感覚。髪の毛があるかのような感覚；舌の上に、気管に。予防接種、石切り、体液の損失、損傷、捻挫、とげの悪影響。アルコール性の刺激物に過敏。脊椎損傷、特に脊椎を圧迫すると、離れた部位が痛む場合の神経疾患。太陽神経

叢から始まる痙攣、予防接種後の痙攣。てんかん、太陽神経叢における前兆が、胸と胃にはい上がる。不健康な皮膚；**けがをすると必ず化膿する**。臭い分泌物—膿、発汗、便など。

悪化：<u>冷気</u>、<u>すき間風</u>、<u>湿気</u>。露出する、入浴。特に足の発汗の抑圧。神経の興奮。光。雑音。脊椎の振動。月の満ち欠け。夜。過度の頭脳労働。アルコール。接触。**圧迫**。天候の変化。髪をとかす。

好転：頭を<u>温かく覆う</u>。夏。湿った暖かい天候。多量の排尿。電磁気。

精神：従順、臆病。敏感、めそめそする。頑固。強情、石頭な子ども。やさしく話しかけられると泣く。固定観念；ピンのことばかり気にする、怖がる、探して数を数える。精神の鋭敏さ、肉体の衰弱と鈍さを伴う。不機嫌。ささいなことに良心の呵責を感じる。自信喪失；失敗を恐れる、しかし根拠がない。かすかな音に驚く。激しく叫ぶ、うめく、てんかんの際。宗教に無関心。希望がない。悲しみ。人生への嫌悪、身投げしたいと思う。精神疲労。自分自身を正確に表現できない。落ち着きがない。不安からの疾患。

頭部：めまい、背部から上昇する、＜見上げる、目を閉じる、左側を下にして横たわる。上昇性の後頭部の痛み、＞圧迫。周期的な頭痛。頭痛後、視覚喪失。頭頂がずきずきする。泉門が開いている、腹部の膨張を伴う。頭皮の瘤。頭痛＞多量の排尿。右側が麻痺したように感じる、＜性交。頭痛＜激しい活動、勉強、雑音、動作、振動、光、冷気、会話、排便でいきむこと、そして＞温かく覆うこと、圧迫。頭皮の湿った痂皮のある発疹。頭皮と骨の間の、凝塊状の液体に満たされた腫脹。片頭痛。重疾患後の慢性的な頭痛。髪の毛が抜ける、若はげ。

目：涙管周辺の眼角の疾患；涙管瘻の腫脹；涙小管の狭窄。斑点のある視界。色がうせて見える。日光を嫌悪、まぶしい。角膜炎—膿疱、穿孔性。目の炎症。前房蓄膿。天然痘後の角膜白濁（1か月間、30Cを投与）。足の発汗抑圧後の事務職員の白内障。麦粒腫；再発防止の

ために。まぶたの被包性腫瘍。読書すると字が重なって見える。
耳 ：耳の中のとどろくような音。シーッという音。穴の開いた鼓膜。かゆみ。乳様突起のカリエス。難聴、爆音などがこだまする、または鼻をかむとき、咳をするときに音が反響する、＜満月。臭い分泌物。音に敏感。耳が詰まったような感覚、＞あくびをするとき、または嚥下時。耳の中の痂皮状の形成物。子どもは睡眠中に耳をほじる。
鼻 ：泡状の鼻からの分泌物。コリーザ、鼻出血を伴う。鼻中隔の穿孔。乾燥した硬い痂皮、緩むと出血。朝のくしゃみ。先端のかゆみ。骨の痛み。鼻の乾燥、鼻づまり、嗅覚喪失。子どもの鼻出血。鼻孔の亀裂。耳の疾患を伴うしつこいかぜ。鼻かぜ。
顔 ：青白い、悪液質、ろうのよう。耳下腺肥大。唇、顔の皮膚の亀裂。顎の発疹。顎下腺の腫脹。口角の亀裂の硬化。下唇の癌。
口 ：舌の上に髪の毛があるような感覚。歯根の膿瘍。歯茎のできもの。膿漏。水がまずい、飲んだ後吐く。歯が折れる、エナメル質がはがれる、ざらざらになる、カリエス。茶色い舌。口に対して、歯が大きすぎる、長すぎるように感じられる。舌の片側の腫脹。
喉 ：苦い。扁桃肥大、化膿。嚥下時に、食べ物が鼻から出る。扁桃のちくちくする痛み。臭い塊を咳払いで出す。嚥下が痛む、困難、ヒステリー性。
胃 ：調理された食事、温かい食事、肉、母乳を嫌悪－吐き出す。アイスクリーム、氷水を好み、それが胃の中にあると心地よい。水がまずい、飲むとすぐに吐き出す。幽門の硬化。悪寒を伴う呑酸。むさぼり食うような食欲、食べようとすると失せる、または食べ物を嫌悪。食後の酸っぱいおくび。酸っぱい嘔吐。みぞおちのかじられるような痛み、ねじれるような痛み、＜圧迫。まるで冷たい石が胃の中にあるように感じる。
腹部：ずきずきする、肝臓周辺の潰瘍性の痛み。疝痛、切られるような痛みと黄色い手、青い爪。**膨張し、硬く熱い、脚はやせている**、特に

子どもの場合。切られるような、痙攣性の痛み、直腸から精巣にかけての、＜性交。便秘、＜月経前と月経中。軟便でもいきむ、極度の疲労を伴う。湿った肛門；臭い放屁。**排出が困難な便、一部が外に出ても、また引っ込む**；痛みへの恐怖から出ない。腹壁の亀裂。肛門の裂溝、瘻孔、肺の症状を伴う。括約筋の有痛性痙攣。極度に痛い痔、排便時に突出する。臭い下痢。無益な便意。慢性の下痢。臭い便、痛みがない、未消化物を含む。サナダムシ。乳を飲んだ後の下痢。ヘルニア性腫瘍、圧痛がある。腹水症、多大な滲出を伴う、頻繁な下痢を伴う。

泌尿器：多量の排尿、頭痛が好転する。しぶりを伴う頻繁な排尿。寄生虫に起因する子どもの夜尿。慢性尿道炎、尿道からの臭い分泌物、濃厚、凝乳状、膿状、血性。膿の混じった尿。頭を打って以来の夜ごとの失禁。腎結石、膀胱結石。

男性：臭い、淋病性の尿道口の分泌物。性交後、頭の左側に麻痺したような感覚。陰嚢の湿った部位のかゆみ。精巣水瘤。夜尿。性欲亢進または減退。前立腺漏、＜排便でいきむ。ねじられるような痛みを伴う慢性尿道炎。陰嚢の象皮病。性交後の極度の疲労、平常に戻るまでに8〜10日かかる。恥丘の痛い発疹。

女性：月経の増加に伴い、発作的に全身が氷のように冷たくなる。腟から上昇する痛み＜排尿。乳状の帯下、刺激性、ほとばしる、＜排尿時。外陰部と腟のかゆみ、非常に敏感。血の混じった分泌物、＜授乳；月経間期の。じょうご状の陥没乳頭、痛む。乳房の硬い瘤、瘻孔。腟の漿液性嚢胞；外陰部の瘻孔と膿瘍。乳房が膿瘍になりやすい。硬性癌、かゆみを伴う。乳房と子宮の鋭い痛み。早い月経、微量。数か月に及ぶ無月経。胎児の激しすぎる動き。腟内または周辺の、瘻孔性の膿瘍または裂孔、濃厚な、乳状の分泌物を伴う。卵管炎、子宮から時折出てくる膿や血清がたまる。帯下に伴う、へそ周辺の切られるような痛み。月経の代償の水っぽい分泌物。衰弱に起

因する流産、自分では衰弱が原因とは考えない。性交中の吐き気。月経間期の血性の分泌物。不妊。女子色情症。外陰部のかゆみ。

呼吸器：吐き気を伴う、震える咳、＜冷たい飲み物、会話、目覚めた後も横たわっている。首にすき間風が当たることによる呼吸困難；慢性のかぜ、胸から始まり、喘息性の発作になる；過熱による、または激しい活動による。淋病性の（sycotic）喘息。多量の臭い、黄色い、塊のある痰；粒；壊れると臭い。かぜが治らない。肺炎からの治癒に時間がかかる。胸のガラガラいう音。胸から背中にかけての刺されるような痛み。肉体労働、速足などによる息切れ。石工の疾患。胸膜炎後の気腫。放置された肺炎。胸骨の痛みを伴わない拍動。

心臓：座っている間、または動いているときの、全身の拍動。動悸；座っているとき、手の震えを伴う。神経疲労に起因する心臓疾患。

首・背中：脊椎；衰弱、背中にすき間風が当たることに非常に敏感。二分脊椎。脊椎カリエス。腰筋膿瘍。尾骨が痛む。乗り物に長時間乗っていたことによる背中の痛み。背中の灼熱感、戸外を歩いて身体が熱くなったとき。首のこわばり、頭痛を伴う。痛みを伴う脊柱後弯症。仙骨周辺の不自由さ。

四肢：腋窩腺の腫脹、肥大。手指先の痛み、紙でできたかのような乾燥、夜。氷のように冷たく汗ばんだ足。臭い足の汗、かゆい、刺激性、靴を傷める；**抑圧された**。土踏まずのひりひりする痛み。歪んだ、肉に食い込む、黄色い爪。足首と足が弱い。ふくらはぎの緊張と収縮。瘰癧、根深い痛み。手指の萎縮としびれ。体重のかかっている部位が無感覚になる。腱膜瘤。骨の炎症。何かをしようとしたときの手の震え。上腕が不自由。歩行中の脚の麻痺感、震え。踵の官能的なうずき。性交や射精後の全身の打撲のような痛み。膝のひきつり。手指の間の軟鶏眼。ざらざらした、黄色い、不具の、もろい、白い斑点のある、発熱時には青くなる爪。関節周辺の潰瘍、希薄な、臭い、血の混じった、膿状の分泌物、または凝乳状の小片を伴

う。だらしない歩き方。リウマチ、特に足の裏の、歩くことができない。ふくらはぎと足の裏のひきつり。膝蓋の滑液包の肥大。痙攣時の歪み。腕（左）がてんかんの前に震える。

皮膚：ねっとりした、しなびた。先端のとがった発疹。傷が突然痛くなる。ケロイド。どんな小さな傷も化膿する。らい性結節。銅色の斑点。癬。潰瘍；痛いほど敏感、臭い、海綿状、足の、足指の、爪の、＞熱。関節の膿瘍。日中または夕方だけかゆい発疹。あらゆるところに、せつや膿疱ができる。潰瘍の冷たい感覚。いぼ状の増殖。バラ色の斑。象皮病。

睡眠：夢遊病。怖い夢で眠りが妨げられる。睡眠中、じっとしていない。みだらな夢、過去の出来事の夢。恐怖で、全身震えながら目覚める。大声で寝言を言う、ぶつぶつ言う、または笑う。激しいあくび。眠いが眠れない。爽快にならない睡眠。

熱：**悪寒**、＜寝床に横たわる、激しい活動。**痛む部位の冷たさ**。氷のような冷たさ。多量の汗、上半身の、頭や患部の、夜間の、臭い、かきやすい、刺激性の、眠ったとたん。消耗熱。

補完レメディー：Fl-ac., Phos., Thuj.
関連レメディー：Calc., Hep., Kali-p.

Solidago virgaurea　アキノキリンソウ

総体的症状：<u>腎臓の機能障害</u>による疾患、または、それを合併した疾患には、このレメディーがよく作用する。消化管、下肢と血液に影響を与える。衰弱感；悪寒と熱が交互に現れる。出血。かぜをひきやすい。慢性腎炎。尿毒性喘息。

悪化：圧迫。
好転：多量の排尿。

目：前立腺肥大を伴い赤い。
鼻：くしゃみの発作、多量の粘液分泌を伴う。
口：苦味が継続する。ひどい苔舌。尿が平常になるときれいになる。
腹部：多量の、不随意の粘液便。
泌尿器：尿；黒っぽくて少ない、または透明、**悪臭を放つ**、排尿困難；蛋白尿、粘液尿、リン酸塩尿。ほかの部位の疾患で、このような症状がみられる場合には、おそらくSolidagoが適合する。**腎臓がひりひりする、圧痛、うずく**、膨れたように感じられる。腎臓の痛みが、腹、膀胱に広がり、大腿を下降する。慢性腎炎。膀胱炎。前立腺炎または前立腺肥大による尿閉。
女性：子宮肥大、臓器が膀胱を圧迫する。線維腫。
呼吸器：気管支炎、咳、膿状の多量の喀出、血筋の入った；圧迫された呼吸。継続的な呼吸困難。夜ごとの排尿困難を伴う喘息。
背中：腰痛、あらゆる部位の不調。
皮膚：**下肢の点状出血**、浮腫とかゆみを伴う。壊疽、糖尿病性。湿疹、＜尿の抑圧。

Spigelia　セッコンソウ

総体的症状：**神経**－**三叉神経**、**心臓**、**目**、**歯**、線維組織と**左側**に際立った作用がある。心臓と目の複合症状を生み出す、または、随伴症状として、目の症状が出る。**痛み**は、**激しい**、焼けた針や針金のよう、痙攣性、引き裂かれるよう、縫われるよう、ほかの部位に**放射状に広がる**。神経痛。太陽による痛み。貧血の、衰弱した、リウマチの、腺病質の患者に適合する。接触に非常に敏感、触れた部位や傷は冷たく感じられる、または接触により刺痛が生じる、または全身が震える。寄生虫に苦しむ子どもは、へそ周辺が一番痛むと言う。

歩行時には、身体が軽く感じられ、いすから立ち上がるときには、**重たく感じられ、痛む**。

悪化：接触、動作。振動。周期的；太陽につれて。たばこ。性交。腕を上げる。食後。そのことについて考える。かがむ。鼻をかむ。息を吐く。

好転：頭を高く上げて、右側を下にして横たわる。息を吸う。しっかりと圧迫する。食事中。

精神：先のとがったものが怖い－ピン、針。落ち着きがなく、不安。ぼんやり考え込むように座る、じっと一点を見つめる。憂うつ、自殺するような心情。すぐに気分を害する。

頭部：後頭部左側から左目の上にかけての痛み、＜かがむ、つまずく、口を開ける。**めまい、足が頭より高いように感じられる**、＜見下ろす、まっすぐ前を見なければならない、立つ、歩く。眼窩上の神経痛。大きすぎるように感じられる。

目　：**大きすぎるように感じられる**。目とその周囲のひどい痛み、眼窩の深くにまで達する、＜そのことを考える。寄生虫による斜視。目が赤い、**ひりひりする**、引っ張られるような痛み；周囲の黄色い輪。針を突き刺されるような痛み。疾患がある側からの多量の流涙、刺激性の。こわばり痛みがあるため、まぶたを持ち上げるのが難しい。まばたきする傾向。眼鏡を調整するのが難しい、焦点が定まらない、視野が定まらない；潜在的な視覚の過誤。内斜視と外斜視。まぶたがちくちくする。めくれ上がったまぶた。

耳　：周期的な難聴；耳が詰まったように感じる。

鼻　：後鼻漏を伴う慢性カタル。鼻がくすぐったい、かゆい。前方の乾燥。顔面痛時に鼻水の流出。

顔　：目、ほお骨、ほお、歯；こめかみを含む、＜接触、かがむ、朝から日没まで、茶を飲む；突然治まり、突然始まる。

口　：ひどい口臭。歯痛、＜食後、かぜの後、そのことについて考える

と、＞喫煙。舌：黄色か白の苔舌；灼熱感、または刺されるような痛み；ひび割れ。

胃：喫煙または、かぎたばこを嫌悪。貪欲な食欲。寄生虫が喉をはい上がってくるような感覚を伴う吐き気。

腹部：疝痛、へそ周辺のつねられるような痛みを伴う。大きな粘液の塊だけの便。肛門と直腸のかゆみ、むずむずする感覚。寄生虫。非常に臭い放屁。排便時に気を失う。

泌尿器：頻繁に尿意を催し、多量の排尿、ほとんど夜間。

呼吸器：呼吸困難、＜寝床で動く、腕を持ち上げる、右側を下にして横たわらなければならない、頭を高くして。水胸症。心臓疾患。胸の刺されるような痛み、＜わずかな動き、または呼吸時。胸部の震え。

心臓：**激しい動悸**、**聞こえるほどの**；ほかの症状に伴う。**激しい突き刺されるような**、または圧縮されるような痛み、喉、腕、肩甲骨に放射状に広がる、＜わずかな動き、または二つ折れになる。臭い口臭を伴う動悸。心臓周辺の痛み、ゴロゴロいう音、鋭い音。心膜炎。狭心症で、お湯を欲求、それにより＞。リウマチ性心臓炎。脈；間欠脈、神経的な動悸を伴う；弱い、震えるような不整脈。頸動脈と鎖骨下動脈の拍動。

首・背中：首のこわばり；痛みは右こめかみに移動する、または左肩から首にかけての痛み。左肩甲骨周辺の切られるような痛み。

四肢：左腕のしびれ。膝頭の拍動。

熱：熱、夜間の一過性の熱感、背中。発汗、臭い、冷たい、上半身、手に。

補完レメディー：Calc.

関連レメディー：Cact.

Spongia　焼き海綿

総体的症状：焼き海面には、少量のヨウ素が含まれている。**心臓**、特に心臓弁膜と、喉頭、気管と腺、特に内分泌腺に作用する。**線維組織に締まりのない**、たるんだ、腺病質の色の白い女性や子どもに適合する。少し激しく動くと、**極度の疲労と身体の重さ**で、横にならずにはいられない。血が、胸、顔などに殺到する。詰まったような感覚。(内分泌)腺の硬い腫脹。下半身のしびれ。舌、喉頭、気管の粘膜の乾燥。衣服が不快に感じられる。心臓の痛みや呼吸困難に伴う不安。動作が硬い。腕を頭の上に上げると、呼吸ができなくなり、気を失う。

悪化：**乾燥した冷たい風**。**睡眠からの覚醒**。睡眠後。**激しい活動**。腕を上げる。午後12時前。満月。甘いもの。

好転：頭を低くして横たわる。少量ずつ飲食する。温かいもの。下降。

精神：浮かれ騒ぎして歌いたいという、抑えがたい欲求の後に、悲しみが続く。将来への不安；人生に疲れている。窒息して死ぬことへの不安。臆病、危惧、恐怖。ゼーゼーいう咳と熱と汗を伴い、夢の中でめそめそする。精力喪失について落胆する。頑固で不適切な行動。

頭部：頭頂で、髪の毛が逆立っているかのような感覚。

目：突出する；じっと見つめる。複視。＞横たわる。流涙で赤くなり、ひりひりする。

鼻：乾燥したコリーザ；鼻づまり。しなびた鼻、冷たい。小鼻が大きく開いて扇のような動き。

顔：**おびえた；不安な表情**。運動により、血色がよくなる代わりに、青白くなる。顎に冷や汗。顎の無感覚。

口：舌は乾燥し、茶色い。甘い味。

喉：苦い味。甲状腺の腫脹、顎までも。喉がひりひりする、＜甘いもの

を食べる。常に咳払いをする。喉の症状＞あおむけに横たわる。窒息しそうな発作を伴う甲状腺腫、＜首に触れる、または圧迫する；または心臓の痛みを伴う。水を少量ずつ飲むのに、困難を伴う。外部の無感覚。

胃：空腹を伴う喉の渇き。窮屈な衣服を着られない。胃が、まるで口が開いているように弛緩している感じ。珍味を欲求。

腹部：息を吸うと、腹筋が激しく動く。内蔵が、横隔膜に対して引き上げられる。月経の代わりの腹痛。

男性：精索と精巣の痛みを伴う腫脹。ねじれるような、絞られるような、または刺されるような痛み。精巣の硬化と腫脹。性器の熱感。少量の濃厚な白い分泌物を伴う陰嚢の瘻孔。

女性：月経中、窒息性の発作で目覚める。無月経時の喘息。月経前の空腹感と心臓の鼓動。月経前に、または月経の代わりに、仙骨が痛む。

呼吸器：多くの症状—咳、コリーザなど—に伴う**嗄声**。喉頭が痛む、乾燥、収縮、＜接触、歌う、話す、または嚥下。喉をつかむ。まるで喉頭にバルブやちょうつがいがねじ込まれたかのような**窒息感、痛みを伴う激しい拍動で目覚める**、青ざめた唇、ひどい発汗。眠りに落ちるときの、うるさい、ヒューヒューいう吸気。不安な、あえぐような呼吸。**うつろな、ほえるような、カラスの鳴き声のような、のこぎりで切られるような、または締めつけられるような咳。クループ性**の咳で目覚める、胸部と喉の灼熱感を伴う、＜冷たい飲み物、興奮、甘いもの、冷たい乳を飲む、＞温かいものを飲食する。話したり歌ったりすると声が出なくなる。まるで、乾燥したスポンジから呼吸しなければならないように感じる。胸部が衰弱、ほとんど話すこともできない；眠りに落ちるときに息が詰まる。喘息。ジフテリア。クループ。多量の粘液の喀出、出すことが難しく、またのみ込む；乳のようなにおいがする。結核は、肺尖から始まる。**胸部の充満感**。呼吸の圧迫、＞少量の食事。喘息、頭をぐいと反らさ

ずにはいられない、満月で悪化。呼吸すると、首の腺を空気が通過するかのような感覚。

心臓：激しい拍動、呼吸困難を伴う；夜に突然、痛みや窒息感、恐れや恐怖で目覚める。**血が、首、頭、顔に集中し、まぶたを閉じると、涙が流れる**。心弁不全。大動脈の動脈瘤。リウマチ性心内膜炎。喘息性の症状を伴う心肥大。速い脈、硬脈、充実脈、または微弱な脈。狭心症。

首・背中：首にひもが巻きついているかのように感じる。月経の代わりに、仙骨が痛む。

四肢：手の指先のしびれ。下半身の無感覚。大腿は無感覚で冷たい。ひざまずいているところから立ち上がるときの痛み。リウマチ熱後の関節の肥大。

皮膚：腺の腫脹と硬化。全身の痛烈なかゆみ。

睡眠：睡眠中に、今にも窒息しそうな恐怖と恐れで目覚める。

熱　：不安、心臓痛を伴う、一過性の**熱感**、死ぬほうがまし、大腿は冷たく、湿っている、＜そのことについて考える。戸外を歩いた後の突然の衰弱と熱、横たわらなければならない。

補完レメディー：Hep.

関連レメディー：Iod., Led.

Stannum　スズ

総体的症状：スズの主な作用は、**神経系**に集中しており、**極度の衰弱**を起こす。それは特に、**胸部**、**喉**、**胃**、上腕と大腿で感じられる。患者は、話すことさえできない、座る代わりに、いすに崩れ落ちる、動作時に震える。上るよりも、降りるときのほうが衰弱を感じる。**麻痺性の重さまたは衰弱**。ヒステリー痙攣、腹と横隔膜の痛みを伴う。てんかん性痙攣、四肢の激しい動き、手の親指の内側への屈曲、後弓反張、無意識、性的な合併症を伴う。**粘膜**の疾患で、黄色い粘液膿性の分泌物を生じる。**痛みは徐々に増し、徐々に鎮まる**。**圧迫性の痛み、引っ張られるような痛み**。神経痛、横隔膜の；抑圧された。ひきつり。ヒステリー。るいそう。再発性の短い発作。感情、恐怖、マスターベーション、生歯、声の使いすぎの悪影響。あくびに伴う帯を締めるような感覚。子どもは肩車をしてもらいたがる。ゆっくりした動きや、運動により、さらに震える。寄生虫による麻痺、痙攣後の麻痺、感情、自慰による麻痺。片麻痺；常に潤っている部位。

悪化：**声を使う**。寒さ。午前10時。**右側を下にして横たわる**。**穏やかな動作の後で**。温かい飲み物。排便中。下降する。上る。接触。

好転：硬いものによる圧迫。咳、喀出。迅速な動作。何か硬いものの上に横たわる。二つ折れになる。

精神：他人が自分のことについて何と言うかに非常に敏感。**不安、神経質、悲しい<月経前**。**惨めで落胆している**。いったん心に定着した考えを取り除くことができない。無口で社会を嫌悪。突然の感情の激発。忘れやすく、心ここにあらず。不安、自分のことをどうしたらよいかわからない。希望がない、落胆；いつも泣きたい気分だが、泣くことにより<。

頭部：額とこめかみの強烈に痛む収縮。圧迫性の麻痺するような頭痛。歩くとその振動が、頭の中で痛いほど鳴り響く。脳に起因する片頭痛、＞嘔吐。激しい、打たれるような痛み、まるで頭が破裂しそうな、内側に向かう痛み。めまい、すべてのものがあまりに遠くにあるように思える。

目：落ちくぼんだ、鈍い。下垂症、毎週再発する。

耳：鼻をかむと、耳の中で、パチパチ、キーキーいう音がする。ピアスの穴の潰瘍形成。

鼻：においに過敏。

顔：青白い。顔面痛。ほお骨の神経痛；月経時。

口：舌の付け根がむずむずする。水以外のすべての食べ物が酸っぱい、甘い、苦い。

喉：粘着性の粘液を吐き出そうとして、吐き気を催す。嚥下時に、切られるような痛み。喉で感じる吐き気。乾燥。ひりひりする。

胃：調理中のにおいで吐き気を催し嘔吐する。激しい、血の、胆汁の嘔吐；早朝の、飲食物のにおいによる。胃の中が空っぽの感覚。不安感。

腹部：肝臓の灼熱感。横隔膜の神経痛、ヒステリー性。切られるような、つねられるような疝痛；空腹と下痢に伴う、消耗性、＞強い圧迫。虫を下す。腹の痙攣性の痛み、ヒステリー性。子どもの疝痛、＞肩車。便秘－乾燥した、硬い、節だらけの、緑色の便。月曜日の便秘－つまり、仕事の日々の後に起こる。

泌尿器：膀胱の無感覚；充満感だけが排尿の必要性を示す。膀胱の無緊張。

男性：性的興奮。性器の官能的な感覚で、射精するが、消耗する。

女性：性欲亢進；オーガズムに達しやすい。（腕の）離れた場所を引っかくと、性器に我慢できないほどの快楽をもたらし、オーガズムを生じる。子宮周辺の下方へと圧迫される感覚。子宮脱と膣脱、＜排

便。月経時の強い体臭。月経周期は早く、多量。月経前の性的躁病。噴出するような帯下で、衰弱する；クリーム色、または透明の粘液。子どもは母乳を拒絶する。胸部の衰弱し引っ張られるような感覚を伴う子宮の症状。腟の痛みが脊椎に伝わる。

呼吸器：低い声、弱々しい声、嗄声、＞粘液を咳払いで出す。気管に多量の粘液。**咳**、＜笑う、歌う、話す、右側を下にして横たわる。**たやすく喀出する；多量の甘い**、塩辛い、酸っぱい、腐敗性の、または明るい黄色の膿、または粘液の球。**労作で息切れする**；衣服を緩めなければならない。深呼吸をする。**胸部がひりひりする、または空っぽな感じがする**。多量の喀痰に伴う喀血。呼吸時または左側を下にして横になったときの、胸の左側の刺されるような痛み；ナイフのような痛み、左の腋窩下の。カタル性肺結核。気管支拡張症。咳に伴う吐き気。歩くと咳が出る、または何かをすると咳が出る。

四肢：手と足首の腫脹。麻痺性の衰弱；物を落とす。座ろうとするとき、突然四肢が動かなくなる。膝の震え。ペンを持つとき手がひきつる。神経炎。タイプライターの麻痺。手指の萎縮、手の親指の萎縮。手のひきつり、ほうきを操れない。声を出したり、歌うことで、上腕が衰弱する、それが全身に広がる。読書による三角筋の痛み。

睡眠：睡眠中に、ぶつぶつ言う、めそめそする、そして嘆き悲しむ。片脚を引き寄せて、もう一方は伸ばして眠る。

熱：午前10時の悪寒、手指先のしびれを伴う。**手のひらと足の裏の灼熱感**。消耗熱。午前4時の消耗性のかび臭い発汗。

補完レメディー：Puls.

関連レメディー：Calc., Kali-c., Lach., Nat-m., Phos., Sulph.

Stannum iodatum　ヨウ化スズ

総体的症状：形成性の組織変化と、喉のむずむずする乾燥した部位（どうやら舌の付け根）に刺激されるため常時咳が出る傾向を特徴とする、慢性の胸部疾患に効力がある。咳の出はじめは力がなく、息切れを伴う、やがて、力を増し、音も大きくなり、青みがかった黄色の喀痰を大量に喀出し、それにより、最初は症状が和らぐが、やがて胸部と喉の乾燥と衰弱感が現れ、圧迫感が増す。「なかなか症状が動かない」、別のレメディーを必要とするケースに指示される。2Xや3Xなどの低いポーテンシーを使用する。

Staphysagria　ヒエンソウ

総体的症状：**震えを伴う神経疾患**が、このレメディーの際立った特徴である。身体的、道徳的、**性的障害**を発現させ、過剰でむらのある性衝動や自慰傾向を引き起こし、身体的な状態は、そのような習慣を反映する。**歯**、**泌尿器**、まぶたと下まぶたの**線維組織**、皮膚、腺、右の三角筋に作用する。**病的に敏感**－ほんのささいな不適切な言葉に、ひどく傷つく；特殊感覚が過敏になる、接触、におい、音、味に耐えられない。絞られるような、または**刺されるような**－ひりひり**する痛み**、まるで切られたような。痛みは歯に移行する。**括約筋**の裂傷、伸展。会陰などの**組織の裂傷**。術後に刺されるような痛みが残る。怒り、侮辱、抑制された怒り、損傷、落下、すぱっと切れた傷、手術創、自慰、過剰な性行為、生歯、たばこ、水銀の悪影響。痛みを伴う腺の腫脹。関節の結節性関節炎。骨と骨膜の腫脹と化膿。外骨腫症。いぼ。コンジローム。怒りの後の片麻痺。すべて

の関節の疲労感とこわばり。全身の衰弱感を伴う痛み。
悪化：**感情**、**悔しさ**、**いら立ち**、**憤り**、**けんか**。**過剰な性行為**。**自慰**。**接触**。**冷たい飲み物**。**裂傷**。患部を伸ばす。性交。排尿後、排尿していないとき。夜。新月、満月の前。
好転：暖かさ。休息。**朝食**。性交。
精神：激しい情熱のほとばしり。**常に怒っている**。陰気で気難しい、物を投げる。子どもは、さまざまなものをほしがって泣き、与えられると拒む。記憶力が悪い。性的なことをあれこれ考える。未亡人の性的欲求不満。短気；精神的にも身体的にも敏感。心気症。侮辱されたと感じる。怒りっぽい、神経質、興奮しやすい、そして激しい。ほかの人、または自分自身がしたことに対するひどい憤り、その結果について深く嘆き悲しむ。財産を失うと、妻に見捨てられると思い込んでいる。不満のうっ積による疾患。自分について他者が何と言っているかに非常に敏感。理由のない悲しみ、怒りっぽさを伴う。子どもが怒られたり、罰せられたりした後の疾患。自制心の欠如。恐怖；自分の影を怖がる。
頭部：広範囲な、ひどく痛む頭痛、＞あくびをよくする、何かに頭をもたれさせる。脳が絞られたり、引き裂かれたりするかのような感覚。額に重いものが載っているか、丸いボールがあるような感覚。湿った、臭い、侵食性のある乳痂、＜後頭部。ふけ。頭シラミ。抜け毛。めまい、＞円を描くように歩き回る、踵で素早く回る。大脳がしびれた感覚、後頭部は空っぽに感じる。後頭部と耳の周辺の髪が抜ける。
目：乾燥した感じ、涙が出る。まぶたの結節。再発性の麦粒腫。眼瞼炎。眼球の破裂しそうな、焼けるような痛み、梅毒性虹彩炎の。**落ちくぼみ**と、周囲のくま。太陽を見ると、目（左）から、熱い涙があふれる。
耳：扁桃肥大による難聴、子どもの場合はアデノイドによる。

鼻　：濃厚になったり、希薄になったりするコリーザ、潰瘍形成を伴う。
　　　コリーザを伴わない頻繁なくしゃみ。
顔　：**病的なほど、先がとがった鼻**。カリエスに起因する神経痛、痛みは
　　　目に広がる。顎下腺の痛み、腫脹を伴う、または伴わない；膿瘍。
　　　顔面痛、痛みは唇から顔全体に広がる、＜そしゃく。
口　：**歯がぐらつく、黒い、粉々に砕ける**、黒い筋が見える、＜食べるこ
　　　とと月経時、＞強い圧迫と熱。青みがかった歯茎の出血。膿漏。か
　　　び臭い味。虫歯に詰め物をすると、異常に圧痛を感じる。歯が歯茎
　　　を割って出たとたんに虫歯になる。歯瘻。口内炎。鵞口瘡。
喉　：話をしながら常につばをのむ。扁桃肥大、嚥下時に刺されるような
　　　痛みが耳にまで走る。扁桃の硬化と肥大、鼻声を伴う。
胃　：胃がいっぱいでも**空腹を感じる**。パン、刺激物、たばこ、乳を欲
　　　求。胃が弛緩して垂れ下がっているかのように感じる。吐き気、特
　　　に手術後。
腹部：腹部の衰弱感、まるで落下しそうな、支えたい。腹部の手術後の強
　　　烈な痛み。（子どもの）膨らんだ腹、腸内ガスでいっぱい。怒りの
　　　後の胆石疝痛。熱い腸内ガス、腐った卵のにおい。赤痢のような便、
　　　＜ほんのわずかな飲食後。下痢、冷水を飲んだことによる。接触に
　　　非常に敏感な痔。弱い病気がちな、腹の突き出た子どもの赤痢。
泌尿器：頻繁に尿意を催すが、わずかな排尿、または水っぽい尿を多量
　　　に排出；細い流れ、または一滴ずつ滴る。一滴の尿が、ずっと尿道
　　　を回っているかのような感覚、＜歩いた後、または乗り物に乗った
　　　後、＞排尿。排尿時以外の尿道の灼熱感。効果のない尿意、**新婚女**
　　　性の；妊娠中の。排尿後、まるで膀胱が空にならなかったかのよう
　　　に尿意を感じる。膀胱瘤。
男性：いつも性的な考えに浸る。性的神経衰弱症。持続勃起症。射精後
　　　に、極度の疲労感に襲われる。呼吸困難、＜性交中、または性交
　　　後。陰嚢の官能的なかゆみ。前立腺炎、痛みが肛門から尿道に広が

る。亀頭冠の後ろの軟らかい、湿った増殖物。前立腺肥大、痔を伴う。流行性耳下腺炎に起因する精巣炎。精巣萎縮。

女性：性欲亢進。生殖器の痛いほどの過敏さ、＜座る。卵巣痛が、大腿にまで広がる、＜圧迫、性交。卵管炎。怒りに起因する無月経。腟の顆粒状の増殖。かゆみのある、または敏感な外陰部。臀部の痛みと四肢の脱力を伴う月経。初めての性交が非常に痛いので、精神的にも、身体的にも苦しむ。

呼吸器：性交の終わり、または射精後の収縮に伴う呼吸困難。咳、＜歯磨き、喫煙、肉食。咳と坐骨神経痛が交互に現れる。

心臓：音楽を聴いているときの振戦性の動悸。

首・背中：腰のくびれの痛み、重すぎるものを持った後のように、＜性交、朝、席から立ち上がるとき。

四肢：手の指先のかすかに引き裂かれるような感覚、またはしびれ。手指の骨の発達不全。手指の関節の、関節炎による結節。脚の神経痛。打たれたような痛み。膝が弱い。引きずり歩行。座っている間、臀部が痛む。

皮膚：帯状疱疹に先行する痛み。皮膚の症状と関節痛が交互に現れる。虫刺され、害虫などによるかゆみ、かく部分が変わる。分厚い痂皮のできる湿疹、激しいかゆみ。乾いた有茎性のイチジク状のいぼ。潰瘍、腫瘍、非常に過敏、触れるとひきつけ起こす。

睡眠：激しいあくびと伸びで涙が出る。子どもは目覚めると、すべてを押しやり、みんなに出ていってほしがる、たびたび母親を呼ぶ。射精を伴うなまめかしい夢。一日中眠たい、一晩中起きている。全身の痛み。

熱：覆いたくない。多量の発汗、冷や汗、腐った卵のにおい、露出したい願望を伴う。発汗できない。

補完レメディー：Caust., Coloc.
関連レメディー：Cham., Merc.

Sticta　ヒメムラサキ

総体的症状：lung-wort（肺病の草）として知られる、コリーザ、気管支カタル、**神経障害**、リウマチ性疾患に効果のあるレメディーである。かぜをひきかけると総体的にだるくなる。**リウマチ性の硬直、神経質**、さまざまな部位の浮遊感。痛む、乾燥した粘膜。対角線上の痛み。血液喪失後のヒステリー、舞踏病。落下、出血の悪影響。

悪化：**夜間**。横たわる。動作。気温の変化。

好転：自然な排出。外気。

精神：何から何まですべて話さなければいけないように感じる；聞いているる、いないにかかわらず。活動的、跳びはねる。空中に浮いているように感じる。

頭部：カタル性の分泌前の痛み。額が重い。

目：目を閉じるとき、または眼球を動かすときに、まぶたがひりひり焼けるよう。

鼻：**鼻の付け根の圧迫感または詰まったような充満感**。常に鼻をかみたい欲求、しかし出ない。痛みを伴う粘膜の乾燥。すぐに枯渇するコリーザ、なかなか取れない痂皮の形成。花粉症、ひっきりなしのくしゃみ。

喉：乾燥；後鼻漏。

胃・腹部：下痢、朝、泡立った。

泌尿器：多量の排尿、ひりひり痛む膀胱。

女性：産後、母乳が出ない。

呼吸器：咽頭の高い部位がむずむずする。**絶え間ない空咳で眠れない**、＜咳、吸気、夕方にかけて、疲れたとき；食後、かぜ、インフルエンザ、ゼーゼーいう咳。気道の無感覚。胸骨右側から腹部にかけての拍動。気管支炎。胸骨から脊椎に向かう痛み、＜動作。

首・背中：痛み、こわばる首、肩の痛み。落ち着きのない手足。脚が空中に浮かんでいるような感覚。**リウマチ**。疾患のある関節に赤い斑点。特に膝の滑液包炎。冷たく湿った四肢。手の多量の発汗。舞踏病様の痙攣。

睡眠：神経質、咳による不眠、手術後の不眠。

関連レメディー：Elap., Guai., Sang., Thuj.

Stramonium　シロバナチョウセンアサガオ

総体的症状：ソーンアップルまたはチョウセンアサガオは、脳に作用し、精神機能にきわめて根強い疾患をもたらす；幻覚、固定観念、恐ろしいせん妄など。したがって**非常な恐怖**のレメディーである；**しかし、そのもともとの作用においては、実際に痛みは起こさない**。**分泌物の抑圧**、尿も便も出ない。喉、皮膚、脊髄神経も影響を受ける。表情筋や移動筋の可動性が増す；頭や腕の動きは**優雅**、リズミカル、または**乱暴**。四肢の震え。パーキンソニズム。神経性の震え。痙攣（conrulsion）、痙縮（spasm）＜夜間、マスターベーション後。一側の麻痺、もう一側の痙攣、または片側の麻痺；ぴくぴくする動きを伴う。舞踏病、てんかん；恐怖からの。ヒステリー、めそめそする、笑う、性的興奮を伴う。カタレプシー、他人によってならば四肢が動かせる。緊張性痙攣と間代性痙攣が交互に現れる。外傷性神経炎。精神障害者の全身性の麻痺。ショック、恐怖、太陽、出産、抑圧の悪影響。恐水症。大きさや距離に関する妄想。まるで四肢が身体から分離されているかのような感覚。

悪化：光るもの（鏡、水面）。恐怖。**睡眠後**。暗闇。曇りの日。嚥下。**抑圧**。不節制。接触。

好転：明かり。人といること。暖かさ。

精神：恐怖で目覚める、誰のこともわからない、恐怖で叫ぶ、（子どもの場合）近くにいる人にしがみつく。**暗闇に対する恐怖**、光るものが怖い。信心深く祈り、歌う；嘆願するような、懇願するような、絶え間ない**おしゃべり**。**恐ろしい幻覚で、患者はおびえる**；幽霊、鮮やかに光る幻影、地面から横方向に跳びはねている、または、自分のほうに向かって走ってくる動物が見える。夜驚症では、**激しく興奮する**。あらゆるたぐいの、まともではないことをする。**活発な変化するせん妄**；振戦せん妄。**冷や汗を伴う**、気の狂ったような**躁病**。宗教精神障害。ほかの人の話に耐えられない。自責。判断力喪失、または言語障害。奇妙でばかげた考え－自分は背が高い、もう一人いる、横方向に寝ている、身体の半分が切り取られた、など。誰かと一緒にいたい；恥ずかしがり、身を隠す、または逃げ出そうとする。外国語で話す。夜に笑う、日中はめそめそする。高慢、横柄；陽気、精神的高揚。みだらな話。四肢が身体から分離しているように感じる。水の流れる音を聞くと怖い、不安。液体はすべて嫌悪。凶暴、ののしる、自分の衣服を歯で食いちぎる。激しい話し方。身体の一部を露出する。愚か；頭が弱い。静かに座る、視線を地面に落とす、自分の衣服をつまむ。人を殺したい、または自殺したい。トンネルを通過するとき不安。気分の高揚と憂うつ感が交互に現れる。すべてが、誰もが、新しく感じられる。妻は夫が自分を顧みないと思う、夫は妻が不誠実だと思う。

頭部：めまい、＜暗闇を歩く、または目を閉じて歩く。無意識に枕から頭を急に持ち上げ、また元に戻す、幻覚症状、産褥熱、など。支離滅裂な話し方をする傾向を伴う頭痛。めまいで頭が後ろに倒れる、頭を曲げるとき、または持ち上げるときは手で支える；日射病後。耳の分泌物の抑圧に起因する髄膜炎。太陽による頭痛。

目：目がすわる、きらめく、**凝視する**、大きく見開いた目。斜視。半眼で寝る。複視。頭痛、発熱、耳痛に伴う**流涙**。夜盲症。緑色に見

える。すべてが混ざって見える幻覚。**すべてのものが黒く、曲がって、小さく、または大きく見える**。脳疾患における斜視、発作時の斜視、＜恐怖、恐れ。視界が暗くなる。瞳孔が散大する。

耳 ：耳から空気が出てくるような感覚。難聴。幻聴。

鼻 ：鼻翼が白い。

顔 ：**赤い**、**膨張**、熱い。顔色が迅速に変わる─紅潮したかと思うと、青白くなる；冷笑、その後に恐怖の表情。脳疾患における、額の皺、しかめっ面。顔が長いような気がする。唇の乾燥、唇どうしがくっつく。そしゃく運動。開口障害。

口 ：**舌に鮮やかな赤い点**。**舌の乾燥**、からからに乾く、はれる；口から垂れ下がる。食べ物が苦い。どもる。失語症。常につばを吐く。ねばねばする唾液が滴る。歯ぎしり。

喉 ：極度の喉の渇きを伴う乾燥、**それでも水が怖い**、水で息が詰まる。嚥下時のような喉頭の上下運動。熱湯がこみ上げてくるような感覚。嚥下困難；性急。

胃 ：食べ物が藁の味がする。緑色のものを嘔吐。酸っぱいもの、レモンジュースを強烈に渇望＞。しつこいしゃっくり。

腹部：臭い、黒ずんだ、**痛みのない**、不随意の**下痢**、斜視と青ざめた顔を伴う。小児コレラ。便の抑圧。

泌尿器：尿の抑圧、特に腸チフスのとき、空の膀胱。高齢者の膀胱の力不足、ゆっくりした尿の流れ、急いで排尿することはできない。排尿時の苦痛。

男性：性欲亢進、みだらな会話や行為を伴う。常に手が性器に触れている。

女性：女子色情症；わいせつな話；卑猥な歌を歌う。過剰な月経、性的な興奮が先行する。月経時に多弁になり歌う。経血には、精液のような強いにおいがある。産褥痙攣、躁病、精神症状と多量の発汗を伴う。常に手が性器に触れている。月経後にすすり泣き、うめく。過剰な経血の流れ。

呼吸器：ゆっくりした吸気、速い吐息。大酒家の咳の発作；ゼーゼーいう。嗄声、しわがれ声；突然、声のトーンが高くなる。痙攣、喉頭のぴくぴくする動き。神経性喘息。咳、＜光、炎、光るものを見る。下肢の痙攣を伴う咳、座っているとき。

心臓：弱々しい；不整脈。心臓疾患に、胸部の収縮と精神症状を伴う。

首・背中：首のこわばり、後ろに曲げることができない。背中の引っ張られるような痛み。敏感な脊髄、わずかな圧迫で絶叫し、うなる。後弓反張。

四肢：優雅でリズミカルな動き。頭上で手をたたく。手を結んだり開いたりする。びしょぬれの手。よろめき歩行。階段を下りるときに踏み外す。臀部の激しい痛み。四肢の震え。右大腿の内側が赤くはれる。左の股関節の膿瘍、激しい痛みを伴う。片麻痺、麻痺していない部位の痙攣を伴う。踵のしびれ、時に痛む。

皮膚：多数の虫がはい回るかのような感覚。発現しない発疹。輝くような赤い紅潮。慢性膿瘍、瘻孔。皮膚の炎のように赤い斑。ひどい痛みを伴う膿瘍と腫瘍。火や熱や腐食剤による熱傷や熱湯や蒸気による熱傷。

睡眠：昏睡状態。夢の中でめそめそする。**恐怖で目覚める**、または叫ぶ。あおむけに寝て、膝と大腿部を曲げる。暗いところでの不眠。恐ろしい夢。睡眠中に、笑う、叫ぶ、びっくりする。

熱：多量の発汗、発汗により緩和しない。激しい熱。痙攣時の冷や汗。

関連レメディー：Bell., Hyos., Op.

Strontium carbonicum　炭酸ストロンチウム

総体的症状：循環に影響を与え、うっ血性の緊張を引き起こす。心臓、腎臓、骨髄、足首と右側も影響を受ける。**痛みはつかの間で、どこが痛かったのか、ほとんど言えない、骨の髄に痛みを感じるようである**、痛みは徐々に増強し、徐々に減少する、または患者は失神し、あらゆるところが悪くなる。灼熱感、**かじられるような痛み**。身体が不随意に激しく、びくっと動く。片側が**動かない**。**麻痺性の衰弱感**。るいそう。衰弱または手術後のショック。しびれ。ひりひりする痛み。四肢の蟻走感。浮腫、特に随伴症状としての足首の。高血圧；動脈硬化症。骨の疾患、特に大腿骨。慢性出血続発症。リウマチ性の痛み。慢性の捻挫。狭窄；食道。神経炎、＜寒さ。部分的な冷え、ふくらはぎの。痛みとかゆみが交互に生じる。

悪化：**寒冷**；**露出する**。**歩行**。捻挫。**出血**。夕方。天候の変化。かがむ。接触。こする。

好転：**熱と光**。太陽。覆うこと。温浴。

精神：過度の物忘れ。誠実でないことからの不安。精神の落ち込み。過敏；突然怒り出す、障害になるものすべてを殴りつける。

頭部：頭痛が上顎に移動する、めまいと吐き気を伴う。首の付け根の激しい痛みが上方に広がる、＞覆う。頭全体の膨張するような圧迫感。まゆ毛の痛み。

目：ひりひりして赤い。術後に残る羞明、物が血で覆われているように見える。暗がりで、眼前に緑色の点が見える。ダンスで、また見ているものの色が変わることで目を使うと、痛み、涙が出る。

鼻：かゆみ、鼻の赤さと灼熱感。血の混じった痂皮。

顔：患者が歩くたび、燃えるように熱く赤いか、または非常に青白い。

口：**無感覚**で乾燥した感じ、午前中；目覚めたとき。歯がねじでとめら

れたような感覚。

胃：消化中の胃の圧迫感。しゃっくりで胸が痛む。食べ物がまずい。パンとビールを欲求。肉を嫌悪。

腹部：臍部の疝痛。硬い、瘤だらけの便、かなりの努力によって、ゆっくりと排出、その後、肛門は焼けるようになり、灼熱感が長く続く。下痢、＜夜間、常に便意がある、消耗性、黄色い水状；つかまれるような痛みを伴う、＞朝にかけて。周期的な下痢。

泌尿器：アンモニア臭のきつい、色味のない尿。

呼吸器：胸に重りがのせられているかのような圧迫感。手術に伴う左胸の痛み、＜食後。

心臓：窒息感。心臓ブロック。

四肢：手のしびれ。ふくらはぎと足の裏のひきつり。随伴症状としての**足首の捻挫または膨れ**。慢性の痙攣、特に足首の関節。足首の浮腫を伴う坐骨神経痛。片側の四肢が動かない、麻痺のよう。骨の髄で生じているかのような、かじられるような痛み。リウマチの間の下痢。

皮膚：かゆくてひりひりする湿疹、＞戸外、特に暖かい日光。

熱：顔が**熱く紅潮**する、それでも**露出する**ことを嫌悪。夜間の多量の発汗；閉経期。

関連レメディー：Calc., Rhus-t.

Strophanthus hispidus　ストロファンツスの実

総体的症状：矢毒に使われ、特に心臓をはじめ、あらゆる横紋筋の収縮力を増す、心収縮を増大させ、速さを減ずる。心臓の調子を整え、むくみをなくすためにも使用できる。蓄積作用はない－肥満した高齢者で、動脈硬化のある人に安全。アルコール、たばこ、茶に起因する心臓の機能性疾患。僧帽弁閉鎖不全。動脈硬化症。筋肉痙攣。**縫われるような痛み**。全身の**波打つような感覚**。拍動。症状は**急速に変化する**が、脈は遅い。失神。動悸と呼吸困難を伴う貧血。甲状腺腫、眼球突出性。分泌物の増加。アルコールに対する味覚を損なう。

悪化：激しい活働。たばこ。茶。アルコール。

精神：**厳しい試練への恐怖**。睡眠中に持ち上げられているように感じる。早熟で多弁な子ども。

頭部：めまいに伴い、視界が泳ぐ。老人性の頭の波動。

目：視界がちらちらする。急速に散大する瞳孔、そして、数分ごとに収縮する。まばゆい。

顔：紅潮；赤い斑点。緋色の唇。

喉：締めつけられているように感じる。ひりひりするため、空嚥下せざるをえない。

胃：コーヒーを欲求。食欲減退。アルコールへの嫌悪感を伴う吐き気。食べ物を嫌悪、食後の窒息感と嘔吐が後に続く。

腹部：へそ周辺がゴロゴロする、圧迫感がある。肛門の灼熱感と、しぶりを伴う下痢。

泌尿器：尿量の増加、または少ない、アルブミン尿。

心臓：心臓の衰弱、**疼痛**、または苦痛。**活発に作用する感覚**。慢性の神経性の動悸と、呼吸停止。心尖拍動時の縫われるような痛みと単収縮。脈；速い、遅くなる、弱い、不整脈。心臓性呼吸困難。

四肢：上腕と手指が重い、痛い。両足のかゆみと縫われるような痛み。
皮膚：蕁麻疹、慢性、消退する。
関連レメディー：Apoc., Glon., Ign., Spig.

Strychninum　ストリキニーネ

総体的症状：マチンの種から得られるこのアルカロイドのキーノートは、痙攣性硬直である。後弓反張を伴う強直性痙攣；破傷風；激しい痙攣性のぴくぴくする動き・攣縮やぐいっとする動き、震えが特徴的な症状。深呼吸をすることができない、胸壁の固着。アテトーシス。背骨が冷たい。頭と胸から噴出する汗。
悪化：接触。雑音。動作。
好転：あおむけに横たわる。

Succinum　琥珀

総体的症状：琥珀として知られる化石樹脂は、神経性、ヒステリー性の症状を生み出す。電車恐怖、閉所恐怖。

Sulphonal　メタンスルホン酸（催眠薬）

総体的症状：このコールタールの産物は、運動失調症状を引き起こす；よろめき歩行、膝蓋腱反射のない、脚の知覚麻痺。

Sulphur　硫黄

総体的症状：Sulph. は、火山噴火の産物で、自然界に存在し、はるか昔から、皮膚疾患の治療に使用されてきた。そのため、これは、偉大なる抗疥癬レメディーである。**循環**の**不規則な配分**を引き起こし、**限局性の灼熱感**、**拍動**、あるいは**うっ血**；頭部の紅潮、頭、胸、心臓への血液の殺到を生じる。**開口部**、または**唇**、**耳**、**鼻**、**まぶた**、肛門、外陰部など、ある一部位だけの**赤み**は、もう一つの特徴ある症状で、不規則な循環に起因する。吸収不良による**栄養**の問題。旺盛な食欲にもかかわらず（特に子どもの場合）患者は**やせ衰える**。子どもは、ひからびて、小さな老人のように見える、大きな頭、大きな腹、やせ細った四肢。**慢性病**の治療の最初と、急性病の治療の最後、または、**反応不足**の場合、慎重に選んだレメディーの効果がみられなかった場合に、非常に効果がある。分泌される粘液と発散物は**刺激性**がある、**血筋が入っている**、臭い、そして、かゆみを引き起こす。漿液性滲出液、あるいは沈着物はゆっくりと吸収される。**皮膚**に**かゆみ**とともに熱感、焼けるような感覚がある場合に、選択的親和性がある。患者は背筋を伸ばして歩くことができない。**猫背**。**不潔**に見える、**背が高く細い**；洗っても**身体が臭い**。洗うことを嫌悪；常に＜入浴後。汚い、汚れた人、皮膚疾患にかかりやすい傾向がある。**再発性の疾患**。腺の腫脹、硬化、化膿。日中に、よく**弱い失神の発作**が起きる、授乳後または徹夜後、極度の眠気を伴う。**空っぽの**、沈むような感覚。充満感、荒れた感覚、または、しびれた感覚。てんかん、発作前にネズミが腕を駆け上がり背中に行くような感覚。子どもは、跳び上がり、びっくりして、恐ろしそうに叫ぶ。**上昇効果**、血が上る、一過性の熱感、めまいなど。ぼろをまとった哲学者、常に宗教的あるいは哲学的な問題について思索し

ている、汚い見かけの人。すべてがみぞおちに影響する。**頭頂と足の裏**の灼熱感。リウマチ。腺病。疥癬。慢性アルコール依存症；浮腫その他の大酒家の疾患。落下、殴打、捻挫、日光の悪影響。常に腸をきれいにしておきたい。わずかな圧迫から、痛み、はれ、化膿する。絶え間ない圧迫に起因する組織の硬化、うおのめ、とこずれ、など。腱膜瘤。胸部の疾患以来の不調。寝床が小さすぎるように感じる。揺れている、または波打つ地面の上に立っているように感じる。炭鉱作業員の疾患。舞踏病；慢性、発疹の抑圧後。

悪化：**抑圧**。**入浴**。乳。**激しい活働**、**寝床の中**、ウール製品などで**温まる**こと。**気圧の変化**。話す。周期的；午前11時。**閉経期**。満月。**立つ**、かがむ。高い所に手を伸ばす。甘いもの。見下ろす。流水を渡る。予防接種。痔の抑圧。

好転：外気。動作。患肢を引き上げる。発汗。乾燥した暖かい天候。右側を下にして横たわる。歩く。乾燥した暑さ。

精神：**鈍い**；**思考困難**；置き忘れる、または話したり書いたりするときに、的確な言葉が見つからない。**怠惰**、**空腹**、**常に疲労**。成人の子どもじみた不機嫌さ。**希望に満ちた夢想家**。けち。せんさく好き。興奮しやすい。ばかばかしい幸福感と自尊心、自分は美しいものを持っていると思う、患者の興味があるものはすべて美しく見える、たとえぼろ布でさえも美しく見える、または、自分は非常に裕福であると思う。非常に自己中心的；他人のことを考えない。怠惰すぎて起きられず、生きていくには不幸すぎる。宗教や哲学について夢想する強い傾向、固定観念を伴う。自分の身体から生じる臭気に対する、吐くほどの嫌悪。頑固。誰もそばにいてほしくない。人生に疲れている。入水自殺、または窓からの投身自殺への強い衝動（てんかんの発作中、＜月経時）。頭脳労働も肉体労働も嫌悪。遊び暮らす。自分が人に間違ったものを与えているため、彼らに死をもたらすと考える。欠点をあげつらう。仕事を嫌悪。うつ。悲しみ。放

心。何かに触れたいが、そうする能力は伴っていない。哲学マニア、誰がどのようにして、あれやこれやをつくったのかが知りたい、発見の希望も、答えの可能性もないのに、推察しようとする。無知で、文学者や教育をさげすんでいるにもかかわらず、自分は偉大であると思う。理由もなく、またはほんのわずかな挑発で、めそめそする＜慰め。

頭部：額がくらくらする＜川を渡るとき、かがむ、頭痛を伴う。**熱い、ずきずきする**、重たい、ひりひりする**頭頂**。痛み、悪寒、圧迫感などが、**うなじから頭頂に向かって**上昇する。周期的に再発する吐き気を伴う頭痛、毎週日曜日、光視症が先行する。頭にベルトが巻かれているかのような感覚、または脳の深部の痛み。頭が熱く、足は冷たい。毛髪の乾燥、冷たさ、硬さ；抜ける、＜洗浄。汗ばんだ頭皮。泉門がいつまでも開いている。痙攣、赤い顔、散大した瞳孔を伴う水頭症。歩くとき、頭が前に傾く。

目　：焼けるよう。砂で傷ついたような。眼球の破裂しそうな痛み。目とまぶたの震え。物が実際より遠くに見える。明かりの周囲の**光輪**。眼前を黒いガーゼが覆っているかのような、ぼんやりした視界。目の使いすぎによる網膜炎。目に異物が入ったことによる痛みを伴う炎症。羞明。角膜炎；すりガラスのような角膜。まぶたがくっつく。脂っぽい涙。麦粒腫と、瞼板の腫瘍。まぶたの湿疹。トラコーマ。硝子体の混濁。

耳　：聴覚過敏が先行する難聴、＜食後、鼻をかむ。水がバシャバシャはねる音。膿状の臭い耳漏；8日ごとのカタル性分泌物。子どもの耳が非常に赤い。耳からではなく、額から音が聞こえるように感じる。

鼻　：どちらかが詰まる。多量のひりひりするコリーザ、＜戸外、室内で止まる。鼻先、または小鼻が赤い、はれている、＜寒さ。鼻先に、古いカタルのようなにおい。鼻出血、＜夜間、右側を下にして横たわる。においに敏感。想像上のにおい。鼻のそばかすと黒い毛穴。

ファタックのマテリア・メディカ

頻繁にくしゃみをする。

顔　：青白い、病人のよう、**老けて見える**。ほおの部分だけ赤い。そばかす、しみ。**真っ赤な唇**、（上唇の）はれ、乾燥、ざらつき、ひび割れ、灼熱感、ひきつり、または震え。額の血管の腫脹。にきび。流行性耳下腺炎。

口　：過敏な歯、圧痛がある。歯のびくっとする、撃ち抜かれるような、ずきずきする痛み。歯ぎしり。歯茎の腫脹、出血。乾燥した舌、震える、舌先と端が赤い。朝、酸っぱい、甘い、臭い、苦い味がする。多量の唾液分泌、むかむかするような味。授乳されることによる口内炎。食べ物が藁のように感じられる、または塩辛すぎる。アフタ、鵞口瘡。

喉　：塊、髪の毛、またはとげがある感覚、または蒸気が上がってくる感覚。ボールがこみ上げてきて、咽頭をふさぐような感覚。外側が赤い。はれている感覚。乾性の、興奮性の咳。

胃　：**多量に飲み、少量食べる**。腐った卵のようなおくび、＜食事または夜。食欲が全くないか、むさぼるような食欲。空腹を感じるが、食卓につくと、食べ物を嫌悪して、顔を背ける。何でもすべて食べる。食べ物が塩辛すぎるように感じる。乳が酸っぱい、酸っぱいおくびが出る。**午前11の突然の空腹と衰弱**；みぞおちの空っぽで**衰弱した感覚**。胃の圧迫に伴うおくび。頻繁に食べないと、頭痛がする、または疲れる。未消化物の嘔吐、または酸っぱい嘔吐。つわり。甘いもの不耐。胃が重い。

腹部：**ひりひりする**、圧迫に非常に敏感。脾臓周辺の刺されるような痛み、＜咳、または吸気。肝臓周辺の刺されるような痛み。胆石疝痛、慢性または再発性の黄疸。腸が結ばれているような感覚、＜かがむ。腹が重たい、塊があるかのよう。何か生き物が動いているような感覚－子どものこぶし。飲食後の疝痛、二つ折れにならずにはいられない、＜甘いもの。直腸の下方に押される感覚。直腸の痛

み、強い便意、かゆみ。**習慣性の痔**、妊娠中。内痔核と外痔核、大きな隆起は痛む、圧痛がある、ひりひりする、灼熱感、出血、うずく。**せきたてられるような**、**早朝の**、**下痢**、変化する、形が崩れる、**臭い**、**痛みがない**、水っぽい、灰色の、泡状の、＜乳。下痢と便秘が交互に起こる。習慣性の便秘。まるで便で汚されたかのように、便のにおいが自分につきまとう。**肛門周辺が赤い**、かゆみを伴う。青白い顔、多量の発汗、嗜眠状態、半開きの目、尿の抑圧、四肢の痙攣を伴う子どもの下痢。子どもは、叫びながら起きる。疝痛を起こす乳児。くしゃみ、または笑い、放屁に伴う不随意の排便。太鼓腹、やせ細った四肢（子ども）。へそ周辺の湿疹。便は平らで薄い。

泌尿器：尿道のかゆみ、灼熱感、長く後に続く。突然の尿意、急がなければならない。特に夜間の頻繁な排尿。腺病質の、乱雑な子どもの夜尿症。尿に粘液と膿が混じる。多量の色味のない尿、脂っぽいものが表面に浮く。咳や放屁に伴う尿失禁。痛みを伴う無駄な排尿の努力；尿閉；かぜの最後は必ず膀胱にくる。尿の流れは細く、途中で途切れる。

男性：精巣が下垂する。尿道の灼熱感を伴う射精。冷たい陰茎。精力が弱い；インポテンス。精巣の硬化。悪臭のする性器の汗。夢精後の朝の衰弱。性交後の背中の痛みと四肢の衰弱、悲嘆といらいらを伴う。排尿、排便後の前立腺液の分泌。女性に触れることで射精。水っぽい、においのない精液。精巣水瘤。包皮が硬い、皮のように硬い；多量の臭い恥垢によるかゆみ。

女性：外陰部と腟の灼熱感、かゆみ、ひりひりする痛み、＜座る；ほとんどじっとしていることができない。性交中に、腟がひりひりする。骨盤の、性器のほうへ押される感覚、＜立つ。月経不順、遅すぎる、短すぎる、微量、濃厚、臭い、黒っぽい、刺激性がある、陰部がひりひりする。帯下は、黄色い粘液、焼けるよう、表皮剥離を起こさせる。外陰部の煩わしいかゆみ、周辺の吹き出物。乳房の痛烈

な灼熱感。月経時の子宮の切られるような痛み。生殖器の衰弱感。乳頭の基部のひび割れ、うずき、灼熱感、出血；授乳後、痛みは背中にまで広がる。高熱の出る産褥熱、全身の多量の発汗、腹部の圧痛と嗜眠状態を伴う。性器が臭い、大腿に多量の発汗。わずかな身体的または精神的興奮による月経の抑止。無月経。高い所に手を伸ばしたことによる子宮脱。乳癌または子宮癌。乳房と子宮の不完全な発達。

呼吸器：**呼吸困難、窓を開けたい**；夜間の窒息しそうな空気飢餓感。不規則な呼吸。低いかれた声。激しい咳、2～3回の不完全な発作；喉頭のくすぐったい感覚。多量の粘液がガラガラいう、胸が熱い、＜午前11時。**痛みは左の乳頭から後方に向かう**。胸にベルトがあるような、重荷があるような感覚。胸に赤、茶色の斑点。胸膜の滲出。肺炎。緑色がかった、甘い、膿状の喀出物。胸の灼熱感、または冷たさ、顔にまで伝わる。かぜの後にいつも喘息になる。会話中の胸の衰弱感。頭痛を伴う激しい咳、＜あおむけに横たわる。肺の上1/3のところを、まるでリベット（びょう）が通過するような感覚。胸の撃ち抜かれるような痛みが背中にまでひびく、＜咳、あおむけに横たわる、深呼吸。放置にされた肺炎。

心臓：大きく感じる。動悸、＜横たわる、夜間、寝床で、上昇。脈は、朝のほうが夕方より速い。滲出を伴う心膜炎。胸から肩の間にかけての鋭い痛み。

首・背中：首の筋肉が弱い、子どもは頭を支えられない。首のせつ。首のこわばり。背中を反らすと、まるで脊椎の椎体が下位の椎体の上を滑るかのような、または脊椎に亀裂が入るかのような感覚。肩甲骨間の痛み。**腰痛**；胃にひびく；背中の痛みのため、**腰を曲げて歩**く、動いた後に限り、背筋を伸ばすことができる。座るとき、手で体重を支える。排便時に尾骨の痛み。腰のくびれの痛み、＜排尿時。脊椎湾曲。

四肢：肩が重たい。腋窩の発汗、ニンニク臭。左腕のしびれ、＜横たわる。手指のしびれ。手のひらの乾燥、灼熱感、ひび割れ、表皮剥離。手のひらの湿疹、いぼ。膝窩腱（左）の緊張。ふくらはぎ（左）のひきつり。**足の裏の灼熱感**。**はだしになりたい**、夜；寝床で冷たい；乾燥。熱い汗ばんだ手。四肢の重さ、麻痺感。**入眠時に片方の四肢がびくっとする**。前かがみになると、膝窩が突っ張る。関節の腫脹、関節水腫を伴う。関節が硬い。字を書くとき、手が震える。膝と股関節の結核。爪の周囲の潰瘍。手指の急速な腫脹、赤み、こわばり、過剰な焼けるような縫われるような痛みを伴う瘭疽。何かをつかもうとしたときの、不随意の手の収縮。不安定な足どり。

皮膚：ほとんどあらゆる種類の発疹。**乾燥した、粗い、皺の寄った、うろこ状の皮膚**。官能的な、激しい**かゆみ**、＜夜、寝床で、かく、洗う。**不健康、吹き出物に覆われる、化膿する、治癒しない**。引っかくと焼けるよう；空気、風、洗浄などに痛いほど敏感。**ほかの疾患、喘息と交互に出る発疹**。一群のせつ。疥癬。亀裂。湿疹。潰瘍。むずむずする丹毒。屈曲部の表皮剥離。気泡を伴う化膿。潰瘍形成し、破裂、出血する静脈瘤。

睡眠：深い眠り、爽快感がない。眠い、その後に片頭痛。うたた寝する。日中は眠たい、夜に目がさえる。睡眠中の寝言、びくっとした動き、ぴくぴくする動き。跳び起きる、または叫びながら起きる。睡眠中に歌う、または歌いながら起きる。鮮明な夢、記憶に印象づけられる。

熱：悪寒が背筋を上る。**一過性の熱感**。**暑すぎるように感じる**。肩甲骨間の熱と拍動。一部分の発汗－腋窩、手足。硫黄臭のする、多量の夜間の発汗。発汗で緩和しない。弛張熱。敗血症。産褥熱。

補完レメディー：Acon., Aloe, Ars., Bell., Calc., Merc., Nux-v.., Puls., Pyrog., Rhus-t., Sep., Sul-i.

関連レメディー：Graph., Psor., Sel., Syph.

Sulphuricum acidum 硫酸

総体的症状：すべての酸に共通の脆弱性または衰弱があり、特に**消化管**で強く感じられる。胃が強烈に弛緩した感覚、刺激物への欲求を伴う。衰弱は、根深い悪液質に起因する疾患と不釣合いである。**血液**と血管に影響を与え、**出血**―あらゆる開口部からの激しい、薄い、どす黒い血―を引き起こす。（足の）血管の拡張。出血性紫斑病。患部の痛みとこわばりを伴う、外傷後の長く続く青黒い斑点を取り除く；Arnicaの後に。**内側の震え**、抱えられたい。身体と胃の**酸味**。大酒家、高齢者、特に更年期の女性、ほかに疾患のない脆弱な子どもに適合する。**多量の刺激性の、または糸を引く分泌物**。患部がこわばり、張ったように感じる。**痛みは徐々に増し、急にやむ。先のとがっていない栓をねじ込まれているかのように感じる。ひどい痛み**。睡眠中に感じる痛み。目覚めると痛みは消えている。かじられるような痛み。鉛中毒。機械的損傷による壊疽。焼けるような、突き刺されるような痛み。痛みからのショック。潰瘍が赤や青になり、痛む。書痙。

悪化：**外気**。**寒さ**。**アルコール**。**損傷**；外科手術。脳振とう。**コーヒーのにおい**。閉経期。夕方にかけて。極端な暑さ、または寒さ。接触。圧迫。捻挫。腕を持ち上げる。冷水を飲む。

好転：熱い飲み物。手を頭に近づける。穏やかな気温。暖かさ。

精神：すべてを大急ぎでしなければならない。不機嫌、忍耐がない、怒り、物事の動きがあまりにもゆっくりであるため。ささいなことでいら立つ、気難しい、神経衰弱。おびえる傾向。優柔不断で気難しい。質問に答えたがらない、イエスかノーを言うのが困難。常に泣く、またはめそめそする。誰も自分を喜ばせるようなことを、何もしてはくれないと思う。深刻になったり、おどけたりする。

頭部：前頭部で脳が緩み、横から落ちるような気がする、＜戸外を歩く、＞部屋で静かに座る。後頭部の圧縮されるような痛み、＞手を頭に近づける。額、こめかみの電気ショックのような衝撃。髪が抜ける、白髪になる。

目　：外傷後の眼内出血。まぶたを開けるのが困難。外眼角にしこりがある感覚、それが、目を閉じるときは、内眼角のほうに移動し、開けると元に戻る。目がうずく、ひりひりする。流涙、読書中。

耳　：耳の手前に葉があるような感覚。

鼻　：黒っぽい、薄い血の滲出、＜コーヒーのにおい；高齢者の場合。

顔　：**死人のような青白さ**または皺。卵白が顔の表面で乾燥したかのような感覚。

口　：長引く疾患後のアフタ、特に消耗症の子どもの場合。歯茎から出血しやすい。口臭。膿漏。糖尿病での歯の破壊。血の混じった唾液。潰瘍が素早く広がる。

喉　：ひりひりする。ジフテリアでの、後鼻孔に垂れる、糸を引くレモン色の粘液。しっくいを塗ったように見える。嚥下時に液体が逆流する。

胃　：胸やけ。酸っぱいおくび、歯を過敏にする。ブランデーと果物を欲求。しゃっくり、大酒家の；**吐き気**、震えを伴う。大酒家の酸っぱい嘔吐、＜左側を下にして横たわる。胃の衰弱感、弛緩した感覚、＜排便後。飲み物で胃が冷える、酒と混じっていない限り、受け付けない。食べ物の代わりに粘液を吐く。吐く前に咳をする、妊娠中。食事後の発汗、特に温かいものを食べた後。コーヒーのにおいを嫌悪。

腹部：ヘルニアが突き出すかのような感覚を伴う疝痛。脾臓は肥大し、硬い、咳をすると痛む。非常に臭い**下痢**、緑色、黒っぽい、または**切れ切れの便**；橙黄色の便。熟していない果物やカキによる下痢；わずかな消化不良から。痔核からの水分滲出。直腸に大きなボールが

あるかのような感覚；痔の腫瘤のために、便が出にくい。排便後の胃が沈むような感覚。
泌尿器：膀胱の痛み、尿意があるのに排尿しない場合。血尿。
女性：月経前後のひどい悪夢。高齢者の子宮頸管のびらん、出血しやすい。更年期における、一過性の熱感後の発汗と全身の震え。月経は早すぎる、多すぎる。刺激性の、焼けるような帯下。腟の壊疽、腟脱後。衰弱による腟脱と子宮脱。
呼吸器：咳、その後のおくび、または嘔吐。更年期の血の混じった喀出物。呼吸困難時には、喉頭が激しく上下し、小鼻が素早くひくひくする。
背中：脊椎の衰弱、座ったり立ったりできない。首の右側の大きな膿瘍。
四肢：書くときに手指が痙攣する。書痙。膝の痛いほどの衰弱。足首が弱い、歩けない。睡眠中の手指の痙攣。腱のびくっとする動き。
皮膚：瘢痕が赤や青になり、痛む。斑状出血。癰、せつ、壊疽。全身のかゆみ。結節性の蕁麻疹。とこずれ；膿瘍。
熱　：紅潮、上半身がひどい、その後の震え、または冷や汗、＜温かいものの飲食後、＜上半身、＞動作。びしょぬれになるほどの汗。腸チフスのような発熱中の、不釣り合いな衰弱感。
補完レメディー：Puls.
関連レメディー：Ars., Lach., Sep.

Sulphur iodatum　ヨウ化硫黄

総体的症状：しつこい皮膚疾患；痛みを伴わない腺の肥大；炎症後の肥厚と硬化を伴う組織の浸潤がSul-i.の主な特徴である。インフルエンザに起因する衰弱。疲はい、あらゆるものに敏感。失神と吐き気。内部のひりひりするような灼熱感、外側は冷たい。刺激性の分泌

物。手指などの一部位が白くなり、無感覚になる。**化膿。再吸収を助ける。**
悪化：**激しい活動**、わずかでも。熱。右側を下にして横たわる。嵐の前。夜。かがむ。
好転：冷たい空気。立つこと。喀出。冬。
精神：激しい活動を恐れる。疑い深い。性急。短気、悲しい。
頭部：痛み、＞日没。髪が逆立っているような気がする。めまい、＜かがむ、髪を束ねる、絶食、月経前と月経後。
目：視界にジグザグが見える。
顔：にきびの化膿。流行性耳下腺炎後の耳下腺の肥大。
口：歯が軟らかく感じられる、舌の**光沢**；炎症後の肥厚。ひりひりする、乾燥、湿らせたい。口唇ヘルペス。
喉：ひりひりする、乾燥；嚥下時に痛む。口蓋垂と扁桃の肥大、赤み。
胃：食欲不振。激しい活動による、みぞおちの振戦。消耗症の子どもの食欲増進。
腹部：腸間膜の疾患。頑固な便秘。鮮やかな黄色の便。肛門からの臭い分泌物。
泌尿器：尿は量が乏しい、膿性；尿中の茶色い砂。ラズベリーのようなにおい。淋病後の狭窄症、排尿痛、尿の流れのねじれ。陰茎の先端の灼熱感、前立腺の鈍痛。
男性：軟らかい精巣。勃起力欠如。包皮のひび割れ。少年の精巣水瘤。
女性：月経不順と多量の濃い、焼けるような帯下、＜月経前後。
呼吸器：喘息性の、不規則な、ぜいぜいする、窒息性の呼吸。痙攣性の咳＜午前中。緑色がかった、膿状の、多量の、粘着性の、黄色い喀出物。胸の収縮、胸膜の水腫、胸の発疹。
四肢：膝下のうずき。足の裏の痛み、灼熱感、立っていると痛む。
皮膚：**かゆみ**。潰瘍。湿疹。にきび、化膿する。かみそりまけ。
追随するレメディー：Sulph.

Sumbul　ジャコウソウの根

総体的症状：musk root（ジャコウ根）という名前がほのめかすとおり、その香りは、ジャコウによく似ている。そのため、Moschusと同じく、ヒステリーと**神経疾患**に効果のあるレメディーである。心臓に影響し、神経性の動悸を引き起こす。患者は神経質、いらいらしている、不眠。ささいな原因から失神する傾向。舞踏病、頭と四肢が常にびくっと動く、舌を突き出す。患部をお湯が流れるような感覚がある。黄色い粘り強い分泌物。左側が冷たくなるときのしびれ。神経痛。早老。動脈硬化。顔面紅潮、閉経期の。

悪化：動作。閉経期。音楽。寒さ。症状について考えること。吸気。

好転：穏やかな動作。暖かさ。

精神：感情的、落ち着きがない。めそめそしたと思ったら笑う。音楽を聞いて失神する。気が狂うのではないかという恐怖。

鼻：粘り強い、黄色い鼻からの粘液。

顔：顔に髪の毛、またはクモの巣があるような感覚。神経痛。間の抜けた表情。

口：こすった後のようにざらざらする舌。

喉：**窒息するような収縮**、常に嚥下する、ヒステリー性。

胃：焼けるような呑酸。

腹部：満腹感、膨張して痛い。

女性：性的興奮。卵巣神経痛。乳房（右）を糸で引っ張られているかのような感覚。閉経期の紅潮。子宮周辺のねじで締められるような痛み（左側）。

泌尿器：尿に脂性の薄膜。

呼吸器：激しい活動で息切れする。心臓性喘息、ヒステリー性。左胸の圧迫感、詰まっているかのような。

心臓：ヒステリー症の人の、または閉経期の神経性の動悸、＜少しでも激しい活動をすること、そのことについて考えること。まるで水の中で心臓が鼓動しているかのような感覚。左胸周辺の神経痛、狭心症に似た。心臓性喘息。動脈硬化症による高血圧。
背中：脊椎に沿った滴るような感覚。
四肢：左腕の痛み、重さ、しびれ、疲労。
皮膚：青白い；冷たい。内側のかゆみ。
睡眠：落下する夢、性交の夢、突然の多量の射精が後に続く。
補完レメディー：Lact-v.
関連レメディー：Asaf., Mosch.

Symphoricarpus racemosa　セッコウボク

総体的症状：しつこく続くつわりに、強く推奨されるレメディー。あらゆる食べ物への嫌悪。吐き気、＜月経時、動作、＞あおむけに横たわる。食べ物のにおいをかいだり、考えたりするだけで不快になる。

Symphytum　ヒレハリソウ

総体的症状：nit-bone（骨接ぎ）またはbone-set（接骨）という一般名が、このレメディーを示唆する。**軟骨、骨膜の損傷**で、過剰な痛みを伴う。古傷の痛み。粉砕**骨折**。傷が癒えた後に残る、ちくちくする、縫われるような痛み、＜接触。術後の炎症を起こした断端。骨折の癒着不能。会陰の穿通創。**形成不十分な仮骨**。関節への影響。膝の関節痛。外用すると損傷によるはれがひく。腰筋膿瘍。肉腫性の腫瘍。

悪化：**損傷**。鈍器による殴打。接触。過剰な性行為。
頭部：痛む部位が変わる。
目　：鈍器による**目の損傷**、殴打、強打など；まぶたが痙攣して閉じる。
顔　：**顔の損傷**。右側の洞の悪性の増殖物。
胃　：胃潰瘍。へそ周辺の痛み、＜座る。
背中：過剰に性行為にふけったこと、レスリング、激しい動作による背中の痛み。脊椎カリエス。
皮膚：冷たい。
関連レメディー：Arn., Calc-p.

Syphilinum　梅毒

総体的症状：梅毒菌からつくられたノゾーズ。**粘膜、神経、骨**に影響を与える。**慢性疾患で、反応が乏しく、指示されるレメディーでは、部分的な緩和しか得られない場合**、特に、アルコール中毒への遺伝的な傾向や、**梅毒の病毒**がある場合。かなり弱っているが、症状は少ない、または朝目覚めたときの、完全な**疲はいと衰弱**。**多面的な症状**。頑固な**潰瘍形成**。発育が止まった、皺の寄った、老人のように見える乳児と子ども、はげ、唇と腹を突き出す。臭い体臭。激しい、または線状の痛み。**連続的に生じる膿瘍**。臭い、または緑色の膿。筋肉の結節。痛みやその他の症状は、徐々に悪化・好転。てんかん＜月経後。臭い分泌物。身体のあらゆる部位のしつこい痛み。冷覚疼痛。生後すぐに泣き出したよく泣く子ども。徐々に進行する片麻痺。血管にお湯が流れているかのような感覚。骨の痛み；カリエス、湾曲。外骨腫症。腺の肥大。ホジキン病。**のこぎりで切られるような骨の痛み**。
悪化：**夜間**。日没から日の出まで。湿気。極端な暑さや寒さ。隔回の満月

ごとに。嵐の最中。どんな姿勢でも。動作。腕を横方向に動かす。しゃがむ姿勢。冬。夏。海岸。舌を突き出す。

好転：連続的な、またはゆっくりした動作。姿勢を変える。高緯度。温める。日中。

精神：回復についての絶望。**非社交的**。恐ろしいほどの抑うつ。不機嫌、怒りっぽい、いらいらした。正気を失う、または麻痺するかのように感じる。遠く離れたような感覚；自分が自分ではない、自分自身でないように感じると言う、将来についての無感情、無関心を伴う。**手を洗いたい衝動**。夜が非常に怖い。記憶喪失、顔と名前、出来事、場所などを覚えていないが、疾患にかかる以前のことはすべて覚えている。非常に神経質、理由もなく笑う、めそめそする。慰められたくない。夜ごとの幻覚症状。梅毒による精神障害。**人といることを嫌悪**。悲しみと嘆き。

頭部：脳底部またはこめかみを横切る**砕けるような深部痛**。線状の頭痛。頭を壁に打ちつける。後方へ引っ張られるように感じる。脳軟化。多量に髪が抜ける。頭頂が破裂しそう。頭皮の至るところの結節。

目 ：慢性で再発性のフリクテン性角膜炎。＞冷水浴。極度の羞明と流涙。新生児眼炎。ちらちら光る視界。垂直**複視**。**下垂症**。冷風が目に吹きつけてくるような感覚。斜視。黒内障；視神経の萎縮。角膜の斑点。

耳 ：明らかな原因のない難聴；悪液質に伴う神経性難聴。鼓膜の石灰性沈着物。中耳の膿瘍。

鼻 ：臭鼻症—悪臭の、濃厚な、黄緑色の分泌物。吸入空気で痛む。副鼻腔の痛み。後鼻孔からの緑色の塊。**鼻声**。骨のカリエス。鼻中隔穿孔。鼻梁を横切る鞍形のしみ、それに対しSepiaのしみは、ほんの影のようなものである。多量のコリーザ。鼻孔のかゆみ。

顔 ：青白い、皺の寄った；年老いて見える。筋肉痙攣。目（右）の上の痛み、＜舌を突き出す。発語困難とそしゃく困難を伴う片側の麻痺

と、目とまぶたの痙攣。

口：**歯がねばねばしているように感じられる**。口の中に寄生虫がいるかのような感覚。カップのようにへこんだ子どもの歯。まるで歯が全部抜けてしまったかのような感覚。歯茎との境界の虫歯。舌；苔、歯の跡がついた；中央の深い縦向きの亀裂、うずいてひりひりする潰瘍。てんかん発作前の膿のような味。**過剰な唾液分泌、睡眠中に口から流れ出る**。失語症。舌の麻痺。歯痛、＞歯を圧迫する、＜熱いものや冷たいもの。

喉：右から左に移るひりひりする痛み、＜冷たい飲み物。慢性の扁桃肥大、梅毒の病毒がある。

胃：むらのある食欲、**アルコール飲料を欲求**。肉を嫌悪。数か月に及ぶ食欲喪失。どんな食べ物にも不耐、満足しない。何週間も、または何か月も嘔吐する。

腹部：頑固な便秘。直腸が狭窄して動かなくなっているような感覚。肛門と直腸の亀裂。浣腸の水が痛みとともに出る。胆汁性の、痛みのない下痢＜海岸。午前5時に寝床から飛び出させる。

泌尿器：泡立った、少量の、黄色い尿。夜尿症。立っているほうが尿が出やすい。24時間に一度しか排尿しないが、多量。

男性：精巣、精索、陰嚢の結節形成。下疳。性器の痛み、じっと座っていることができない。

女性：腐った肉のようなにおいのする経血。黄色い、臭い、**刺激性のある多量の帯下**、ナプキンをびしょぬれにし、踵まで滴る；卵巣痛を伴う；病的に神経質な女性；性器のかゆみを伴う。習慣流産。接触に敏感な乳房、ひりひり痛む。卵巣痛を伴う、外陰部の潰瘍；接触に敏感。卵巣の切られるような痛み、性交時、オルガズムの瞬間に。

呼吸器：夜間の乾性の咳、＜右側を下にして横たわる。月経前の失声症。慢性喘息＜夏、嵐の最中、夜間、湿った天気。喉頭の継続的な痛み、＜接触。

心臓：心底から心尖にかけての痛み。大きな軟脈。血管に熱いお湯が流れているような感覚。

首・背中：首が短いように感じる。腎臓周辺の背中の痛み、排尿後。まるではれているかのような尾骨の痛み、＜座る。

四肢：三角筋の付着部の痛み、＜横方向に手を上げる。正面の痛み。**中指**の疾患。脛骨中央の骨肉腫。肘周辺のかゆみを伴う発疹。脚の**冷覚疼痛**。加速歩行。**のこぎりで切断されるような骨の痛み**。両側の外骨腫症、ひりひり痛む。脛骨の痛み、＞冷水を注ぐ。坐骨神経痛、＜夜。リウマチの筋肉結節。収縮する感覚を伴う足の裏の痛み、＜その上に立つ。座面の低いいすに座れない、または、しゃがむことができない。

睡眠：不眠。

熱：悪寒。夜間の発汗、衰弱を伴う。

関連レメディー：Aur., Kali-i., Merc., Nit-ac.

Tabacum　タバコ

総体的症状：タバコは、一般に、かぎたばこ、喫煙、かみたばこに使われるが、ホメオパシーだけは薬として使う。迷走神経、交感神経、脳脊髄神経、そして心臓が際立った影響を受ける。すべての筋肉組織の完全なる疲はいと弛緩をもたらす、**大量の分泌物**―嘔吐、発汗；流涙、唾液分泌など。**空洞臓器の筋肉の狭窄**―喉、膀胱、直腸、胸部、など。腸、心臓などの疼痛性痙攣、その後の麻痺。痙攣、頭が強く後ろに引かれる。全身のびくっとする動き。震え。失神。激しい、危険な状況、症状は急速に変化する。痛み＜熱さから。過度のるいそう、特に背中とほおの。ゆっくりした引きずり歩行、不安定な歩行；階段を上るのが困難。冠状動脈硬化症と高血圧を伴う狭心

症。船酔いのような気分。破傷風。括約筋の麻痺。寝床に滑り込む。日射病の影響。ハチ刺され、蚊の刺傷の緩和。

悪化：**船、乗り物の動き**、横たわる；左側を下にして。目を開ける。夕方。極端な暑さ、または寒さ。

好転：**冷たいものをあてがう**。新鮮な空気。たそがれどき。腹部を露出する。めそめそ泣く。嘔吐。

精神：落胆しきった。**無関心**。不機嫌；極端にみじめな気分。忘れっぽい；理解が遅い。混乱。精神疲労。精神薄弱；てんかんによる知的障害。愚劣な話。まるで誰かが自分を捕まえにくるように思う、または殺しにくると思う。

頭部：ひどいめまい、多量の発汗（冷や汗）を伴う、目を開けるとき。まるでハンマーで殴られたかのような突然の痛み、＜排尿時。ベルトで締めつけられるような感覚。周期的な吐き気を伴う頭痛。

目：白いものをじっと見つめることによる失明。損傷によるものではない突然の失明、その後、視神経が萎縮する。中心暗点。ぼやけた視界、ベールを通して見るような。網膜に残像が長く残りすぎる。

耳：音楽を聞くと耳の中が痛む。船酔いのような気分になるメニエール病。

鼻：分泌の増加。

顔：**死人のような青白さ**。青い、**しなびた**、落ちくぼんだ。冷や汗で覆われる。片方のほおが熱く、燃え立つよう、もう一方は青い。下顎の痙攣。上顎関節の痛み、＜笑い。退縮した唇。顔のるいそう。

口：唾液分泌過多。**多量の唾液を吐く**、ほかの症状に伴う。発語困難。

喉：狭心症での喉の激しい収縮。

胃：**死ぬほどの吐き気と激しい嘔吐**、＜**わずかな動作、**＞腹部を露出する；吐き気で多量の唾液を吐く、妊娠中。船酔い。ひどい失神。**みぞおちの沈むような感覚**。糞便様のものを嘔吐。吐き気。胃酸過多。

腹部：肝臓周辺の、重いものによるかのような圧迫感。**露出したい、**吐き

気、嘔吐、その他の苦痛を緩和する。ひどい疝痛、甲高い声を上げなければならない、衰弱を伴う。不随意の、水っぽい、または酸乳のような濃い凝乳状の便。小児コレラ。腸閉塞。絞扼性ヘルニア。**上腹部の沈むような感覚**、極端に弱々しい感覚を伴う。へその後退；腹筋の萎縮。習慣性便秘。

泌尿器：冷や汗を伴う腎疝痛と死ぬほどの吐き気。括約筋の麻痺、尿の滴下。遺尿。

男性：夢精。インポテンス。陰茎の知覚過敏と神経痛。

女性：つわり。閉経期、月経中の、極端にみじめな気分。漿液の帯下、＜月経後。妊娠中の全身のひどいかゆみ。

呼吸器：胸部の激しい収縮感。乾性の、悩ましい咳、冷たい水を飲まずにはいられない、後から、または同時にしゃっくりが出る。

心臓：激しい動悸、＜左側を下にして横たわる。心臓周辺のねじれるような感覚。吐き気、冷や汗、虚脱を伴う狭心症。不安定な鼓動。ショックまたは激しい身体活動が原因の急性拡張。糸様脈、間欠脈、硬脈、うねるような脈、感知できない脈。

首・背中：痙攣で頭が後ろに引っ張られる。首のこわばり。背中の筋肉のるいそう。腰のくびれの痛み、＜横たわる、＞歩行時。熱が脊椎を下る。

四肢：手の指先のぼんやりした感覚。1本の手指の痙攣、＜洗う。氷のように冷たい脚と手。蟻走感。

皮膚：ノミに食われたようなかゆみ。

睡眠：心拡張を伴う不眠。悪夢。麻痺するような夜間の睡眠。

熱　：**氷のように冷たい皮膚**。熱が脊椎を下がる、片方のほおの熱；内側。悪寒、狭心症、腎疝痛など突然の**冷や汗**に伴う。

補完レメディー：Op.

関連レメディー：Ars., Gels., Verat.

Taraxacum　タンポポ

総体的症状：肝臓に影響を及ぼす、胆汁症のレメディーである。**吐き気と極度の疲労**、座りたい、または横になりたい傾向。縫われるような痛み。黄疸、胆石、肝臓の肥大と硬化。
悪化：**休息**。座る。立つ。横たわる。
好転：歩行。接触。
精神：抑うつ。常に独り言を言う。労働を回避する、しかし、後には、よく働く。話す、笑う、そして陽気な傾向。
頭部：胃の障害による頭痛。頭頂が非常に熱い。
口：舌は苔舌に覆われ、**ひりひりする斑がある**；**地図状**。苦い味、酸っぱい味。喉頭が圧迫されて閉じてしまったような感覚を伴う唾液分泌過多。
喉：酸っぱい粘液を喀出する。
胃：胃の、胆汁性の発作。食欲喪失。苦いおくび。
腹部：腸の中で泡立つような感覚。ヒステリー性鼓室炎。肝臓の肥大と硬化。胆汁性の下痢。白い便。黄疸。肝臓と脾臓の周辺の痛み。
泌尿器：痛みのない、切迫性の、頻繁な排尿、多量の分泌。
女性：月経の抑圧。
首・背中：耳から首にかけての引き裂かれるような痛み。胸鎖乳突筋に触れると強烈に痛む。
四肢：落ち着きのない四肢。手の指先の冷たさ（指標になる症状）。ふくらはぎ（右）のひきつり。＞接触。四肢の引き裂かれるような痛み。膝の神経痛、＞圧迫。足指が熱くなる。
熱：食後の寒け、特に、飲み物を飲んだ後。多量の寝汗。
関連レメディー：Nux-v.

Tarentula cubensis　キューバグモ

総体的症状：このクモの毒は、細胞組織に影響を与える。潜伏期はゆっくりだが、その後の進行が**急速**で、**驚くほどの疲はいと、ひどい焼けるような、または鋭い刺されるような痛みを伴う**。敗血症性の病態に効力のある、毒血症薬である。**患部の板のような硬さと多量の発汗**。激しい熱としびれるような痛みを伴うジフテリア。悪性腫瘍。癰。**青みがかった、痛む膿瘍。瘭疽**。死の痛みのレメディー、**最期の苦悶を和らげる**。麻痺、その後の痙攣。腺ペスト。壊疽。

悪化：冷たい飲み物。激しい活動。夜。
好転：喫煙。
精神：神経性の落ち着きのなさ。
頭部：頭の充満感。髄膜炎。
胃　：嘔吐する傾向。
泌尿器：咳をするとき、尿が出てしまう。尿閉。熱い、濃い尿。
女性：外陰瘙痒症。
呼吸器：痙攣性の呼吸困難。くたくたに疲れさせる咳；百日咳。
四肢：手の震え。**絶え間なく足を動かす**。不安定な歩行。
皮膚：あらゆる部位の膨張した感じ。**紫色の変色**。ひりひりする灼熱感。老年性潰瘍。
睡眠：嗜眠状態。激しい咳に妨げられる。
熱　：**表面のひりひりする熱**。
関連レメディー：Anthraci., Lat-m.

Tarentula hispanica　タランチュラコモリグモ

総体的症状：「タラント病（tarantism）」は、タランテラコモリグモにかまれた人に生じる舞踏病性躁病を指すのに用いられる用語である；この疾患の治療法は音楽と踊りである。これらの症状が、このレメディーのキーノートとなる症状である。このレメディーは**神経**に作用し—神経は極端に緊張している—ヒステリー、舞踏病、頻回の生殖器領域の反射症状など、顕著な神経症状を生じる。**心臓**、**脊椎**、**呼吸**と右側が、著しく影響を受ける。症状は、突然、**激しく**発現する。患者は**落ち着きがなく**、**そわそわして**、**性急**で、常に動いている、しかし歩くことで＜。**地面を横方向に転げ回る**、激しく足を打ちつける、または頭を回してこすりつけることで、苦痛を取り除こうとする。静止時振戦、**びくっとする動き**、**震え**、**ぴくぴくする動き**。**遠隔痛**、または連合した痛み—子宮の痛みを伴う頭痛、目の痛みを伴う喉の痛み、胃痛を伴う顔面痛、しゃっくりを伴う耳痛、など；または性的興奮からの痛み。激しい痛み、神経痛、まるで何千本もの針でつつかれているかのような。ひどい敗血症性の病態；膿瘍、急速に膿が出る。水癌。るいそう、＜顔。片思い、悪い知らせ、小言、罰、転倒、敗血症による悪影響。歩くより走るほうがうまい。不規則な動作。ちくちく刺されるような感覚を伴うしびれ感。るいそう、まるで肉がそげたような。癌；線維腫。多くの症状で、その作用はArs. に似ている、そのため、Ars. が指示されるけれども、うまくいかなかった場合には、Tarent. を与えるのが賢明である。

悪化：周期的、毎年、同じ時間に。**接触**。寒さ。**雑音**。**湿気**。夕方。月経後。性交。洗髪。ほかの人が窮地にあるのを見る。手を冷水に浸す。音楽。

好転：緊張を緩めること。**さする**。**発汗**。喫煙。音楽。**外気**。乗り物に乗る。日光に当たる。鮮やかな色。

精神：黒、赤、黄、**緑色**を嫌悪。上下に踊る。神経質な笑いの後に叫ぶ発作。**突然**、気分、考え、または力強さが変わる。**コントロールに欠ける**。とっぴな。衝動的。モラルの低下。ずる賢い、**狡猾**。自己本位。破壊的、手を置くことができるすべてのものを破壊する、自分の服を引き裂く、など。憎しみに満ちた。巧妙な。ものを投げる。仮病；誰も見ていないときには、ヒステリー症状はない；自分に注意が向けられると、痙攣しはじめ、失神、無感覚を装う、しかし、周辺にいる人の反応を横目でうかがう。自分自身を、あるいは他人をたたきたい衝動。笑う、あざける、走る、踊る、おどける、からかう、泣く、声がかれるか疲れ果てるまで歌う。窃盗癖。怒りに満ちた絶望。死の苦痛。感謝を知らない。憂うつ。不満足。精神症状＞午後、食後。

頭部：めまい、＜頭に重荷を乗せて運ぶ。まるで針で脳をつつかれているかのような感覚。こめかみの激しい痛み、首と顔に広がる、吐き気と耐えがたさを伴う。激しい、砕けるような頭痛、多数の疾患の随伴症状として。髪をとかされたい、引っ張られたい、または頭をさすられたい。髄膜炎。頭と身体に冷水を浴びせられたような感覚。夜間のめまい、階段を下りるとき。

目：目のかゆみ、濃厚な涙を伴う。目がちくちくする、砂かとげが入ったかのような。羞明。片側の瞳孔の散大、もう一方の瞳孔の縮小。発作的に目が大きく見開く、じっと見つめる。幽霊、顔、閃光が見える。

耳：耳（右）の中でパチパチ、ピシッという音がする、しゃっくりを伴う。雑音；鳴り響く音、＜目覚めたとき、朝。

鼻：鼻出血＞頸動脈の拍動と頭の充満感。

顔：火のように赤い、膨張。恐怖を表す表情。皺。

口　：乾燥。舌が奥に引っ張られていて話しづらい。
胃　：砂や生の食べ物を欲求。肉、パンを嫌悪。胃の障害には頭、顔、歯などの交感神経性の痛みを伴う。冷たい水を渇望。
腹部：下腹部の灼熱感、非常に重たい、歩行の妨げになる。脂っぽい、黒い、臭い便、洗髪に刺激される。ひどい便秘、下剤や浣腸でよくならない。便秘に伴う不随意の排尿、咳や何かをしようとしたときの。
泌尿器：臭い尿、砂のような沈殿物を伴う。笑い、咳に伴う失禁。糖尿病。多尿症。
男性：極度の性的興奮。ほとんど狂気に近いわいせつさ、＜性交。マスターベーション後の前立腺の疾患。射精は熱い、血が混じっている。**敏感な生殖器**。精巣の無痛性腫瘍。
女性：外陰部と膣の**かゆみ**、＜かく。外陰瘙痒症。激しい女子色情症、＜性交。乾燥した、熱い、**ひりひりする**月経。エロチックなひきつけが多い。早すぎる月経。子宮に胎児がいるような感覚、または灼熱感。生殖器の激痛、不快感。子宮からガスが出る。子宮頸癌。透明で、刺激性、粘着性の、塊のある帯下。圧迫に敏感な卵巣。
呼吸器：**窒息**の発作で泣く、叫ぶ、落ち着きがない、新鮮な空気を渇望、＜咳。喀出時、吐き気を催す、疲れさせる咳、＜性交後、雑音、＞喫煙。
心臓：ねじれる、急に躍動する。悪い知らせや恐怖で、心臓が震え、どきどきする。心臓疾患＜手を冷水でぬらす。心臓性舞踏病、腕の症状を伴う。硬脈、徐脈、不整脈。
首・背中：**痛いほど敏感な脊椎**、接触により胸、心臓の痛みが引き起こされる。尾骨痛、＞立つ、＜わずかな動き、接触。脊椎周辺の腫瘍。
四肢：落ち着きのない腕、**常に手を動かしている**、手指をほじる。落ち着きのない脚、歩きたい衝動。加速歩行。歩くほうが走るよりうまい。冷たく湿った手足。足の裏のかゆみ。のこぎりで切られるような骨の痛み。異常な収縮、とっぴな動き。弱い脚、しっかりと立て

ることができない、意思に従わない。ひざまずくのが難しい。
皮膚：紫色がかった。斑状出血。局所的な冷たさ、または冷たいものが局所に流れている、または滴るように感じる。癬。深い膿瘍。膿の排出を助ける。乾性皮疹（Ars. と Sulph. が効かなかった場合）、かゆみ。虫がはっているような感覚。
睡眠：深夜前の不眠、興奮に起因する。悲しい夢、めそめそする。
熱　：熱と悪寒が交互に生じる。全身が熱く、足が冷たい。敗血症。多量の、表皮剥離を生じる発汗。
補完レメディー：Ars.
関連レメディー：Agar., Mygal.

Tellurium　テルル

総体的症状：この金属は、皮膚を刺激する、脊柱、耳と目に影響を与える；神経痛を引き起こす、特に坐骨神経痛。分泌物は刺激性がある、かゆみを引き起こす、触れる皮膚の部分にことごとく小水疱を生じる。体臭と汗のにおいは不快で、ニンニク臭；魚の酢漬けのような耳からの分泌物のにおい。塩味、喉からの粘液、膿、など。鋭い急な痛み、その後のひりひりする痛み。しびれ。滞留している感覚。骨膜炎。線状の痛み。脊椎損傷、落下の悪影響。
悪化：接触。患部を下にして横たわる。寒さ。空嚥下。脊椎損傷。毎週。寒い天候。摩擦。かがむ。笑う。咳、排便でいきむ。
精神：敏感な部位に触れられる恐怖。ずぼらで忘れっぽい。
頭部：めまい、＜入眠時、＞完全に静かに横たわる。線状の頭痛。
目　：まぶたの硬化、炎症、かゆみ。翼状片。涙目。眼球損傷後の白内障。下側のまつ毛が内側に曲がっているような気がする。
耳　：炎症を起こした、青みがかった、むくんだ。鼓膜損傷による聴力低

下。魚の塩漬けのにおいのする耳漏。厚い痂皮を伴う耳の後ろの湿疹。耳道のかゆみ、はれ、ずきずきする感覚。耳の深部が常に痛い。

鼻：多量のコリーザ、流涙と嗄声を伴う、＜戸外を歩いているとき、しかし＞しばらく戸外にいた後。後鼻孔から塩気のする粘液を喀出。

顔：顔面筋の痙攣と歪み、＜会話中。痛みで口角がぐいっと上に動く。突然の紅潮。かみそりまけ。

口：ニンニク臭のする口臭。

喉：空嚥下の際にひりひり痛む、＞飲食後。

胃：リンゴを欲求。悪臭のするげっぷ。吐き気はあくびで治まる。米飯を食べた後の嘔吐。衰弱感あるいは空っぽの感覚。

腹部：つねられるような痛み。鼻をつくような悪臭の放屁。排便のたびの肛門と会陰のかゆみ。

呼吸器：胸筋の痛み、まるで捻挫したかのような、＜腕を上げる。腰のくびれの痛みを引き起こす咳。鎖骨周辺の痛み。肺の泡立つような感覚。

心臓：心臓の鈍痛、＞あおむけに横たわる。

首・背中：うなじと後頭部のしびれ。**脊椎の痛いほどの敏感さ**（最終頸椎から第5胸椎にかけて）。仙骨の痛みが右大腿にまでひびく、＜咳、笑うこと、排便時の圧迫。

四肢：仙骨深部の痛み、＜咳、くしゃみ、排便時にいきむ、横たわる。敏感な脊椎。膝の屈曲部の腱の収縮。臭い足の汗。ニンニク臭のする腋窩の汗。

睡眠：むかつき後の、または、げっぷを伴うあくび。食後の眠気。

熱：痛みに伴う寒け。あおむけに横たわるときに脊椎に感じられる寒け。部分的な発汗、かゆみを伴う。

関連レメディー：All-c., Sel.

Terebinthina　テルペン油

総体的症状：テルペン油は、<u>腎臓</u>と膀胱の**粘膜**、呼吸、気管支、心臓、血液に対して選択的親和性がある。**出血**は、受動性、黒い、臭い、粘膜から滲出する。リウマチを伴う腎臓疾患。筋肉の**疼痛、ひりひり感、こわばり**。**出血性紫斑病**。痛みは**排尿を刺激**する。大きな神経に沿った痛み、神経の冷感を伴う、または時に管の中を湯が流れているかのように感じる。あらゆる部位の**灼熱感**—舌の先、みぞおち、腰のくびれ、腎臓、子宮など。消耗し、**敏感**で、疲労している。平衡感覚の障害。アルコール、落下、酷使、抜歯の悪影響。ささいなことで打撲傷になる。

悪化：**湿気**。寒さ。夜。横たわる。圧迫。
好転：動作。かがむ。
精神：集中困難；ひどい過敏さ、生歯時に子どもは平常心を失う。昏睡。
頭部：頭の周囲にベルトがあるかのような感覚。疝痛に伴う鈍い頭痛。
目：アルコールに起因する失明。昏睡状態で嚥下時に、目を開ける。疾患のある側の目は赤黒く、顔は赤い。
耳：自分の声が不自然に聞こえる。時計の音のような雑音が聞こえる。大声で話されると耳が痛い。
鼻：子どもの受動性の鼻出血。コリーザを伴わない漿液の分泌。
顔：青白い、土気色、落ちくぼんだ。発汗に続く紅潮。
口：滑らかな、光沢のある、ひりひりする、赤い舌；先端の灼熱感。
胃：吐き気と嘔吐、ひどい灼熱感を伴う。みぞおちの灼熱感。吐き気＞緩い便。肉を嫌悪。口から肛門までのアフタ。冷たい、臭い息。
腹部：**打撲したようなひりひり感。ガスがたまる。鼓腸**。腹水症。多量の粘液便—水っぽい、緑色、臭い。血の混じった便。寄生虫。腸の潰瘍からの出血。腸が脊椎のほうに沈むような感覚。下痢、強直性痙

攣を伴う。

泌尿器：腎臓周辺の焼けるような、引っ張られるような痛み。子宮周辺の**灼熱感**または痛み。**血尿**を伴う有通性排尿困難。**くすんだ尿**－コーヒーの搾りかすのような、または濃厚な、黄色い、ねばねばした、泥状の沈渣のある；スミレのにおい。激しい**気管支炎**を伴う発疹後の腎炎。膀胱炎。膀胱出血。へそと膀胱に交互に生じる痛み、＞歩行。わずかな、抑圧された尿、生歯時。

女性：子宮周辺のひどい灼熱感、不正子宮出血を伴う。子宮筋層炎。ペッサリー装着後の子宮疾患。

呼吸器：胸部の灼熱感と締めつけ感。気管支喘息または多量の喀出物を伴うカタル。喀血。血の混じった喀痰。嗜眠状態と尿閉を伴う小児喘息。呼吸困難。

心臓：速い脈、小さい脈、糸様脈、間欠脈。

背中：腎臓疾患における背部痛とひりひりする痛み。

四肢：手がはれているように感じる。膝の激しい痛み。大きい神経に沿ったひどい痛み、＜湿った天候。足を広げて立つ、身体のバランスをとる力がない。筋肉が硬い、老人のように腰を曲げて歩く。上腕または肩甲骨下神経痛。歩くときに前に傾いているように感じる。

皮膚：出血性紫斑病、進行性。全身的な感受性の増大。ひどいかゆみと脈動を伴う、かき壊れていないしもやけ。

睡眠：**嗜眠状態**；尿閉などを伴う。

熱：皮膚下の熱。脚の冷や汗。

関連レメディー：Canth., Erig., Phos.

Thallium　タリウム

総体的症状：この希少金属は、きわめてのひどい神経痛、痙攣性の撃ち抜かれるような痛みに効果がある。電気ショックのような痛み。手指や足指から始まり、下肢に広がり、下腹部や会陰にまで及ぶ、しびれ、あるいは蟻走感。下肢の麻痺。脊髄癆。振戦。急性病または消耗性の疾患後のかなり急激な抜け毛。筋萎縮症。

Theridion　オレンジ毒グモ

総体的症状：このオレンジ毒グモの毒は、特に音に対する**神経**の**過敏さ**を生む。**音**が**身体を貫き**、歯に**影響を与え**、吐き気、悪寒、全身の痛みを引き起こす、痛む部位を打ちつける、など。**脊椎過敏症**を引き起こし、骨に影響を与え、カリエス、壊死を引き起こす。結核の悪液質。最適のレメディーが作用しないとき、特にカリエスと壊死の場合。くる病。骨折したような感覚。肺結核。水が冷たすぎるように感じる。内側に感じられる跳躍感。焼けるような痛み。船酔い。二重性の感覚。日射病の影響。思春期と更年期のヒステリー。小児の萎縮症；腺の肥大、消耗症を伴う。さまざまな部位の結節、特に臀部。

悪化：**雑音**。**接触**。**目を閉じる**。わずかな動作。激しい活動。**振動**。乗り物に乗る。寒さ。洗濯。性交。太陽。

好転：水平に横たわる。暖かさ。

精神：時間の経過が速すぎる。ささいなことで驚く。実りのない活動；何事にも喜びを思いだせない。ヒステリー。多弁さと浮かれ騒ぎ。自信の欠如。

頭部：吐き気を伴うめまい、＜かがむ、わずかな動き、**目を閉じる**、ひざまずく。睡眠時の頭痛、＜振動。閉経期の、吐き気と嘔吐を伴う頭痛。頭が鈍く感じられる、ほかの人のもののように思う、取り外せるような、または取り除きたい。片頭痛。頭痛、＜排便後。頭痛時は陽気。頭痛で横になることができない。洗濯後に失神する。

目：かがむと、視界がきらきら光る。眼前に光がちらちら揺れる、視界がぼやける、その後に頭部の疾患と衰弱。

耳：どんなに小さな音でも、音という音が全身にひびく、特に歯。両耳に、まるで滝のようなあふれ出る音。

鼻：鼻根の痛み。慢性カタル；黄緑色の、濃厚な、臭い分泌物。臭鼻症。後鼻漏。

顔：青白い。朝、顎が動かない。

口：不随意に開いたままになる、閉じられない。口の泡、身震いのする悪寒を伴う。歯に冷水が冷たすぎる。舌苔のある感覚、無感覚。午前中、歩行時の開口障害。睡眠中に舌の端をかむ。

胃：常に飲食したい衝動、しかし何がほしいかわからない。オレンジ、バナナ、たばこの煙、ワイン、刺激のある果物と飲み物を欲求。吐き気、＜ほんのわずかな動作、一つのものをじっと見つめる、雑音。吐き気とむかつき、＞湯を飲む。

腹部：肝臓周辺の激しい灼熱感。肝臓の膿瘍。性交後、動いた後、脚を体に引き寄せた後の鼠径部の痛み。

泌尿器：夜間の尿の増量、日中あまり出ない。

男性：昼寝中の夢精。淋病。前立腺肥大、会陰に塊があるかのような重い感覚、＜一歩ごとに。

女性：思春期と更年期のヒステリー。月経の抑圧。

呼吸器：左の浮遊肋の末端の痛み。咳で身体がびくっと動く、頭が前に、膝が上に。肺に空気が入りすぎるように思う。胸の高い部分の刺されるような痛み、左の肺尖を通って戻る。肺結核。階段の上り下り

の際の呼吸困難。
心臓：心臓に関する不安；鋭い痛みが腕と左肩に放射状に広がる。めまいを伴う遅い脈。
首・背中：脊椎は圧迫、振動に敏感で、圧迫を避けるために、いすに横向きに座る。
四肢：上腕の灼熱感。手のじっとしていられない感覚、ねじる。肘から肩にかけての刺されるような痛み。足を組んで横たわる、座る、ほどくことができない。
皮膚：皮膚の刺痛。かゆみ。
熱：身震いする悪寒に伴う口の泡。内側の冷たさ。冷や汗がすぐに出る。
関連レメディー：Asar., Sil.

Thiosinaminum　カラシ種油

総体的症状：カラシ油から生成した化学物質で、瘢痕、腫瘍、腺肥大に、外用でも内服でも、消散薬 として作用する。2Xの半粒を希釈して、1日に2〜3度投薬する。

Thuja occidentalis　ニオイヒバ

総体的症状：ハーネマン博士は、Thujaが淋病マヤズムの解毒薬であることを発見した。主に、**泌尿生殖管**の粘膜、腸、**皮膚**、**精神**、**神経**、**腺**、後頭部、左側に作用する。**軟らかい、増殖力のある、菌状組織**―ポリープ、コンジローム、有茎性の、黒い、抑圧された、いぼ―のレメディーである。水素体質またはリンパ体質。ひどい疲はいと、急速なるいそう。患者は**消耗して、弱く**、身体はやせて繊細

でもろく感じられる。患部の生気がない。分泌物は臭い、刺激性がある、**かび臭い**、**鼻を突くような**、または**甘いようなにおい**。尿道における**滴り**。焼けるような、刺されるような、しびれるような、引っ張られるような、または遊走性の痛み、＜暖かさ。脂っぽい便、皮膚、汗。肉が骨からたたき落とされるような感覚。関節の浮腫。脊椎に原因のある上半身の震え；舞踏病。歩行中に身体が軽い感覚。ワクチン病—予防接種以来の不調—、神経痛、皮膚疾患など。父親から淋病の病毒を遺伝的に受け継いだよく泣く乳児、先天性鼠径ヘルニア。痛みは、常に起源となる部位から放射状に広がる。神経衰弱症、前立腺の。リウマチ。麻痺。抑圧された淋病（gonorrhea）。たばこの悪影響。抑圧された淋病（sycosis）、イチジク状のイボ。吻合による動脈瘤；血管の腫脹。縫われるような、まるでずたずたに引き裂かれるような腺の痛み。

悪化：寒さ；湿気のある暑さ；寝床の。周期的、午前3時と午後3時、毎年。上弦の月。月明かり。月経時。排尿。茶。コーヒー。甘いもの。脂肪分の多い食物。タマネギ。太陽。そしゃく。明るい光。水銀。梅毒。伸び。性交。目を閉じる。

好転：暖かい覆い、空気、風。**多量の分泌物**。くしゃみ。動作。脚を組む。接触。脚を体に引き寄せる。さする。引っかく。

精神：見知らぬ人が横にいるかのよう、肉体と精神が分離しているかのよう、身体がもろい、ガラスでできている、**まるで何か生き物が中にいるかのよう**、力のある者の手中にあるかのよう、という**固定観念**。**性急**で不機嫌；急いで話す；言葉をのみ込む。悲しい。人生に対する嫌悪。ささいなことで過度に興奮したり、腹を立てる、あるいは、ささいなことを心配する。音楽ですすり泣く、足が震える。神経質、見知らぬ人が近づいてくると震える。集中できない。正気でない女性の場合は、触れることも、近づくこともできない。緑色の縞を見る際の恐怖。ゆっくりした話し方、言葉を探す。過敏、嫉

妬、夫または母親とよくけんかする、見知らぬ人や医者に対しては自分を制御する。クレチン病。産後の精神的な落ち込み。部屋の中を円を描いて歩く。

頭部：揺れるような動きによるめまい；目を閉じる、見上げる、または横を見ると、すべてがジャンプしているよう。**爪で突き刺されるような痛み**。頭痛、＜過剰な性行為、茶、＞頭を反らす。引き裂かれるような、痙攣するような痛み。白いうろこ状のふけ。髪の毛の乾燥、枝毛、抜け毛。ハチミツのにおいのする汗。

目　：血のように赤い；涙でいっぱい；ずっと開いている。鉛のようにまぶたが重い。ぎざぎざの虹彩。虹彩炎。強膜炎。麦粒腫と瞼板の腫瘍。まるで頭の中から目を通って、冷気が流れ出てくるような感覚、＞暖かく覆われるとき。光視症、視野の向こう側。(緑の) ストライプが浮かぶ。眼球突出；眼球の背部の腫瘍による。

耳　：水っぽい、膿状の、臭い耳漏。空嚥下の際、パチッという音がする。湯を沸かしているような耳の中の音。

鼻　：**血の混じった痂皮**；鼻に塩水のにおい。鼻をかむと、濃厚な緑色の粘液が出る。鼻出血、＜過剰に熱くなった後。

顔　：青白い、ろうのような、**てかてかした**、目の下が黒ずんだ。クモの巣のような網目模様。ほお骨（左）に穴を開けられるような痛み、＞接触。脂っぽい皮膚。淋病の抑圧、または耳の発疹の抑圧による神経痛。ほおの腫瘍。

口　：歯茎との境の虫歯、歯が砕ける、黄色くなる。歯の食い込むような痛み、＜寒さ、茶、鼻をかむ。膿漏。ガマ腫。舌と口の静脈瘤、アフタ；口の潰瘍。舌の付け根に近い側面の白い水疱、ひりひり痛む。舌がはれているため、たびたび舌をかむ。淋病に伴う甘い味。食べ物をそしゃくしていると乾燥する。

喉　：喀出困難な喉の多量の粘液。

胃　：**嚥下時に音がうるさい**。大きなげっぷ。悪臭のする、または脂っぽ

いおくび。イモと新鮮な肉を嫌悪。タマネギ不耐。茶の愛飲者の消化不良。朝食を食べられない。冷たい飲み物と塩を欲求。

腹部：大きい、膨らんだ、胎児の腕であちらこちらが突出した；(年配の家政婦の) 何かが生きているような動き。腹部の硬化。ゴロゴロいう鼓腸；上部が引っ込んだ。へそ周辺のひりひりする感覚。下腹部の、切られるような、絞られるような感覚。腸閉塞。腸がゴロゴロいう、その後、痛みを伴わない、草色の便。ゴボゴボ音を立てる、または飛び出す便、＜朝食。便は硬い、脂っぽい、黒い、瘤がある、ほとばしり出る水分と混じっている；性急な、爆発性の、ガスを含んだ、噴霧になって出る。鼠径部の切られるような、ねじられるような感覚。痔は腫脹し、痛い。肛門裂傷、イボ状の肛門、肛門の滲出。湿った会陰。陰茎の硬化を伴うしぶり。会陰の瘻孔。

泌尿器：膀胱と尿道の切られるような、ねじられるような痛み。膀胱が麻痺した感覚、排尿するには待たなければならない、排尿は頻繁で、性急、ほかの部位の痛みを伴う；多量の流出を伴う尿意促迫。尿の灼熱感、滴下、悪臭の尿。排尿後も、尿管を滴が下りてくるような感覚。排尿時に尿管の前方を切られるような感覚。尿の流れが分岐する、少ない。左の腎臓からみぞおちにかけての痛み、＜動作。尿酸血症。糖尿病。夜間の、咳をする際の不随意の排尿。泡立った尿。

男性：淋病、排尿時にやけどするほど熱い。淋病の抑圧によるリウマチ。前立腺肥大。生殖器が臭い。陰嚢周辺の甘い汗。精巣の打撲したような感覚；左側が引き上げられている。包皮のはれ。包皮と腺の病的増殖物。性病索、＜夜間。臭い精液。

女性：**非常に敏感な腟**、性交を避ける；かゆみ。左の卵巣の腫脹、引き裂かれるような痛みを伴う＜月経。多量の、濃厚な、緑色がかった帯下、月経から次の月経まで。子宮頸部のびらん。胎児が激しく動く、母親を起こす。妊娠3か月の流産。カリフラワー状の病的増植物、すぐに出血する。直腸腟瘻。月経前に器官が汗ばむ。陥没乳

頭。月経が早すぎる、短すぎる。
- **呼吸器**：息切れ、呼吸困難、＜深呼吸と話すこと。日中のみの咳、＜何か冷たいものを飲食したとたん。横になっているときは、喀痰が容易；緑色の古いチーズのような痰。喘息、＜夜。淋病体質の子どもの喘息。胸の痛みがあらゆる方向に広がる。鎖骨周辺の皮膚が青い。胸の茶色い斑点。声帯のポリープ。喘息では、**Ars.** が指示されるにもかかわらず、治癒させることができなかった場合に、**Thuj.** と **Nat-s.** で治癒させることができる。
- **心臓**：朝目覚めたときの、不安を伴う動悸。
- **首・背中**：背中の拍動。腎臓周辺の圧迫されるような痛み。長筋の萎縮。脊椎湾曲。立つと猫背になる。血瘤腫。
- **四肢**：関節を伸ばすと鳴る。手指が冷たく、しびれ、死んだよう、夜目が覚めたとき。手または足の指先の虫がはうような感覚、炎症。歩行時に股関節がはずれる。四肢が麻痺した感覚。落ち着きのない膝。爪が**痛む**、もろい、砕ける、退色、変形。**足の裏の圧通を伴う股関節痛**。臭い、刺激性のある足の汗。うねのある爪、軟らかい。内側に食い込む足の爪。
- **皮膚**：茶色い、**しみだらけ**、**不潔**、毛深い。発疹のかゆみ、または激しい灼熱感、＜冷水浴。湿った臭いポリープ。母斑。覆われている部位にのみの発疹。扁平な潰瘍、先端が落ちくぼんでいる。通常は毛髪の生えない部位の毛髪の増殖。帯状疱疹。
- **睡眠**：左側を下にすると眠れない。しつこい不眠。死ぬ夢を見る；高所から落ちる夢。
- **熱**：あくびを伴う身震いする悪寒、＜排尿、暖かさでは好転しない。熱感が胸に上がってくる、**氷のように冷たい手**、鼻出血または咳を伴う。覆われていない部位にのみの発汗；覆われている部位には、汗を伴わない熱感、手は冷たい、＞洗う。**生殖器に多量の発汗**、ほとばしり出る、＜人と一緒にいる。臭い、脂っぽい、刺激性の、甘

い、時にニンニク臭の、黄色いしみになる汗。
補完レメディー：Med., Nat-m., Nat-s., Nit-ac., Puls.
関連レメディー：Asaf., Calc., Ign., Kali-c., Lyc., Merc.

Thymol　モノテルペン誘導体

総体的症状：鉤虫病の特効薬とされている。性的神経衰弱。

Thyroidinum　子ウシの甲状腺

総体的症状：ヒツジまたは子ウシの乾燥甲状腺からつくられたサルコード。甲状腺は、**心臓**と密接な関係がある。さらには、**栄養、成長、発達**に関与する臓器のメカニズムを全般的に調整する働きをする。中枢神経系、左側の皮膚に作用する。ふくれている、肥満の状態。疲労感、気分が悪い、疲れやすい、横になりたい。失神の発作、顔と四肢の神経性の震え。突き刺されるような、引き裂かれるような、しっかりつかまれるような感覚。窒息。急速なるいそう。甲状腺腫。刺痛。粘液水腫、毛髪の喪失とクレチン病。小児の発達遅滞。小児の消耗。少年の停留精巣。甲状腺の弱さから、多量の糖分を断固として欲求する。先端巨大症；骨折後の癒合が遅い。<u>テタニー</u>、＜寒さ。ヒステリー性てんかん。身体に冷風が吹き付けるような感覚。関節リウマチ。浮腫。乳腺腫瘍。低血圧。

悪化：わずかな激しい活動、または寒さ。かがむ。

好転：うつぶせに横たわる、またはもたれかかる姿勢。

精神：昏迷と落ち着きのないうつの状態が交互に生じる。めそめそする、裸になる。殺人傾向。疑い深い。迫害の観念。短気、ささいなこと

で激怒する、＜反対されること。常にぶつぶついう。自分でも奇妙な笑い方。

頭部：脳が軽い感覚。しつこい前頭部の頭痛；目が重い。毛髪が抜ける。
目　：眼球突出性甲状腺腫。中心暗点を伴う進行性の失明。
耳　：小骨硬化症。
鼻　：室内では乾いており、戸外では鼻汁が出る。
顔　：紅潮。唇の乾燥、赤さ、灼熱感、落屑を伴う。
口　：分厚い苔のある舌；舌先の金属味。
喉　：乾燥、灼熱感。とげが喉にひっかかったかのような感覚。
胃　：甘いものを欲求、冷水を欲求。つわり。
腹部：肝臓の切られるような痛み、＜深呼吸。腹鳴を伴う腸内を回るガス、その後の緩い、ガスを含んだ便。骨盤から大腿前部にかけての圧迫感と痛み。
泌尿器：尿量の増加。糖尿病。スミレのにおいの尿。病弱な小児の夜尿症。
女性：無月経。子宮のかじられるような痛み。無乳。つわり。子宮筋腫。乳腺腫瘍。産褥痙攣、産褥期精神障害。
呼吸器：喉頭の乾燥。痛みを伴う乾燥した咳、暖かい部屋に入ったとき、冷気から。息切れ、＞横向きに寝る。
心臓：**動悸**、＜わずかな激しい活動；猛打；耳に鼓動が伝わる。頻脈。心臓の痛みが腋窩に伝わる；わしづかみされるような、締めつけられるような、＜横たわる；息切れを起こす。重労働後の心肥大。血液が下方に向かう感覚。心臓が飛び出しそうな感覚。腕と手の大静脈。
四肢：四肢の静止時振戦；震え。しびれ；左の手指、その後、右脚。左手が氷のように冷たい。冷たい、じとじとする手。過剰に激しい活動をしたことによる、四肢の異常な成長。
皮膚：非常に乾燥している。発疹を伴わないかゆみ。脂肪過多症を伴う疥癬。魚鱗癬。黄疸に伴うかゆみ。下肢の皮がむける。肥厚し浅黒い

腫脹。左右対称の蛇行性の発疹。
熱　：紅潮、その後の悪寒、滴るような汗。脂っぽい、かび臭い汗。
関連レメディー：Calc., Glon.

Tilia europaea　西洋菩提樹

総体的症状：筋肉の衰弱を引き起こし、女性の泌尿生殖器に影響を与える。腹部、**子宮**などの強烈な**ひりひりする痛み**。下方に押されるような、または、引っ張られるような泌尿生殖器と直腸周辺の痛み。寝床が硬すぎるように感じる。浮腫。神経痛。リウマチ。希薄で色の薄い出血。**汗をかけばかくほど、痛みはひどくなる。**
悪化：**発汗**。すき間風。話すこと。睡眠後。歩行。くしゃみ。
好転：涼しい部屋。戸外を歩き回る。
精神：失恋。社会を怖がる。
頭部：（右から左にかけての）神経痛、眼前にベールがかかったような。
目　：目の前にガーゼがあるかのように見える。まるで、一片の冷たい鉄を右目に押し通されたことにより、灼熱感を感じるかのよう。
鼻　：頻繁なくしゃみと多量のコリーザ。鼻出血。
腹部：温かい汗を伴うひりひりする痛み、汗により緩和されない。腹膜炎。
泌尿器：尿道の重い、引っ張られるような痛み。わずかな尿量。
女性：子宮周辺のひどいひりひり感；熱い汗を伴う下方に押されるような痛み、汗で症状は緩和されない。外性器のひりひりする痛みと赤み。産褥期子宮筋層炎。
呼吸器：喉のむずむず感から発生する咳。
皮膚：蕁麻疹。かいた後のひどいかゆみと炎のような灼熱感。
睡眠：眠い、＜痛みの間。

熱 ：眠りに落ちてすぐの、多量の温かい寝汗、それにより緩和しない。
関連レメディー：Apis., Calc., Lit-t.

Trifolium pretense　　ムラサキツメクサ

総体的症状：まるで、多量の不純物を含んだ熱い空気を肺に吸い込んだような感覚。流行性耳下腺炎の予防。まだ潰瘍形成が始まっていない癌性腫瘍の進行を抑制する。マザーチンキを使うこと。

Trillium　　エンレイソウ

総体的症状：一般名であるbirth-rootが、その用途を示唆している。**出血のレメディー**、あらゆる出血－分娩前、分娩後、閉経期、線維腫。血が噴出する、鮮紅色、**ひどい脱力感とめまい感を伴う**。骨盤周辺の**弛緩**。
悪化：**動作**。閉経期。背筋を伸ばして座る。
好転：戸外での激しすぎる活動。きつく縛ること。前に曲げること。
頭部：鈍痛、＜雑音、歩行、咳、＞前に曲げる。
目：大きすぎるように感じる、眼窩から落ちそうに感じる。すべてが青く見える。
鼻：多量の鼻出血。
口：抜歯後の出血。
腹部：胃の**脱力感と沈むような感覚**。血の混じった分泌物を伴う慢性の下痢。ほとんど鮮血が出る赤痢。
女性：**臀部、背中、大腿の骨が力づくで引き離されるかのような、あるいは、ばらばらにされるかのような感覚を伴う子宮出血**、＞きつく縛

る。胃の脱力感と沈むような感覚を伴う出血。2週間ごとの月経。妊娠中の静脈瘤。産後の尿の滴下。多量の、長時間続く、悪露の分泌。多量の、黄色い、粘着性の帯下。
補完レメディー：Calc-p.
関連レメディー：Sabin.

Trombidium　アカコナダニ

総体的症状：赤痢の治療の特効薬、＜飲食物。茶色い、細い、血の混じった便、排便前後のひどい痛み。食後にのみ排便する。夕食中の鼻からの粘液の分泌。

Tuberculinum　ヒトの結核菌

総体的症状：このノゾーズは、結核の膿瘍、または、純粋培養した結核菌から抽出したグリセリンのどちらかからつくられている。**精神**、**肺**、後頭部、腺と喉頭に影響する。初期の結核治療に非常に有効。**症状は常に変化する、突然始まる、突然終わる、または本質が不明瞭**、そして、よく選択されたレメディーで、好転がみられないとき。衰弱、るいそう、食欲は旺盛。わずかに露出しただけで、**患者はすぐにかぜをひき、最後は下痢になる**。天候の変化に影響を受けやすい。再発する状態。常に疲労しており、動くと、極端に疲れる。ますます疲労し、バイタリティーが低下する。急速な衰弱。青白い顔色の胸幅の狭い患者に適合する。腺病；腺の肥大。アデノイド。**結核の病毒**。静止時振戦。精神遅滞の子ども。てんかん。神経衰弱症。精神的にも身体的にも、非常に敏感。神経衰弱。震え。

衣類が湿っているように感じる。Tub. で効果が得られなかった場合、Syph. をその後に投与すると反応が出る場合が多い。このレメディーは、心臓が衰弱しているときに投与してはならない。全身の打撲したような痛み。骨の痛み。蟻走感。失神。

悪化：**締め切った部屋**。動作。**激しい活動**。天候の**変化**；**湿気**；寒さ。すき間風。**寝起き**。雑音。そのことについて考える。精神的興奮。音楽。**腰のベルトの圧迫**。立つこと。周期的。

好転：冷たい風。外気。動作。

精神：音楽に**敏感**。**ささいなことがすべて気に障る**、<寝起き。感情の激発、けんかしたい、人に物を投げたい、原因がない場合でも。**不満足**；常に変化を求める。旅行がしたい、一か所に長くとどまることを好まない、何か違うことがしたい、新しい医者を探す。人生に疲れきっている。精神活動を嫌悪。無鉄砲。動物、犬を怖がる。ほんのささいなことで、めそめそ泣き、文句を言う。汚い言葉遣いをしたり、のろったり、ののしったりしたがる。気分が変化する。混乱；部屋にあるものすべてが奇妙に思える。夜の幻覚。恐怖で目覚める。子どもは叫びながら起きる、落ち着いていられない。不安。絶望。多弁；発熱時。矛盾－躁病とうつ病、不眠症と昏迷。

頭部：深い激しい頭痛；髪をかきむしる、頭をこぶしで打ちつける、または壁や床に向かって突進する、<動作、目（右）の上から頭を通って耳（左）の後ろにかけての、または右の前頭隆起から、右の後頭部にかけての撃ち抜かれるような痛み。脳がゆるんでいるように感じる。髄膜炎。敏感な頭皮。もつれた髪。周期的な頭痛。

目：眼瞼縁の湿疹。ひりひりする、打撲したような眼球の痛み、<眼球を動かす。髄膜炎に伴う斜視。

耳：しつこく、臭い耳漏れ。鼓膜の穿孔、破れた鼓膜縁。

鼻：小さいせつの集まり、非常に痛い、鼻の中に次々とできる、緑色の臭い膿。鼻の発汗。かぜの最後には下痢になる。

顔　：老けた、浮腫性の、青白い。ほお骨の痛み。
口　：歯が、全部一緒に詰め込まれたような感覚、口の中に歯が多すぎる
　　　ように感じる。空気に敏感な歯。**生歯の遅れ**。乾燥、ねばつき。唇
　　　の黒い水疱。
喉　：食後に粘液を喀出する。アデノイド。後鼻孔の乾燥。扁桃肥大。
胃　：**冷たい乳を欲求**。または甘いものを欲求。肉を嫌悪、すべての食べ
　　　物を嫌悪。空っぽの空腹感から、食べようとする。
腹部：早朝の突然の下痢。茶色い、**臭い**、水っぽい便、かなり力まないと
　　　排便できない。腸間膜瘻。数週間に及ぶ子どもの下痢、消耗、極度
　　　の疲労、青白い顔色を伴う。咳をすると直腸が裂けそう。鼠径腺が
　　　硬化して、目に見える。太鼓腹。慢性の下痢、過剰な発汗を伴う。
　　　便秘、便は大きく硬い、その後の下痢。脾臓周辺が膨れ出る；走っ
　　　た後のわき腹の痛み。
泌尿器：排便時に排尿するにはいきまなければならない。夜尿症。粘着性
　　　のある尿の沈殿物。
女性：出産後すぐに月経；月経が早すぎる、量が多すぎる、長く続く。月
　　　経困難症、流れとともに痛みが増す。乳腺腫瘍、良性。陥没乳頭。
　　　無月経。乳房のひどい痛み、月経開始時に。
呼吸器：新鮮な空気が十分にあるにもかかわらず**窒息感**；冷気を欲求。嗄
　　　声、＞話す。乾性の、激しい咳、睡眠中にひどい、および呼吸困難。
　　　悪寒と顔の紅潮を伴う咳、＜夕方、腕を上げる。粘液が胸でガラガ
　　　ラいう、喀痰は伴わない。胸に痛む部位がある。喘息。インフルエ
　　　ンザ後の肺炎。多量の喀出物。濃厚な黄色い、または黄緑色の痰。
心臓：心臓の重さと圧迫感。深呼吸に伴う動悸、夕食後。
首・背中：首筋の緊張感。背中の痛み、動悸を伴う。両肩の間、または背
　　　中の上部の冷え。
四肢：手や腕が不自由な感覚、書くことも、コップやグラスを持ち上げる
　　　こともできない。手の指先が茶色い。四肢の疲労感。寝床で足が冷

たい。四肢が衰えた感覚、または麻痺した感覚、＜夕食。急性の関節リウマチ。尺骨神経の痛み。

皮膚：乾燥、**ざらざら**、敏感、日焼けしやすい；冷気に当たるとかゆい。糠状の鱗屑。乾癬。慢性の湿疹。かくと、かゆい部位が変わる。

睡眠：鮮明な夢、恥ずかしい夢、怖い夢。恐怖で目覚める。眠りに落ちるときの震えるような感覚。夜間、落ち着きがない、寝言で叫ぶ。

熱 ：眠りはじめは寒い、しかし新鮮な空気を欲求。疾患のある側のほおが熱い、部分的に。一過性の熱感、＜食べること。生殖器の灼熱感。発汗しやすい、冷や汗、じとじとする汗；上腕の、手の；黄色いしみになる＜咳。どの段階でも、覆われていたい。

補完レメディー：Bell., Calc., Kali-s., Psor., Sep., Sulph.
関連レメディー：Bar-c., Calc-p., Phos., Puls., Sil.

Uranium nitricum　硝酸ウラニウム

総体的症状：糖尿病と尿量増加のレメディー。過剰な喉の渇き、吐き気、嘔吐、過剰な食欲。真性糖尿病および尿崩症。極度のるいそう。衰弱。腹水症の傾向、全身性の浮腫。腎炎。高血圧。胃の灼熱感；胃潰瘍。尿失禁。排尿中の尿道の灼熱感。夜ごとの射精を伴うインポテンス。

悪化：夜。
好転：深呼吸。

Urtica urens　イラクサ

総体的症状：stinging nettle（訳注：stingingは針で刺す、nettleはいらいらするの意）という一般名がほのめかすように、刺されるような、または**刺されるような焼けるような痛みを起こす**。<u>乳腺、泌尿生殖器</u>、肝臓、脾臓に影響を与える。身体の尿臭。尿酸体質。リウマチを伴う、またはリウマチと交互に生じる**蕁麻疹**。出血。熱湯、ハチ刺され、貝類や甲殻類を食べること、母乳の抑制、蕁麻疹の悪影響。血管神経性の浮腫。

悪化：雪交じりの空気、冷たく湿った空気。冷水浴。毎年。接触。腕を下にして横たわる。

頭部：脾臓の刺されるような痛みを伴う頭痛。

腹部：小さな、痛みを伴う便。ゆで卵の白身のような白いものの混じった粘液。蟯虫による肛門のひどいかゆみ。蕁麻疹の抑圧に起因する嘔吐。

泌尿器：刺激性の尿によって、かゆみが生じる。尿砂。<u>尿酸毒素血症</u>。抑制された尿。

男性：生殖器のかゆみ、灼熱感のため眠れない。

女性：外陰掻痒症；かゆみ、刺されるような痛み；患部の浮腫。産後の**乳汁分泌の減少**。刺されるような、焼けるような痛みを伴う乳房の腫脹。離乳後の乳の流れを阻む。

呼吸器：激しい活動後の喀血。

四肢：三角筋（右）の持続的な痛み、上着を着用できない、＜内側に腕を回す。急性の痛風。

皮膚：かゆみ、赤い斑点ができる。蕁麻疹、毎年同じ時期。あせも。盛り上がった**蕁麻疹**、リウマチを伴う、貝類や甲殻類を食した後、蟯虫を伴う。小水疱。ひどい灼熱感とかゆみを伴う、Ⅰ度の火や熱や腐

食剤による熱傷や熱湯や湯気による熱傷。
熱　：めまいを伴う夜間の発汗、全身の拍動を伴う
関連レメディー：Form., Nat-m., Oci.

Ustilago maydis　トウモロコシ黒穂病菌

総体的症状：トウモロコシの黒穂病は、**女性生殖器**、皮膚、毛髪、爪に影響を与える。うっ血性、受動性、**またはゆっくりした出血**、または凝血塊；血は黒ずんでいるが、水っぽい。**黒っぽい出血**。子宮、腸、喉などに**結び目**があるかのような感覚。**毛髪や爪が抜ける**。自慰による疲はい。閉経期の背の高いやせた女性に適合する。

悪化：閉経期。接触。動作。

精神：精神のひどい落ち込み。頻繁にめそめそ泣く。

頭部：べたべたする分泌物で髪のつやがなくなる。乳垢。多量の経血を伴うめまい。月経不順による神経性の頭痛。

腹部：まるで腸が結ばれているかのような痛み。疝痛様の痛み、＞硬い便または便秘。

男性：抑えがたいマスターベーションの衝動。性的な想像。夜ごとの射精、女性と話をしているときでさえ。

女性：代償性月経、肺と腸からの。経血は、半ば液体で半ば凝血、鮮紅色、＜わずかな怒り。月経過多、閉経期の、流産後の。黒っぽい血の滲出、凝固した、太い黒い糸状になる。海綿状の子宮頸管、出血しやすい。急性の卵巣痛（左）。卵巣（右）の灼熱感を伴う苦痛。子宮と卵巣（左）のひりひりする痛み。痛みは大腿を下降する。臭い、黄色または茶色の帯下。左乳房下、肋骨の下縁の持続的な痛み、月経間期の。子宮肥大；子宮復古不全。子宮がぎゅっと結ばれたように感じる。授乳時の下方に押されるような感覚。子宮筋腫。

このレメディー使用後に、腫瘍が消えたことが確認されている。原因のない抑制月経、随伴症状を伴う。
背中：熱湯が背中を流れているような感覚。
四肢：下肢の筋肉の収縮。
皮膚：乾燥、熱い。
関連レメディー：Asaf., Bov., Sec.

Vaccininum　牛痘ワクチン

総体的症状：牛痘ワクチンからつくられたノゾーズ。ワクチン病として知られる慢性病に効果がある。神経痛。慢性の皮膚発疹；新生物（new growth）；淋病マヤズムによる病態（sycotic conditons）。
関連レメディー：Maland., Thuj.

Valeriana　ヨウシュカノコソウ

総体的症状：脊髄、泌尿生殖器の**神経**を過敏にさせる。**精神、筋肉、ふくらはぎ、踵、アキレス腱に影響を与える。精神的、身体的傾向が突然変化する**；極端になる。突き刺されるような、引き裂かれるような、**外側に向かう**、あちこちで感じる、感じたり消えたりする、こちらからあちらに飛ぶ痛み。視覚、聴覚、味覚や嗅覚の**幻覚（錯覚）**。浮かんでいる感覚、二重性の感覚、ボールがあるような感覚または栓をされているような感覚。反応が乏しい。症状が交互に生じる。全神経の動揺－びくっと動く、ぴくぴく動く、震える。落ち着きのなさ、**動きたい衝動**、じっとしていられない。単一部位の脆弱さ－目、腕、手首、膝窩。ヒステリー球。食道から糸が垂れ下がっ

ているかのような感覚。神経質で、**いらいらして**、**弱い**、ヒステリーな女性で、知的機能が優位で、神経痛に悩まされる。赤い部位が白くなる。わずかな損傷から痙攣が起こる。初期のとこずれ。てんかんの発作。四肢の麻痺と収縮、ヒステリー性。常に熱く、不安。

悪化：<u>休息</u>。**立つこと**。興奮。夕方。外気；すき間風。絶食。暗闇。かがむ。

好転：姿勢を変える。歩き回る。さする。寝起き。食事、朝食。

精神：精神障害は、ある極端な感情から、もう一方の極端へと移行する、最高の喜びから、全くの悲しみへ、ぶつぶついう不平から、かんしゃくへ。忍耐がない、一つの事柄から次へと素早く移行する。誤った考え、自分は誰かほかの者だと思う、まるで周囲のすべてが奇妙で、好ましくないように感じる。身体をくねらせる、のたくり回る。怒り。失神する傾向。ヒステリー；独りになることと、暗闇を恐れる。狂気、どなり散らす、悪態をつく。動物や男性が見える、想像する。

頭部：発作的な痛み、＞動き回る、＜日光。頭の上方が冷たい。かがむとめまいがする。まるで浮かんでいるように軽く感じる。

目：暗い部屋の中で目の前が光輝いている。鋭い視覚。物が近すぎるように見える。狂暴な目つき。

耳：幻聴、ベルが鳴っているように聞こえる。耳漏、＜すき間風と寒さ。

顔：突然痛みが始まる、びくっと動く。筋肉痙攣。戸外ではほおが赤く熱い。

口：臭い、脂っぽい味。喉で感じる吐き気。分厚い苔舌。

喉：唾液分泌過多と嘔吐を伴う、糸があるような感覚。

胃：腐った卵のようなおくび。吐き気を伴う空腹感、へその周辺からのような。子どもは、授乳後、母に怒られた後に、大きな塊の凝乳を吐く。何か温かいものが胃にこみ上げてきて、窒息しそうに感じる。胃痙攣。

腹部：膨張。激しい腹痛。**鼓腸**－ヒステリー性。凝乳の塊を伴う、薄い、水っぽい下痢、子どもは激しく泣き叫ぶ。食後の激しい腹痛、夜間に寝床の中で。腹を不随意に引き寄せる。

泌尿器：尿の増量、頻尿；神経質な女性の。

呼吸器：眠りに落ちるときの喉の詰まり。窒息しそうになって目が覚める。喘息。

心臓：速い、小さい、弱い脈拍を伴う心臓の縫われるような痛み。

四肢：痙攣性の痛み、上腕（左）の電気ショックのような衝撃、そのため目が覚める。常に、または座っているときに痛みを感じる。坐骨神経痛、＜立っているとき、休息、座る、＞歩行、さする。常にびくっと動く。ふくらはぎの緊張性の痛み、＜脚を組む。（右）二頭筋のひきつり、字を書くとき。手足がひきつるので眠れない。ふくらはぎから踵にかけての痛み。歩行後、脚が軽く感じる。

睡眠：睡眠不足、夜ごとのかゆみ、筋肉痙攣、神経興奮に起因する。

熱：後頭部から背筋を寒けが伝い下りる。不愉快な熱感のみからなる発熱。突然の汗の噴出、特に額に集中して。吐き気と嘔吐を伴う、身体の氷のような冷たさ。

関連レメディー：Asaf., Ign.

Vanadium　バナジウム

総体的症状：肝臓と血管の変性状態に効くレメディー。心臓と肝臓の脂肪変性。動脈硬化症。肝疾患における、額の濃い斑。ひどい衰弱。

Variolinum　天然痘

総体的症状：天然痘の小膿疱のリンパ液からつくられたこのノゾーズは、天然痘の感染予防とワクチンによる感染予防に優れた効力があることがわかっている。天然痘の症状を緩和し、治癒を促す。**筋肉の総体的な痛み、＜背中、後頭部、脚**。血管、脊髄に、石灰性の沈着物。

悪化：動作。**予防接種**。

精神：天然痘に対する病的な恐れ。

頭部：狂ったような感覚。氷のように冷たい手足を伴う頭痛。

目：起床時に緑色に見える。

口：睡眠中に舌を突き出す。むかつくような金属の味。口臭。

胃：どんなにおいにも吐き気を催す。食べ物を吐き戻したい。乳を飲むや否や吐く。

腹部：太鼓腹、上向きに膨れる；妊娠しているように見える。

背中：**骨折したような背中の痛み**。背中の痛みが腹部に移動する。

皮膚：皮膚下を虫がはうかのような感覚。手のひらの湿疹。**膿疱性の皮疹**；臭い。帯状疱疹、その後の痛み。えぐり出されているように見える潰瘍。

熱：背中を冷水が伝わるような感覚。激しい悪寒。焼けるような熱。臭い汗。

関連レメディー：Ant-t., Cimic., Maland.

Veratrum album　バイケイソウ

総体的症状：バイケイソウは、**精神**、**神経－腹部**、**心臓**、血液、血管、呼吸、頭頂、そして消化器系に深く作用する。**多量の排出**－嘔吐、下痢、唾液分泌、発汗、排尿、**激しい疲はい**、**冷たさ**、青み、**虚脱**を伴うのが、特徴的な症状。**症状は、激しく突然起こる**。失神の大きなレメディー－感情に起因する失神、わずかな激しい活動からの失神、出血を伴うささいな損傷からの失神、排便・嘔吐後の失神。すべての疾患に伴う**額の冷や汗**。氷のように**冷たい**－息、舌。胸部、腸、手、手指、足指、足の裏の緊張性**痙攣**または**ひきつり**、下痢を伴う。急性疾患、ゼーゼーいう咳、マラリア熱などにおける、進行性の衰弱とるいそう。突然の脱力。消耗性の体液喪失後の麻痺。宗教的興奮からの痙攣。すべての粘膜の過剰な乾燥。灼熱感。術後のショック。子どもは、抱かれて速足で歩き回られると気分がよくなる。冷たい血液が流れているように感じる。敗血症、膿血症。撮空模床。恐怖、失恋、傷つけられたプライドと名誉；発疹の抑圧、アヘン、たばこ、アルコールの悪影響。

悪化：**激しい活動**。**飲むこと**；冷たい飲み物。恐怖。**痛みの最中**。湿った冷たい天候、天候の変化。月経前、月経中。排便前・中・後。接触、圧迫。傷つけられたプライドと名誉。アヘン。喫煙。

好転：暖かさ、覆うこと。歩き回る。熱い飲み物。横たわる。肉食。乳。

精神：不機嫌な、無関心。好色。高慢。初期のせん妄、暴力、多弁、またはわいせつさを伴う。痛みの間のせん妄。うつ、頭が垂れる、ふさぎこんで、黙って座る、独りになりたい。祈る、のろう、甲高い声を出す。物を引き裂きたい、切り刻みたい衝動。躁病と寡黙さが交互に現れる。精神障害。深い後悔。何か悪いことが起こるであろうという思い込み。多忙で落ち着いていられない。家から当てもなく

さまよう。人をだます、決して真実を言わない。月経前に誰にでもキスをする。社会的地位に絶望する；不運であると思う。歌う、口笛を吹く、笑う。あちこちと走る。仮病、想像妊娠。産褥性躁病。女子色情症；誰にでも抱きつく、物にでも。宗教マニア。誰かの悪口を言う、小言を言う。激しい苦悶、死への恐怖。自らの救済を絶望している。世界が燃えていると想像する。自分の糞便をのみ込む。非常に横柄な考えと行動。想像上の疾患。

頭部：額の冷や汗；すべての疾患に伴う。激しい痛みで絶望的になる、＞寒さ。頭頂に、氷の塊があるかのような感覚。頭痛；吐き気、嘔吐、青白い顔、下痢、利尿を伴う。額をこする。頭髪は剛毛、痛い。頭を冷風が吹き抜けているように感じる。頭痛時に頭頂がかゆい。

目　：黒ずんだくま。上目がち。赤みを伴う流涙。まぶたの乾燥と重み。

鼻　：鼻の前がにおう。鼻先が氷のように冷たい。上を向いた鼻。鼻出血、右の鼻孔から、睡眠中のみ。

顔　：寝覚めは死人のように青白い、**青みがかった**、縮んだまたは歪んだ、しかめっ面、冷たい；おびえたような顔。ほお（左）が赤い、焼けたかのよう。かむとき顎がカチカチいう。開口障害。唇が青い；垂れ下がる。

口　：歯痛。歯がまるで鉛が詰められているかのように重い。歯ぎしり。舌が冷たい、青白い、ペパーミントのようなひやりとした感触。ペパーミントのような味。舌足らずの話し方、どもる、まるで舌が重すぎるかのよう。口の乾燥、塩辛い唾液。水が苦い。

喉　：乾燥、こすり落ちられるような感覚、またはざらざらした感覚。水を飲むと食道に落ちていかずに外側に流れるような感覚。

胃　：焼けるほどの喉の渇き、**氷水を欲求**、飲み込んだとたんに嘔吐；何でも冷たいものを欲求、果汁の多い果物と塩を欲求。泡を吐く、またはおくびで出す。**下痢を伴う嘔吐**、**激しいむかつき**。熱い飲み物を飲んだ後の<u>しゃっくり</u>。食事中の吐き気、むかつきを伴わずに喉

を通すことができない。嘔吐＜飲むこと、ささいな動作。冷たい呑酸。あらゆる果物への不耐、痛みを伴う膨張を引き起こす。吐き気と嘔吐にもかかわらず、空腹感に悩まされる。むさぼり食うような食欲。イモと緑色野菜への不耐。肉を食べる、乳を飲む＞。

腹部：嘔吐時の収縮で痛む。みぞおちの灼熱感。沈むような、空っぽの感覚。灼熱感または冷たい感覚。水っぽい、緑色の、無臭の、無色（米のとぎ汁）のような便、または大きな塊で、疲れ果てて、冷や汗が出るまでいきむ。暑い日に冷水を飲んだことによる下痢。腹膜炎。腸重積症。逆ぜん動運動。**切られるような疝痛**、まるで腸がねじれて結び目になっているような感覚、**四肢のひきつりと、急速な疲はい**を伴う。コレラ病、小児コレラ。みぞおちの痛み。熱い炭のような感覚。授乳中の乳児の便秘、または寒い天候からの便秘。リボンのように薄い、平たい便。

泌尿器：量の少ない、赤茶色の尿。濃厚な、緑色がかった、抑圧された、咳に伴って不随意に出る尿。

女性：月経前の、失恋による、満たされない情熱による、分娩時の女子色情症。子宮脱、身体の冷たさ、下痢、冷や汗、わずかな動作で気が遠くなる症状を伴う月経困難症。子癇。産褥性躁病。月経は、早すぎる、多量すぎる、または抑圧。吐き気、嘔吐、下痢を伴う月経過多。

呼吸器：空気が熱すぎるように感じる。喘息、＜湿った冷たい天候、＞頭を後ろに倒す。喉から肺にかけてむずむずする。吐き気を伴う絶え間ない激しい咳、＜冷たい飲み物。胸部のガラガラいう音。放置されたゼーゼーいう咳、合併症を伴う。おくびを伴う、ほえるような咳、＜暖かい部屋。咳を伴う尿失禁。**失声**。寒いところから暖かい部屋に入ると出る咳。

心臓：弱い。切られるような痛み。舞踏病に伴う目に見える拍動。間欠脈、弱い脈、遅い脈、糸様脈。血管を流れる血液が冷水のよう。

首・背中：首が弱い、子どもは、首をまっすぐ立てていることさえ難しい、＜ゼーゼーいう咳、＞動作。仙骨周辺の打撲したような感覚。

四肢：上腕の神経痛、腕の麻痺と打撲したような痛み。腕のかすかに燃えるような感覚、右から左にかけて。腕が充満してはれたよう。手と手指のちくちくする痛み。排便時の**ふくらはぎのひきつり**。脚の電撃的な痙動、座って脚をだらりとさせなければならない。衰弱による麻痺からの歩行困難。足や膝の痛みは、まるで重たい石が患部にくくりつけられているかのよう、動き回らなければならない。氷のように冷たい足。

皮膚：皺。焦げたように感じる。青い、冷たい。

睡眠：夜、震えて目が覚める。おびえたように、ぎくっとする。

熱：<u>全身の冷たさ</u>。氷のように冷たい頭頂、鼻、舌、口、四肢、汗。飲み物を飲むとき、表面が冷たく、内側は熱い。発熱は、外側の冷たさを示すだけである。喉の渇きを伴ううっ血性の悪寒。

補完レメディー：Carb-v.

関連レメディー：Ars., Camph., Cupr., Cyanides., Tub.

Veratrum viride   アメリカホワイトヘルボア

総体的症状：green American helleboreは、吐き気、嘔吐、衰弱を伴う脳底部、**骨髄**、**肺の激しいうっ血性**の症状を生み出す。胃、心臓、毛細血管も影響を受ける。全身の顕著な不安定感。睡眠中、あちこちで起こるぴくぴくする動き・攣縮 (twitching) や痙攣 (convulsion)；痙攣が起こりそうな、ぐいっとする動きや震え。

筋肉疲労；偽肥大性の筋肉麻痺。全身の拍動。とっぴな動き；よろめく。激しい金切り声を出す痙攣、後弓反張、月経の前後。舌、咽頭、食道、冷たくちくちく刺されるような痛みがある皮膚など、さ

まざまな部位の**灼熱感**。尿毒症。子癇。**突然の症状**。**失神**、疲はい、吐き気。しびれ。腕と脚に、湿った布がある感覚、または、衣服がしっくりこない、どこかがちくちくするような感覚。血気盛んな、多血症の人に適合する。日射病の影響。血圧を下げる。子どもは恐怖を感じたかのように震える、痙攣発作の寸前に。舞踏病、ぴくぴくする動き・攣縮、ねじれ、睡眠に影響されない；口唇の泡。頭が絶え間なくびくっと動く。性的興奮。頭を低くして横たわる。

悪化：**起き上がる**。動作。寒さ。あおむけに横たわる。出産後。日射病。

好転：さする。頭を低くして横たわる。食事。

精神：多弁、精神の高揚を伴う。けんかっ早い。すさまじいせん妄－叫ぶ、わめく、殴る、ひっきりなしにしゃべる。産褥性躁病。撮空模床。主治医に会うのが怖い、毒を盛られることへの恐怖。疑念。

頭部：吐き気と突然の疲はいを伴う頭痛、＞目を閉じて頭を休める。頭部の退縮。常に頭を動かす、うなずく（舞踏病）；起き上がると拍動する。頭頂と目の間の痛み。視界のくらみと散大した瞳孔を伴う、後頭部を上昇する痛み。脳底髄膜炎。脳卒中。

目：視覚；赤い斑点、紫色、目を閉じるとき；視界が定まらない。散大した瞳孔。狂暴、凝視、せん妄時。充血。

耳：素早く動くことによる難聴、気の遠くなる感覚を伴う。冷たくて青白い。

鼻：とがって青い。立て続けのくしゃみ、口の中を虫にかまれたような感覚を伴う。

顔：紅潮。**鉛色**、**むくんだ**、起き上がって座るときに**気が遠くなる**。ほお骨の辺りが突っ張る。顔面筋の攣縮。顎のそしゃく運動。

口：片方の口角が引き上がる。まるで漂白されたような舌の白さ；乾燥；**中央下よりに赤い筋**。精液のにおいのような味。クロロホルムかエーテルのような口臭。臭い。口がやけどしように感じる。

喉：食道の灼熱感；食道炎。ボールがこみ上げてくるような感覚。

胃 ：非常に喉が渇く、少量飲む、それにより、短時間だけ癒される。しゃっくり、痛みを伴う、激しい、絶え間ない、食道の痙攣を伴う。吐き気、嘔吐と下痢を伴う、ほんのわずかな飲食物でもすぐに排出される。吐き気を伴わない**激しい嘔吐**。胃が脊椎を圧迫しているように感じる。

腹部：骨盤のすぐ上の辺りの痛みとひりひり感。へそ周辺から鼠径部にかけての切られるような痛み。腸の痛みが陰嚢にひびく。直腸のしぶりと灼熱感、＞排便中、排便後。高熱を伴う腸炎。

泌尿器：混濁した沈殿物のある少量の尿。発熱を伴う膀胱炎。

女性：有痛性排尿困難を伴う月経困難症。頭のうっ血を伴う抑制月経。硬い子宮口。産褥熱、痙攣；躁病を伴う、または痙攣がやんだ後も躁病が続く。

呼吸器：肺のうっ血。**ゆっくりした、荒い息づかい**、胸部に重荷があるかのよう。呼吸困難。出はじめから激しい咳。肺炎。胸部の灼熱感。

心臓：鈍痛；灼熱感。**充実性の脈、大きい脈、軟脈、または遅い脈**、強烈で激しい鼓動を伴う。全身の拍動、右大腿が最も激しい。

首・背中：首と肩の痛み；灼熱感。頭をまっすぐ支えられない。後弓反張。

四肢：脚、足、足の裏、手指、足指のひきつり。手の小水疱。四肢の激しい電気ショックのような衝撃。攣縮。関節丘の痛み。大腿で感じる拍動。せん妄時の落ち着きのない手。

皮膚：皮膚のうずきとちくちくする感覚。さまざまな部位のかゆみ、＞さする。冷たい、じとじとした、青みがかった。脳疾患に伴う丹毒。

睡眠：昏睡。不眠。溺死する夢、水の中にいる夢。

熱 ：超高熱、または、発汗を伴う素早く変動する体温。冷たくじっとりした、または熱い汗。**流行性脳脊髄膜炎**、化膿性の、急性リウマチ熱。

関連レメディー：Acon., Gels.

Verbascum ビロウドモウズイカ

総体的症状：ビロウドモウズイカのオイルは、難聴や耳痛に局所的に効果があるといわれる花からつくられる。このレメディーは、**神経**、特に第5神経の下顎枝、耳、気道、膀胱と、左側に際立った効果がある。神経、気管支、泌尿器の過敏状態を鎮静する。カタルとかぜ、痙攣性の症状、神経痛を引き起こす。引き裂かれるような、縫われるような、**痙攣性の**、絞られるような、**押しつぶされるような**、**麻痺するような痛み**。

悪化：すき間風。気温の変化。かぜのたび。午前9時から午後4時。1日2回、同じ時間に。話すこと。いびき。接触。

好転：深呼吸。

目　：眼窩の痙攣からくるかのような目の痛み。

耳　：難聴。耳痛。水が入ったことによる難聴、水泳中のような、または、弁によって遮られたかのような難聴。無感覚（左）。

鼻　：コリーザ、熱い流涙を伴う。

顔　：顔面痛、＜歯を押し合わせる、わずかな動き。ほお骨の痛み。

口　：多量の塩味の唾液。

腹部：塊があるような感覚。へそ周辺のねじれ。痔は排便の妨げになる、かゆい、炎症を起こす。

泌尿器：夜尿症、＜咳。

呼吸器：嗄声；声がトランペットのように響く。トランペットのように響く深い空咳、＞深呼吸。神経性の咳、目覚めない。

関連レメディー：Acon., Plat., Sep.

Vespa crabro　モンスズメバチ

総体的症状：スズメバチは、**真っ赤に焼けた針で刺されたかのような、刺されるような、焼けるような痛み**を引き起こす。痙攣、意識の喪失、話しかけられても、返事をしない、虚空を見つめる、発作の記憶がない。
悪化：熱いストーブ、締め切った室内。
好転：冷水で手を洗う。

Viburnum opulus　水ニワトコ

総体的症状：一般名のcramp bark（痙攣と叫び声）からわかるように、このレメディーは、全身の**ひきつり**、激しい痙攣性、神経性の症状、特に卵巣や子宮に起因する**女性**の症状を引き起こす。痛みのせいで、患者は非常に神経質になり、じっとしていられない。出血。背の高い、やせた、髪の色が明るい、または黒っぽい、ヒステリックな患者に適合する。症状は左側に出る。骨盤の疾患の場合、あらゆるところが不調。痙攣後の麻痺症状。
悪化：恐怖。**月経前**。冷たい雪交じりの空気。左側を下にして横たわる。突然の振動。締め切った室内。
好転：休息。圧迫。外気。
精神：非常に神経質で過敏。
頭部：めまい、＜階段を下りる。起き上がるときに気が遠くなる。激しい押しつぶされるような痛み＜左の頭頂部、頭が開閉するかのような感覚を伴う。
目：眼球のひりひりする感覚。

顔：紅潮して熱い。
胃：絶え間ない吐き気、＞食事。食欲がない。
腹部：下腹部の**耐えがたい**ほどの、**痙攣性**の、疝痛様の痛み、または、重苦しい疼痛、＞月経。
泌尿器：頭痛時、月経時、出血時の**多量**で**頻繁な排尿**。咳をするとき、歩行時に、尿を我慢できない。痙攣性の排尿困難。
女性：遅すぎる、微量の、ほんの数時間しか続かない、臭い月経。月経困難症、鼓腸、大きなおくび、神経質を伴う。痙攣性の、膜様月経困難症。骨盤の、重く、うずく感覚、または**耐えがたいほどのひきつり**、＞月経。頻繁に生じる、かなり早期の**流産**、不妊になりうる。仮性陣痛。激しくしつこい後陣痛。**子宮出血**。濃厚な、白い、血筋の入った帯下、＜排便時。内部生殖器を意識する。膜が破れる前に与えると、流産を防止する。子宮の痛みが骨盤周辺を動き、しばしば大腿に広がる。骨盤内臓器が上下反転する。
呼吸器：夜の**窒息発作**、＜寒さ、湿気。小児喘息。
首・背中：疲労による背中の痛み、＞圧迫。腰痛、＞つえをついて歩く、または腕を後ろに組んで歩く。背中の痛みは、**子宮痙攣になる、または大腿にひびく**。
四肢：月経前のふくらはぎの疼痛性痙攣。
皮膚：ほお、腕などの部分的な皮疹。
関連レメディー：Caul., Puls., Sep.

Vinca minor　　小ニチニチソウ

総体的症状：皮膚と髪に影響を与え、子宮出血にも効果がある。多くの疾患に伴う衰弱と疲はい、まるでもう死ぬかのような。激しい精神活動は震えるような感覚と、びくっとする傾向を引き起こす。

悪化：嚥下後。怒り。かがむ。歩行。
頭部：頭皮の吹き出物からの臭い滲出液、髪をもつれさせる。頭皮の腐食性のあるかゆみ。糾髪病（もつれた髪）。短い羊毛のような髪に覆われたはげ。髪が抜け、白髪に生え変わる。
鼻　：少し怒っただけで赤くなる。鼻がひりひりする。頻繁な鼻出血。
喉　：食道下方の切られるような痛み、嚥下を誘発する。
女性：多量の経血；とめどなく流れ出る；多大な衰弱を伴う；閉経期の。子宮の受動性出血、閉経後、かなり時間がたってからの。出血性子宮平滑筋腫。
皮膚：非常に過敏、わずかにこすっただけで赤くなり、ひりひり痛む。臭い、分厚い痂皮の混じった湿潤性湿疹。腐食性のあるかゆみ。
関連レメディー：Ust.

Viola odorata　ニオイスミレ

総体的症状：ニオイスミレは、かなりの**神経衰弱**を引き起こす。耳、目、手首（右）と皮膚に影響を与える。**目、耳、腎臓**の複合**症状**。子どもの寄生虫による疾患。緊張。背の高い、やせた、神経質な少女に適合する。神経活動、その後の突然の極度の疲労。
悪化：曇りの天候。冷気。音楽。思春期。分泌物の抑圧。
精神：めそめそする傾向、何が理由かわからない。音楽、特にバイオリンを嫌悪。子どもっぽい行動；落胆；拒食；低いやさしい声で話す。
頭部：頭皮のぴんと張った感じが顔の上半分にも広がる。額を横切る、まゆ毛の上の頭痛；眉をひそめなければならない。額の灼熱感。
目　：目（左）から頭頂にかけての痛み、＜咳。脈絡膜炎。幻覚－火花を散らすような、ヘビのように旋回する。目の痙攣。実際に眠くないのに、目が閉じる傾向。

耳　：眼球の痛みを伴う疾患。出生時から再発する耳漏。難聴。
鼻　：鼻先がまるで殴られたようにしびれる。
胃　：肉を欲求。
腹部：肛門のかゆみ。寄生虫。
泌尿器：乳白色の尿、強いにおいを伴う。神経質な子どもの夜尿症。
女性：妊娠中の呼吸困難。
呼吸器：重りがあるかのような胸部の圧迫感。呼吸困難、不安と動悸。長く続く咳の発作、日中のみ、呼吸困難を伴う。
四肢：肩が冷たい。三角筋と特に女性の手首（右）のリウマチ。四肢の震え。手指の骨の圧迫されるような痛み。
皮膚：乾燥、手のひらは湿っている。
睡眠：眠気を伴わないあくびと伸び。
関連レメディー：Puls., Spig.

Viola tricolor　サンシキスミレ

総体的症状：このレメディーは、主に頭皮と泌尿器に作用する。皮膚疾患と泌尿器の疾患の合併。乳痂、湿疹の抑圧後の神経発作。
悪化：痛みのある側と反対側の圧迫。冬。冷気。
頭部：ひび割れ、髪をもつれさせる、多量の粘着性の黄色い液体をにじみ出させる、頭皮のゴム状の痂皮、頸部の腺の腫脹を伴う。乳痂。
泌尿器：臭い尿；ネコの尿のようなにおい。夜尿症。
男性：鮮明な夢に伴う射精；排便時の射精。かゆみを伴う包皮の腫脹。
四肢：関節リウマチ。関節の周囲の疥癬のような発疹。
皮膚：子どもの湿疹。膿痂疹。腺病質の子どもの全身にできる大きなせつ。
関連レメディー：Rhus-t.

Vipera　クサリヘビ

総体的症状：この一般的なドイツの毒ヘビの毒は、特に**血液**と**血管**に影響を与える。**静脈**は、炎症と<u>出血を起こしやすい</u>。麻痺は上昇性；対麻痺、足の。多発性神経炎。灰白髄炎。**破裂しそうな感覚**。閉経期の疾患。甲状腺腫。

悪化：<u>四肢をぶら下げる</u>。毎年。寒さ。接触。天候の変化。

鼻：めまいを伴う**鼻出血**、授乳中。

口：はれ、茶色みがかった黒い舌、突き出す。青い、はれた唇。発語困難。顔のはれ。

喉：甲状腺腫のようなはれ。声門の浮腫。

腹部：みぞおちの**耐えがたい**ほどの痛み、＜圧迫。肥大した肝臓の激しい痛み、肩や臀部に広がる。発熱を伴う黄疸。

泌尿器：血尿。

女性：閉経期の出血、赤い血流に黒ずんだ凝血塊、継続的、疲はいと気が遠くなるような感覚を伴う。授乳による出血。

四肢：**充満感**と、まるで四肢が破裂するかのような耐えがたい痛み、患部を上に上げていなければならない、足を高く上げて座る。下肢のひきつり、または青さ。足の麻痺から生じた引きずり歩行。静脈瘤と急性の静脈炎。

皮膚：潰瘍。壊疽。せつ。破裂しそうな感覚を伴う癰。大きく皮がむける。リンパ管腫。

関連レメディー：Elap.

Viscum album ヤドリギ

総体的症状：ヤドリギは、神経と女性生殖器に影響を与える。すべての筋肉が、線維性収縮をしているかのような全身の震え。神経痛。恐怖に起因する舞踏病。子宮に起因する脊髄の痛み。てんかん、足から頭に上昇してくるほてりを感じる。痛風性、リウマチ性疾患。血液は固まらず、傷は癒えない。耳漏を伴う坐骨神経痛。

悪化：冬；寒い、嵐の天候。動作。左側を下にして横たわる。熱いときに冷える。月経の抑圧。

精神：電話恐怖。

頭部：絶え間ないめまい、てんかん発作の後。頭頂の突然の拍動。

腹部：誰かが腰から引きずり下ろそうとするような感覚。腰周辺のひりひりする痛み。

泌尿器：乳白色の尿；立った後。

女性：不正子宮出血、部分的に鮮やかで、部分的に黒ずんで凝血のある血。

呼吸器：左側を下にして横たわると、窒息感がある。痛風やリウマチと関連した気管支喘息。

心臓：男性の場合、性交中の動悸。心肥大。低血圧。

四肢：引き裂かれるような、撃ち抜かれるような両大腿と上肢の痛み。耳漏を伴う坐骨神経痛。手の甲と足の甲をクモがはうかのような感覚。踵に、真っ赤に焼けた石炭を押し当てられたかのような感覚。足から頭にかけてのほてり感。冷えからの腰痛、誰かに背中を押してほしい。

関連レメディー：Bufo.

Xanthoxylum　アメリカサンショウ

総体的症状：アメリカサンショウとして知られ、神経、女性生殖器、呼吸器系、そして左側に影響を与える。単一部位の麻痺、片麻痺。突然のすり砕かれるような、撃ち抜かれるような、放射状に広がる痛み；神経痛。やせて、衰弱した、吸収の悪い、不眠症を患う、神経衰弱症の患者。ちくちくする感覚；電気のようなショック。左側のしびれ。粘膜が、まるでトウガラシによるかのようにひりひりする。歩行時に、床がまるで毛織物のように柔らかく感じる。

悪化：睡眠。湿気。足がぬれる。月経の抑圧。

好転：嘔吐。横たわる。氷水を飲む。

精神：神経性の恐怖感。自分が生きようが死のうが気にならない。

頭部：ずきずきする頭痛；まるで頭頂が飛び去りそうな感覚。頭が2つに分かれていると思う。窮屈なベルトで周囲を締めつけられているように感じる。

喉：口と喉のコショウのような味。空洞感。

胃：過剰な飲食による消化不良。

女性：臀部と下腹部の痛みを伴う卵巣の神経痛。激しい、**もだえ苦しむ、過酷な、月経困難症の痛み**、どんな姿勢をとっても好転しない；痛みは大腿へ向かう、または全身に放射状に広がる。悪露と特徴的な痛みを伴う後陣痛。早すぎる、多量の月経、ほとんど真っ黒に見える濃厚な血液。月経の代償としての帯下。無月経。

呼吸器：絶え間ない深呼吸をしたい欲求。胸部の圧迫感。昼夜の乾性の咳。

四肢：月経前の大腿のひりひりする痛み。四肢の神経性の撃ち抜かれるような痛み。片麻痺（左側）。坐骨神経痛、＜夏。非常に敏感な尾骨、引き伸ばされたように感じる。

睡眠：飛ぶ夢。

関連レメディー：Ars., Lach.

Zincum metallicum 亜鉛

総体的症状：このレメディーは、**神経と脳**の中毒に対応する。**神経は疲弊している**。組織は修復されるより早く摩滅するため、抑うつと**神経衰弱**が生じる。物を捨てることができない、発疹や分泌物を出すことができない。**疾病における抑うつ期**。著しい貧血；ますます衰弱する、落ち着きのなさを伴う＜食事。分泌物や発疹の抑制による中毒。**孤立性の症状；蟻走感**。ある部位は麻痺し、別の部位は敏感、ある部位は熱く、別の部位は冷たい。皮膚と肉の間に点在する痛み。内側の震え。痙攣性のぴくぴくする**動き**、びくっとする**動き**、＜睡眠中の夜間。脊椎損傷に起因する**痙攣**。落ち着きのない足。口、腕、手が勝手に動く。横たわると、あらゆる部位がしびれる。帯状疱疹後の神経痛、＞接触。横切る痛み；撃ち抜かれるような痛み。下降性の麻痺。骨の痛みで何もできない。しもやけ、表面の青み。血の混じった分泌物。悲しみ、怒り、恐怖、不眠、外科手術、勉強しすぎの悪影響。特に足の舞踏病、恐怖、または発疹の抑圧に起因する、＜睡眠中。脳振とうの悪影響。

悪化：**極度の疲労**、精神的、身体的。**雑音**。**接触**。ワイン。温まった後。発疹、月経、分泌物の抑制。甘いもの。乳。食後。

好転：**動作**。強い圧迫。暖かい外気。**大量の分泌物**、月経など。こする、引っかく。食事。

精神：答える前に、すべての質問を繰り返す。仮想の犯罪で逮捕されることを恐れる。気難しい、不機嫌；いら立つと、または睡眠中に動かされると**泣く**（子ども）。すぐにびっくりする；興奮する、または

酔う。**忘れっぽい**。痛みで叫ぶ。会話、仕事を嫌悪。ほかの人の話し声や雑音に**敏感**。目覚めたときに、おびえているかのようにじっと見つめ、頭を横に振る。混乱。精神疲労。怒りでめそめそ泣く。昏睡状態。穏やかに死について考える。

頭部：知覚麻痺を伴う激しいめまい。激しさの変化する**頭痛**。**頭頂、鼻の付け根の圧迫されるような痛み**、目に広がる、弱視を伴う、＜暖かさ、＞強い圧迫、外気。こめかみの重くうずくような痛み、＜かむ。後頭部から背中に引き下げられる感覚；後頭部を殴られたような感覚、その後の脚の衰弱。入睡時の頭の中の衝突音。頭を横に揺り動かす、枕に埋める、歯ぎしり。後頭部が熱い、額が冷たい。頭頂の抜け毛。傷みやすい髪、剛毛、敏感な髪。脳性麻痺。頭皮の痛みを伴う頭頂のはげ。重圧をかけられている学生の頭痛；ワインを少量飲んだことによる頭痛。視界のぼやけを伴う頭痛、＜熱。髄膜炎。小児コレラ、または下痢後の水頭症。

目：まぶたと内眼角のかゆみとひりひりする痛み。結膜炎、＜内眼角。引っ張られるように感じる。食事中の流涙。翼状片。ぎょろ目。斜視。術後に、発光体が見える、または強烈な灼熱感。

耳：少年に頻繁にみられる急性の刺されるような痛み。臭い膿の耳漏。かゆみ、＞ほじる。

鼻：はれ。鼻の付け根の圧迫感。乾燥、ひりひりする痛み。

顔：青白さと赤みが交互に生じる。青みがかった；悲惨な。べたべたする、乾燥した、ひび割れた唇。

口：歯ぎしり。歯茎の出血。話し声の反響。海水浴に起因する口唇ヘルペス。苦い味、または血の味。

喉：嚥下時に、喉の外側の筋肉の痛み。あくびをするときの口峡の痛み。苦い味。

胃：午前11時の貪欲な空腹感。胸やけ、＜砂糖。非常に慌てて飲食する、十分早く食べることができない。食欲不振、きれいな舌を伴

う。みぞおちから喉のほうに寄生虫がはい上がってくるかのような感覚で、咳をする。甘いものが喉に上がってくる、甘い味がする。みぞおちからヒステリー球が上がってくる。肉、特に羊肉を嫌悪、甘いもの、調理されたもの、または温かい食べ物を嫌悪。ワイン<、液体は、飲むやいなや嘔吐。

腹部：肝臓またはへそ周辺に塊があるかのような感覚。下腹部の鼓腸。肝臓の肥大、硬化、ひりひりする痛み。遊走腎による反射症状。痔が下方に引っ張られる、>熱、<歩行。便；大きい、乾燥、排便困難、不随意の排尿が後に続く。排便時の肛門のかゆみ。痔の潰瘍形成。子どものコレラ様の下痢。神経性の下痢。下痢を突然止めたことによる脳疾患。新生児の便秘。熱い、腐敗臭の放屁。神経痛；脾臓の；肋間筋の。鼠径部から陰茎にかけてのびくっとする動き。

泌尿器：激しい尿意促迫、しかし、背中を反らす、脚を組むなどの奇妙な体勢でしか排尿できない。ヒステリー性の尿閉。排尿後の出血。腎臓周辺の圧迫されるような、切られるような痛み。足を常に動かしていない限り、尿を我慢できない。遊走腎。歩行中、咳またはくしゃみによる不随意の排尿。月経の抑圧による代償性出血。

男性：簡単に性的に興奮する；早すぎる射精、または性交中の射精困難。原因のない前立腺液の分泌。咳をしながら、生殖器をつかむ。陰毛が抜ける。射精後の悲哀。収縮を伴う精巣の腫脹。精巣の神経痛、<歩行。

女性：性欲亢進。月経中に、マスターベーションの欲求。出産の床についている女性の色情症；悪露の抑圧から。多量の塊を含む経血。経血は、夜間によく流出する。マスターベーションを引き起こす、月経時の外陰部のかゆみ。妊娠中の静脈瘤。乳房の痛み、乳頭がひりひりする。すべての症状は経血の流出中に好転。卵巣（左）の痛み。落ち着きのなさ、悲しみ、体の冷たさ、脊椎の敏感さ、落ち着きがない足－これらすべての症状は、女性の疾患にみられる。月経の抑

圧に伴う乳房と生殖器の痛み。
呼吸器：呼吸困難、＜鼓腸、＞喀痰。消耗性の、痙攣性の咳、＜甘いものを食べる。胸部の収縮。月経前と月経時の乾性の咳。子どもは、咳をしながら性器をいじる。
心臓：心臓にふたがされているような感覚。激しい鼓動。心臓の不規則で痙攣性の活動；ときどき、一度大きく打つ。熱のあるときの激しい動悸。
首・背中：書くことや、精神活動による、首の付け根の疲れ。首が不自由に感じる、その後の知覚麻痺。**全脊椎に沿った灼熱感、＜座ること。脊椎、腰のくびれの痛み**、＜寝返りを打つ、座ること、または座る動作、かがむ。脊椎が敏感、接触に耐えられない。肩甲骨間の切られるような痛み、＞おくび。最終頸椎または第一腰椎の鈍痛。腰部の衰弱、＜立つこと。
四肢：熱せられると、四肢が痛む。書くときの手の衰弱と震え、月経時の。手の湿疹。特に上腕の横方向の痛み。**手足を動かさずにいることができない**。寒いときのひきつり。足の指が、はれて、ひりひり痛む；指先の痛み。敏感な足の裏。足の骨が折れたように感じる。つまずく、痙性歩行；暗闇のなかを歩くときや、目を閉じて歩くと、よろめく。慢性の、痛みを伴う静脈怒張。脊髄癆の稲妻のような痛み；汗ばんだ足とひりひり痛む足指。皮膚の上を虫がはっているかのような足と脚の蟻走感、眠りを妨げる、＞こする、圧迫。ヒステリー性の収縮、手指が不格好になるほど引っ張られる。脛骨の灼熱感。足の麻痺。踵の潰瘍性の痛み、＜歩行。三角筋の痛み、＜腕を上げる。
皮膚：大腿と膝のくぼみのかゆみ。湿疹；貧血および神経症患者の；手の湿疹。脚と生殖器の静脈瘤。蟻走感。
睡眠：切れ切れの、爽快さを欠く。睡眠中に大声で叫ぶ、それに対する自覚はない。入眠時に、びくっと動く、びっくりする。感情の抑圧後

の夢遊病。
熱　：発熱しそうな背中の悪寒。手脚が冷たくなる。夜間の多量の発汗。汗ばんだ足。
補完レメディー：Puls., Sep., Sulph.
関連レメディー：Hep., Ign., Kali-p., Lach., Pic-ac.

Zinc arsenite　ヒ酸亜鉛

総体的症状：**腰部**と下肢にかかわる。舞踏病。少し激しい活動をしただけで、激しく消耗する。後頭部の痛み。視界が青く見える。膀胱の灼熱感。右手、その後、左手がしびれる。＞書くこと。腰痛＜**激しい活動**、座ること、振動、または立っていること。疲労時には踵が痛む。＞圧迫。

悪化：午前10時から午後3時。ほんのわずかな激しい活動。

Zinc chromate　クロム酸亜鉛

総体的症状：耳・鼻・喉の左側に作用する。うずくような、かじられるような、すり砕かれるような痛み。遊走性の、ショックのような痛み。運動を抑制する縫われるような痛みで動作が妨げられる。

悪化：**動作**。あおむけに横たわる。頭を洗う。
精神：働くことを嫌悪、働くことができない。
頭部：脳の部分的な、内側に向かう圧迫感。こめかみがずきずきする。
目　：視界が揺れる。
耳　：耳の後ろがずきずきする。
鼻　：鼻の中の悪臭。鼻をかんで、膿と血とかさぶたのようなものを出す。

口　：金属の味。
胃　：欲求があいまい、何がほしいのかわからない。食べ物のことを考えることすらも嫌悪。
腹部：腹に手を置くことに耐えられない。
女性：腟の乾燥、病気になるような感覚を伴う；午前10〜12時。
呼吸器：喉のくぼみのむずむず感からくる咳。喀痰は甘い、緩い、しかし、のみ込まなければならない、あるいは、途切れにくく、唾液と一緒に吐く。咽頭（左）から扁桃を通り耳に至る撃ち抜かれるような痛み。
心臓：心尖の切られるような痛み；夜間の。
背中：左肩甲骨の上下のかじられるような痛みとすり砕かれるような痛み。
四肢：足がひりひりする。足指のかじられるような、すり砕かれるような痛みを伴うひきつり；夜間の。
関連レメディー：Puls.

Zinc iodatum　　ヨウ化亜鉛

総体的症状：心臓弁と神経が影響を受ける。痙攣性の痛み、ぎくっとする痛み、とげのような痛み。浮かんでいるような感覚。波打つような痛み。
悪化：何を読んだのか記憶するのが困難。
頭部：めまい、＜左側を下にして横たわる。
鼻　：夜間の鼻づまり。鼻をかんで、濃厚な黄色い塊を出す。熱く、乾いている。
喉　：甲状腺腫が内側に圧迫する。とげのような痛み。
胃　：胃と腸の冷感、発汗傾向を伴う。

呼吸器：喉のむずむずする感覚、咳をすればするほどむずむずする。右の浮遊肋の波打つような痛み。
心臓：左側を下にして横たわるときの動悸。心筋疲労。
四肢：下肢がまるで浮遊しているかのよう、＜左側を下にして横たわる。
関連レメディー：Stict.

Zinc phosphate　リン酸亜鉛

総体的症状：ビジネスマンの抑うつ、倦怠感、脳の疲れ（精神疲労）のためのレメディー。性的興奮と睡眠不足。神経質。麻痺。てんかん。臭化カリウムの乱用。忘れやすい、怠惰、危惧、＜午後と夜間。全身の蟻走感。神経性めまい、＞横たわる。

Zinc sulphate　硫酸亜鉛

総体的症状：角膜の白濁を除去する。震えと痙攣。

Zinc valerianate　吉草酸亜鉛

総体的症状：神経、卵巣、脊髄に影響を与える。痛みを伴う神経性の症状。神経痛。過敏、神経質で不眠。ヒステリー。しつこいしゃっくり。前兆を伴わないてんかん。
好転：こすること。
精神：興奮しやすい。苦悩。いわれのない恐怖。
頭部：激しい、神経痛性の、間欠性の頭痛。

耳　：左耳がくすぐったい。
顔　：顔面痛。
口　：午前中の酸っぱい味覚。食べようとすると、息が詰まる。
腹部：腹部から大腿、足にかけて痙攣性の痛みが走る、月経中と月経後。
　　　月経困難症、痛みは大腿を下降する。
背中：痛み。
熱　：精神的興奮、または激しい活動後の悪寒。冷えた部位が温まるにつ
　　　れて、灼熱感を帯びる。

Zingiber　ショウガ

総体的症状：消化管に影響を与える。メロンを食べたこと、不衛生な水を
　　　　　　　飲んだことによる疾患。胃に起因する喘息、＜朝にかけて。腸チフ
　　　　　　　ス後の尿の抑圧。朝、多量の喀痰を伴う乾性の咳。あらゆる関節の
　　　　　　　衰弱感。長時間立っていると踵が痛む。

Zizia　パースニップ

総体的症状：顔面と四肢の筋肉の痙攣性の動き。睡眠中の舞踏病性痙攣。
　　　　　　　心気症、自殺願望。

〈著者紹介〉

S. R. Phatak

1896年9月16日生まれ。
1924年、Grant Medical College 卒業（M.B.B.S.）

アロパシーに満足せず、しばらくの間、アーユルヴェーダを実践する。アーユルヴェーダを実践している途中で、生薬学に出会い、アロパシーに戻る。この期間は「セラピューティック虚無主義」の期間として知られている。1932年にホメオパシーの実践を開始するが、そのとき以降、ホメオパシーの実践にのみ専念する。彼の編集した生化学医学レパトリーは、1937年に出版された。8年間の研究の後、マラーティーで『ホメオパシーのマテリア・メディカ』を執筆した。また、見出しをアルファベット順にした『ホメオパシーのレパトリー』を編纂した。ホメオパシーのマスターたちの中で、Dr. C. M. Boger から最も影響を受けていた。実際、もし彼が、ホメオパシーをするために1冊の本を選ぶとしたら、Dr. Boger の『Synoptic key』を選ぶだろう。

〈監訳者紹介〉

由井寅子 （ゆい・とらこ）

Hon. Dr. Hom / Ph. D. Hom（ホメオパシー名誉博士・ホメオパシー博士）
FHMA（英国ホメオパシー医学協会名誉会員）MJPHMA・MHMA・MARH
日本ホメオパシー医学協会（JPHMA）会長
カレッジ・オブ・ホリスティック・ホメオパシー（CHhom）学長

1953年愛媛県生まれ。33歳のとき潰瘍性大腸炎を患うが、ホメオパシーで劇的に改善。その後、英国のホメオパシーカレッジに入学、大学院まで5年間学ぶ。日本人初の英国ホメオパシー医学協会（HMA）認定ホメオパスとなり、英国でホメオパシークリニックを開設。1997年4月に、日本初のホメオパシースクール、HMA認定のロイヤル・アカデミー・オブ・ホメオパシー（RAH）を創設。2007年6月、世界最大のホメオパシー出版社 B. Jain Publishing House が発行しているホメオパシー学術誌『The Homoeopathic Heritage International』の国際アドバイザーに任命される。2007年8月、Registration Consul of Homeopathy UK 主催第3回ドバイ国際コンファレンスで難治性疾患を ZEN メソッドで治癒に導いた22の症例を発表。2009年4月、ベルギーで開催されたホメオパシー国際教育シンポジウムにおいて、日本代表として参加、「医原病へのホメオパシー的アプローチと教育システム」を発表。2010年3月、ドイツの保養地バーデンヴァイラーで開催された第2回ドイツホメオパシー小児コングレスに招聘され、「自閉・多動など発達障害のホメオパシー治癒事例」の学術発表を行い、大きな感動と反響を呼ぶ。2012年4月、アメリカで開催された第7回ジョイント・アメリカン・ホメオパシック・カンファレンスにて、福島の放射性物質レメディーのプルービング結果、医原病治療、インナーチャイルド癒しなどを発表。2012年6月、英国で開催された英国ホメオパシー医学協会（HMA）の夏期セミナーにて「放射能汚染に対するホメオパシー的アプローチ」を発表。2012年11月、オランダにて「Klassieke Homeopathie」が開催するカンファレンス、「Homeopathy against cancer」に招聘され、世界10カ国200名のホメオパスに対し「Zen（禅）メソッドによる癌へのアプローチ」をテーマに発表。大きな反響を呼ぶ。

〈ホメオパシー海外選書〉
ファタックのマテリア・メディカ

2010年5月20日　初版第一刷発行
2013年5月20日　初版第二刷発行

著　者　S.R. ファタック
監　訳　由井寅子
装　幀　ホメオパシー出版（株）
発行所　ホメオパシー出版（株）
　　　　〒154-0001 東京都世田谷区池尻2丁目30番14号
URL　　http：//www.homoeopathy-books.co.jp/
E-mail　info@homoeopathy-books.co.jp

©2010 Homoeopathic Publishing Co.
Printed in Japan.
ISBN 978-4-86347-032-3　C3047
落丁・乱丁本は、お取り替えいたします。

この本の無断複写・無断転用を禁止します。
※ホメオパシー出版で出版している書籍は、すべて公的機関によって
　著作権が保護されています。